Prédictions
Angéliques

2011

L'année de l'entraide

Catalogage avant publication de Bibliothèque et Archives nationales du Québec et Bibliothèque et Archives Canada

Flansberry, Joane, 1960-

Prédictions angéliques 2011 : découvrez ce que les anges vous réservent pour la nouvelle année

ISBN 978-2-89436-262-4

1. Anges - Miscellanées. 2. Prédictions (Occultisme). I. Titre.

BL477.F52 2010   202'.15   C2010-941315-6

Nous reconnaissons l'aide financière du gouvernement du Canada par l'entremise du Programme d'aide au développement de l'édition (PADIÉ) pour nos activités d'édition.

Nous remercions la Société de développement des entreprises culturelles du Québec (SODEC) pour son appui à notre programme de publication.

Infographie de la couverture : Marjorie Patry

Mise en pages : Marjorie Patry

Correction et révision linguistique : Mélissa Lacroix

Éditeur : Les Éditions Le Dauphin Blanc inc.
      6655, boulevard Pierre-Bertrand, local 133
      Québec (Québec) G2K 1M1 CANADA
      Tél. : 418 845-4045 Téléc. : 418 845-1933
      Courriel : dauphin@mediom.qc.ca
      Site Web : www.dauphinblanc.com

ISBN : 978-2-89436-262-4

Dépôt légal : 3ᵉ trimestre 2010
      Bibliothèque nationale du Québec
      Bibliothèque nationale du Canada

Imprimé au Canada

JOANE FLANSBERRY

auteur du best-seller *La Bible des Anges*

PRÉDICTIONS ANGÉLIQUES

Découvrez ce que les Anges
vous réservent pour la nouvelle année

2011

L'année de l'entraide

Le Dauphin Blanc

De la même auteure aux Éditions Le Dauphin Blanc :

La Bible des Anges, 2008
Les Anges au Quotidien, 2009

Je dédie ce livre à ma mère, Pierrette Lesage,
et à mon père, Théo Flansberry;
deux êtres si chaleureusement surnommés
« Memère Berry » et « Pepère Berry ».

Vous m'avez mis au monde. Vous m'avez élevée.
Vous m'avez tout donné.

Que les Anges vous apportent
de nombreux cadeaux d'une richesse inégalée.

Table des matières

Partie III : Les Trônes

Partie IV : Les Dominations

Partie V : Les Puissances

Partie VI : Les Vertus

Partie VII : Les Principautés

Partie VIII : Les Archanges

Partie IX : Les Anges

Remerciements

Je tiens à remercier des personnes exceptionnelles que j'ai eu le privilège de rencontrer et d'apprendre à connaître profondément. Je remercie du fond de mon cœur Monsieur Gratien Proulx pour sa grande générosité. Merci de m'avoir permis de me reposer dans votre maison en Floride et mille mercis de m'avoir offert cette magnifique croisière en compagnie de votre charmante fille Micheline et de son conjoint Marc. Ma belle Mimi, tu es adorable et je t'adore. Merci de me laisser une place privilégiée dans ta vie. « *We are friends forever.* » N'oublie pas qu'on a une mission très importante à faire ensemble : celle de magasiner au Sample et de s'acheter tous les souliers qui nous plaisent! Et ce, au plus grand désespoir de ton conjoint! Marc, tu es un ange. Continue d'être ce petit rayon de soleil qui illumine la vie de Micheline et de tous ceux qui t'entourent. J'ai adoré jouer au golf avec toi. À vous deux, je vous souhaite le meilleur en tout puisque vous le méritez grandement!

Je désire également remercier Chantale Beaupré, une personne exceptionnelle, une vraie bombe atomique remplie d'amour et d'énergie. Merci, mon petit ange, pour toute l'aide que tu m'as apportée. Ton dévouement envers ma cause m'a profondément touchée. Il y a des gens dans ce monde qui possèdent un cœur d'or et tu en es un exemple parfait! Te connaître et te compter parmi mes amies est le cadeau le plus précieux que les Anges m'ont apporté sur ma route.

Un merci chaleureux à deux autres cœurs d'or dont leur aide précieuse m'est d'une grande richesse. Merci aux sœurs Denise Danis et Danielle Proulx. Vous donnez sans regarder et sans demander rien en retour. Vous êtes l'exemple parfait de la bonté et de la générosité.

Un gros merci avec un gros câlin à Pierre Landers, alias « *Peter Pan* », d'avoir mis sur pied ma page Web et de s'en être occupé pendant plusieurs années, et ce, malgré que son temps était limité. Merci de m'avoir donné ce temps précieux. Merci à Charles Mainville pour la création de ma nouvelle page Web ainsi que pour toutes ses idées innovatrices. J'espère que nous allons travailler longtemps ensemble afin de mieux répondre aux besoins des gens via Internet.

J'aimerais également remercier une femme remarquable. Une amie qui se dévoue corps et âme pour m'aider à servir les gens. Cette femme exceptionnelle, c'est Johanne Mireault. Merci, Johanne, pour tout ce que tu fais pour moi. Tu es une vraie amie. Malgré ton horaire chargé, tu prends toujours le temps de m'aider. Que ce soit en répondant à mes nombreux courriels, en m'aidant à organiser mes lancements de livres, en donnant tes idées pour ma page Web, etc. Tu es toujours là. Ma belle Jojo, que Dieu te protège et qu'Il t'apporte tout ce que ton cœur désire. Tu es une amie très importante à mes yeux. Merci d'être à mes côtés.

Un merci tout spécial à Madame Paulette Laurin Gervais pour m'avoir remis le jonc de ma grand-mère maternelle. Ce fut un cadeau très cher et grandement important à mes yeux. Que les Anges vous bénissent, madame, et qu'ils vous apportent des grâces divines.

À mes deux sources d'inspiration qui me permettent de continuer ma mission de vie, mes deux amours, mes filles Mélissa et Véronique. À tous les jours, je remercie Dieu et les Anges de m'avoir donné ce privilège : celui d'être votre mère. Même si je ne suis pas souvent à la maison, vous êtes toujours présentes avec moi, car je vous transporte dans mon cœur. Personne ne viendra déloger la place que vous y occupez. Mon amour pour vous, c'est le battement de mon cœur. Sans cet amour, mon cœur cesserait de battre.

À mon petit papou qui aura bientôt deux ans : te voir grandir est le plus beau cadeau qui puisse m'être donné. Mammy espère avoir le privilège de te voir devenir un adulte comblé. À mes yeux, tu représentes la réussite de ma vie. Un gros merci à Carole Ashby de s'occuper de mon petit-fils afin de permettre à ma fille de réviser mes écrits en toute quiétude.

À ma famille, je vous aime. À mes amies, merci d'être là. À mes employées, que ferais-je sans vous? À mes élèves, merci d'être si dévoués envers moi. À vous tous, que j'ai maintes fois remerciés, je vous remercie encore. Il n'y a pas assez de mots pour décrire le sentiment que j'ai envers votre dévotion et votre amour. Un immense merci à mes Anges pour tous les cadeaux providentiels que vous m'envoyez!

J'aimerais enfin remercier mon rayon de soleil qui me réchauffe lorsque je suis fatiguée et qui me réconforte lorsque je suis triste. Mon rayon d'amour qui remplit ma vie de magie, mon ami, mon confident, mon amour pour toujours, Frédéric Härtl, le « Gisgi » de mes filles…

Avant-propos

vant de commencer votre lecture, j'aimerais clarifier un point important. Il existe une différence entre l'horoscope et les prédictions. L'horoscope regroupe des prévisions basées sur les astres et l'état du ciel à un moment donné, tandis que les prédictions annoncent la possibilité qu'un certain événement puisse se produire. Ce livre contient donc des prédictions. Des prédictions qui s'échelonnent sur une année seulement; soit un laps de temps très court dans la vie d'un individu. Ainsi, lorsque les prédictions sont faites sur un court laps de temps, le coefficent de précision diminue. Lorsque des prédictions s'échelonnent sur plusieurs années, elles deviennent plus justes en raison du facteur temps. Chaque événement majeur qui se produit dans la vie d'une personne est le résultat de plusieurs petites situations et de choix quotidiens. Ainsi, à travers ces explications, je vous mentionne que les prédictions angéliques contenues dans ce livre peuvent s'avérer très justes pour certaines personnes et moins pour d'autres.

De plus, je désire préciser que vous trouverez, dans ce livre, des prédictions positives et d'autres négatives. Certaines personnes croient, à tort, que des prédictions doivent être constamment favorables, voire encourageantes pour aider l'humain à surmonter ses problèmes. La société dans laquelle nous évoluons présentement n'est pas exempte de négatif. Les prédictions résultent des actions faites par l'être humain. Ce qui s'en vient est nécessairement influencé par ce qui se fait présentement et ce qui a été fait il y a plusieurs années. Toutefois, à travers ces principes, le message que vous devez retenir est que les Anges sont là pour aider les êtres humains. Tout au long de votre cheminement, de la naissance à l'âge adulte et jusqu'à la mort, les Anges ont la possibilité de vous assister et de vous épauler, si vous acceptez leur aide.

Anecdote d'écriture

J'aimerais maintenant vous raconter une petite anecdote, liée à l'écriture de ce livre. Pour ce faire, je dois vous réexpliquer brièvement la façon dont je travaille avec les Anges. Lorsque j'écris des livres ou que je donne des conférences ou des cours, je canalise les Anges. Malgré que je puisse recevoir des messages à tout moment au cours d'une journée (parfois même la nuit!), généralement je reçois les messages des Anges en canalisation éveillée ou profonde. La canalisation éveillée me demande beaucoup moins d'énergie et se fait lorsque je compose des textes assise devant mon ordinateur. La canalisation profonde s'effectue à ma boutique, dans la pièce où je donne mes cours. Je m'installe confortablement dans ma chaise, je ferme mes yeux, je prends de grandes respirations et je relaxe tout mon être. Durant ces canalisations profondes, il y a toujours une personne qui m'accompagne. Cette personne a comme rôle de poser les questions aux Anges ainsi que d'enregistrer la conversation et de noter les informations les plus importantes.

Pour ce nouvel ouvrage, j'avais décidé de le faire entièrement en canalisation éveillée. Toutefois, pendant l'écriture du livre, ma fille m'a suggéré de faire une canalisation profonde avec les Anges afin qu'on puisse avoir des informations plus globales quant à l'état de la planète et au sort des êtres humains dans les années à venir, plus précisément l'année 2011. Ma fille et moi avions établi que nous demanderions deux questions aux Anges. Pas plus. Car ils peuvent être très bavards lorsqu'ils ont un canal pour s'exprimer! La première, était de nous expliquer en quelques mots ce que nous réserve l'année 2011, et la deuxième, de nous décrire en un mot l'année 2011.

Malgré le fait que je recevais tout de même des informations provenant de leur part servant à construire le présent ouvrage, je suis encore étonnée de leur réponse. Toutefois, j'y vois clairement leur grande profondeur et la véritable compréhension qu'ils ont acquise au sujet des êtres humains, ce qui leur permet de donner à ces êtres ce qu'ils demandent afin de leur apporter le bien qu'ils pensent juste pour eux en sachant très bien que cela ne représente pas nécessairement la meilleure des solutions.

Bref, juste pour vous dire que, tout comme vous, j'en apprends encore chaque jour au sujet des Anges. Voici le compte-rendu de la séance que je vous invite à lire à l'instant. Bonne lecture!

Réponses des Anges

Que nous réserve l'année 2011?

« **A**vant de répondre à votre question, laissez-nous vous taquiner un peu. Pourquoi s'inquiéter de l'année 2011 puisque nous ne sommes pas encore en 2011? Notre mission est d'aider l'humain un jour à la fois, sans qu'il s'inquiète de son avenir. Votre demande nous 'ébranle'. Par contre, nous savons très bien qu'avec cette simple réponse vous n'auriez pas beaucoup d'informations à livrer au canal. Peut-être seriez-vous davantage en mesure d'indiquer comment sera votre année 2011? Encore une fois, nous vous taquinons, tout en vous faisant réfléchir bien évidemment.

« Afin que vous puissiez mieux comprendre ce que nous essayons de vous transmettre, sachez que nous, les Êtres de Lumière, n'aimons point parler de l'avenir ni dire ce qui s'en vient. Vous devez vivre le moment présent et non être dans l'attente d'obtenir quelque chose. Voyez-vous, la faiblesse de plusieurs êtres humains est de rester assis en attendant les événements. Par exemple, si nous vous prédisons qu'en février de l'an 2011 vous obtiendrez la maison de vos rêves, plusieurs d'entre vous resteront assis en attendant que les événements se produisent. Ces personnes se disent qu'ils n'ont rien à faire puisqu'ils ont lu qu'en février ils obtiendraient la maison de leurs rêves. D'une certaine façon, c'est vrai qu'il est bien de penser ainsi, que le pouvoir de votre pensée peut être très puissant. Par contre, il faut savoir faire la différence entre se laisser bercer par les énergies du moment présent (être à l'écoute de ce que vous ressentez intérieurement afin que cela vous dirige où vous devez aller) et le laisser-aller quant à des actions que *vous pouvez faire et qui ont un impact sur votre vie. Ainsi, chers êtres humains, il ne faut pas vous arrêter à tout ce que vous lisez, que ce soit positif ou négatif. Il faut plutôt que vous soyez les propres créateurs de votre vie. Parfois, les prédictions stoppent la créativité des individus. Elles créent des blocages. L'humain ne se fie qu'à ce qu'il a lu en oubliant qu'il peut aller encore plus loin que ses prédictions. Ce sont les raisons pour lesquelles nous n'aimons pas faire des prédictions. Nous savons que l'être humain possède un potentiel énorme pour créer sa vie comme il le désire. Cependant, nous sommes grandement conscients que l'humain a parfois besoin de connaître son avenir puisque son âme est embrouillée par toutes sortes d'émotions ou de douleurs physiques. Il a de la difficulté à entendre sa voix intérieure. Alors, c'est pourquoi nous livrerons tout de même des prédictions puisqu'elles sont devenues, au fil des siècles, des indices pour aider l'humain à retrouver son chemin. N'oubliez jamais ceci, chers humains : 'Qu'importe ce que votre avenir vous réserve, l'important, c'est votre moment présent.'*

« *Les prédictions* [de ce livre] *serviront donc à prévenir l'humain et à lui montrer diverses possibilités qui s'offriront à lui au cours de l'année, s'il est attentif à son environnement. Voyez-vous, chers enfants, lorsque vous conduisez votre vie, vous vous dirigez vers une certaine route. Si cette route se fait bien, il n'y aura pas d'embûches. Mais si vous conduisez votre vie en empruntant toutes sortes de détours inutiles, vous y trouverez peut-être des embûches. Ainsi, à travers les prédictions angéliques que nous vous offrons, nous voulons aider l'humain à percevoir les événements, mais nous ne voulons pas l'effrayer. Nous voulons plutôt que l'humain prenne conscience des aspects de sa vie qui ne fonctionnent pas bien afin qu'il puisse y apporter les changements nécessaires.*

« *Nous allons vous expliquer un aspect de notre travail qui n'a jamais été révélé. Quand une nouvelle année arrive, chaque Ange regarde le parcours de ses enfants. La mission des Anges est d'aider leurs enfants afin que leur conduite les mène au meilleur endroit possible. L'enfant illuminé s'éloignera instinctivement des dangers. L'enfant qui s'aventure dans l'Ombre se dirigera davantage vers les dangers. Il est donc important pour nous, les Anges, de guider nos enfants, et de les rediriger s'ils s'aventurent vers des chemins qui nuiraient à leur bien-être. Ainsi, sachez que nous ne sommes pas responsables des événements qui se produisent dans la vie d'un humain. Il en est le seul responsable. Toutefois, nous sommes là pour l'épauler lorsqu'il vit des moments difficiles et le ramener sur le droit chemin, s'il s'égare trop de son plan de vie.* »

Dans un mot, pouvez-vous nous décrire l'année 2011?

« ***Entraide***. *C'est le mot clé de l'année 2011. Les gens s'entraideront, les gens se respecteront. Lorsque vous aiderez votre prochain, toute votre âme en* sera gratifiée. Étant donné que l'entraide marquera l'année 2011, nous aimerions souligner un aspect important à nos yeux. Quelque chose qui pourrait vous amener à réfléchir. **Aidez votre proche prochain.** L'entraide est un geste qui peut se faire également entre les membres d'une même famille. Souvent, l'humain oublie que, dans sa propre famille, il y a des gens qui ont besoin d'aide, qui ont besoin de soutien. Nous remarquons que l'humain a parfois tendance à aider un inconnu au détriment d'êtres qui lui sont chers. Nous ne reprochons pas l'aide apportée aux plus démunis. Au contraire, nous trouvons ces gestes purement angéliques. Toutefois, prenez davantage le temps d'aider ceux qui vous entourent. Ceux qui sont là pour vous, ceux qui vous épaulent, ceux qui attendent patiemment votre aide, mais qui ne sont pas capables de vous le demander. Pour plusieurs humains, cela semble beaucoup plus difficile d'aider un membre de sa famille. Pourtant, sachez qu'il est beaucoup plus gratifiant d'aider quelqu'un que vous connaissez, quelqu'un près de vous, que d'aider un organisme. Il existe une relation entre deux êtres humains que vous ne pourrez pas retrouver entre un humain et un organisme. Toutefois, nous ne vous disons pas qu'il est inutile de venir en aide à un organisme quelconque. Qu'importe la façon dont vous choisissez d'offrir votre aide, l'important est que vous en apportiez. Nous vous disons plutôt de prioriser ceux qui vous tiennent à cœur. Si vous avez le goût de donner un montant d'argent à un organisme, donnez-en la moitié à votre organisme et offrez l'autre moitié à un de vos proches dans le besoin. En offrant votre aide à votre prochain immédiat, vous vibrerez dans la Lumière et vous resplendirez une joie de vivre. Ainsi, tous ceux qui cheminent avec vous chercheront à suivre vos pas. Ils voudront vous imiter. Vous deviendrez un exemple important pour eux qui essayeront à leur tour d'aider d'autres personnes. Ce message est important pour nous puisque l'entraide se fera davantage ressentir au cours des prochaines années à venir. Nous sommes fiers de vous voir travailler de concert. Nous sommes fiers de voir que les gens s'éveillent à l'entraide. Grâce à notre Lumière divine, nous avons aidé l'humain à ressentir le besoin d'aider son prochain.

« L'année 2011 sera également une année de réflexion, une année marquée par l'éveil des consciences. Plusieurs événements surviendront afin de faire réfléchir les gens quant aux gestes qu'ils font. Les êtres humains seront davantage conscients du pouvoir qu'ils ont et de la place qu'ils occupent au sein de la société, au sein de la planète Terre. D'autres fléaux humanitaires viendront. Et encore une fois l'entraide sera reine. Plusieurs se demanderont encore pourquoi les Anges acceptent de tels fléaux? Nous vous dirons alors que vous êtes les créateurs de ces fléaux. Nous, nous sommes ceux qui vous aident à réparer ce que vous déstabilisez. Ainsi, plusieurs individus prendront donc conscience qu'ils sont les producteurs de leur propre malheur ou de leur grande abondance. Les gens s'ouvriront davantage à la vibration des Anges. Les gens s'apercevront que, lorsqu'ils travaillent dans la Lumière, ils récoltent de bonnes semences, mais lorsqu'ils côtoient l'Ombre, ils n'obtiennent que des batailles et des luttes.

« Certains êtres humains trouveront l'année 2011 difficile. Chaque Ange aura sa propre mission envers l'humain. Chaque Ange veillera sur l'humain. À tous ces êtres qui éprouveront de grands chagrins, nous vous disons de prier. Priez pour vous, priez pour la terre. L'humain ne sait pas à quel point la prière peut l'aider à se ressourcer et à reprendre sa vie en main lorsque tout s'écroule. La prière est un moment d'arrêt où l'humain prend du temps avec lui-même. C'est un moment d'intériorisation servant à refaire le plein d'énergie. La prière vous calme et vous rend plus aptes à recevoir les messages de vos Anges. Avec la prière, vous avez la possibilité de changer les choses. Avec la prière, vous pouvez sauver le monde. Le meilleur conseil que l'on puisse vous donner pour vivre l'année 2011, et les autres, dans l'allégresse, c'est de vous lever en appréciant votre nouvelle journée qui commence et de vous coucher en appréciant tout ce que vous avez vécu.

« Il y a une petite pensée que nous avions livrée au canal, qui a été transcrite dans son deuxième livre. Nous pensons que cette pensée positive peut encore aider l'humain. Cette pensée pourra aussi être écrite dans ce livre puisqu'elle l'aidera à bien commencer sa journée et à la terminer en beauté. »

Voici la pensée positive : « Je me lève aujourd'hui et j'attire vers moi que du bien et du bon. J'éloigne le négatif. Je prends ma vie en main, car j'en suis capable. Je suis Lumière. Je suis force. Je suis courage. Je suis équilibre. Je suis fier de moi, car je suis *(dites votre nom).* »

But à atteindre

Chers lecteurs,

avant de continuer la lecture de ce livre, les Anges vous demandent de vous fixer un but pour l'année 2011. Votre but, c'est comme un vœu. Dans le fond, cela représente quelque chose que vous désirez obtenir. Ce but doit être réalisable, atteignable. La mission des Anges sera de vous aider à atteindre ce but. Selon votre but, les Anges enverront sur votre chemin les personnes qui sauront répondre adéquatement à vos besoins. Par exemple, vous pourriez écrire que vous aimeriez perdre du poids. La mission des Anges sera donc d'envoyer sur votre route une personne-ressource qui vous aiguillera vers une marche à suivre plus saine ou un régime spécifiquement adapté à votre façon de vivre ou de manger. Vous pourriez aussi écrire que vous aimeriez rénover votre cuisine, et ce, selon votre budget. Ainsi, les Anges mettront sur votre route des personnes adéquates qui vous permettront de rénover votre cuisine en prenant en considération votre budget. Vous pourriez aussi noter que vous aimeriez régler un différend avec votre enfant. Les Anges s'organiseront pour mettre sur votre chemin une situation qui vous permettra de comprendre la raison du différend ainsi que la façon de le régler. Ils vous donneront le courage de le faire. Vous pourriez également écrire que vous aimeriez vous débarrasser de l'une de vos dettes ou que vous aimeriez que votre situation financière se redresse. Dans le fond, peu importe ce que vous déciderez de demander, les Anges enverront sur votre chemin des situations ou des personnes qui vous permettront de régler vos problèmes ou de réaliser vos projets. Tout ce qui vous permettra de vous rapprocher de votre but.

De plus, il est important de vous fixer qu'un seul but. Au bout de six mois, si votre but est atteint, vous pourrez en demander un deuxième. Cependant, ne dépassez pas plus de deux buts par année. Prenez une minute d'intériorisation et laissez-vous imprégner de votre demande. Lorsque vous serez prêt, écrivez votre but ci-dessous.

Mon but à atteindre : _____

_____

_____

Lorsque vous serez prêt, récitez le paragraphe qui suit pendant neuf jours consécutifs :

« Adorable Ange (dites le nom de votre Ange), infuse en moi ta Lumière de courage, d'énergie et de détermination pour que je puisse atteindre le but suivant : (dites votre but).

Moi, (dites votre nom), je prends maintenant ma vie en main et j'avance fièrement vers le but que je me suis fixé. J'en ai le pouvoir, et ce, grâce à la Lumière des Anges. »

Par la suite, récitez ce paragraphe au moins une fois par semaine. Plus vous réciterez ces mots, plus vite vous avancerez vers votre but. La mission des Anges sera de vous ouvrir toutes les portes qui vous permettront de réaliser votre but. Toutefois, n'oubliez pas qu'il doit être réaliste. Ainsi, vous ne serez pas déçu!

Étant donné que l'année 2011 est une année d'entraide, les Anges vous invitent également à faire un vœu pour une à dix personnes près de vous. Vous n'avez qu'à écrire le nom de la personne et ce que vous lui souhaitez pour l'année 2011. Par exemple, vous pouvez formuler un vœu pour votre maman. Vous pouvez lui souhaiter une excellente santé pour l'année 2011. Vous pouvez formuler un vœu pour votre sœur en demandant aux Anges de lui ouvrir les portes de l'abondance. Vous pouvez aussi formuler un vœu pour un ami : « que l'année 2011 lui apporte le partenaire idéal ». Toutes ces pensées positives que vous enverrez à un membre de votre entourage auront un impact important au cours de leur année 2011 puisqu'elles vibreront avec l'énergie d'entraide qui circulera partout sur la terre. Vous serez même surpris de voir que vos demandes seront exaucées. Lorsque vous envoyez une pensée positive à quelqu'un, cela a aussi un impact favorable sur vous. Tout le bien que vous faites autour de vous nourrit votre propre Lumière. Plus votre Lumière est nourrie, plus elle attire que du beau et du bien vers vous. Voilà l'importance d'offrir des vœux aux êtres qui vous sont chers.

Prenez une minute d'intériorisation. Écrivez le nom des personnes pour qui vous aimeriez formuler un vœu. En dessous de leur nom, écrivez ce que vous lui souhaitez. Vous n'êtes pas obligé de formuler un vœu pour tous les membres de votre entourage tout de suite. C'est inutile de demander quelque chose juste pour le plaisir de demander. Il vous est possible de revenir écrire votre souhait, au cours de l'année, lorsque vous le voudrez.

1. Nom de la personne : _____

   Ce que je lui souhaite : _____

   _____

   _____

   _____

2. Nom de la personne : _____

   Ce que je lui souhaite : _____

   _____

   _____

   _____

3. Nom de la personne : _____

   Ce que je lui souhaite : _____

   _____

   _____

   _____

4. Nom de la personne : _____

   Ce que je lui souhaite : _____

   _____

   _____

   _____

5. Nom de la personne : _____ .

   Ce que je lui souhaite : _____

   _____

   _____

   _____

6. Nom de la personne : _____

   Ce que je lui souhaite : _____

   _____

   _____

   _____

7. Nom de la personne : _____

   Ce que je lui souhaite : _____

   _____

   _____

   _____

8. Nom de la personne : _____

   Ce que je lui souhaite : _____

   _____

   _____

   _____

9. Nom de la personne : _____

   Ce que je lui souhaite : _____

   _____

   _____

   _____

10. Nom de la personne : _____

   Ce que je lui souhaite : _____

   _____

   _____

   _____

Notes aux lecteurs

Votre livre deviendra un outil auquel vous pourrez vous référer tout au long de l'année. Ne serait-ce que pour relire votre but que vous vous êtes fixé ou vos prévisions pour la saison à venir. Il vous suivra partout.

Prédictions angéliques

Chaque Chœur Angélique est structuré de la même façon. Le premier chapitre reflète les prédictions de l'année 2011 d'une façon générale à travers quatre thèmes principaux soit l'amour, le travail, la santé et la chance. Le deuxième chapitre se concentre davantage sur les prédictions de chacun des Anges qui composent le Chœur angélique. Le troisième chapitre regroupe les prédictions de chaque Ange au cours des quatre saisons de l'année.

Dans la section de la chance, le premier paragraphe indique la chance en général : les chiffres chanceux, la journée favorable et les mois où la chance sera davantage présente. Veuillez noter que ces éléments peuvent autant indiquer le niveau de chance par rapport à une entrevue que vous devez passer, un examen que vous devez faire, un spectacle auquel vous devez assister, une réception à organiser, etc. que le niveau de chance pour jouer à des jeux du hasard. Les textes de cette section se consacrent davantage à votre chance sur le plan des jeux du hasard.

Conseils angéliques

Le livre est parsemé de conseils angéliques qui se retrouvent à plusieurs endroits, sans aucun ordre précis. En général, le conseil se rapporte au paragraphe précédent. Ces conseils peuvent vous suggérer une manière d'agir, vous donner un avertissement par rapport à un comportement ou tout simplement vous guider lors de périodes plus difficiles. Veuillez noter que ces conseils ne remplacent pas les recommandations émises par votre médecin.

Ange accompagnateur

Parce qu'on a toujours besoin d'un petit coup de pouce, et que le mot clé de l'année 2011 est l'entraide, chacun des Anges aura un Ange accompagnateur. Ces Anges travailleront de concert afin d'apporter une aide rapide et efficace à ceux qui en feront la demande. De plus, étant donné que votre vie risque de ressembler fortement aux spécialités de l'Ange accompagnateur, il serait utile de vous référer à mes deux ouvrages précédents afin de vous familiariser davantage avec l'Ange qui secondera votre Ange pendant toute l'année. *La Bible des Anges* peut vous offrir plus de précisions en ce qui concerne les caractéristiques des Anges accompagnateurs. *Les Anges au quotidien* vous indiquera les signes que cet Ange utilisera pour vous signaler qu'il travaille avec votre Ange dans le but d'accomplir votre demande. Toutefois, si vous ne possédez pas mes ouvrages antérieurs, il vous sera tout de même possible de capter l'essence de sa mission à l'aide d'une petite description.

Mois de l'année

Les mois sont divisés en quatre catégories : les mois favorables, les mois non favorables, les mois ambivalents et les mois de chance. Les mois favorables sont des mois où tout se passe généralement bien. Pendant ces mois, tout vous sera acquis. Que ce soit pour jouer à la loterie, voir vos rêves se concrétiser ou vivre de bons moments. Même si vous vivez une difficulté, elle ne sera que passagère et vous serez en mesure de la régler rapidement. De plus, tout ce que vous entreprendrez vous sera bénéfique. Les mois non favorables sont des mois où tout semble être difficile à accomplir. Rien ne vous est acquis. Vous devez mettre les bouchées doubles pour arriver à vos fins. Ces mois peuvent également déranger votre physique ou votre mental. Certains événements vous feront verser des larmes facilement. Au cours de ces mois, il serait préférable de bien réfléchir et d'analyser profondément chacune de vos actions avant de les entreprendre. Les mois ambivalents sont des mois imprévisibles. Une partie du mois, vous vivez dans l'extase, et l'autre partie, tout semble vous tomber sur la tête. Une journée, tout va bien, et le lendemain, tout va de travers. De vraies montagnes russes. Les mois ambivalents sont donc des mois que vous trouverez ni trop faciles ni trop difficiles. Votre attitude comptera pour beaucoup durant ces mois. Les mois de chance représentent des mois où la chance est présente. Alors profitez-en pour jouer à la loterie. N'hésitez pas à tenter votre chance!

Votre Ange

Pour connaître le nom de votre Ange, le Chœur angélique auquel il appartient et les prédictions qui s'y rattachent, vous devez trouver votre date de naissance dans le tableau intitulé **Les neuf Chœurs Angéliques** à la page 28. Vous pourrez ainsi découvrir votre Ange, son numéro hiérarchique, sa période de force, le Chœur Angélique auquel vous appartenez et l'Archange qui le dirige.

À titre d'exemple, prenons la date de naissance suivante : le 15 septembre. En se référant à ce tableau, cette date vous donne les informations suivantes :

1) Nom de l'Ange : Chavakhiah

2) Numéro de l'Ange : 35

3) Période de force : du 13 au 17 septembre

4) Chœur Angélique : Les Puissances

5) Archange recteur : Camaël

À l'aide de ces informations, vous pouvez donc lire les parties qui traitent de votre Chœur Angélique ainsi que de votre Ange.

TABLEAU : LES NEUF CHŒURS ANGÉLIQUES

I. SÉRAPHINS METATRON	II. CHÉRUBINS RAZIEL	III. TRÔNES TSAPHKIEL
1. Vehuiah (du 21 au 25 mars) 2. Jeliel (du 26 au 30 mars) 3. Sitaël (du 31 mars au 4 avril) 4. Elemiah (du 5 au 9 avril) 5. Mahasiah (du 10 au 14 avril) **6. Lelahel (du 15 au 20 avril)** 7. Achaiah (du 21 au 25 avril) 8. Cahetel (du 26 au 30 avril)	9. Haziel (du 1er au 5 mai) **10. Aladiah (du 6 au 10 mai)** 11. Lauviah I (du 11 au 15 mai) 12. Hahaiah (du 16 au 20 mai) 13. Yezalel (du 21 au 25 mai) 14. Mebahel (du 26 au 31 mai) 15. Hariel (du 1er au 5 juin) 16. Hekamiah (du 6 au 10 juin)	**17. Lauviah II (du 11 au 15 juin)** 18. Caliel (du 16 au 21 juin) 19. Leuviah (du 22 au 26 juin) 20. Pahaliah (du 27 juin au 1er juillet) 21. Nelchaël (du 2 au 6 juillet) 22. Yeiayel (du 7 au 11 juillet) **23. Melahel (du 12 au 16 juillet)** 24. Haheuiah (du 17 au 22 juillet)
IV. DOMINATIONS TSADKIEL	V. PUISSANCES CAMAËL	VI. VERTUS RAPHAËL
25. Nith-Haiah (du 23 au 27 juillet) 26. Haaiah (du 28 juillet au 1er août) 27. Yerathel (du 2 au 6 août) **28. Seheiah (du 7 au 12 août)** 29. Reiyiel (du 13 au 17 août) **30. Omaël (du 18 au 22 août)** 31. Lecabel (du 23 au 28 août) 32. Vasariah (du 29 août au 2 septembre)	33. Yehuiah (du 3 au 7 septembre) 34. Lehahiah (du 8 au 12 septembre) 35. Chavakhiah (du 13 au 17 septembre) 36. Menadel (du 18 au 23 septembre) 37. Aniel (du 24 au 28 septembre) 38. Haamiah (du 29 septembre au 3 octobre) **39. Rehaël (du 4 au 8 octobre)** 40. Ieiazel (du 9 au 13 octobre)	41. Hahahel (du 14 au 18 octobre) 42. Mikhaël (du 19 au 23 octobre) 43. Veuliah (du 24 au 28 octobre) 44. Yelahiah (du 29 octobre au 2 novembre) **45. Sealiah (du 3 au 7 novembre)** 46. Ariel (du 8 au 12 novembre) 47. Asaliah (du 13 au 17 novembre) 48. Mihaël (du 18 au 22 novembre)

VII. PRINCIPAUTÉS HANIEL	VIII. ARCHANGES MICHAËL	IX. ANGES GABRIEL
49. Vehuel (du 23 au 27 novembre)	57. Nemamiah (du 1ᵉʳ au 5 janvier)	65. Damabiah (du 10 au 14 février)
50. Daniel (du 28 novembre au 2 décembre)	**58. Yeialel (du 6 au 10 janvier)**	**66. Manakel (du 15 au 19 février)**
51. Hahasiah (du 3 au 7 décembre)	59. Harahel (du 11 au 15 janvier)	**67. Eyaël (du 20 au 24 février)**
52. Imamiah (du 8 au 12 décembre)	**60. Mitzraël (du 16 au 20 janvier)**	**68. Habuhiah (du 25 au 29 février)**
53. Nanaël (du 13 au 16 décembre)	61. Umabel (du 21 au 25 janvier)	69. Rochel (du 1ᵉʳ au 5 mars)
54. Nithaël (du 17 au 21 décembre)	62. Iah-Hel (du 26 au 30 janvier)	**70. Jabamiah (du 6 au 10 mars)**
55. Mebahiah (du 22 au 26 décembre)	**63. Anauël (du 31 janvier au 4 février)**	71. Haiaiel (du 11 au 15 mars)
56. Poyel (du 27 au 31 décembre)	64. Mehiel (du 5 au 9 février)	**72. Mumiah (du 16 au 20 mars)**

Note : Les Anges dont le nom est en caractère gras ont un pouvoir de guérison.

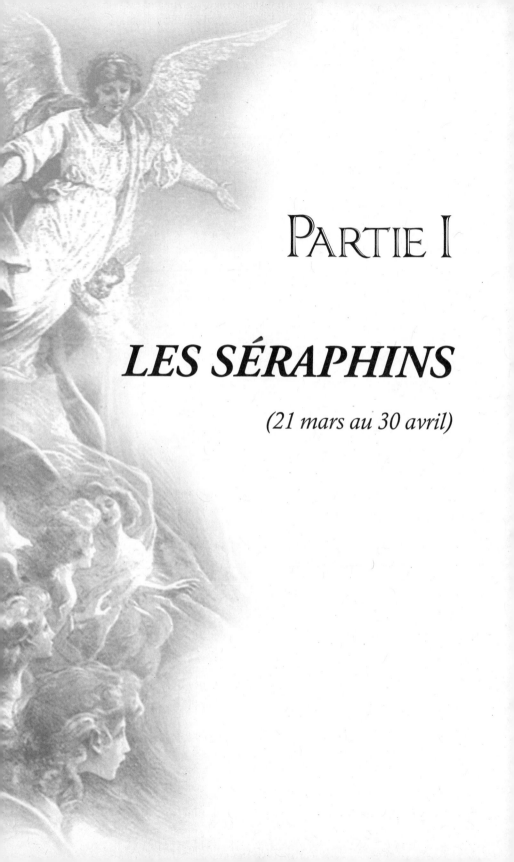

PARTIE I

LES SÉRAPHINS

(21 mars au 30 avril)

Chapitre I

L'année 2011
des Séraphins

L'année 2011 sera une année de remise en question. Une année d'analyse, de transition et de changements. Certains Séraphins trouveront l'année difficile, d'autres la trouveront compliquée. Vous mettrez de l'ordre dans votre vie. Ce temps d'évaluation vous permettra d'équilibrer les aspects qui dérangent votre vie. Vous n'aimez pas les problèmes. C'est la raison pour laquelle vous explorerez toutes les solutions possibles pour vous libérer de chaque petite situation qui perturbe votre quotidien. Dès le début de l'année, vous serez tenté d'effectuer un ménage intérieur, ce qui réglera plusieurs situations à l'extérieur.

> **Conseil angélique :** *Lors de périodes difficiles, réclamez l'aide de votre Ange ou celle de l'Ange accompagnateur. Leurs forces viendront vous épauler et apaiser ce tourbillon d'idées qui se passe dans votre tête.*

L'année 2011 sera une année imprévisible pour vous. Vous trouverez cela difficile de ne pas être en mesure de contrôler les événements. Étant donné que vous aimez avoir le contrôle sur les événements, 2011 vous demandera beaucoup de patience puisqu'il vous sera impossible de l'obtenir, ce qui risque fort bien de vous perturber à l'occasion.

> ***Conseil angélique :*** *N'essayez pas de tout régler en même temps puisque vous vous épuiserez mentalement et physiquement. Analysez longuement chacune de vos décisions afin que vous puissiez retrouver une belle qualité de vie. Si vous brusquez trop les événements, les résultats en souffriront ainsi que votre moral.*

L'amour des Séraphins

Quelques-uns se remémoreront certains événements douloureux qui se sont produits en 2010. Surtout ceux qui ont vécu une séparation ou un décès. Certains auront des arguments à cause d'un enfant ou d'une pension alimentaire. D'autres devront prendre soin de leur partenaire amoureux qui vivra une période difficile sur le plan de la santé. Certains enfants Séraphins devront faire attention à leurs paroles puisqu'elles seront parfois blessantes et tranchantes, ce qui risquera de nuire à leur relation amoureuse.

> ***Conseil angélique :*** *Lors de moments difficiles avec votre partenaire amoureux, priez les Anges Vehuiah et Jeliel. Demandez-leur de vous suggérer des idées pour rallumer le feu intérieur qui vous unit à votre partenaire.*

Les enfants de **Vehuiah**, de **Sitaël**, d'**Elemiah** et de **Cahetel** trouveront leur vie amoureuse difficile en 2011. Ces êtres devront travailler très fort pour apporter l'harmonie nécessaire à l'évolution de leur vie amoureuse. La peur d'être rejeté par leur partenaire viendra souvent les hanter.

> ***Conseil angélique :*** *Dialoguez profondément avec votre partenaire. À force de dialoguer, vous parviendrez à trouver un terrain d'entente qui vous aidera à passer au travers votre épreuve. En agissant ainsi, vous éviterez une séparation..*

Les enfants de **Mahasiah** seront comblés sur le plan affectif. Tout se réglera à leur avantage. De plus, ils réaliseront l'importance de la présence de leur partenaire au sein de leur vie et dans leur cœur. La plupart des enfants de **Lelahel** seront heureux et en harmonie. Certains auront à faire des choix. Toutefois, leurs choix seront à la hauteur de leurs attentes. De plus, quelques enfants de **Lelahel** devront faire attention puisqu'ils risquent d'aimer deux personnes à la fois. Ils devront régler leurs problèmes avant que cela devienne un désastre. Les enfants d'**Achaiah** feront les changements nécessaires pour améliorer leur vie amoureuse. Tout tournera en leur faveur. Les enfants de **Jeliel** réussiront à bien s'en sortir. Lorsqu'un problème surviendra, une solution leur parviendra.

Les Séraphins célibataires

L'année 2011 annonce l'arrivée de personnes ou de situations appartenant à votre passé. Peut-être quelqu'un que vous n'avez jamais oublié? Possibilité de réconciliation. Toutefois, avant de renouer vos liens, assurez-vous que c'est ce que vous voulez vraiment. Vers la fin de l'année 2011, vous rencontrerez une personne importante qui fera palpiter votre cœur.

Plusieurs enfants de **Vehuiah**, d'**Elemiah** et de **Cahetel** auront peur de se blesser émotionnellement. Ils risqueront donc de fermer la porte de l'amour. D'autres renoueront avec leur passé. Soit que vous laisserez une autre chance à un amour du passé ou soit que vous rencontrerez une personne qui a déjà fait partie de votre passé, sans que vous ayez eu une relation avec elle. La rencontre de cet être se fera par l'entremise d'amis qui vous inviteront à passer une soirée avec eux; cet être sera présent parmi les invités. Le cœur des enfants de **Jeliel** et de **Lelahel** hésitera entre trois personnes très intéressantes qu'ils voudront connaître davantage. Assurez-vous de faire le bon choix! Vous pourrez faire la rencontre de ces personnes lors de soirées agréables. La plupart de ces soirées ne seront pas planifiées et vous déciderez d'y aller à la dernière minute. La plupart des enfants de **Sitaël** chercheront à s'amuser plutôt qu'à s'engager dans une relation stable. Toutefois, une rencontre imprévue risquera de vous faire changer d'avis! Vous ferez cette rencontre qui risque de chambarder votre vie de célibataire un vendredi! Plusieurs enfants de **Mahasiah** et d'**Achaiah** rencontreront leur partenaire idéal avant la fin de l'année 2011. Un beau bonheur les attend. Certains parleront de mariage ou de cohabitation. Cet être sera exactement comme vous l'aviez imaginé. Vous pourrez faire cette magnifique rencontre lors d'un mariage, d'un voyage, d'un déplacement, d'une soirée au casino ou par l'entremise d'un bon ami.

Le travail des Séraphins

L'année 2011 annonce une période difficile causée par toutes sortes de défis, de tâches ou de lignes de conduite qu'on exige de vous. Certains auront des ennuis avec un collègue de travail, d'autres seront déçus puisque l'aide demandée sera refusée. Vous serez débordé et personne ne vous tendra la main pour vous aider. Il faudra attendre le mois de juillet pour voir des changements favorables. Les mois d'octobre et de novembre seront également propices à l'amélioration de votre situation professionnelle. Par contre, malgré toutes ces embûches, certains obtiendront un poste rêvé avant la fin de l'année.

Les Séraphins qui auront la chance d'obtenir une amélioration sur le plan du travail sont les enfants de **Jeliel** puisqu'une proposition alléchante leur sera faite. Certains peuvent même penser à retourner aux études pour parfaire leurs connaissances. Les enfants de **Sitaël** auront la possibilité de changer de travail et même d'endroit. Le mois de juin leur sera très favorable. Les enfants de **Mahasiah** et de **Lelahel** s'adapteront facilement aux changements qui seront faits. Les enfants d'**Achaiah** profiteront d'une augmentation de salaire. Toutefois, ce sera beaucoup plus difficile pour les enfants de **Vehuiah** qui auront à régler des problèmes qui les dérangent depuis longtemps. Les enfants d'**Elemiah** et de **Cahetel** seront épuisés par leur travail. Certains prendront des journées de maladies forcées.

La santé des Séraphins

En général, la santé physique sera au rendez-vous. Toutefois, vous devriez faire très attention à votre santé mentale. Vous avez tendance à dépasser la limite de vos capacités, car vous êtes trop orgueilleux. Apprenez à déléguer des tâches à d'autres personnes et à admettre que vous êtes fatigué. Si vous vous surmenez, cela aura un impact très négatif sur votre mental. Prenez du temps pour vous reposer lorsque votre corps le réclamera. Prenez soin de vous à votre manière. Faites-vous masser, si vous en ressentez le besoin. Allez au cinéma. Mangez un bon repas devant la télé dans votre fauteuil préféré. Votre niveau d'énergie pour bien fonctionner en société sera rehaussé et vous pourrez accomplir vos tâches quotidiennes en toute sérénité. Lorsque vous êtes en pleine forme, votre mental l'est aussi.

Certains Séraphins âgés de quarante-huit ans et plus devront subir une intervention chirurgicale. D'autres souffriront de sinusite ou de migraines qui les obligeront à consulter leur médecin et à garder le lit pendant une période de 48 heures. Il y aura également des Séraphins qui subiront une chirurgie aux yeux ou qui auront de la difficulté avec leur vue. Certains se plaindront de maux d'oreilles ou d'un mal de dents. De plus, certains Séraphins devraient surveiller les objets tranchants : risque de blessure, en particulier les enfants de Vehuiah.

Les enfants de **Vehuiah** souffriront de migraines et de sinusites. Les enfants de **Jeliel** et de **Lelahel** prendront un médicament qui les aidera à soulager rapidement leurs douleurs. Les enfants de **Jeliel** et de **Sitaël** devront surveiller les activités physiques puisqu'ils risquent de se blesser à une main ou de se fouler un poignet ou une cheville. Les enfants d'**Elemiah** et de **Cahetel** seront épuisés physiquement. Il faudra qu'ils apprennent à respecter leurs limites. Ceux qui fument devront faire attention. Une mauvaise nouvelle attend les fumeurs de plus de cinquante ans. La santé sera bonne pour les enfants de **Mahasiah** et d'**Achaiah**.

La chance des Séraphins

En 2011, votre chance sera moyenne. Vous ne gagnerez pas un gros montant d'argent cette année. Jouez raisonnablement. Les chiffres 2, 4 et 28 seront trois chiffres très chanceux pour tous les Séraphins. Votre journée de chance sera le mercredi. Vos mois de chance seront **juillet, octobre** et **novembre**. Profitez-en pour jouer à la loterie lors de vos mois favorables. Si vous trouvez trois pièces de monnaie par terre, ce sera votre signe de chance. Achetez un billet de loterie. Les enfants de Jeliel et d'Achaiah seront les plus chanceux.

Ange Vehuiah : 9, 22 et 49. Votre chance est faible. Je vous conseille plutôt de jouer à la loterie en groupe, cela vous sera beaucoup plus favorable; surtout les groupes de quatre personnes.

Ange Jeliel : 3, 28 et 32. Votre chance est moyenne. Vous avez la possibilité de recevoir de trois à cinq gains d'argent. Tous les billets que vous recevrez en cadeau seront chanceux. Si un homme aux cheveux bruns vêtu de foncé vous offre un billet, achetez-le puisqu'il pourrait être chanceux. La journée du dimanche vous sera aussi favorable.

Ange Sitaël : 22, 28 et 40. Votre chance est moyenne. Tout billet acheté hors de votre région vous apportera de la chance. La journée du vendredi vous sera également favorable ainsi que le mois de juin.

Ange Elemiah : 5, 13 et 25. Votre chance est faible. Si vous voulez jouer à des jeux du hasard, faites-le avec une personne du sexe opposé sous la gouverne des Séraphins, des Dominations ou des Principautés. Cela vous sera davantage bénéfique.

Ange Mahasiah : 10, 18 et 40. Votre chance est excellente. Vous avez la main chanceuse. Alors, prenez le temps de choisir vous-même vos numéros et vos billets de loterie. De plus, si vous jouez avec votre partenaire amoureux, cela vous sera aussi bénéfique. Choisissez la moitié des chiffres et demandez à votre partenaire de choisir l'autre moitié. Cela pourrait être une combinaison gagnante.

Ange Lelahel : 6, 18 et 26. Comme les enfants de l'Ange Mahasiah, votre chance est excellente. Vous avez la main chanceuse. Alors, prenez également le temps de bien choisir vos numéros et vos billets de loterie. Cela vous sera aussi bénéfique, si vous jouez avec votre partenaire. Choisissez la moitié des chiffres et demandez à votre partenaire de choisir l'autre moitié. Cela pourrait être une combinaison gagnante, surtout si votre partenaire est sous la gouverne des Principautés. La journée du samedi vous sera favorable ainsi que le mois de décembre. Les groupes de quatre personnes composés d'un homme et de trois femmes ou d'une femme et de trois hommes vous seront également bénéfiques. Ces groupes peuvent vous apporter de la chance, surtout si l'une de ces personnes est sous la gouverne des Puissances ou des Principautés.

Ange Achaiah : 10, 22 et 40. Vous êtes très chanceux. Dès janvier 2011, la chance vous sourit. Vous serez chanceux pendant toute l'année. Je vous conseille de vous acheter un billet dans la semaine du 10 janvier 2011. Ne soyez pas surpris de recevoir une belle somme d'argent; soit par la loterie, un héritage, une vente avec profits ou autre. Vous serez favorisé par la chance dans tout ce que vous entreprendrez. Les lundis seront aussi très chanceux. À un point tel que je vous conseille d'acheter vos billets le lundi. Les groupes de trois, de sept ou de dix personnes vous seront aussi favorables lorsque vous planifierez de jouer en groupe. Assurez-vous qu'une personne sous la gouverne des Archanges fait partie de votre groupe. Les groupes de trois personnes vous seront davantage favorables, surtout si vous êtes trois personnes du même sexe.

Ange Cahetel : 9, 29 et 42. Votre chance est très faible. Ne dépensez pas trop votre argent dans les loteries ou les jeux du hasard. Toutefois, si vous avez le goût de vous acheter un billet de loterie, jouez avec une personne qui travaille avec vous ou avec un membre de votre famille sous la gouverne des Archanges ou des Chérubins. Cela vous sera davantage favorable.

Aperçu des mois de l'année des Séraphins

☆ **Les mois favorables** : février, juillet, octobre, novembre et décembre.

☆ **Les mois non favorables** : janvier, mars, mai et août.

☆ **Les mois ambivalents** : avril, juin et septembre.

☆ **Les mois de chance** : juillet, octobre et novembre.

Chapitre II

Informations supplémentaires propres à chacun des Anges Séraphins

✦ ANGE VEHUIAH ✦

(du 21 au 25 mars)

Les enfants de Vehuiah seront tourmentés par leur vie amoureuse et par certains événements du passé. Le sentiment de rejet sera très fort en eux. Ils auront de la difficulté à se concentrer et à mener à terme leurs projets. En raison de leur manque de concentration, certains vivront des échecs qui les perturberont puisque les enfants de Vehuiah sont des êtres très perfectionnistes.

Conseil angélique : *Faites la paix avec vous-même ainsi qu'avec certains événements de votre passé. Ainsi, vous retrouverez un bel équilibre dans votre vie. Afin d'y parvenir, priez l'Ange Sitaël et demandez-lui de vous aider à régler, une fois pour toutes, les problèmes liés à votre passé.*

ANGE ACCOMPAGNATEUR : l'Ange Sitaël (3). Cet Ange vous sera très utile en janvier, en mars, en mai et en août. Il vous sera important de le prier, lors de ces mois. La Lumière de cet Ange vous permettra de régler tous vos problèmes. Sitaël vous aidera à prendre conscience de vos erreurs et il vous donnera l'énergie nécessaire pour bien les réparer par la suite.

✦ ANGE JELIEL ✦
(du 26 au 30 mars)

Les enfants de Jeliel seront heureux de la tournure de certains événements. Enfin, il vous sera permis de recevoir la récolte de vos efforts. Au cours de l'année, il y aura trois événements qui vous feront sauter de joie. Vous serez toujours au bon endroit, au bon moment, ce qui vous facilitera la tâche dans tout ce que vous entreprendrez. Lors de moments plus difficiles, vous aurez toujours une solution pour vous en sortir. Sinon, il y aura toujours quelqu'un qui vous offrira de l'aide pour vous libérer de votre problème.

ANGE ACCOMPAGNATEUR : l'Ange Lecabel (31). Cet Ange vous guidera toujours vers la meilleure solution. De plus, comme il est un Ange productif, avec lui, tout doit bouger. Cet Ange vous permettra donc de recevoir les bienfaits de chacune de vos bonnes actions.

✦ ANGE SITAËL ✦
(du 31 mars au 4 avril)

Les enfants de Sitaël auront le goût de faire des changements dans le but d'améliorer leur qualité de vie. Certains parleront de déménagement ou de rénovation. D'autres parleront d'amélioration de leur situation professionnelle ou financière. Certains retourneront aux études pour parfaire leurs connaissances dans un domaine quelconque. D'autres auront le goût de vivre une aventure amoureuse. Certains chercheront la liberté dans leur relation amoureuse, ce qui entraînera une séparation. La soif de la liberté sera très forte en vous au cours de l'année 2011. Vous aurez le goût du nouveau, vous aurez le goût de relever des défis stimulants!

Conseil angélique : *Réfléchissez bien aux conséquences de vos actes avant d'entreprendre quoi que ce soit.*

ANGE ACCOMPAGNATEUR : L'Ange Yezalel (13). Cet Ange vous éclairera lors de votre période de crise sentimentale. Il guidera vos pas vers des situations favorables qui vous permettront de retrouver un bel équilibre ainsi que la joie de vivre. La Lumière de cet Ange est également excellente pour vous aider à retourner aux études en toute quiétude.

✦ ANGE ELEMIAH ✦
(du 5 au 9 avril)

Les enfants d'Elemiah auront à surmonter des obstacles de toutes sortes qui épuiseront leur mental et leur physique. Attendez-vous à avoir quelques ennuis financiers qui vous dérangeront. De plus, si vous fumez, faites-le modérément. Vous aurez des ennuis de santé causés par la cigarette. Soyez également très vigilant en présence de flammes puisque vous risquez de vous brûler.

Conseil angélique : *Acceptez l'aide qui vous sera offerte par les gens qui vous aiment. Même si vous êtes de nature orgueilleuse, il y aura certaines situations que vous ne pourrez pas régler tout seul. Voilà l'importance d'accepter l'aide d'autrui.*

ANGE ACCOMPAGNATEUR : l'Ange Lauviah I (11). Sa Lumière vous permettra de vous ressaisir devant les difficultés. Cet Ange vous aidera à mieux voir la lumière au bout du tunnel. Lauviah I vous donnera une poussée angélique pour vous relever et aller de l'avant avec vos projets. Cet Ange vous donnera la force de prendre votre vie en main et de retrouver rapidement le chemin du bonheur.

✦ ANGE MAHASIAH ✦
(du 10 au 14 avril)

Les enfants de Mahasiah seront en harmonie avec tous les événements qui se produiront dans leur vie. La force de leur année 2011 sera l'amour. Les couples en détresse se rapprocheront, se pardonneront et s'aimeront davantage. Vous serez épaulé dans chaque situation qui surviendra. Votre partenaire sera à vos côtés. Vous formerez une belle équipe. Quand l'un vivra une situation difficile, l'autre sera là pour l'épauler et l'aider. Et vice versa. En 2011, les célibataires feront la rencontre de leur partenaire idéal. Vous construirez une belle vie à deux. Tout comme les enfants d'Elemiah, il y a une possibilité d'ennuis de santé causés par la cigarette ainsi que des risques de brûlure. Ainsi, soyez très attentif en présence de flammes.

Conseil angélique : *Tentez, du mieux que vous le pouvez, de rester neutre. Ainsi, malgré les moments difficiles que vous vivrez, vous serez toujours satisfait de la tournure des événements et des décisions que vous prendrez.*

ANGE ACCOMPAGNATEUR : l'Ange Hekamiah (16). Cet Ange vous permettra de construire votre propre paradis sur terre. Sa Lumière fera de votre univers, un havre de paix. De plus, l'Ange Hekamiah vous aidera à transformer vos rêves en réalité.

✦ ANGE LELAHEL ✦
(du 15 au 20 avril)

Les enfants de Lelahel seront en harmonie avec tout ce qui se produira dans leur vie. Toutefois, ils vivront souvent des situations où ils devront faire des choix. Que ce soit sur le plan affectif, professionnel, financier ou autre. Il y aura toujours un choix à faire. Vous hésiterez devant les choix qui se présenteront à vous puisque vos choix seront de taille. C'est pourquoi il ne sera pas facile de décider. Autant l'un comme l'autre vous sera favorable. Mais lequel sera le mieux? Il vous faudra donc choisir selon ce qui vous aidera le plus dans le moment présent. Le reste s'ensuivra.

Conseil angélique : *Soyez à l'écoute de ce que vous voulez puisqu'en 2011 tout vous est acquis, tout vous est favorable!*

ANGE ACCOMPAGNATEUR : l'Ange Yeiayel (22). Cet Ange vous aidera à faire les bons choix. Sa Lumière vous permettra de mieux analyser vos décisions et d'être conscient de l'impact qu'auront ces décisions et ces choix dans votre vie.

✦ ANGE ACHAIAH ✦
(du 21 au 25 avril)

Les enfants d'Achaiah seront chanceux dans tout ce qu'ils entreprendront et décideront. Tout tournera en leur faveur. Lorsqu'un problème surviendra, ils seront aptes à le régler instantanément. Certains feront des changements qui orienteront leur vie différemment. Toutefois, ces changements seront très profitables. Même si certains événements vous feront tomber, vous aurez la force et la détermination de vous relever rapidement. Toutes les décisions que vous prendrez seront à la hauteur de vos attentes. Beaucoup de satisfaction vous attend en 2011.

ANGE ACCOMPAGNATEUR : l'Ange Poyel (56). Cet Ange est une avalanche de richesses, de joie, de beauté et d'harmonie. Sa mission est d'apporter le succès dans tout ce que vous entreprendrez. Lorsque vous le prierez, cet Ange s'organisera pour exaucer votre vœu dans l'immédiat. Sa Lumière vous aidera lors de moments plus difficiles. Il vous aidera à sortir vainqueur d'une situation qui vous dérange ou il trouvera la meilleure solution pour vous libérer rapidement de votre problème. Voilà l'importance d'apprendre à mieux le connaître en 2011.

✦ ANGE CAHETEL ✦
(du 26 au 30 avril)

Les enfants de Cahetel s'épuiseront facilement. L'année 2010 n'a pas été à la hauteur de leurs attentes. Ils ont vécu des moments difficiles. Certaines situations les ont déçus. Ils ont mis les bouchées doubles pour arriver à leurs fins, ce qui les a épuisés mentalement et physiquement. À cause de cette grande fatigue de l'année 2010, les enfants de Cahetel auront de la difficulté à surmonter les obstacles qui surviendront en 2011, ce qui risque de les entraîner dans une période de désespoir et d'épuisement total.

Conseil angélique : *Priez votre Ange Cahetel pour qu'il vous aide à faire le ménage dans toutes les situations qui vous dérangent et qui vous empêchent d'avancer et d'être heureux. L'Ange Elemiah peut prêter main forte à l'Ange Cahetel. Il suffit également de le prier.*

ANGE ACCOMPAGNATEUR : l'Ange Elemiah (4). Si vous êtes tourmenté par toutes sortes d'idées noires et suicidaires ou si vous êtes troublé par les événements de votre vie, cet Ange vous infusera sa Lumière bienfaitrice. Elle calmera vos états d'âme afin que vous puissiez jouir d'une autonomie globale et retrouver un bel équilibre mental. Elemiah a le pouvoir de mettre fin à une période difficile de votre vie pour en commencer une nouvelle beaucoup plus heureuse. Voilà l'importance de l'intégrer dans votre vie, et ce, dès le début du mois de janvier.

Chapitre III

Les Séraphins au fil des saisons

Saison hivernale
(janvier-février-mars)

« Ne vous résignez jamais. Gardez toujours l'espoir d'être et de vouloir être. Ainsi, vous créerez et vous existerez. »

(Paroles de l'Ange Sitaël)

La saison hivernale sera une période où vous ne serez pas vraiment dans vos énergies. Est-ce en raison des dépenses énormes que vous avez faites durant le temps des Fêtes? Est-ce dû au fait que vous avez besoin de vous ressourcer et de vous prendre en main? Certes, vous aurez besoin d'améliorer certains aspects de votre vie, mais le moral n'y sera pas.

Conseil angélique : *Attendez d'être en meilleure forme moralement avant d'entreprendre des changements. Ainsi, il vous sera beaucoup plus facile d'analyser votre vie et de prendre les décisions qui s'imposent.*

Le début de l'année commencera difficilement. Du 5 au 9 janvier sera votre pire période. Tout pourra vous arriver lors de ces journées. Il faudra surveiller vos paroles puisqu'elles pourront être blessantes et vindicatives. Il ne servira à rien de vous emporter.

Conseil angélique : *Essayez de régler vos différends sans vous laissez emporter par vos émotions. Cela vous sera d'un grand secours.*

Le mois de février vous sera un peu plus favorable puisqu'il y aura des événements bénéfiques qui surviendront. Ceci vous remontera le moral et vous permettra de trouver les solutions nécessaires afin de vous libérer de toutes les situations qui vous préoccupent. Vous aurez un besoin imminent de retrouver votre équilibre ainsi qu'une qualité de vie. Les situations désagréables que vous aurez vécues en janvier, et que vous vivez encore, vous amèneront à réfléchir profondément sur certains aspects de votre vie. Vous serez davantage conscient qu'il est maintenant temps pour vous de faire des changements.

Conseil angélique : *Acceptez toutes les invitations qui vous seront faites. Vous aurez grandement besoin de changer vos idées et cela fera du bien à votre moral! Ainsi, vous serez en mesure de mieux prendre vos décisions.*

Tout au long du mois de mars vous devrez vous battre pour obtenir ce que vous désirerez. Les portes seront fermées et il n'y aura pas d'issue. Vous trouverez difficile la lenteur des événements, les promesses non tenues et les mauvaises langues qui diront toutes sortes d'histoires pour nuire. Votre pire semaine sera la semaine du 9 mars. Tout pourra vous arriver lors de cette semaine.

Conseil angélique : *Puisque rien ne fonctionnera comme vous le voudrez, soyez très vigilant lors de vos transactions. De plus, prenez une journée à la fois. Ainsi, vous éviterez de vous épuiser mentalement.*

Les enfants de **Vehuiah**, d'**Elemiah** et de **Cahetel** auront de la difficulté à surmonter la saison hivernale. Il serait important pour ces êtres de prendre soin d'eux avant de prendre soin des autres!

Sur le plan affectif

Pour certains Séraphins, ce sera une période difficile. Pour d'autres, ce sera un mois d'indifférence. Certains parleront de séparation. D'autres vivront des périodes de détachement qui les amèneront à se questionner sur leur vie à deux. Il serait important d'avoir une discussion avec votre partenaire.

Certains enfants de **Vehuiah** auront peur d'être rejetés par leur partenaire. Pour d'autres, l'attitude du partenaire provoquera des discussions animées. Les enfants de **Jeliel** auront aussi des discussions animées avec leur partenaire à cause du travail, d'un problème financier, d'un enfant ou d'un mensonge. Certains enfants de **Sitaël** parleront de séparation ou vivront une séparation. D'autres se sentiront trahis par leur partenaire. Les aventures d'un soir et les coups de foudre ne vous apporteront que des ennuis de toutes sortes, alors soyez prudent! Les enfants d'**Elemiah** verseront des larmes. Ils vivront des moments très tendus et pénibles. Les enfants de **Mahasiah** trouveront un terrain d'entente pour éviter des déceptions de toutes sortes. Un geste du partenaire réconfortera leur cœur et apaisera leurs peurs. Les enfants de **Lelahel** devront faire attention aux coups de foudre ou à l'infidélité; cela risque de leur apporter des ennuis. Avant que le mois se termine, une décision sera prise au sujet d'une dispute familiale ou amoureuse. Les enfants d'**Achaiah** s'en sortiront bien. Vous serez de vrais détectives, vous questionnerez et vous obtiendrez toutes les réponses à vos questions. Parfois, certaines réponses vous dérangeront émotionnellement, mais vous serez satisfait puisque la vérité s'étalera au grand jour. De plus, attendez-vous à avoir des disputes à cause de l'argent. Les enfants de **Cahetel** seront désespérés. Le partenaire sera indifférent à leurs émotions. Ce qui les amènera à douter de tout et de rien. Ils se sentiront abandonnés et ils n'auront pas la force mentale ou émotionnelle de régler leurs problèmes. Une situation causée par un enfant ou une tierce personne causera toute une tempête émotionnelle.

Pour les célibataires

Prenez soin de votre tenue vestimentaire et faites attention à vos paroles ainsi qu'à votre comportement. Aucune rencontre ne viendra faire palpiter votre cœur.

Sur le plan du travail

Ce sera une période difficile puisqu'on exigera beaucoup plus que ce que vous serez en mesure de fournir. Votre travail vous causera souvent des maux de tête. Certains seront victimes d'abus verbal. D'autres auront un problème avec le syndicat ou avec une tâche qu'ils doivent faire. De plus, certains vivront du mécontentement, de la trahison et des promesses non tenues. D'autres seront insatisfaits de leurs employeurs. Plusieurs prendront conscience qu'ils sont insatisfaits de leur travail. Certains commerçants trouveront la période hivernale pénible et difficile. Certains risquent de faire faillite ou de fermer leur commerce.

Les enfants de **Vehuiah** seront tourmentés par une tâche qu'ils doivent accomplir. Ils ne se sentiront pas à la hauteur de cette tâche. Dans la semaine du 15 janvier, certains trouveront l'ambiance au travail difficile. Certains enfants de **Jeliel** seront victimes de commérages, mais ils seront en mesure de régler rapidement la situation. Une entrevue ou un examen sera reporté à plus tard et cela vous décevra. Ne soyez pas surpris, chers enfants de **Sitaël**, de quitter votre emploi. Certains auront le goût de retourner aux études pour se mettre à jour. Les enfants d'**Elemiah** seront débordés avec des tâches pénibles. Beaucoup de travail pour le peu d'aide qu'ils obtiendront. Attendez-vous à faire des heures supplémentaires. Le comportement ou les paroles d'une personne vous mettront dans un mauvais état, à un point tel que vous vous demanderez si vous devez quitter votre emploi ou y rester.

Conseil angélique : *Demandez conseils avant de prendre une décision.*

Les enfants de **Mahasiah** s'en sortiront bien avec tout le travail qui leur sera donné. Attendez-vous à participer à des réunions qui parlent d'organisation et de restructuration. Les enfants de **Lelahel** devront faire un choix. Une offre d'emploi leur sera faite. Toutefois, ils seront indécis.

Conseil angélique : *N'attendez pas trop longtemps pour prendre votre décision, sinon vous perdrez votre offre. De plus, surveillez vos paroles lors de réunions. Ainsi, vous éviterez des ennuis de toutes sortes.*

Les enfants d'**Achaiah** seront surpris d'une proposition qui leur sera faite. Avant d'accepter, assurez-vous que c'est ce que vous désirez vraiment. Ne prenez pas une décision sur un coup de tête. Les enfants de **Cahetel** seront épuisés par tous les problèmes qui auront lieu au travail. Ne soyez pas surpris si des événements fâcheux vous frappent en plein visage. Certains prendront des journées de congé forcées à cause de ces événements. Tout ce que vous ferez n'aboutira à rien et cela vous découragera.

Sur le plan de la santé

Certains Séraphins seront victimes de fatigue et d'épuisement. Vous risquez de vous plaindre de maux de tête, de migraines et de maux de dos. Certains seront angoissés et perturbés.

> **Conseil angélique :** *Prenez quelques jours de repos, lorsque votre corps le réclamera.*

Les enfants de **Vehuiah** se plaindront de maux de tête, de migraines, de maux d'oreilles ou de dents. Les enfants de **Jeliel** prendront des médicaments pour soulager un rhume, un virus ou un problème quelconque. Les enfants de **Sitaël** se plaindront d'un mal à un genou. Surveillez où vous poserez vos pieds puisque vous risquez de vous fouler une cheville. Certains enfants d'**Elemiah** apprendront une mauvaise nouvelle en ce qui concerne leur santé. Si vous fumez, il serait sage d'arrêter : problèmes avec la gorge, beaucoup de sécrétions. Vous aurez besoin de pastilles, d'antibiotiques ou d'un sirop médicamenté pour soulager votre mal de gorge. Les enfants de **Mahasiah** ne devraient pas soulever rien de lourd : il y a risque de courbatures. Les enfants de **Lelahel** devront faire attention à leur alimentation : il y a risque d'indigestion. Les enfants d'**Achaiah** devront surveiller les objets tranchants : il y a risque de coupures. Les enfants de **Cahetel** seront épuisés. Ils iront consulter leur médecin : il y a risque d'un surmenage.

Sur le plan de la chance

Votre chance est nulle. Je vous conseille de faire attention à votre argent. Certains vivront des ennuis d'argent qui les préoccuperont beaucoup.

Voici quelques événements qui pourraient survenir au cours de la période hivernale.

- Certains Séraphins auront le privilège de recevoir l'aide d'un Ange terrestre lors d'un événement important. Alors, acceptez toute l'aide qui vous sera offerte.

- Certains seront victimes d'un mensonge qui les dérangera énormément.

- Plusieurs devront accepter une tâche qu'ils n'aimeront pas.

- Un enfant vous causera beaucoup d'inquiétude. Vous aurez plusieurs discussions avec celui-ci.

- Vous serez atterré par les paroles de votre conjoint ou d'un ami. Cet être ne mâchera pas ses mots.

- On vous annoncera deux mauvaises nouvelles. D'une part, un membre de votre entourage devra subir une intervention chirurgicale au niveau du cerveau ou une opération n'apportera pas les résultats escomptés. Ne soyez pas surpris si on vous parle d'un accident avec blessures graves. D'autre part, on vous parlera d'une séparation amoureuse qui vous dérangera. Vous aurez de la peine pour les personnes concernées.

- Certains Séraphins réaliseront qu'ils essaient d'atteindre un but trop élevé. Vous n'aurez pas le choix d'y voir et de changer vos objectifs. Cela vous sera beaucoup plus profitable pour vous et votre moral.

- Soyez prudent puisque vous risquez d'être victime de malfaiteurs. Faites attention à vos biens : ne laissez rien traîner, soyez vigilant et n'oubliez pas de verrouiller vos portes. Il y aura beaucoup de situations d'Ombre et des gens hypocrites autour de vous. Je vous conseille de vous en éloigner, sinon cela aura un impact négatif sur votre mental et vos émotions.

- Attendez-vous à avoir une conversation avec un proche qui allégera un poids sur vos épaules. Certains se réconcilieront avec un membre de leur famille ou avec un collègue de travail. Enfin, vous verrez la lumière au bout du tunnel!

- Un voyage sera planifié. Si vous le faites en février, tout ira bien. Si vous le faites en mars, vous risquez d'avoir une petite déception.

- Certains auront des problèmes avec la loi. Surveillez la vitesse : il y a risque de contraventions ou d'un léger accrochage.

- Un enfant sera malade : les maux de gorge et les otites seront en cause.

- Une promesse sera tenue et respectée.

- Une femme de votre entourage recevra un diagnostic de cancer du sein. Toutefois, elle guérira rapidement.

- Certains parleront d'un déménagement qu'ils feront en juillet. Si vous vendez votre propriété, il y a de fortes chances que le déménagement se fasse aussi en juillet.

Saison printanière
(avril-mai-juin)

« Arrêtez de mettre la faute sur autrui. N'oubliez pas que vous vivez en fonction de vos actes et de vos émotions. »

(Paroles de l'Ange Nith-Haiah)

Vous aurez besoin de retrouvez votre équilibre et vous travaillerez pour l'obtenir. Ce ne sera pas une tâche facile. Toutefois, vous y parviendrez. Une décision que vous prendrez tournera en votre faveur et elle aura un impact majeur sur votre année 2011. Cette décision vous libérera de ce qui vous retenait prisonnier. Même si vous vous tracasserez de la tournure de certains événements, vous serez tout de même en forme physique pour prendre votre vie en main et vous diriger vers le chemin du bonheur. Vous aurez un regain d'énergie qui vous donnera un coup de pouce pour commencer tous les projets que vous aurez en tête.

En avril, vous chercherez à connaître la vérité. Vous chercherez à comprendre les raisons pour lesquelles vous avez vécu certaines situations. Cela vous a tellement dérangé. Vous irez à la source, vous ferez tout votre possible pour obtenir les réponses à vos questions. La semaine du 8 avril vous apportera une partie des réponses que vous chercherez.

Puisque vous serez à la recherche de réponses, cela dérangera un peu votre mois de mai. Attendez-vous à obtenir des renseignements qui risquent de vous bouleverser. Toutefois, avant d'entreprendre quoi que ce soit, analysez la situation sous tous ses angles. De plus, vous devrez surveiller les gens hypocrites autour de vous puisque ceux-ci pourront vous induire en erreur. La semaine du 7 au 13 mai sera une semaine très épuisante, et ce, dans plusieurs aspects de votre vie.

Votre mois de juin ne dépendra que de vous et de votre attitude. Certains vivront des difficultés tandis que d'autres seront heureux de tout ce qu'ils entreprendront. De toute façon, dans la semaine du 13 juin, l'un de vos problèmes se résoudra à votre grand soulagement.

Conseil angélique : *Analysez chaque événement avant de prendre des décisions importantes. N'oubliez pas que vous êtes le maître de votre vie. Avant d'écouter les conseils des autres, écoutez la voix de votre cœur. Celle-ci connaît mieux vos besoins.*

Les enfants de **Vehuiah**, de **Sitaël**, d'**Elemiah**, de **Lelahel** et de **Cahetel** auront de la difficulté à surmonter la saison printanière. Ils essaieront de tout régler en même temps et cela risque de les épuiser, au lieu de les aider.

Sur le plan affectif

Ce sera une période ambivalente. Il y aura de belles journées comme il y aura des journées d'orages. Votre côté détective dérangera énormément votre partenaire. Vos questions l'étourdiront!

Conseil angélique : *Surveillez la jalousie puisque ce sentiment risque de vous épuiser émotionnellement.*

Les enfants de **Vehuiah** devront arrêter de se remémorer les événements du passé. Vous devrez essayer de tourner la page. Cela vous sera beaucoup plus favorable. Les enfants de **Jeliel** seront satisfaits d'une discussion et d'une décision. Attendez-vous à faire une sortie agréable avec votre partenaire. Les enfants de **Sitaël** étourdiront leur partenaire avec leurs paroles. De plus, ils auront de la difficulté à reconnaître leurs torts! Les enfants d'**Elemiah** recevront une aide qui viendra leur prêter main forte dans la prise d'une décision. Quelques petits conflits avec le partenaire causés par l'argent. Les enfants de **Mahasiah** écouteront les besoins du partenaire et ce dernier écoutera les leurs. Vous parviendrez à trouver un terrain d'entente. Les enfants de **Lelahel** auront de la difficulté à concilier leur vie amoureuse et le travail. Votre partenaire risque de vous demander de passer un peu plus de temps avec lui. Les enfants d'**Achaiah** suivront le fil des événements. Un voyage ou une activité rapprochera le couple. Les enfants de **Cahetel** trouveront une solution afin de parvenir à retrouver leur équilibre. Toutefois, le mois de mai leur sera très pénible émotionnellement.

Pour les célibataires

La compétition sera serrée. Vous aurez quelqu'un en vue, mais cette personne ne sera pas libre ou il y aura quelqu'un d'autre qui regardera dans la même direction que vous.

Sur le plan du travail

Ce sera une période épuisante et éprouvante. Les gens seront vulnérables et exigeants. La communication sera difficile. Plusieurs auront de la difficulté à trouver un terrain d'entente. De plus, ceux qui feront une entrevue risquent d'être déçus de la décision qui sera prise. Toutefois, ne perdez pas espoir puisque certains auront le privilège de signer une entente ou un contrat qui leur apportera un soulagement.

Les enfants de **Vehuiah** ne sauront plus où donner de la tête avec tout ce qui se passe au travail. Les paroles et le comportement d'un collègue de travail en qui vous aviez confiance vous ébranleront. Les enfants de **Jeliel** subiront les plaintes de tout un chacun qui n'arrêtera pas de rentrer dans leur bureau pour critiquer. Vous serez donc le bouc émissaire de plusieurs personnes. Les enfants de **Sitaël** apprendront le départ d'une personne et cela les perturbera. Les enfants d'**Elemiah** seront épuisés par les paroles et les gestes de certains collègues. De plus, certains ne réussiront pas une entrevue ou un examen important. Cette situation vous déprimera beaucoup. Les enfants de **Mahasiah** seront victimes de curiosité de la part de certaines personnes.

> **Conseil angélique :** *Ne parlez pas trop de votre vie privée,*
> *ainsi vous éviterez de faire parler les mauvaises langues.*

Une réunion clarifiera une situation ambiguë à votre grand soulagement. Les enfants de **Lelahel** devraient éviter les discussions où des gens parleront des faiblesses de leurs collègues de travail puisqu'une personne ira ébruiter la conversation. Les enfants d'**Achaiah** parleront de changements sur le plan des employés. Une situation qui surviendra fera parler beaucoup de gens autour de vous. Les enfants de **Cahetel** auront un collègue qui les épuisera avec ses paroles négatives. Vous pourriez être victime d'abus verbal. Ne laissez pas la situation s'aggraver. Demandez de l'aide autour de vous.

Sur le plan de la santé

Certains Séraphins seront victimes de maux de gorge, de maux d'oreilles, d'infection ou d'irritation. Certaines femmes Séraphins auront des problèmes avec leurs organes génitaux et d'autres devront passer une mammographie. Les fumeurs Séraphins auront des sécrétions qui les amèneront à tousser beaucoup, à un point tel qu'ils pourront se fêler une côte. Si vous devez subir une intervention chirurgicale, prenez tout le temps nécessaire pour remonter la pente. Si vous abusez de votre santé, vous redescendrez rapidement la pente et il vous sera beaucoup plus difficile par la suite de la remonter.

Les enfants de **Vehuiah** se plaindront de migraines atroces et de maux d'oreilles. Certains devront subir une intervention chirurgicale, ce qui les tracassera. Certaines femmes sous la gouverne de Vehuiah devront passer une mammographie. Bref, ce sera un mois d'inquiétude causé par des petits problèmes de toutes sortes au niveau de la santé. Les enfants de **Jeliel** prendront des médicaments pour soulager un rhume ou une extinction de voix. Certains devront se faire enlever une dent de sagesse. Certains enfants de **Sitaël** devront subir une intervention chirurgicale. D'autres devront porter un pansement à cause d'une blessure. Quelques-uns se plaindront de douleurs physiques. Période difficile pour les personnes atteintes de fibromyalgie. Les enfants d'**Elemiah** qui fument devront penser à arrêter. Des douleurs à la poitrine vous inquiéteront.

Conseil angélique : *Il serait sage de consulter votre médecin avant que votre santé s'aggrave. Lorsque vous serez en manque d'énergie, prenez le temps de vous reposer.*

Les enfants de **Mahasiah** auront des problèmes avec leur estomac. Surveillez les excès. Certains enfants de **Lelahel** auront une anormalité sur leur corps qui les inquiétera. Il pourra s'agir d'un petit kyste, d'une enflure ou d'une éruption cutanée. Certains enfants d'**Achaiah** subiront une intervention chirurgicale esthétique qui les obligera à relaxer pendant quelques jours. Certaines femmes auront des ennuis avec leurs organes génitaux; elles devront consulter leur médecin. Les enfants de **Cahetel** auront mal partout. Ils attraperont des virus. Certains seront obligés de garder le lit pendant plus de 48 heures. Certains fumeurs seront dévastés par les résultats d'un diagnostic.

Conseil angélique : *Mieux vaut prévenir que guérir! Alors, n'hésitez pas à consulter votre médecin si un problème ou un malaise vous inquiète.*

Sur le plan de la chance

Votre chance sera faible. Jouez en groupe. Cela vous sera beaucoup plus favorable. Toutefois, évitez de jouer en mai.

Voici quelques événements qui pourraient survenir au cours de la période printanière.

- Certains Séraphins auront encore le privilège de recevoir l'aide d'un Ange terrestre, lors d'un événement important. Alors, acceptez toute l'aide qui vous sera offerte. D'ailleurs, vous en aurez besoin pour régler l'un de vos problèmes importants.

- On vous parlera de trois décès. L'un de ces décès mettra fin à la souffrance d'un membre de l'entourage.

- Une recherche donnera les résultats désirés. On découvrira et on trouvera ce que l'on cherchait.

- On vous annoncera une grossesse : naissance de jumeaux ou naissance d'une fille. On pourra également vous annoncer qu'un accouchement se fera par césarienne puisque le bébé pèsera plus de huit livres.

- Une grossesse de huit semaines sera interrompue, soit par une fausse couche, soit par un avortement.

- Certains auront un problème à régler avec la loi. Un avocat sera consulté.

- D'autres auront un gros problème. Ce ne sera pas facile de régler ce problème, car tous se mettront contre vous. Aucun proche ne cherchera à vous aider. N'hésitez pas à demander l'aide d'un ami; vous serez surpris de voir que cette personne vous apportera exactement la solution que vous aviez besoin.

- Rénovation pour la maison : on change un plancher et on y met de la céramique.

- Faites attention aux brûlures. Certains se brûleront. Rien de grave cependant.

- Un contrat à signer apportera une victoire.

- Une discussion animée aura lieu. Vous serez dérouté par cette situation.

- Un problème sera réglé à votre grande surprise.

- Attendez-vous à recevoir trois petits cadeaux qui vous feront sauter de joie.

- Un anniversaire de naissance sera fêté en grand. Beaucoup de plaisir lors de cette soirée.

- On met fin à une amitié ou à une situation qui dérangeait les émotions.

- Certains recevront un montant d'argent par héritage ou par la vente d'une propriété.

- Certains parleront de chirurgie esthétique.

Saison estivale
(juillet-août-septembre)

« La peur est la pire des entraves à votre évolution, tout comme le doute. Changez cette peur contre le courage. Changez le doute contre la certitude. Maintenant, vous possédez la clé de la réussite! »

(Paroles de l'Ange Nemamiah)

La saison estivale sera une période marquée par des imprévus. Plusieurs situations arriveront sans que vous vous en attendiez. Vous trouverez cela très difficile. Vous êtes du genre qui planifie, qui prévoit et il sera impossible pour vous de le faire durant ces trois mois. Rien ne fonctionnera comme vous l'aviez prévu. Cela ne veut pas dire que tout sera négatif, au contraire. C'est tout ce que vous planifierez qui ne fonctionnera pas.

Conseil angélique : *Arrêtez de perdre votre temps à prévoir ou à planifier et vivez l'instant présent. Ce sera beaucoup plus avantageux pour vous!*

Puisque le mois de juillet sera un mois de chance pour plusieurs, il serait sage d'en profiter pour jouer à la loterie ou pour faire vos transactions. Il y aura plusieurs événements qui surviendront en juillet qui apporteront un changement bénéfique sur certains aspects de votre vie. Toutes les activités que vous entreprendrez obtiendront de bons résultats. La semaine du 8 au 16 vous réserve de belles surprises.

Il y aura plusieurs événements imprévus qui surviendront en août et en septembre. Ces deux mois ne seront pas de tout repos. Ne soyez pas surpris de débuter une action et d'être obligé de la recommencer. Tout ira de travers. De plus, vous ferez souvent des déplacements inutiles, ce qui, à la longue, vous épuisera et vous frustrera.

Conseil angélique : *Au lieu de courir, apprenez à marcher. Ainsi, vous ne ferez pas de pas inutiles.*

Tous les Séraphins auront de la difficulté à surmonter la saison estivale. Cela sera dû aux imprévus. Vous irez trop vite! Vous devrez apprendre à ralentir un peu.

Sur le plan affectif

Ce sera une période émotive pour certains. La déception et la tristesse se feront ressentir. Il y aura de l'orage dans l'air. Cela pourra être causé par un travail ou par l'indifférence. Plusieurs enfants Séraphins se sentiront rejetés par leur partenaire. D'autres chercheront à obtenir une réponse de la part du partenaire et celui-ci ne répondra pas à leur demande. Certains vivront une étape difficile qui pourra engendrer une séparation ou un divorce. D'autres hésiteront beaucoup avant de partir. Toutefois, certaines situations vous feront réaliser qu'il est temps de partir et qu'il n'y a plus rien à faire puisque toutes les ressources ont été épuisées.

Les enfants de **Vehuiah** vivront toujours dans la peur d'être rejeté par le partenaire. Une séparation temporaire pourra avoir lieu. Il est évident que votre vie amoureuse vous causera des maux de tête. Les enfants de **Jeliel** demanderont de l'aide autour d'eux. Les problèmes d'argent nuiront énormément à leur union. Certains voudront quitter leur partenaire. Toutefois, ils auront peur de ne pas être en mesure de subvenir à leurs besoins. Certains enfants de **Sitaël** parleront de séparation ou vivront une séparation. D'autres se sentiront trahis par leur partenaire. Les enfants d'**Elemiah** seront déroutés par les paroles de leur partenaire. Un sujet ou une décision causera beaucoup de turbulence sur le plan de votre relation amoureuse. Les enfants de **Mahasiah** seront en mesure de traverser la tempête. Une franche discussion les rapprochera. Certains enfants de **Lelahel** hésiteront à faire un choix. Une partie d'eux voudra partir, l'autre voudra rester. Toutefois, une situation les amènera à réfléchir longuement avant de prendre leur décision finale. Les enfants d'**Achaiah** s'en sortiront bien. La plupart des petits orages qu'ils auront avec leur partenaire seront provoqués par l'argent ou à cause d'un proche. Les enfants de **Cahetel** seront désespérés. Leur partenaire sera indifférent à leurs émotions. Ils se sentiront abandonnés et ils n'auront pas la force mentale et émotionnelle de régler leurs problèmes.

Pour les célibataires

En juillet, vous pourriez faire la rencontre d'une personne très intéressante! Même si elle n'est pas physiquement votre genre, cette personne saura vous charmer. De plus, acceptez les invitations qui vous seront faites.

De deux à trois belles sorties seront à prévoir. Période favorable pour faire de belles rencontres pour les enfants de **Jeliel**, de **Mahasiah**, de **Lelahel** et d'**Achaiah**.

Sur le plan du travail

Une période où vous travaillerez à la sueur de votre front. Avant de prendre vos vacances d'été, vous mettrez les bouchées doubles afin de pouvoir partir en paix. Toutefois, vos efforts seront récompensés. Pour plusieurs, la saison estivale sera favorable pour recevoir une augmentation de salaire, réussir une entrevue, améliorer leurs tâches, retourner aux études ou changer d'emploi. Toutefois, certains seront obligés d'accepter un changement qui ne fera pas nécessairement leur affaire. Pour d'autres, un contrat ne se renouvèlera pas. Cependant, un collègue vous donnera une bonne référence pour débuter un nouveau contrat.

Les enfants de **Vehuiah** seront débordés au travail. Le travail vous causera souvent des maux de tête. Prenez vos pauses puisque vous en aurez grandement besoin. Les enfants de **Jeliel** recevront un honneur. Une bonne nouvelle leur sera annoncée. Chez les enfants de **Sitaël,** il y aura du changement à prévoir. Les enfants d'**Elemiah** seront débordés avec leurs tâches. Attendez-vous à faire des heures supplémentaires. Les enfants de **Mahasiah** auront un changement qui leur sera favorable. Certains trouveront leur emploi de rêve. Les enfants de **Lelahel** feront le travail de deux personnes en même temps pour un seul et même salaire. Cependant, cela leur attirera une offre alléchante. Les enfants d'**Achaiah** vivront des changements qui leur seront très bénéfiques. Période favorable pour les augmentations de salaire. De plus, une entrevue sera réussie. Certains pourront même changer de carrière. De bonnes nouvelles viendront vers vous. La réussite vous attend! Les enfants de **Cahetel** n'auront pas le temps de s'ennuyer, tellement ils seront occupés à accomplir leurs nombreuses tâches.

Sur le plan de la santé

Certains Séraphins seront victimes de fatigue et d'épuisement, ce qui les amènera à avoir des douleurs ici et là. Le seul remède qui vous soulagera : du repos! Bref, plusieurs mériteront grandement leurs vacances d'été!

> **Conseil angélique :** *Profitez de vos temps libres pour méditer ou faire une sieste de 30 minutes. Votre corps en sera très heureux!*

Les enfants de **Vehuiah** prendront un médicament pour soulager une migraine ou des douleurs physiques. Chez les enfants de **Jeliel** la santé sera bonne. Certains prendront un produit naturel ou des vitamines pour les aider à remonter la pente. Les enfants de **Sitaël** seront en pleine forme et leur énergie vitale sera à la hausse, ce qui les amènera à faire mille choses à la fois. Certains enfants d'**Elemiah** seront fatigués et en manque d'énergie. De plus, vous prendrez un médicament à cause d'une inflammation. Prenez le temps de vous reposer lorsque vous en aurez la chance. Les enfants de **Mahasiah**, de **Lelahel** et d'**Achaiah** seront en excellente forme. Vous exploserez d'énergie. Les enfants de **Cahetel** seront toujours épuisés. De plus, vous aurez de petits problèmes avec votre vessie. Certains consulteront leur médecin.

Sur le plan de la chance

Votre chance est moyenne. N'oubliez pas que votre mois de juillet est un mois bénéfique et chanceux. Certains recevront une belle petite somme d'argent!

> **Conseil angélique :** *Vivez à fond tous les événements heureux qui se produiront cet été.*

Voici quelques événements qui pourraient survenir au cours de la période estivale.

* Certains perfectionneront leurs talents. Ils seront très heureux du résultat.

- Plusieurs auront le privilège de recevoir de deux à six petites entrées d'argent.

- Un déménagement aura lieu à la campagne. Certains s'achèteront même un chalet ou une maison de style champêtre.

- Certains feront l'achat d'un ou de plusieurs chevaux. D'autres adopteront un animal de compagnie.

- Certains mettront un terme à une relation amicale ou amoureuse. Pour d'autres, un proche vous annoncera une séparation.

- Certains vivront un coup de foudre. Une passion naîtra.

- Un membre de l'entourage se blessera à une épaule.

- Certains auront un dégât d'eau. D'autres devront rénover leur toit.

- Plusieurs petits déplacements vers la campagne se feront. Il y aura de belles parties de pêche à prévoir. Les amateurs de plein air seront choyés par les activités qu'ils entreprendront.

- Certains vivront une période de tristesse de huit jours. Plusieurs larmes seront versées.

- Les cultivateurs auront de belles récoltes. Les apiculteurs seront satisfaits de leur récolte de miel.

- Un Ange terrestre viendra vous aider à régler une situation difficile.

- Certains feront l'acquisition d'un immeuble à revenus.

- Annonce d'une séparation dont s'ensuivra un divorce.

- Vous, ou un proche, vous blesserez à l'épaule gauche. Un physiothérapeute sera consulté.

- On vous révélera un secret qui vous surprendra.

- Un membre de l'entourage parlera d'une faillite.

- Certains seront ébranlés par un tremblement de terre qui se produira dans un pays étranger. Cela ne veut pas dire que vous y serez. Toutefois, vous pourriez connaître une personne qui y était et qui a été traumatisée par cet événement.

Saison automnale
(octobre-novembre-décembre)

« Dans la vie, il faut s'amuser comme des enfants. Il faut jouir de la vie et, surtout, rire! Ne vous préoccupez pas de l'avenir. Celui-ci viendra bien assez tôt. Jouissez plutôt du moment présent. »

(Paroles de l'Ange Eyaël)

Votre période automnale vous apportera que du bon et du bien. Vous récolterez enfin tous les bienfaits de vos efforts. L'année 2011 ne vous a pas épargné avec toutes ses situations imprévues. Maintenant, vous terminerez votre année en beauté. Ceci vous donnera de l'énergie pour bien amorcer votre année 2012. Au cours de la période automnale, rien ne restera en suspens. Tout se réglera, et ce, à votre entière satisfaction. Tous les changements que vous ferez seront à la hauteur de vos attentes. Plusieurs seront fiers d'eux et de tout ce qu'ils auront accompli.

La chance vous ouvrira ses portes au cours des mois d'octobre et de novembre. Ceci vous sera favorable pour acheter des billets de loterie ou faire des transactions. De plus, certains mettront sur pied un projet qui leur apportera beaucoup de satisfaction.

En décembre, vous serez émerveillé par toutes les belles situations qui surviendront. La joie, l'harmonie et l'amour feront partie de votre mois de décembre. Victoire et réussite vous suivront. Profitez-en, puisque vous le méritez grandement!

Tous les Séraphins seront en mesure de bien mener à terme leur saison automnale puisque tout leur sera acquis.

Sur le plan affectif

Ce sera une période de réconciliation et d'efforts pour retrouver l'harmonie sous votre toit. Plusieurs Séraphins mettront de l'eau dans leur vin. Ils travailleront minutieusement leur vie de couple. Toutefois, ils seront satisfaits des résultats. Les couples se feront des promesses et chercheront à les respecter. Un beau bonheur et de belles surprises vous attendent durant cette période. L'amour, le respect et l'harmonie seront dans l'air! Et cela se reflétera sur vos humeurs.

Les enfants de **Vehuiah** obtiendront du réconfort de la part de leur partenaire. Il vous démontrera ses sentiments envers vous, ce qui éliminera votre sentiment de peur d'être rejeté par celui-ci. Les enfants de **Jeliel** seront en amour avec leur partenaire. Ce dernier vous réservera de belles surprises. Attendez-vous à faire une belle sortie en sa compagnie. Un souper en tête-à-tête sera prévu. Les enfants de **Sitaël** feront une sortie avec leur partenaire ou ils passeront une fin de semaine en amoureux. De belles fleurs ou une carte comportant des mots gentils vous attendent. Les enfants d'**Elemiah** seront soulagés par l'aide et le soutien de la part de leur partenaire. Son attitude fera renaître en vous vos sentiments pour lui. Vous serez tout miel, tout amour. Les enfants de **Mahasiah** et de **Lelahel** seront totalement en amour. Vous serez heureux, gâtés et aimés. Tout pour faire palpiter votre cœur de bonheur. Solidification de l'union, soit par un mariage, une cohabitation ou un anneau. Un beau bonheur vous sera réservé. L'amour sera dans l'air. Cela se verra et se fera ressentir. Les enfants d'**Achaiah** vivront des changements qui amélioreront leur vie de couple. Une décision que vous prendrez sera à la hauteur de vos attentes. Vous mettrez de l'eau dans votre vin et cela aura des effets bénéfiques sur votre union. Les enfants de **Cahetel** vivront des moments agréables qui les aideront à voir la vie du bon côté. Une discussion avec le partenaire vous donnera le goût de repartir à zéro et de régler vos différends.

Pour les célibataires

Plusieurs occasions se présenteront à vous pour faire la rencontre de votre partenaire idéal. De belles surprises vous attendent. Certains peuvent trouver le partenaire idéal.

Sur le plan du travail

Ce sera une période de solutions et de changements en votre faveur. Les associations seront fructueuses. Les entrevues porteront fruits. Certains recevront un honneur, une augmentation de salaire ou ils obtiendront un emploi rêvé. D'autres devront mettre de l'eau dans leur vin, mais les retombées de cette décision leur seront très favorables.

Les enfants de **Vehuiah** seront débordés par leur travail. Toutefois, un collègue vous prêtera main forte, ce qui vous soulagera. Les enfants de **Jeliel** recevront une augmentation de salaire ou une belle récompense. Certains penseront à retourner aux études pour se mettre à jour ou s'orienter vers une nouvelle carrière. Les enfants de **Sitaël** assisteront à une réunion qui parlera d'un changement qui se produira pour l'année 2012. Certains quitteront leur travail pour un travail plus rémunérateur. D'autres devront s'habituer à de nouvelles tâches. Les enfants d'**Elemiah** seront toujours débordés avec leurs tâches. Toutefois, ils recevront l'aide demandée. Certains seront obligés d'apprendre une nouvelle technique. Ne vous inquiétez pas, vous serez en mesure de bien relever ce défi. Que de bonnes nouvelles arriveront vers les enfants de **Mahasiah**. Ceux qui auront une entrevue donneront leur maximum, ce qui aura un impact favorable. Vous ferez une bonne impression. Les enfants de **Lelahel** vivront de bons changements et certains recevront une augmentation de salaire ou de bons avantages sociaux. Vous serez en harmonie avec un choix que vous ferez. Certains enfants d'**Achaiah** vivront des changements soudains qui orienteront leur carrière différemment. D'autres recevront une augmentation de salaire ou un honneur. Malgré tous les obstacles qui barreront la route des enfants de **Cahetel**, ils parviendront tout de même à trouver les solutions pour se libérer rapidement de leurs petits ennuis. Certains se réconcilieront avec un collègue de travail. Lors d'une discussion ou d'une réunion, un problème se réglera, ce qui vous soulagera. Vous serez satisfait de la tournure des événements.

Sur le plan de la santé

Plusieurs seront en super forme. Cela vous permettra d'entreprendre plusieurs tâches que vous aviez mises de côté. Toutefois, certains se plaindront de douleurs ici et là. D'autres prendront un médicament pour soulager leur douleur. Un produit naturel aura de bons effets sur plusieurs Séraphins. Les personnes malades souffriront moins; un changement de médicament vous sera favorable. Ceux qui devront subir une intervention chirurgicale : celle-ci sera réussie.

Conseil angélique : *Faites attention lorsque vous soulèverez des objets lourds. Vous risquez de vous blesser au dos ou à une épaule.*

Les enfants de **Vehuiah** pourront se blesser légèrement avec un objet tranchant ou avec un objet lourd. La plupart des enfants de **Jeliel**, de **Sitael**, de **Mahasiah**, de **Lelahel** et d'**Achaiah** seront en pleine forme. Toutefois, certains pourront se faire mal à une main, à une cheville ou à un coude. De plus, certaines femmes se plaindront de problèmes avec leur utérus. Les enfants d'**Elemiah** reprendront du poil de la bête. Leur énergie sera à la hausse. Les enfants de **Cahetel** devront faire attention à leur alimentation : il y a risque d'indigestion.

Sur le plan de la chance

Votre chance est très élevée. Alors, profitez-en! Plusieurs seront surpris de tous les cadeaux providentiels qui leur seront donnés.

Voici quelques événements qui pourraient survenir au cours de la période automnale.

- Les portes de l'abondance s'ouvriront pour vous. Vous vivrez des moments féeriques et magiques grâce aux Anges.

- Votre esprit créatif engendrera des situations loufoques, mais constructives.

- Achat d'un meuble. Plusieurs rénoveront une pièce de la maison.

- Deux personnes de votre entourage vous annonceront une maladie imprévue.

- Certains devront prendre un médicament pour soulager une douleur ou un malaise. De plus, plusieurs devront subir des examens de toutes sortes pour vérifier l'origine d'une douleur. Les résultats vous satisferont.

- Certains seront invités à une fête d'Halloween. D'autres devront organiser un party de Noël. Un Noël qui risque de coûter très cher pour plusieurs personnes.

- Certains recevront un bijou en cadeau, ce qui vous fera énormément plaisir.

- Votre ambition de réussir vous apportera du succès.

- Plusieurs vivront une période favorable sur le plan des finances.

- Vous, ou un proche, recevrez un honneur, un trophée ou un diplôme. De plus, lors d'une soirée, on vous louangera.

- Plusieurs situations vous apporteront un sentiment de fierté.

- Un travail sera reconnu avec succès. Une offre sera alléchante.

- Un projet sera réussi et couronné de succès.

- Un souhait se réalisera dans le domaine de l'amour, et un autre dans le domaine du travail.

- Certains parleront de fiançailles, de mariage ou de cohabitation. Réussite d'un projet affectif.

- Certains changeront leur voiture. D'autres feront l'achat d'une motoneige.

- Le mot « victoire » sera souvent prononcé, et ce, à votre grande fierté.

- Un pardon sera demandé. Un pardon sera accordé.

- Une rencontre du passé vous rendra heureux.

- Attendez-vous à recevoir plusieurs amis à la maison.

- Réconciliation avec un proche, une amitié, un ex-amoureux, un amoureux ou un collègue de travail.

- Certains feront un beau voyage d'amour. D'autres partiront dans le sud. Un voyage réussi. La température sera mieux que ce que vous aviez espéré!

- Certains seront invités à assister à un mariage ou à renouvellement des vœux du mariage. D'autres seront invités à célébrer un anniversaire de naissance. Tandis que certains assisteront à un baptême ou à une première communion.

- Trois bouteilles de vin vous seront données en cadeau. De plus, un billet de loterie qui vous sera donné en cadeau vous apportera une surprise.

- Un proche vous parlera d'un renouvellement des vœux de mariage.

- La santé d'un proche vous inquiétera.

- Certains seront heureux de leur perte de poids. Ils atteindront le poids qu'il s'était fixé. Vous serez récompensé après vos efforts. Toutefois, ne soyez pas trop gourmand durant la période des Fêtes!

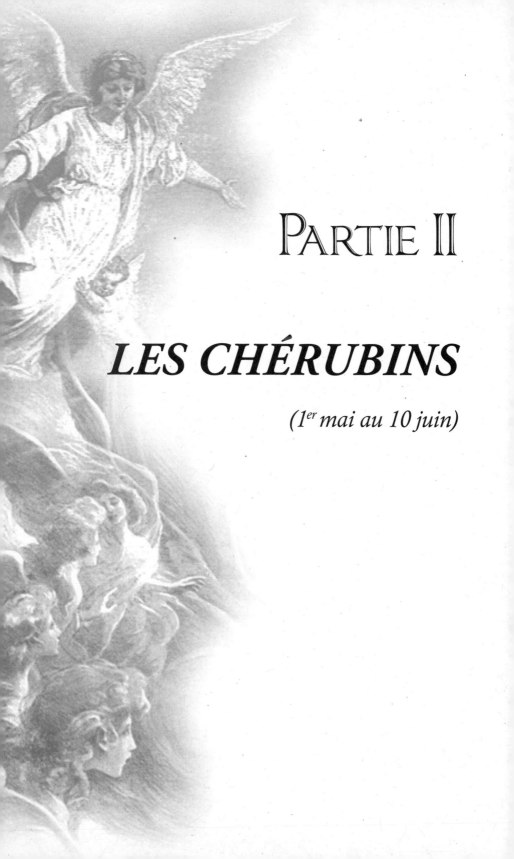

PARTIE II

LES CHÉRUBINS

(1er mai au 10 juin)

Chapitre IV

L'année 2011 des Chérubins

L'année 2011 sera une année où vous aurez besoin de retrouver votre équilibre, et ce, dans tous les aspects de votre vie. Vous en avez assez de tourner en rond et de ne rien accomplir. Cette année, vous aurez le goût de construire, de bâtir et de réaliser des projets qui vous tiennent à cœur depuis un certain temps. Il y aura des moments où ce ne sera pas facile, mais vous serez conscient que, pour retrouver l'équilibre, il faut faire place aux changements. Mais vous n'aimez pas les changements, c'est la raison pour laquelle vous vivrez des moments difficiles. Par contre, une fois que la période de changement sera amorcée, vous serez très fier des résultats puisqu'ils seront à la hauteur de vos attentes. De plus, ces résultats ramèneront l'équilibre au sein de l'aspect de votre vie qui a besoin d'être stabilisé.

Au cours de l'année, il y aura des moments où vous utiliserez la ruse pour obtenir ce que vous désirez. Les gens de votre entourage auront alors de la difficulté à vous percer et à vous analyser. Vous vivrez également des moments de solitude. Toutefois, vous aurez choisi de vivre ces moments afin de faire le vide et de prendre de bonnes décisions.

Vous serez conscient qu'il est maintenant temps pour vous de fermer la porte du passé et d'ouvrir celle du futur. Il est trop tard pour les regrets.

Vous comprendrez que la meilleure chose à faire sera de vous fixer un but et d'avancer vers celui-ci.

En 2011, vous serez en mesure de prendre votre vie en main et de réaliser vos buts et vos objectifs. Vous aurez de bonnes idées pour faire place au changement. Vous utiliserez une approche efficace pour changer tout ce qui vous dérange. Si vous vous faites confiance, tout tournera en votre faveur et vous serez heureux de votre réussite personnelle. Au cours de l'année 2011, vous ferez donc toutes sortes de changements qui vous amèneront à vivre une multitude de situations autant positives que négatives.

Conseil angélique : *Suivez votre instinct et vous ne serez pas déçu. N'ayez pas peur d'écouter votre petite voix intérieure. Elle vous apportera beaucoup de bonheur et de joie au cours de l'année et elle vous guidera exactement aux endroits où vous devrez être.*

Les enfants de **Mebahel** et, à l'occasion, les enfants d'**Aladiah** et de **Lauviah I**, trouveront l'année 2011 plus difficile.

Conseil angélique : *Lors de période de questionnements, n'hésitez pas à demander de l'aide à votre Ange ou à l'Ange accompagnateur afin qu'ils puissent venir vous guider et vous épauler.*

L'amour des Chérubins

Certains Chérubins parleront de mariage ou de cohabitation. D'autres iront rejoindre leur partenaire à l'autre bout du monde, s'il le faut. Les couples travailleront très fort pour qu'un équilibre s'installe définitivement sous leur toit. Ils seront friands d'harmonie, d'amour et de respect. Plusieurs Chérubins s'efforceront de refléter ces sentiments humains importants à leurs yeux. Grâce à cette nouvelle attitude, plusieurs Chérubins sauveront leur vie de couple et éviteront la séparation. Toutefois, si votre partenaire n'évolue pas dans le même sens que vous, vous serez très radical et catégorique. Lorsque votre décision sera prise, il n'y aura plus de chance de retour. La décision sera sans appel.

Votre nouvelle attitude pourrait vous amener à dire des choses ou à agir autrement qu'avant. Il serait donc important de faire attention à vos paroles et à vos gestes lorsque vous parlerez à vos proches. N'oubliez pas qu'ils ne sont pas habitués de vous voir agir ainsi. Alors, laissez-leur la chance d'exprimer leurs émotions face à certaines situations ou changements que vous provoquerez avec votre nouvelle façon de voir les choses.

Les enfants d'**Haziel**, d'**Aladiah**, de **Lauviah I** et de **Mebahel** trouveront leur vie amoureuse difficile. Ces êtres devront travailler très fort pour y apporter de l'harmonie. Toutefois, de nombreuses possibilités se dessineront devant eux pour régler le tout à leur avantage. Les enfants d'**Hahaiah**, de **Yezalel**, d'**Hariel** et d'**Hekamiah** trouveront les solutions nécessaires pour être heureux. Certains iront consulter un psychologue ou un thérapeute qui les aideront à retrouver leur équilibre. De bons conseils leurs seront donnés. Ces êtres feront tout leur possible pour retrouver l'harmonie. Ils seront soutenus par les membres de leur famille, ce qui les aidera à prendre de bonnes décisions au cours de l'année.

Les Chérubins célibataires

L'année 2011 vous annonce l'arrivée de votre partenaire idéal. L'amour sera au rendez-vous des Chérubins célibataires. Une union solide, basée sur le respect et l'amour, pourrait en découler.

Les enfants célibataires d'**Hahaiah**, de **Lauviah I** et d'**Hariel** auront la chance de rencontrer leur partenaire idéal sur Internet, à l'aide d'une connaissance ou lors d'une soirée agréable. Vous serez émerveillé par sa personnalité. De plus, cet être vous enverra de gentils mots qui feront palpiter votre cœur. Vous resplendirez d'amour! Certains pourront même parler d'union solide et de mariage. Les enfants d'**Haziel**, d'**Aladiah** et d'**Hekamiah** rencontreront leur idéal au travail ou par l'intermédiaire d'un collègue. Pour conquérir le cœur de votre nouvelle flamme, il faudra que vous utilisiez de l'astuce et du charme. Toutefois, les résultats en vaudront grandement la peine! Les enfants de **Yezalel** et de **Mebahel** pourraient rencontrer leur idéal grâce à une connaissance, à un service que vous réclamerez, à une activité, aux études ou à un centre de conditionnement physique. Vous serez sous le charme instantanément. De plus, ses mains et ses jambes vous charmeront.

Le travail des Chérubins

La vie professionnelle des Chérubins en 2011 sera une période ambivalente. D'une part, certains Chérubins seront conscients qu'ils doivent faire des choix s'ils veulent obtenir de l'avancement. D'autre part, certains Chérubins voudront rester au même endroit puisqu'ils y sont biens. Plusieurs Chérubins vivront dans l'incertitude. Vous serez indécis, car vous serez hanté par la peur de faire de mauvais choix. C'est sur le plan du travail que votre manque de confiance se fera le plus ressentir.

De plus, quelques Chérubins se mettront à dos deux de leurs collègues de travail en raison d'un argument. Cela les dérangera énormément. Vous ne serez probablement pas la source du problème, mais les circonstances feront que ces deux personnes ne voudront plus vous parler ou travailler avec vous. Vous serez attristé par cet événement et vous aurez de la difficulté à comprendre les raisons qui les poussent à agir ainsi.

Tous les Chérubins désireux de faire un changement sur le plan professionnel ne seront pas déçus puisqu'il y aura place à l'amélioration. Plusieurs seront très satisfaits. Toutefois, les enfants de **Mebahel** seront lents à se décider ou à choisir, ce qui les amènera peut-être à perdre de belles opportunités de travail. Ne lambinez pas trop longtemps puisque de belles offres vous passeront sous le nez!

Les enfants d'**Haziel**, de **Lauviah I**, d'**Hahaiah**, de **Yezalel**, d'**Hariel** et d'**Hekamiah** auront la possibilité de changer de travail. Il y en a même qui auront la chance de changer complètement de carrière, d'endroit ou de statut. Cela peut aussi vouloir dire une augmentation de salaire. De nouvelles offres viendront vers vous. Beaucoup de satisfaction vous attend sur le plan du travail. Tout vous est acquis. Il suffit d'aller de l'avant et de réussir. Les enfants d'**Aladiah** auront la possibilité d'améliorer l'ambiance qui règne dans leur milieu de travail. Tous les problèmes seront résolus à votre grande satisfaction. Les enfants de **Mebahel** seront débordés par des tâches qui ne leur conviennent pas. Toutefois, comme ces êtres ne veulent pas faire de la peine à qui que ce soit, ils auront tendance à faire tout le travail demandé. Par contre, ils feront leur travail à contrecœur. Ils chialeront constamment à l'intérieur d'eux-mêmes ou à l'extérieur du travail.

Conseil angélique : *Réglez vos petits problèmes. Ne vous laissez pas importuner par qui que ce soit. Affirmez-vous lorsque vous êtes fatigué ou que vous n'êtes pas en mesure d'accomplir le travail qu'on exige de vous. Sinon, votre moral en souffrira et ensuite votre physique s'affaiblira.*

Les enfants d'**Hahaiah**, de **Yezalel**, d'**Hariel** et d'**Hekamiah** seront chanceux dans tout ce qu'ils entreprendront. Les contrats fuseront de partout. Les agents immobiliers signeront plusieurs contrats alléchants ainsi que les entrepreneurs et les commerçants. L'année 2011, c'est votre année de réussite! Vous travaillerez très fort, mais cela en vaudra grandement la peine!

La santé des Chérubins

Généralement, la santé sera bonne. Toutefois, il faudra faire attention aux excès sur le plan de l'alimentation. Vous aurez des problèmes avec votre digestion. Votre estomac en souffrira ainsi que votre corps physique. N'oubliez pas que l'Ange Hariel peut aider tous ceux qui veulent suivre un régime. Certains Chérubins devront prendre des médicaments pour soulager des douleurs physiques. Vos parties sensibles du corps seront les épaules, les mains et les genoux. De plus, ne soyez pas surpris d'être obligé de subir une intervention chirurgicale causée par une douleur physique qui ne semble pas vouloir se guérir par médicamentation. Soyez également vigilant lorsque vous marcherez pieds nus : il y a risque de blessure sous le pied. Les ouvriers devront faire attention puisqu'ils risquent de se blesser à une main. De plus, certains Chérubins feront de l'insomnie causée par plus d'un problème.

Conseil angélique : À tous les Chérubins qui souffriront d'insomnie : écoutez une musique de détente avant de vous coucher ou faites un peu de méditation afin de vous détendre.

Certains enfants d'**Haziel** et d'**Aladiah** devront subir une intervention chirurgicale afin de régler un problème physique. D'autres devront surveiller leurs mains, particulièrement leur pouce, lorsqu'ils feront de la rénovation puisqu'ils risquent de se blesser à cause d'un marteau ou d'un autre objet. De plus, certains Chérubins de 44 à 58 ans devront prendre un médicament pour soulager un problème de santé ou une douleur physique. Les enfants d'**Haziel** souffriront d'une douleur au bras ou au coude. Pour les enfants d'**Aladiah**, ce sera une douleur à la main ou à l'épaule, plus particulièrement à l'épaule droite. Les enfants de **Lauviah I** devront surveiller les organes génitaux et la vessie. Certains se plaindront d'un mal au niveau du genou. Ceux qui boivent beaucoup auront des ennuis avec leur pancréas. Ne soyez pas surpris si votre médecin vous met en garde contre un éventuel problème, si vous ne cessez pas de boire. Les enfants d'**Hahaiah** se plaindront à l'occasion d'une douleur à l'épaule. D'autres se plaindront de problèmes de constipation ou d'hémorroïdes. Surveillez votre alimentation puisque vous risquez d'avoir régulièrement un estomac en feu. Certains enfants de **Yezalel** se blesseront un doigt, plus particulièrement le majeur ou l'annulaire. Surveillez les portières et les objets tranchants. Certains enfants dans la cinquantaine souffriront d'ostéoporose, de rhumatisme ou d'arthrite, et quelques-uns prendront un médicament pour soulager leur douleur. Les enfants de **Mebahel** souffriront de migraines, de maux de tête, d'insomnie et d'une légère dépression.

> **Conseil angélique :** *Prenez du temps pour vous reposer quand votre corps le réclamera. Sinon, vous aurez des moments de longue fatigue et il vous sera pénible de remonter la pente par la suite. Surveillez votre santé et respectez vos limites.*

Les enfants d'**Hariel** devront surveiller leur alimentation. Vous serez victime de maux d'estomac. De plus, votre peau sera fragile. Prenez-en bien soin lorsque vous irez au soleil. Attention aux feux : il y a risque de brûlures. Certains enfants d'**Hekamiah** devront prendre un médicament pour soulager des douleurs ici et là. Les hommes qui font de l'embonpoint auront des examens en ce qui concerne leur foie et leur cœur. Certains seront obligés de faire de l'exercice pour améliorer leur état physique.

La chance des Chérubins

Votre chance sera moyenne. Vous ne gagnerez pas de grosses sommes d'argent. Si vous gagnez, ce sera des sommes raisonnables, mais toujours agréables à recevoir. Les chiffres 10, 16 et 18 seront trois chiffres très chanceux pour tous les Chérubins. Votre journée de chance sera le dimanche. Vos mois de chance seront **janvier**, **mars** et **septembre**. Profitez-en pour jouer à la loterie lors de vos mois favorables. Si vous trouvez une pièce de dix cents par terre, cela représentera votre signe de chance. Achetez un billet de loterie. Les enfants d'**Haziel**, d'**Hahaiah** et d'**Hekamiah** seront les plus chanceux.

Ange Haziel : 4, 8 et 36. Votre chance est excellente. Si vous connaissez une personne sous la gouverne des Principautés, achetez un billet avec elle. Les groupes de huit personnes vous seront favorables.

Ange Aladiah : 2, 20 et 38. Votre chance est faible. Il serait préférable de jouer en groupe de deux ou de trois personnes. Si vous connaissez un homme sous la gouverne des Puissances, achetez un billet avec lui.

Ange Lauviah I : 7, 13 et 37. Votre chance est bonne. Il suffit d'écouter votre instinct. Si une personne vêtue de rose vous offre un billet, achetez-le. Ce billet pourrait vous apporter de la chance.

Ange Hahaiah : 1, 17 et 21. Votre chance est excellente. Vous avez la main chanceuse. Alors, prenez le temps de choisir vous-même vos numéros et vos billets de loterie. Si vous jouez avec un homme sous la gouverne des Séraphins, cela vous sera aussi bénéfique. Choisissez la moitié des chiffres et demandez-lui de choisir l'autre moitié. Cela pourrait être une combinaison gagnante.

Ange Yezalel : 5, 21 et 40. Votre chance est bonne. Si vous jouez avec une personne sous la gouverne des Séraphins, cela vous sera aussi bénéfique. Choisissez la moitié des chiffres et demandez-lui de choisir l'autre moitié. Cela pourrait être une combinaison gagnante. De plus, je vous conseille de noter sur papier tous les chiffres que vous verrez en rêve. Vos mardis seront très favorables, surtout pendant le mois de mars. Attendez-vous à vivre de bons moments au cours de ces journées!

Ange Mebahel : 9, 15 et 25. Votre chance est faible. Ne dépensez pas trop votre argent dans les loteries. Toutefois, si vous avez le goût de vous acheter un billet de loterie, je vous conseille de jouer avec une femme aux cheveux longs de couleur châtain ou brun pâle. Sinon, jouez avec un membre de votre famille sous la gouverne des Puissances. Cela vous sera favorable.

Ange Hariel : 14, 20 et 46. Votre chance est bonne. Toutefois, vous serez plus chanceux lorsque vous jouerez en groupe. Les groupes de quatre ou de six personnes vous seront favorables. Si vous jouez avec une personne sous la gouverne des Séraphins, des Chérubins ou des Trônes, cela vous sera aussi bénéfique. De plus, si quelqu'un vous remet un billet de loterie en cadeau, ce billet pourrait vous apporter de la chance. Je vous conseille de rejouer ces chiffres par la suite.

Ange Hekamiah : 4, 34 et 44. Comme pour les enfants de l'Ange Hahaiah, votre chance est excellente. Vous avez la main chanceuse. Alors, prenez le temps de choisir vous-même vos numéros et vos billets de loterie. Si vous jouez avec votre partenaire amoureux ou un collègue de travail, cela vous sera aussi bénéfique. Choisissez la moitié des chiffres et demandez à votre partenaire ou à votre collègue de choisir l'autre moitié. Cela pourrait être une combinaison gagnante, surtout si l'autre personne est sous la gouverne des Séraphins ou des Archanges. Les groupes de quatre personnes composés de deux hommes et de deux femmes ou d'une femme et de trois hommes vous seront bénéfiques. Ces groupes peuvent vous apporter de la chance. La journée du mardi vous sera également favorable.

Aperçu des mois de l'année des Chérubins

☆ **Les mois favorables** : janvier, mars, mai et septembre.

☆ **Les mois non favorables** : juin, juillet, août et octobre.

☆ **Les mois ambivalents** : février, avril, novembre et décembre.

☆ **Les mois de chance** : janvier, mars et septembre.

Chapitre V

Informations supplémentaires propres à chacun des Anges Chérubins

✦ ANGE HAZIEL ✦
(du 1er au 5 mai)

Les enfants d'Haziel travailleront très fort pour obtenir tout ce qu'ils désirent. Toutefois, la réussite et la satisfaction seront leur récompense. Certains se lanceront dans de nouvelles aventures qui leur seront bénéfiques. D'autres apprendront de nouvelles techniques pour se perfectionner. Les enfants d'Haziel auront tous les outils en main pour réussir tout ce qu'ils entreprendront. Leurs forces seront la persévérance et la détermination.

Certaines situations les avantageront sur le plan financier. Ces enfants remonteront la pente et ils seront déterminés à continuer dans cette même direction. En 2011, vous récolterez tous les fruits de vos efforts. Vous en serez très fier.

ANGE ACCOMPAGNATEUR : l'Ange Lecabel (31). Cet Ange vous guidera toujours vers la meilleure solution. De plus, comme il est un Ange productif, avec lui, tout doit bouger. Cet Ange vous permettra donc de recevoir les bienfaits de chacune de vos bonnes actions.

✦ ANGE ALADIAH ✦
(du 6 au 10 mai)

Les enfants d'Aladiah chercheront à équilibrer plusieurs aspects de leur vie. Plusieurs régleront des problèmes. Certains de ces problèmes seront résolus par la justice. D'autres le seront grâce à de judicieux conseils qu'on vous donnera.

À quelques reprises, votre attitude sera froide et tranchante. Toutefois, vous n'aurez pas le choix d'agir ainsi. Autrement, vos décisions seront influencées par d'autres individus. Et c'est exactement ce que vous voudrez éviter en 2011 : des gens qui vous dictent quoi faire et comment le faire. Vous désirerez régler vos problèmes avec vos forces et vos faiblesses. De cette façon, vous serez davantage en mesure d'en apprécier les retombées.

Cette nouvelle façon de voir les choses vous permettra de mieux ressentir les gens qui vous entourent. Vous serez même surpris de voir que deux proches vous manipulent depuis un certain temps. Ne soyez pas surpris d'avoir une conversation importante avec ces personnes. Vous remettrez les pendules à l'heure!

ANGE ACCOMPAGNATEUR : l'Ange Daniel (50). Lorsque vous ne savez plus où aller ni quoi faire, cet Ange vous donnera des indices ou des pistes à suivre qui vous dirigeront vers des choix judicieux. L'Ange Daniel vous permettra de prendre les meilleures décisions.

✦ ANGE LAUVIAH I ✦
(du 11 au 15 mai)

Les enfants de Lauviah I auront de nombreuses opportunités qui se présenteront sur leur chemin afin qu'ils puissent se libérer de leurs ennuis ou se sortir de situations difficiles. Vous aurez les atouts nécessaires pour réussir tout ce que vous entreprendrez ou déciderez. L'année 2011 sera une année d'action et d'accomplissement, si vous le voulez, bien évidemment. Si vous restez indifférent devant toutes les possibilités qui s'offriront à vous pour améliorer votre vie, vous risquez de trouver votre année longue et difficile.

Conseil angélique : *N'ayez pas peur d'avancer lorsque des offres se présenteront à vous sur le plan du travail ou autre. Ainsi, vous pourrez effectuer les changements nécessaires à l'amélioration de votre qualité de vie.*

En 2011, lorsque vous réclamerez de l'aide, elle arrivera aussitôt. Vos rencontres seront intéressantes et riches en énergie. Elles vous permettront de faire de bonnes transactions et de prendre de bonnes décisions.

ANGE ACCOMPAGNATEUR : l'Ange Yehuiah (33). Cet Ange enverra sur votre chemin les personnes-ressources qui vous aideront à trouver les meilleures solutions à vos problèmes. Cet Ange connaît la personne qui vous sera le plus efficace ou qui vous fera le plus de bien.

✦ ANGE HAHAIAH ✦
(du 16 au 20 mai)

Les enfants d'Hahaiah auront la chance de se trouver au bon endroit, au bon moment. Tout vous sera acquis, si vous prenez le temps de regarder ce qui se passe autour de vous. Toutes vos solutions s'y trouveront. Il vous suffira d'être conscient des événements de la journée. Plusieurs auront la possibilité de saisir de grandes opportunités et de réussir grâce à ces chances soudaines. Que ce soit sur le plan affectif, professionnel, amical ou financier, il y aura toujours une solution pour vous. De plus, tout ce que vous cher-cherez à savoir ou à connaître vous sera révélé. Vous obtiendrez toujours les réponses à vos questions.

Conseil angélique : *Saisissez toutes les occasions qui se présenteront à vous. Vous ne serez pas déçu!*

Certains travailleront très fort pour atteindre leurs buts et donner vie à leurs projets. Plusieurs auront même peur d'échouer. Toutefois, les portes s'ouvriront au moment opportun, comme par enchantement. Ainsi, il vous sera facile de mener à terme vos projets et de les réussir.

ANGE ACCOMPAGNATEUR : l'Ange Omaël (30). Cet Ange fera tout pour voir l'humain réaliser ses projets, et ce, dans la joie. La mission d'Omaël est d'attirer vers vous l'abondance dans tous les aspects de votre vie. Omaël est un vrai élixir de bonheur qui vous permet d'être heureux dans ce que vous entreprenez.

✦ ANGE YEZALEL ✦
(du 21 au 25 mai)

Les enfants de Yezalel feront du ménage dans leur vie. Vous chercherez à comprendre le pourquoi des situations que vous vivez. Vous ferez tout pour trouver une réponse à vos questions. Rien ne restera en suspens avec vous. Si cela implique d'aller consulter un psychologue, un médiateur, un conseiller ou autre, qu'importe! Vous irez chercher l'aide dont vous aurez besoin ou vous consulterez des personnes-ressources nécessaires à votre cheminement.

L'année 2011 sera une année de révélation. Vous serez conscient de tout ce qui se passe autour de vous. Et surtout, vous serez conscient de la façon dont vous devrez interagir avec les gens de votre entourage afin de régler des situations et de ramener l'harmonie.

Plusieurs auront l'occasion de signer un contrat. Si vous avez le goût d'acheter ou de vendre votre propriété, en 2011, il vous sera très favorable de passer à l'action. Les agents d'immeubles vivront une année extraordinaire avec tous les contrats qu'ils auront en main. Il en est de même pour tous ceux dont les gains financiers sont basés sur des contrats.

ANGE ACCOMPAGNATEUR : l'Ange Mitzraël (60). Cet Ange permet au psychologue de mieux analyser son patient, au parent de mieux consoler son enfant, etc. L'Ange Mitzraël vous guidera vers le chemin de l'équilibre émotionnel et du bonheur à l'intérieur de vos relations avec les autres.

✦ ANGE MEBAHEL ✦
(du 26 au 31 mai)

Les enfants de Mebahel se casseront souvent la tête inutilement. Certains vivront dans l'incertitude, et cela ne leur apportera que des ennuis de toutes sortes. Vous risquez de trouverez votre année 2011 longue et pénible. Toutefois, si vous changez votre attitude, vous en ressortirez gagnant!

Conseil angélique : Relaxez! Arrêtez de vous tracasser au sujet de votre futur. Arrêtez d'être tourmenté à cause du passé. Apprenez à vivre dans le moment présent. Prenez une journée à la fois. Ainsi, votre moral et votre énergie vitale s'en porteront mieux. Si vous le faites, votre année 2011 sera agréable et vous ne serez pas déçu des événements qui surviendront.

Plusieurs vivront des moments tendus au sein de leur relation amoureuse. Ce qui les amènera à réfléchir profondément sur la manière d'agir afin d'améliorer leur situation.

Conseil angélique : N'ayez pas peur de demander des conseils aux autres. De bonnes personnes vous entourent et cherchent à vous aider. Laissez-vous réconforter par leurs paroles apaisantes et les suggestions amicales qu'ils auront à vous offrir.

ANGE ACCOMPAGNATEUR : l'Ange Vehuel (49). Cet Ange vous sera utile pour trouver un bon ami en mesure de vous écouter et de vous aider dans vos épreuves humaines, un ami qui vous respectera sans porter de jugement.

✦ ANGE HARIEL ✦
(du 1ᵉʳ au 5 juin)

Les enfants d'Hariel seront satisfaits de tout ce qu'ils entreprendront. Malgré un travail acharné, vous serez grandement récompensé. La réussite fera partie intégrante de votre année. À votre grande joie, vos idées connaîtront de bons résultats. Certains verront l'un de leurs projets prendre vie grâce à l'appui qu'ils recevront. D'autres verront leurs projets produire beaucoup plus que ce qu'ils avaient prévu. Vos nouvelles rencontres seront constructives et elles vous apporteront plusieurs bénéfices. Si vous prenez votre retraite, vous en serez très satisfait. Certains auront l'occasion de faire leur premier baptême de l'air. D'autres parleront de faire une croisière. Une année de récoltes et de belles surprises vous attend.

ANGE ACCOMPAGNATEUR : l'Ange Hahaiah (12). Cet Ange orientera votre vie vers des situations positives et lumineuses. Son désir est de voir l'humain heureux en faisant un travail qu'il aime.

✦ ANGE HEKAMIAH ✦

(du 6 au 10 juin)

Les enfants d'Hekamiah auront toujours la solution à leurs problèmes. Il leur suffira d'en être conscient et d'être confiant de leur potentiel. Vous serez en mesure de relever tous les défis qui se présenteront à vous. Vous aurez le goût d'aller de l'avant et c'est exactement ce que vous ferez en 2011.

Conseil angélique : *N'oubliez pas que vous détenez toutes les réponses à vos questions. Il suffit de vous faire confiance et tout se produira comme vous le désirez!*

Plusieurs travailleront très fort pour changer leur statut financier. Ne soyez pas surpris de mettre les bouchées doubles. Toutefois, les résultats en vaudront vraiment la peine. Votre force, en 2011, sera votre ambition de vouloir réussir tout ce que vous entreprendrez. Ce bon vouloir vous apportera que du succès! Plusieurs signeront des papiers qui leurs seront favorables. Certains papiers exigeront l'aide d'un notaire ou d'un banquier. Toutefois, ces papiers seront à la hauteur de vos attentes.

ANGE ACCOMPAGNATEUR : l'Ange Nithaël (54). Cet Ange s'occupe de la chambre d'or de Dieu. Il vous offrira donc des cadeaux dignes de la demeure de Dieu, de véritables cadeaux providentiels.

Chapitre VI

Les Chérubins au fil des saisons

Saison hivernale
(janvier-février-mars)

« Lorsqu'on sourit à la vie, on reçoit des cadeaux providentiels. »
(Paroles de l'Ange Poyel)

La chance croisera votre route en ce début de la nouvelle année. Plusieurs belles opportunités s'offriront à vous. Il vous sera permis de vous retrouver et de retrouver un bel équilibre dans plusieurs aspects de votre vie. De plus, pour toutes les situations difficiles, une aide viendra vous épauler et vous aider à vous en libérer.

Bref, le début de l'année se fera du bon pied. Du 6 au 18 janvier, vous allez bouger énormément à cause d'un travail, d'une activité ou d'un enfant. Dans cette même période, on vous remettra un cadeau qui vous fera énormément plaisir. Il ne sera pas énorme, mais ce cadeau vous sera très utile. De plus, profitez-en pour jouer à la loterie, puisque certains d'entre vous auront le privilège de gagner une belle somme d'argent.

Plusieurs se retrouveront et acquerront un bel équilibre en février et en mars. Vous êtes conscient de vos faiblesses et vous ferez tout pour vous améliorer. Tout ce que vous accomplirez, lors de ces deux mois, vous apportera de belles victoires. Vos idées seront innovatrices et plusieurs d'entre elles se concrétiseront. Bref, les récoltes seront bonnes dans tout ce que vous entreprendrez. De plus, une excellente nouvelle vous parviendra en mars. La semaine du 11 mars sera riche en événements de toutes sortes. N'oubliez pas d'acheter un billet de loterie puisque les portes de l'abondance seront ouvertes en mars.

Durant la période hivernale, les enfants de **Haziel**, d'**Aladiah** et de **Mebahel** travailleront très fort pour obtenir un bel équilibre. Ces êtres devront mettre les bouchées doubles. Toutefois, les résultats en vaudront la peine.

Sur le plan affectif

Une période d'amélioration débute. Plusieurs vivront de belles aventures avec leur partenaire. Un voyage sera planifié. Attendez-vous à faire de deux à six sorties agréables. Certains parleront de solidifier leur union par un mariage. Cette période hivernale apportera beaucoup de bonheur pour plusieurs. L'amour renaît et plusieurs réaliseront qu'ils sont bien avec la personne qui partage leur vie. Pour les couples en difficulté : l'un des deux partenaires suppliera l'autre de rester. La décision vous reviendra.

Les enfants d'**Haziel** travailleront très fort pour améliorer leur vie de couple. Les enfants d'**Aladiah** retrouveront leur équilibre. Toutefois, ceux qui vivront une difficulté consulteront un avocat. Pour ce qui est des enfants de **Lauviah I**, de nombreuses possibilités se trouveront devant vous pour retrouver l'harmonie et la joie. Certains recevront des beaux mots d'amour de la part de leur partenaire. Certains enfants d'**Hahaiah** réaliseront qu'ils partagent leur vie avec leur partenaire idéal. Un voyage d'amour se planifiera. Les enfants de **Yezalel** se pardonneront et s'accorderont une seconde chance. D'autres solidifieront leur union par un mariage ou par un papier quelconque. Ceux qui vivent une période difficile iront consulter un psychologue pour les aider à surmonter leurs épreuves. Les enfants de **Mebahel** seront étourdis par leur partenaire. Les enfants d'**Hariel** en profiteront pour rallumer la flamme de la passion avec des petits repas en tête-à-tête. De plus, attendez-vous à planifier une sortie agréable avec votre partenaire. Les enfants d'**Hekamiah** réaliseront qu'ils détiennent la perle rare. Ils seront comblés et heureux.

Pour les célibataires

Certains célibataires rencontreront leur partenaire idéal. Alors, n'hésitez pas à accepter les sorties qui vous seront offertes. Certains peuvent même rencontrer leur partenaire idéal en faisant du bénévolat ou du magasinage. La journée du mercredi sera une journée favorable pour faire la rencontre de votre partenaire idéal. Vous serez charmé par son regard et son sourire. Les célibataires qui sont sujet à rencontrer leur idéal seront les enfants de **Lauviah I, Hahaiah, Yezalel** et **Hariel.**

Sur le plan du travail

Ce sera une période de solutions et de changements en votre faveur. Plusieurs retrouveront leur équilibre. Les associations seront fructueuses. Les entrevues porteront fruits. Des contrats et des ententes seront signés. Des contrats seront prolongés. Plusieurs recevront une augmentation de salaire. Certains auront la possibilité de changer de carrière ou d'emploi. Les personnes en affaires verront leur chiffre d'affaires s'améliorer. Que de belles réussites vous attendent. Si vous avez un problème, il sera temps d'en discuter avec les personnes concernées. D'ailleurs, les gens seront à l'écoute pour mieux vous aider et trouver une solution pour régler votre problème.

Les enfants d'**Haziel** seront débordés au travail. Certains apprendront une nouvelle technique pour mieux se perfectionner. D'autres débuteront un nouveau travail et ils s'appliqueront pour bien le réussir. Les enfants d'**Aladiah** retrouveront un bel équilibre. De belles satisfactions et une belle réussite les attendent. C'est une période favorable pour tous ceux qui travaillent au niveau de la loi. Que de bonnes nouvelles viendront vers vous. De nombreuses possibilités s'ouvriront aux enfants de **Lauviah I** afin qu'ils puissent améliorer la qualité de leur travail. Les enfants d'**Hahaiah** auront de belles chances à saisir. Un contrat sera signé à leur grande joie. Une entrevue sera réussie. Que de bonnes nouvelles arriveront vers les enfants de **Yezalel.** Les entrevues seront réussies. Il y aura signature d'un contrat ou un contrat sera prolongé. Les enfants de **Mebahel** seront tellement débordés dans leurs tâches qu'ils ne sauront plus où donner de la tête. Toutefois, une aide précieuse viendra alléger leurs tâches. Les enfants d'**Hariel** assisteront à des réunions qui serviront à mieux équilibrer leurs tâches. Plusieurs seront satisfaits des décisions qui seront prises. Une idée apportera de bons résultats. Les collègues s'entraideront ce qui favorisera l'ambiance de travail. Plusieurs enfants d'**Hekamiah** signeront un papier important. Une situation précaire sera réglée. Certains obtiendront une augmentation de salaire, soit par un changement radical de travail, soit par l'accomplissement de nouvelles tâches.

Sur le plan de la santé

Plusieurs seront en super forme pour entreprendre toutes les activités qu'ils désirent faire. Toutefois, ceux qui sont déjà malades devront passer des examens plus approfondis pour connaître l'origine de leurs maux. D'autres devront prendre un médicament pour soulager une douleur quelconque. Bref, un médicament apportera les effets escomptés. Pour ceux qui doivent subir une intervention chirurgicale, rassurez-vous, cette intervention sera réussie. De plus, certaines femmes subiront une hystérectomie.

Conseil angélique : Si vous voulez guérir et retrouver la forme, il serait important d'écouter les conseils de votre médecin. Il est là pour vous aider!

Chez les enfants d'**Hariel**, la santé sera bonne. Toutefois, faites attention aux coups de marteau : vous risquez d'avoir un pouce enflé! De plus, certains devront prendre un médicament pour soulager une douleur. Les enfants d'**Aladiah** et de **Mebahel** auront une bonne santé. Toutefois, ils devront surveiller leur moral. C'est dans cette période de l'année que votre moral vous joue des tours. Il serait important de vous reposer et de vous éloigner de toutes les personnes ou les situations négatives. De plus, certains devront subir une intervention chirurgicale. D'autres se plaindront d'un mal à l'épaule ou au bras, ce qui les obligera à consulter un chiropraticien ou un physiothérapeute. Certains souffriront aussi de migraines intenses qui les obligeront à consulter un médecin. Chez les enfants de **Lauviah I** la santé sera bonne. Toutefois, certains se plaindront de rougeur à la peau, d'autres se plaindront d'une infection urinaire. La plupart des enfants de **Hahaiah**, d'**Yezalel**, d'**Hariel** et d'**Hekamiah** seront en pleine forme. Toutefois, certains prendront un médicament pour soulager des brûlements d'estomac. D'autres souffriront des hémorroïdes. Plusieurs décideront de suivre un régime pour soulager toutes sortes de petits problèmes causés par l'embonpoint.

Sur le plan de la chance

Votre chance est très élevée. Alors, profitez-en! Plusieurs seront surpris de tous les cadeaux providentiels qui leur seront donnés. N'oubliez pas que janvier et mars seront des mois très chanceux. Alors, profitez-en pour jouez à la loterie. Les enfants d'**Haziel**, d'**Hahaiah** et d'**Hekamiah** seront les plus chanceux! De belles surprises vous sont réservées. Certains pourraient gagner une grosse somme d'argent.

Voici quelques événements qui pourraient survenir au cours de la période hivernale.

- Les portes de l'abondance s'ouvriront pour vous. Vous vivrez des moments féeriques et magiques grâce aux Anges.

- On sollicitera votre aide. De plus, vous pourriez aussi faire quelques heures de bénévolat.

- Un proche vous demandera de lui donner une autre chance.

- Vous devrez faire de deux à quatre cadeaux pour des occasions spéciales.

- Une femme de votre entourage subira l'hystérectomie. Une autre vous parlera d'une opération esthétique.

- Deux contrats pourraient être signés; l'un de ces contrats vous apportera une somme d'argent.

- Certains assisteront à une pièce de théâtre, tandis que d'autres iront voir un artiste sur scène.

- Période fertile pour celle qui désire tomber enceinte. De plus, une femme dans la trentaine donnera naissance par césarienne. Annonce de la naissance d'un garçon de plus de huit livres.

- Plusieurs vivront une période favorable sur le plan des finances. Certains auront une augmentation de salaire. D'autres recevront une somme d'argent par l'entremise d'une assurance, d'une loterie, d'une vente ou du gouvernement.

- Vous, ou un proche, recevrez un trophée ou un diplôme. Un proche vous annoncera un gain d'une somme considérable. Cela pourrait s'appliquer à vous aussi.

- Certains planifieront un voyage. Ils seront satisfaits de ce voyage, surtout s'il se fait en mars.

- Un projet sera réussi et couronné de succès.

- Plusieurs parleront de construction ou de rénovation. Une décision se prendra vers la fin de mars. Certains recevront de l'aide pour rénover une pièce de leur maison.

- Certaines personnes célibataires feront la rencontre de leur partenaire idéal. Le mois de mars vous sera favorable pour faire cette belle rencontre.

- Un proche aura des démêlés avec la justice; ne vous en mêlez pas!

- Le mot « victoire » sera souvent prononcé, et ce, à votre grande fierté.

- On vous annoncera trois grossesses et un mariage. Ce mariage se fera au palais de justice ou dans une ville étrangère.

- Certains apprendront une nouvelle technique pour mieux se perfectionner.

- Ceux qui auront affaire avec la loi, sachez que le verdict sera impartial.

- Il y aura de nombreuses possibilités qui se trouveront sur votre chemin pour réussir vos projets et vos idées.

- Vous, ou un proche, vous blesserez à l'épaule. Surveillez les activités physiques, surtout ceux qui font de l'haltérophilie.

- Plusieurs recevront des mots d'amour.

- Certains travailleront des heures supplémentaires pour obtenir un congé de trois à cinq jours.

- Une rencontre vous sera bénéfique. Cette personne jouera un rôle important dans votre vie. Elle vous aidera à réaliser l'un de vos rêves.

- Un proche subira une intervention chirurgicale qui sera bien réussie.

- Plusieurs vivront des changements de toutes sortes qui amélioreront leur vie. Ces changements apporteront un bel équilibre et une belle joie de vivre.

Saison printanière
(avril-mai-juin)

« Ne baissez jamais les bras lorsque survient un problème. Foncez tête première et réglez-le. Votre santé mentale s'en portera mieux. »

(Paroles de l'Ange Leuviah)

On dit que *la fin justifie les moyens* et c'est exactement ce que vous ferez lors de votre saison printanière. Si vous devez utiliser la ruse et toutes sortes de stratagèmes pour régler vos situations, vous le ferez. De plus, vous n'attendrez plus après personne pour entreprendre vos projets. Vous irez de l'avant et vous avancerez. Toutefois, vous risquez de brûler la chandelle par les deux bouts et vous vous en rendrez compte en juin, puisque votre corps sera totalement épuisé. Cependant, vous serez satisfait de tout ce que vous aurez accompli.

En avril, vous relèverez vos manches et vous passerez à l'action. Tout ce qui doit être réglé le sera. Vous utiliserez beaucoup de tact, de ruse et de stratagèmes pour obtenir des résultats qui vous satisferont. Certaines situations exigeront l'aide d'un avocat ou d'une personne avec des connaissances approfondies en loi, en droit et en politique. Bref, vous ferez plusieurs téléphones et déplacements pour régler tout ce qui vous dérange.

Tout ce que vous avez entrepris en avril, vous permettra de retrouver un bel équilibre en mai. Vous serez en harmonie avec vos choix et vos décisions. Certains auront le privilège de faire la signature d'un contrat alléchant. Bref, à la suite d'un déplacement, certains mettront sur pied l'un de leurs projets. Une belle satisfaction vous attend.

Vous aurez tellement travaillé, lors de vos deux derniers mois, que votre corps réclamera du repos. Il serait important pour vous de prendre une ou deux journées de congé. Cela vous fera un bien énorme. Même si vos vacances d'été sont proches, reposez-vous. Sinon, lorsqu'arrivera vos vacances, vous serez deux fois plus fatigué et vous ne pourrez pas profiter de vos vacances. Certains auront quelques ennuis financiers. Une situation leur aura coûté plus cher que prévu et, en juin, les finances seront très serrées.

Les enfants d'**Aladiah**, de **Lauviah I** et **Mebahel** auront de la difficulté à surmonter la saison printanière. Il serait important pour ces êtres de se reposer lorsque leur corps le réclamera.

Sur le plan affectif

Vous serez tellement préoccupé à régler vos problèmes que vous négligerez votre vie amoureuse. De plus, vous aurez tellement la tête ailleurs que votre partenaire vous sentira distant et absent, ce qui l'inquiétera. Plusieurs devront rassurer leur partenaire. Si vous ne le faites pas, vous le regretterez. Il y aura de la tension et de l'orage dans l'air. Si vous voulez éviter cela à tout prix, voyez-y le plus tôt possible. Parmi ceux qui ont des problèmes amoureux, certains consulteront un avocat ou un psychologue pour qu'ils puissent les aider à prendre une meilleure décision.

Les enfants d'**Haziel** et d'**Hekamiah** seront tellement occupés au travail ou à bâtir l'un de leurs projets qu'ils négligeront leur vie amoureuse. Voyez-y avant que l'orage n'éclate! Les enfants d'**Aladiah** travailleront très fort pour retrouver l'harmonie, la joie et la sérénité sous leur toit. Toutefois, certains consulteront un avocat ou un psychologue avant de prendre une décision. Pour ce qui est des enfants de **Lauviah I**, votre partenaire vous aimera et vous le démontrera bien. La flamme de l'amour se rallumera pour certains enfants d'**Hahaiah**. Ils seront heureux et en harmonie. De plus, un conflit sera réglé, ce qui les soulagera. Plusieurs enfants de **Yezalel** vivront des moments agréables avec leur partenaire. D'autres parleront d'un voyage. De plus, on se pardonnera, on se réconciliera. Ceux qui quitteront verront leur partenaire accepter leur décision. Les enfants de **Mebahel** auront une épreuve à surmonter. Certains vivront dans la peur de vivre une séparation. Les enfants d'**Hariel** planifieront plusieurs activités ensemble. Il y aura quatre événements agréables qui vous rapprocheront davantage de votre partenaire.

Pour les célibataires

Utilisez votre charme et vous verrez les prétendants venir à vous! Deux belles sorties vous permettront de faire de belles rencontres. Toutefois, ce ne sera pas passionnel! Mais la compagnie de ces gens sera très agréable. Bref, vous aurez beaucoup de plaisir à échanger lors de discussions enrichissantes. Tous les célibataires Chérubins feront des rencontres agréables et intéressantes.

Sur le plan du travail

Il y aura des changements dans l'air, des changements qui vous seront favorables. Les réunions et les discussions ont porté fruit. Les contrats se prolongeront. Les problèmes se régleront et l'harmonie refera surface. Certains mettront sur pied un nouveau projet qui sera un succès imminent. Toutefois, le mois de juin annonce quelques petits conflits qui vous épuiseront. Par contre, le tout se réglera rapidement.

Les enfants d'**Haziel** seront toujours débordés au travail. Certains apprendront une nouvelle technique pour mieux se perfectionner. D'autres débuteront un nouveau travail et ils s'appliqueront pour bien le réussir. De bonnes nouvelles viendront vers eux. Plusieurs conseils seront donnés et appliqués pour que les enfants d'**Aladiah** et de **Yezalel** retrouvent une qualité de travail et une ambiance saine au travail. Certains auront une discussion avec un membre du syndicat. D'autres signeront un contrat qui leur sera avantageux. Tous les problèmes rentreront dans l'ordre. Les enfants de **Lauviah I** obtiendront l'aide qu'ils auront réclamé. Les enfants d'**Hahaiah**, d'**Hariel** et d'**Hekamiah** auront de belles chances à saisir. Un contrat sera signé. Un projet sera réussi. Une demande sera acceptée. Les promesses seront tenues. Une entrevue sera réussie et un problème sera réglé. Plusieurs situations leur parviendront pour que ces êtres trouvent l'emploi de leur rêve. Les enfants de **Mebahel** seront épuisés par leur travail. Vous aurez besoin de quelques jours de repos bien mérités.

Sur le plan de la santé

La santé sera bonne. Toutefois, il faudra surveiller de ne pas trop épuiser votre mental. Si vous surpasser la limite de vos capacités, votre corps vous lancera une alarme. Si vous tenez compte de cette alarme, tout ira bien. Toutefois, si vous négligez cette alarme, ne soyez pas surpris de descendre la pente rapidement, ce qui vous obligera à prendre un repos obligatoire par la suite.

Conseil angélique : *N'abusez pas trop de votre corps physique. Respectez-le lorsqu'il réclame du repos. Ainsi, vous éviterez plusieurs ennuis physiques et psychologiques.*

Chez les enfants d'**Haziel** et d'**Aladiah**, la santé sera bonne. Toutefois, vous aurez mal partout. Certains prendront des médicaments pour soulager la douleur. D'autres recevront une piqûre de cortisone. Certains consulteront un professionnel en médecine sportive. Chez les enfants de **Lauviah I**, la santé sera bonne. Toutefois, certains se plaindront d'allergies, d'autres feront de l'eczéma. La plupart des enfants de **Hahaiah**, de **Yezalel**, d'**Hariel** et d'**Hekamiah** auront une bonne santé. Toutefois, ceux qui fument devraient écouter les recommandations du médecin s'ils ne veulent pas avoir des problèmes par la suite. Certains se plaindront d'une douleur à l'épaule, à un genou ou dans le bas du dos. Certains hommes auront des problèmes avec leur prostate. Les enfants de **Mebahel** souffriront d'angoisse. D'autres auront des maux de têtes, des problèmes avec leurs sinus ou des migraines. Certains se plaindront d'étourdissements et de vomissements. Bref, la tête sera très fragile. N'hésitez pas à consulter votre médecin si vous ressentez des douleurs inusuelles à la tête.

Sur le plan de la chance

Votre chance sera occasionnelle. Seul le mois de mai pourrait vous réserver des surprises. Ceux qui seront plus choyés pour recevoir des surprises en mai seront les enfants d'**Haziel**, d'**Hahaiah** et d'**Hekamiah**.

Voici quelques événements qui pourraient survenir au cours de la période printanière.

- Certains auront des ennuis d'argent. Cela sera causé par une dépense imprévue.

- Un bon avocat apportera son aide précieuse lors d'un procès ou d'un divorce.

- De deux à cinq personnes de votre entourage seront malades. L'une de ces personnes vous annoncera un cancer de la gorge. Une autre sera obligé d'arrêter de travailler à cause d'une grande fatigue morale.

- Certains seront déçus à la suite d'une nouvelle coupe de cheveux ou d'une coloration.

- Les amoureux de plein air seront bien servis, puisqu'il y aura cinq sorties agréables. Il en est de même pour ceux qui aiment la pêche. Une sortie de pêche abondante avec deux de vos amis. Vous en parlerez longtemps de cette sortie agréable.

- Certains achèteront ou loueront une roulotte, une tente ou un chalet. Vous planifierez votre été selon cet achat.

- Un enfant sera malade et cela vous inquiètera; prises de sang et examens en vue pour vérifier l'origine des malaises de cet enfant.

- Plusieurs déplacements seront à prévoir à cause d'un projet ou d'un problème.

- La chance sourira à un membre de la famille.

- Vous entendrez parler d'un feu. Il y aura des dommages, toutefois personne ne sera blessé.

- Certains loueront une voiture de courtoisie pour entreprendre un voyage sur la route.

- Un projet sera réussi et couronné de succès.

- Un bon conseil sera donné. Ce conseil allégera un fardeau sur les épaules.

- Des gens âgés vendront leur résidence familiale pour aller demeurer dans un foyer d'accueil. La transition sera douloureuse.

- Plusieurs parleront de faire de la moto ou de la bicyclette. Certains feront l'achat d'une moto. Pour ceux qui auront une moto à vendre, le mois de mai sera favorable pour faire la transaction.

- La vitesse causera un accident ou un incident de voiture.

- Plusieurs seront fêtés. De plus, plusieurs recevront des cadeaux originaux lors de leur anniversaire de naissance.

- Certains assisteront à une réunion familiale; ce sera une journée magique.

- Certains signeront un papier avec la banque.

- Certains devront rénover leur sous-sol ou ils devront réparer une fissure sur le solage de la maison.

- Certains signeront un papier concernant l'argent. Il pourra s'agir d'un héritage ou d'un emprunt à la banque.

- Une décision sera prise et elle fera le bonheur de plusieurs.

- Un enfant de l'entourage voudra adopter un iguane.

- Un proche vous parlera d'une réconciliation avec un ex-partenaire. Vous ne verrez pas cela d'un bon œil.

- La santé du partenaire en inquiétera certains. Celui-ci passera plusieurs examens de routine pour découvrir l'origine de ses malaises.

- Certains mettront sur pied un projet, et ils le réussiront mieux de ce qu'ils avaient imaginé.

Saison estivale
(juillet-août-septembre)

« Priez-moi et j'illuminerai votre vie et je la remplirai d'amour et d'harmonie. »

(Paroles de l'Ange Yelahiah)

Plusieurs situations vous dérangeront. Vous ne serez pas tout à fait satisfait de la tournure de certains événements. De plus, plusieurs personnes négatives se trouveront à vos côtés. Ces personnes vous épuiseront psychologiquement et physiquement. Avant, tout allait bien; mais vous frapperez un mur. Vous devrez travailler très fort pour anéantir ce mur et retrouver votre équilibre. Le plus difficile, c'est que rien ne laissera prévoir les difficultés que vous vivrez. Tout arrivera à l'improviste, ce qui vous déstabilisera.

Conseil angélique : *Il serait sage pour vous d'analyser profondément les personnes avec lesquelles vous transigerez. Ainsi, vous éviterez des ennuis.*

En juillet, toutes sortes d'imprévus surviendront pour vous déranger. En août, vous aurez de la difficulté à comprendre l'attitude des gens. Méfiez-vous des commérages et des personnes à problèmes; ces personnes peuvent vous impliquer dans une situation désagréable. De plus, si vous avez des doutes sur le comportement d'une personne, allez à la source même. N'écoutez pas les dires de quiconque. En agissant ainsi, vous éviterez de poser des gestes ou de dire des paroles que vous regretterez par la suite.

Conseil angélique : *Apprenez à bien connaître les gens, avant de les laisser entrer dans votre vie. Certaines personnes ne mériteront pas votre amitié.*

Des décisions et des discussions que vous entretiendrez vous permettront de passer un mois de septembre plus paisible. Vous aurez gain de cause dans plusieurs situations et vous en serez fier.

Les enfants de **Lauviah I**, de **Mebahel** et d'**Hariel** auront de la difficulté à surmonter la saison estivale. Il serait important pour ces êtres d'étudier profondément les personnes qui viendront vers eux.

Sur le plan affectif

L'été annonce une période d'ennui. Vous serez insatisfait et mécontent. Certains se sentiront négligé ou trompé par le partenaire. D'autres éprouveront des sentiments pour une autre personne, ce qui les amènera à vivre dans le doute. Premièrement, il serait sage d'avoir une conversation franche avec votre partenaire. Deuxièmement, c'est votre problème et non le problème des autres. Alors, assurez-vous de régler vous-même votre problème et ne vous laissez pas influencer par les autres. Chaque personne est différente, et chaque situation l'est aussi. Voilà l'importance de se fier à soi et non aux autres.

Les enfants d'**Haziel**, d'**Hahaiah** et de **Yezalel** trouveront une solution pour régler un problème. Toutefois, faites attention à vos paroles, celles-ci pourront être blessantes. Certains iront même consulter un psychologue ou un conseiller matrimonial pour les aider dans leurs décisions. Les enfants d'**Aladiah** se sentiront manipulés. Leur cœur balancera entre deux personnes. Assurez-vous de faire le bon choix! Pour ce qui est des enfants de **Lauviah I**, on suppliera le partenaire de rester. Certains verseront des larmes. Pour ce qui est des enfants de **Mebahel**, les paroles seront blessantes. Plusieurs vivront dans la peur d'être abandonné par le partenaire, pour d'autres, une séparation sera à prévoir. Les enfants d'**Hariel** et d'**Hekamiah** parviendront à s'en sortir grâce à une discussion franche avec leur partenaire.

Pour les célibataires

Méfiez-vous des beaux parleurs et des grands charmeurs. Ils n'auront rien de bon à vous offrir. Plusieurs de vos rencontres seront temporaires et sans engagement. Si vous cherchez la perle rare, vous la trouverez possiblement en septembre, mais pas en juillet, ni en août. Les célibataires qui devront être à l'abri des beaux parleurs sont les enfants d'**Aladiah**, de **Lauviah I**, de **Mebahel**, d'**Hariel** et d'**Hekamiah**. Faites attention de ne pas tomber dans leur piège. Votre cœur en souffrirait.

Sur le plan du travail

Plusieurs vivront des difficultés causées par des commérages ou des situations négatives. Il y aura même des disputes à cause des vacances d'été. Certains devront repousser leurs vacances d'été puisque les dates qu'ils avaient choisies ne seront plus disponibles ou il y aura un surplus de travail et l'employeur leur exigera de terminer certaines tâches avant de quitter. Cela ne sera pas sans vous frustrer. Toutefois, le mois de septembre vous sera plus bénéfique. Un changement améliorera votre situation au travail.

Les enfants d'**Haziel** travailleront très fort, même durant leurs vacances d'été. Plusieurs débuteront un nouveau travail ou de nouvelles tâches et ils chercheront à s'appliquer pour donner un bon rendement à leur employeur. Les enfants d'**Aladiah** et de **Mebahel** se sentiront manipulés. Ils vivront une période d'insatisfaction. Certains vivront dans la peur de perdre leur emploi. Les enfants de **Lauviah I** seront énormément déçus d'une décision ou d'un collègue de travail. Les enfants d'**Hahaiah** et d'**Hariel** ne se laisseront pas impressionner par les situations et les personnes négatives et hypocrites. Ils seront en mesure de les remettre à leur place. Certains décideront de prendre leur retraite en septembre. Ces êtres seront satisfaits de leur décision. Les enfants de **Yezalel** auront des discussions importantes pour régler un conflit. Toutefois, le mois de septembre leur apportera une bonne nouvelle sur le plan de leur travail. Les enfants d'**Hekamiah** devront relever un défi. Certains vivront des moments de frustration causés par l'ambiance et l'attitude d'un collègue de travail. Ce qui vous frustrera davantage, c'est que personne ne cherchera à régler le problème. La plupart des gens critiqueront, mais ils ne feront rien pour améliorer la situation; c'est ce qui vous frustrera davantage.

Sur le plan de la santé

La fatigue vous jouera de vilains tours. Lorsque vous serez fatigué, tout pourra vous arriver. Prenez le temps de vous reposer lorsque le corps le réclamera. Certains auront un feu sauvage sur les lèvres (herpès labial), d'autres se plaindront de maux de gorge et de migraines. Certains auront mal aux dents et devront consulter leur dentiste. De plus, ce sera une période difficile pour les asthmatiques.

Conseil angélique : *Regardez toujours droit devant vous. Ainsi, vous éviterez des petits incidents de toutes sortes! De plus, si vous faites de la bicyclette ou de la moto, assurez-vous de porter un casque de protection.*

Chez les enfants d'**Haziel**, d'**Aladiah**, de **Lauviah I** et de **Mebahel**, la santé sera bonne. Toutefois, votre peau sera marquée par des piqûres d'insectes. Certains auront des feux sauvages, d'autres souffriront de migraines intenses. De plus, certains porteront des pansements adhésifs sur une base régulière à cause de coupures de toutes sortes. D'autres pourraient aussi se blesser en dessous du pied. Portez toujours de bonnes chaussures lorsque vous ferez des randonnées pédestres. De plus, protégez votre tête lorsque vous ferez de la bicyclette ou de la moto. Les enfants d'**Hahaiah** auront une bonne santé. Toutefois, certains devront prendre un médicament pour soulager des allergies. D'autres se plaindront d'un mal à l'épaule. Faites attention au feu : il y a risque de légères brûlures. Chez les enfants de **Yezalel**, la santé sera bonne. Toutefois, certains se blesseront à la main. D'autres se feront une entorse. Ne soyez pas surpris si vous êtes obligé de marcher avec des béquilles pendant une période variant de cinq jours à cinq semaines. Les enfants d'**Hariel** et d'**Hekamiah** auront une excellente santé. Toutefois, certains prendront un médicament pour soulager une douleur quelconque. De plus, certains se plaindront de douleurs à la hanche, ce qui les obligera à consulter le médecin.

Sur le plan de la chance

Votre chance sera à son meilleur en septembre, alors profitez-en à ce moment-là! Plusieurs pourront recevoir deux belles sommes d'argent. De plus, jouez à une loterie avec une personne de sexe différent. Ceci pourrait vous apporter beaucoup de chance. La journée du samedi vous sera aussi très favorable. De bonnes nouvelles vous parviendront lors de ce mois. Tous les

Chérubins seront chanceux! De belles surprises leur sont réservées. Toutefois, les enfants d'**Hahaiah** seront les plus chanceux. Ces êtres pourraient gagner une belle somme d'argent.

Voici quelques événements qui pourraient survenir au cours de la période estivale.

- Certains feront un déménagement. Vous ne serez pas tout à fait satisfait de ce déménagement. Vous n'aurez pas le choix de régler un problème.

- Faites attention à ceux qui vous donneront des fleurs sans raison apparente. Certains recevront des fleurs venant de personnes hypocrites. Ces personnes vous trahiront et ils chercheront à gagner votre compréhension en vous donnant des fleurs. Bref, ne soyez pas surpris si, à la suite d'un cadeau de fleurs, vous apprenez que cette personne ait parlé contre vous.

- Certains vivront une période dépressive au sein de leur relation amoureuse ou amicale.

- Méfiez-vous des racontars de toutes sortes. De plus, si vous avez un doute sur une situation, allez à la source même. Ainsi, vous obtiendrez les réponses exactes à vos questions.

- Vous serez invité à assister à trois belles soirées. L'une de ces soirées se fera à l'extérieur.

- On vous annoncera la naissance de jumeaux.

- Faites attention aux beaux parleurs et charmeurs. Ces personnes pourront facilement vous envoûter par des gestes et des paroles mielleuses pour mieux vous arnaquer.

- Certains recevront un diplôme mérité puisqu'ils auront beaucoup étudié pour l'obtenir.

- Période de triomphe pour les artistes, surtout les musiciens.

- Plusieurs changeront leur perception de leur vie. De grands changements seront à prévoir.

- Une personne ivre vous tapera sur les nerfs.

- Vous apprendrez de deux à quatre nouvelles qui vous surprendront énormément.

- Certains vendront une propriété de ville pour s'installer en campagne.

- Pour ceux qui se marieront, l'union sera durable puisqu'elle sera basée sur le respect, la loyauté et l'amour.

- Une voiture a besoin de réparation. Les coûts seront dispendieux. Certains préféreront acheter une voiture plus récente.

- On vous annoncera qu'un membre de votre entourage subira une opération à cœur ouvert.

- Certains entendront parler d'un accident de moto.

- Un procès aura lieu; la loi sera équitable et favorable. Un procès sera gagné.

- Certains entendront parler d'une transformation de sexe. Un homme ou une femme subira une opération importante pour changer de sexe.

- Certains recevront une lettre de bêtises. Vous serez tourmenté par le contenu de cette lettre. Ne vous en faites pas trop, puisqu'il y aura une occasion qui vous permettra de régler ce différend, et ce, à votre grande satisfaction.

- De belles discussions auront lieu près d'un feu de camp. Une soirée magnifique et magique pour certains.

- Certains se blesseront à la cheville. Ils boiteront pendant quelques jours.

- Certains consulteront un psychologue ou un psychiatre.

- Un héritage causera des problèmes à cause des papiers.

- La santé d'un proche vous inquiètera.

- Vous assisterez à un souper dont l'ambiance vous amènera à quitter tôt l'endroit. Vous serez très déçu de cette soirée.

- Certains amélioreront leur personnalité soit par une perte de poids, un changement de couleur de cheveux, une nouvelle coupe ou une opération esthétique.

Saison automnale
(octobre-novembre-décembre)

« Je m'engage à régler dès aujourd'hui tout ce qui me tracasse.
Remettre à plus tard n'est plus une option ! »

(Paroles de l'Ange Mikhaël)

C'est une période où vous ne serez pas trop en forme. Vous serez dans une période de confusion et d'incertitude. Vous ne saurez pas quoi faire, ni comment vous y prendre pour régler certaines situations qui pèseront lourd sur vos épaules. Tout pourra vous arriver en même temps. Certains vous feront des confidences que vous auriez préféré ne pas savoir. De plus, une personne en qui vous aviez placé votre confiance, vous décevra énormément. D'autres feront la navette entre la maison et l'hôpital puisqu'un proche sera malade. Quelques-uns iront chercher un enfant pour le conduire à l'école ou à la garderie. Certains devront mettre un terme à une relation amicale ou amoureuse. La décision ne sera pas facile. Toutefois, vous réaliserez que ce sera mieux ainsi. Toutes ces situations vous épuiseront moralement et physiquement.

Conseil angélique : *Prenez une journée à la fois. Apprenez des techniques de respiration. Ainsi, vous aiderez votre mental à se calmer.*

Vos trois derniers mois de l'année ne se termineront pas nécessairement en beauté. Ce seront des mois d'inquiétude et de déceptions. Vous serez déçus du comportement et des paroles de certaines personnes. C'est cela qui vous dérangera le plus. Certaines situations vous feront verser des larmes. De plus, on exigera beaucoup de vous, sans que vous puissiez donner votre avis. Certains vivront une période de tension au niveau de la relation familiale.

Les gens autour de vous seront malades. La santé d'un proche vous inquiétera. Bref, vous serez heureux de terminer votre année, tout en gardant espoir que l'année 2012 vous apportera de meilleures situations.

Les enfants de **Mebahel** auront de la difficulté à surmonter la saison automnale. Il serait important pour ces êtres de prendre soin d'eux avant de prendre soin des autres!

Sur le plan affectif

Une période de confusion et d'incertitude pour plusieurs Chérubins. Le problème de plusieurs sera la peur de poser un geste qu'ils regretteront par la suite. Voilà l'importance de bien analyser vos décisions. Certains réaliseront qu'ils ne sont pas heureux dans leur relation, d'autres, que le partenaire est froid et distant. Certains éprouveront des sentiments pour une autre personne. Il est évident que des changements inévitables se produiront puisque vous ne pourrez pas vivre longtemps dans cette période de confusion. Retirez-vous pendant un à trois jours et réfléchissez longuement avant de prendre des décisions à la hâte. Le plus important sera de prendre le temps de discuter avec votre partenaire de ce que vous ressentez. Le point de vue de votre partenaire viendra clarifier vos doutes. Ceci vous permettra de réaliser que vous aviez eu tort de penser de la sorte ou que vous aviez totalement raison. Ainsi, votre décision sera beaucoup plus facile à prendre.

Certains enfants d'**Haziel** prendront de bonnes décisions. Ces êtres feront tout pour éviter la séparation. Certains enfants d'**Aladiah** se plaindront que le partenaire est froid et distant. D'autres iront consulter un avocat. Toutefois, certains trouveront un terrain d'entente pour que l'harmonie refasse surface dans leur vie. Ces êtres n'aimeront pas vivre dans l'incertitude. Les enfants de **Lauviah I** vivront des épreuves qui leur feront verser des larmes. Toutefois, ils réaliseront que leurs doutes n'étaient pas fondés. À la suite de cette réalisation, ils souriront de nouveau à la vie. Les enfants d'**Hahaiah** trouveront un terrain d'entente pour éviter les déceptions de toutes sortes. Un geste du partenaire réconfortera votre cœur et apaisera vos peurs. Les enfants de **Yezalel** demanderont de l'aide et des conseils. Ceci leur permettra de voir la situation sous un angle différent. Les enfants de **Mebahel** vivront dans la peur d'être rejeté par le partenaire. Pour d'autres, l'attitude du partenaire provoquera des discussions animées. Avant que le mois se termine, une décision sera prise à cause d'une dispute familiale ou amoureuse. Les enfants d'**Hariel** s'en sortiront bien. Une discussion avec le partenaire effacera les peurs et les doutes. Les enfants d'**Hekamiah** seront au désespoir. Leur partenaire sera indifférent à leurs émotions. L'argent ou un autre problème sera l'élément déclencheur de cette bataille émotionnelle.

Pour les célibataires

Le coup de foudre viendra faire palpiter le cœur de plusieurs. Toutefois, assurez-vous que cette personne est libre de vous aimer! De plus, ne soyez pas surpris si la personne rencontrée ne veut pas s'engager dans une longue relation. Il n'en tiendra qu'à vous de décider si vous continuez la relation ou pas.

Sur le plan du travail

Des changements auront lieu, mais ils ne feront pas le bonheur de tous. Ces changements provoqueront des tempêtes de toutes sortes. Il y aura des discussions et des réunions pour essayer d'améliorer la situation. Plusieurs vivront dans la peur de perdre leur emploi. Certains devront effectuer des tâches différentes, d'autres devront partager des tâches avec un coéquipier. Bref, vous devrez accepter des transformations soudaines et radicales qui se feront sans que vous puissiez intervenir. À moins de changer d'emploi…

Les enfants d'**Haziel** et de **Mebahel** seront tourmentés par une tâche qui leur sera exigée. Ils se demanderont comment ils parviendront à tout faire ce qui leur est demandé. Cette situation en rendra quelques-uns malades. La fatigue les dérangera énormément. Tout cela sera causé par le stress au travail. Durant le temps des Fêtes, essayez de récupérer. Sinon prenez des journées de congé à l'occasion. Certains enfants d'**Aladiah** chercheront à connaître leurs droits. Leur détermination les amènera à régler rapidement un problème. Plusieurs enfants de **Lauviah I** penseront à quitter leur emploi. Les enfants d'**Hahaiah** seront débordés avec des tâches pénibles. Ils auront beaucoup de travail, mais ils obtiendront peu. Attendez-vous à faire des heures supplémentaires. Les enfants de **Yezalel**, d'**Hariel** et d'**Hekamiah** sauront bien s'en sortir avec tout le travail qui leur sera donné. Attendez-vous à assister à des réunions qui parleront d'organisation et de restructuration. Ces êtres feront des choix judicieux.

Sur le plan de la santé

Certains Chérubins seront victimes de stress, de fatigue et d'épuisement. Vous risquez de vous plaindre d'insomnie, de maux de tête, de migraines et de maux de dos. Certains seront angoissés et perturbés. De plus, certains devront subir une intervention chirurgicale qui les dérangera énormément.

Conseil angélique : *Prenez quelques jours de repos lorsque votre corps le réclamera. Vivre à toute allure n'est pas bon pour votre moral, ni pour votre cœur. Ralentissez vos pas.*

Les enfants d'**Haziel** et d'**Hekamiah** prendront des médicaments pour soulager un rhume, un virus ou un problème quelconque. Les enfants d'**Aladiah**, de **Lauviah I** et de **Mebahel** seront déprimés et dépressifs. Ils devront faire attention à eux. Certains se plaindront de maux de tête, de migraines ou d'un mal à l'épaule. D'autres devront subir une intervention chirurgicale d'urgence. Certains enfants d'**Hahaiah** et de **Yezalel** iront consulter le médecin. Ceux-ci devront passer des radiographies et des prises de sang. D'autres auront des maux de gorge. Vous aurez besoin de pastilles, d'antibiotiques ou d'un sirop médicamenté pour soulager votre mal de gorge. Les enfants d'**Hariel** auront besoin de repos.

Conseil angélique : *Vivez un jour à la fois et profitez de vos moments agréables pour vous ressourcer et refaire le plein d'énergie.*

Sur le plan de la chance

Votre chance est nulle. Je vous conseille de faire attention à votre argent. Certains vivront des ennuis d'argent qui les préoccuperont beaucoup.

Voici quelques événements qui pourraient survenir au cours de la période automnale.

- Vous, ou un proche, serez hospitalisé.

- Une femme de l'entourage sera victime d'un accident cardiovasculaire. De plus, un homme âgé de 50 ans et plus subira une intervention chirurgicale au cerveau causé par une tumeur. Des traitements suivront par la suite.

- Deux personnes de votre entourage vous annonceront une maladie imprévue suivie d'une intervention chirurgicale.

- Certains devront prendre un médicament pour soulager une douleur ou un malaise. De plus, plusieurs devront subir des examens de toutes sortes pour vérifier l'origine d'une douleur.

- Un party de Noël coûtera très cher pour certains. Il serait sage de surveiller vos finances.

- Certains adopteront un animal de compagnie. Ceux qui possèdent une écurie feront l'achat d'un bel étalon.

- Méfiez-vous des apparences trompeuses. Avant de porter un jugement, prenez le temps de mieux analyser la personne ou la situation.

- Plusieurs vivront une période difficile sur le plan des finances.

- Certains seront victimes d'un dégât d'eau.

- On vous annoncera deux décès qui vous surprendront. Ce seront des décès subits.

- On vous annoncera la chute d'un homme. Celui-ci se blessera gravement au dos et à l'épaule gauche.

- Trois femmes de votre entourage seront victimes d'un cancer du sein.

- Certains parleront de faire une croisière pour l'année 2012.

- Certains se sépareront de leur conjoint pour vivre une aventure. Ces êtres réaliseront vite que ce n'était qu'une aventure de quelques soirs. Ils seront amers et déçus d'avoir causé autant de peine à leur ex-partenaire.

- Certains feront des randonnées en motoneige.

- Faites attention aux objets tranchants : il y a risque de coupures et de blessures.

- Si vous vivez à la campagne, assurez-vous d'avoir une génératrice. Sinon, vous risquez de perdre toute la nourriture qui sera dans votre congélateur.

- Une personne se blessera lors d'une partie de chasse.

- Ne prêtez pas d'argent car il ne vous sera pas remboursé tel que prévu.

- Certains feront l'achat d'un mobilier de cuisine ou de salon.

- Une situation grave impliquera la loi. Cela peut s'agir d'un accident, d'une chicane familiale, etc.

- Certains devront prendre un congé sans solde, d'autres devront prendre un congé forcé. Toutefois, ce ne sera pas facile sur le plan monétaire. Il y aura du retard à recevoir ce que l'on vous doit.

- Une personne s'agenouillera devant vous et vous demandera pardon pour toutes les peines qu'elle vous a causées. Cette personne sera sincère. Ce sera à vous de décider.

- Une jeune fille de 17 ans donnera naissance à des jumeaux.

- La santé de votre partenaire vous inquiètera.

- Une femme devra subir une hystérectomie.

- Certains auront une infection à l'œil, ce qui nécessitera une rencontre avec un spécialiste.

- On vous annoncera trois séparations qui vous chagrineront.

- Un proche devra vendre sa maison à cause de ses problèmes financiers.

- Certains se rendront à la banque pour consolider leurs dettes.

PARTIE III

LES TRÔNES

(11 juin au 22 juillet)

Chapitre VII

L'année 2011 des Trônes

L'année 2011 sera une année de changements importants pour plusieurs Trônes. Rien ne vous sera acquis facilement et vous aurez à surmonter des épreuves. Toutefois, vous parviendrez tout de même à trouver les solutions à vos problèmes. Ce que vous vivrez vous amènera à reconstruire votre vie sur de nouvelles bases beaucoup plus solides. En dépit des moments difficiles que vous vivrez, sachez que les Anges seront là pour vous aider tout au long de l'année. Ainsi, malgré les changements nécessaires qui devront s'opérer dans votre vie, vous sortirez gagnant et vous serez grandement satisfait de tout ce que vous aurez entrepris ou décidé.

Étant donné que vous aurez le goût d'apporter des changements dans votre vie en 2011, vous serez très bien servi puisqu'il y aura beaucoup d'occasions où vous pourrez faire tous les changements nécessaires. Vous ne voudrez plus revivre ce que vous avez vécu en 2010. Vous ferez votre possible pour améliorer les aspects de votre vie qui vous empêchent d'être stable et d'aller de l'avant.

Si vous prenez le temps de bien analyser l'ensemble de votre vie, l'année 2011 vous sera d'un grand secours puisqu'elle vous annonce la fin de vos ennuis. Vous résoudrez enfin un ou plusieurs de vos problèmes qui traînent depuis longtemps. Vous aurez le goût de mettre fin à vos tracas. Et c'est exactement où vos énergies seront dirigées cette année. Grâce à votre grande détermination, « équilibre » sera votre mot magique tout au long de l'année. Vous ferez votre possible pour le retrouver. Ainsi, votre année 2011 se caractérisera très bien par le proverbe suivant : *Après la pluie, le beau temps.* Les enfants de **Lauviah II** et, à l'occasion, les enfants de **Nelchaël** trouveront l'année 2011 plus difficile.

Conseil angélique : *Lors de périodes plus difficiles, n'hésitez pas à demander de l'aide à votre Ange ou à l'Ange accompagnateur afin qu'ils viennent vous épauler. Ils vous aideront également à vous diriger en douceur vers de nouveaux horizons.*

L'amour des Trônes

En 2011, l'amour sera au rendez-vous. Les conflits se régleront, les couples se réuniront et les célibataires rencontreront leur grand amour. Tous ceux qui se marieront en 2011 auront un mariage réussi et l'union sera solide. L'année 2011 annonce également une période de grands changements sur le plan de l'amour. Cela ne veut pas dire que vous changerez de partenaire. Au contraire, vous changerez plutôt votre façon de penser et de voir les choses. Plusieurs Trônes auront des dialogues importants avec leur partenaire. En 2011, ça passe ou ça casse! Ceux qui parviendront à trouver un terrain d'entente retrouveront rapidement le bonheur de vivre une relation saine. La joie de vivre et la liberté seront dorénavant présentes dans votre demeure. Plusieurs Trônes vivront de grands moments de joie en compagnie de leur partenaire. Les partenaires amoureux se redécouvriront et réaliseront l'importance de leur relation ainsi que la place qu'occupe le partenaire au sein de leur vie de couple. Vous entendrez souvent des mots d'amour et de réconfort, des mots doux qui sauront vous dire que votre présence est grandement appréciée. En 2011, les Trônes en couple auront plus de chance de retrouver un bel équilibre que de se séparer.

Conseil angélique : *Prenez le temps d'analyser votre relation amoureuse avant d'entreprendre quoi que ce soit. Si vous aimez votre partenaire, accordez-vous une deuxième chance. Il est fort probable que cette deuxième chance vous soit favorable.*

Les enfants de **Lauviah II**, de **Nelchaël** et d'**Haheuiah** auront à travailler très fort leur vie de couple. Ce ne sera pas facile, mais n'oubliez pas que vous aurez tous les outils pour obtenir de bons résultats. Pour **Lauviah II**, ce sont les problèmes financiers qui vous causeront des problèmes dans votre vie de couple. Pour **Nelchaël**, vos idées seront différentes et vous n'irez plus dans la même direction que votre partenaire. Certains enfants d'**Haheuiah** auront un partenaire qui cherchera à les quitter, d'autres, un partenaire qui sera souvent absent de la maison, ou encore, un partenaire qui ne sera pas toujours à l'écoute de leurs besoins puisqu'il risque d'être trop préoccupé par son travail ou par une activité qui lui tient à cœur. Les enfants de **Leuviah**, de **Yeiayel** et de **Melahel** vivront d'agréables moments en compagnie de leur partenaire. L'amour sera au rendez-vous. Tout ce que vous déciderez aura des conséquences heureuses. Les enfants de **Caliel** et de **Pahaliah** auront une grande détermination, ce qui leur permettra de prendre leur vie amoureuse en main et d'obtenir les résultats désirés.

Les Trônes célibataires

L'année 2011 annonce la rencontre de votre partenaire idéal. Plusieurs sorties vous permettront de faire des rencontres intéressantes. Parmi ces rencontres, l'une deviendra très sérieuse. Avant que l'année se termine, plusieurs auront un nouveau partenaire de vie.

Les enfants de **Lauviah II** et de **Caliel** devront être patients puisqu'ils auront plusieurs défis à relever avant de parler d'amour. En 2011, ne parlez pas trop de votre situation financière, de vos problèmes et ne soyez pas trop possessif. Attendez un peu avant de parler de cohabitation puisque vous risqueriez de faire fuir les personnes qui s'intéresseront à vous. Certains se laisseront charmer par des personnes sous la gouverne des Dominations. Vos rencontres pourront se faire grâce à un ami ou lors d'un déplacement dans une ville étrangère. Les enfants célibataires de **Leuviah**, de **Pahaliah**, de **Yeiayel** et de **Melahel** trouveront leur partenaire amoureux. Il sera exactement comme ils le désirent! Ces êtres auront la chance de rencontrer leur grand amour. Ce sera l'amour de leur vie. Certains parleront de mariage ou d'achat d'une maison avec ce partenaire idéal. Vous pourriez rencontrer votre âme sœur grâce à une connaissance, à votre travail ou grâce à un collègue de travail, à un service que vous réclamerez, à une activité, aux études, à un centre de conditionnement physique ou lors d'une sortie agréable entre amis. Les enfants de **Nelchaël** et d'**Haheuiah** bougeront beaucoup avec leur nouvelle rencontre. Pour certains, la distance les séparera. Toutefois, si la relation devient sérieuse, un rapprochement se fera grâce à un déménagement. Ces êtres rencontreront leur partenaire idéal sur Internet ou à l'aide d'une connaissance.

Le travail des Trônes

L'année 2011 vous annonce de nombreuses possibilités pour obtenir tout ce que vous désirez. Que ce soit une augmentation de salaire, un changement de travail, de meilleurs bénéfices ou heures de travail, sachez que l'année 2011 vous offrira ces changements. Plusieurs problèmes se régleront, ce qui vous apportera un soulagement énorme et la qualité de votre travail en sera améliorée. Plusieurs Trônes auront de belles occasions pour améliorer leur vie professionnelle. Vous n'aurez qu'à avancer lorsque vous sentirez que la chance est de votre côté!

Ainsi, en 2011, les Trônes auront la chance d'obtenir une amélioration sur le plan du travail. Les enfants de **Lauviah II** devront toutefois travailler très fort pour obtenir ce qu'ils désirent, au détriment de leur santé parfois. Plusieurs vivront des ennuis de toutes sortes qui les épuiseront mentalement et physiquement. D'autres devront apprendre une nouvelle technique qui risque de les déranger.

Conseil angélique : *Faites-vous confiance et vous verrez que tout se passera bien. Acceptez toujours l'aide qui vous sera offerte.*

Les enfants de **Caliel** auront la situation en main, peu importe ce qui se passera. Ils posséderont tout pour être gagnants. Pour plusieurs, les entrevues seront réussies et les changements seront bénéfiques. Les enfants de **Leuviah** vivront des changements qui seront à leur avantage. Chaque changement améliorera leur travail. Plusieurs seront satisfaits des décisions qui seront prises. Les enfants de **Pahaliah** obtiendront des promotions, des reconnaissances et des victoires. Que du succès les attend!

Les enfants de **Nelchaël** et d'**Haheuiah** changeront de position. Il y aura beaucoup d'action. Certains changeront complètement d'endroit ou de travail. D'autres orienteront leur carrière différemment. Attendez-vous à mettre sur pied de nouveaux projets qui demanderont beaucoup de soin et d'analyse, mais qui seront couronnés de succès. Les enfants de **Yeiayel** auront à prendre une décision importante. Ils devront choisir entre deux emplois qui leur plairont. Plusieurs auront une augmentation de salaire. Il y a de l'amélioration en vue.

Les enfants de **Melahel** seront tout simplement en harmonie avec tout ce qui se passera. Plusieurs feront la lumière sur des malentendus ou des problèmes. Le tout se réglera à votre grande satisfaction.

La santé des Trônes

En général, la santé sera bonne. Toutefois, il faudra surveiller le dos et les entorses. Certains Trônes se plaindront de douleurs musculaires ici et là, des douleurs qui apparaissent et disparaissent. Certaines femmes Trônes devront surveiller leur vessie, et les hommes, leur prostate. Les conduits urinaires seront leurs points faibles cette année. Toutefois, rien de grave ne surviendra si vous prenez soin de votre corps lorsque celui-ci réclame votre attention.

Les enfants de **Lauviah II** seront souvent épuisés mentalement et physiquement. Certains devront être extrêmement vigilants avec leur santé. Les fumeurs vivront des périodes difficiles : il y a risque de maladies graves, si vous ne suivez pas les recommandations du médecin. Chez les enfants de **Caliel**, la santé sera bonne. Toutefois, il faudra surveiller le dos et une douleur à un bras. Certains cardiaques devront subir une intervention chirurgicale, mais ils remonteront vite la pente. La santé des enfants de **Leuviah** sera excellente. Certains prendront un produit naturel ou des vitamines. Par contre, les alcooliques auront des ennuis avec leur pancréas. Les enfants de **Pahaliah** auront une santé excellente. Toutefois, certains se plaindront de douleurs musculaires et d'inflammation.

Chez les enfants de **Nelchaël**, la santé sera bonne. Toutefois, plusieurs seront fatigués dû à un surmenage. D'autres auront des problèmes avec leurs oreilles. Certains hommes auront de la difficulté avec leur prostate. Quelques-uns seront victimes d'inflammation.

Les enfants de **Yeiayel** auront une santé excellente. Toutefois, certains auront des reflux gastriques. L'estomac sera très fragile, ce qui pourra leur causer des ennuis avec leurs intestins. Ne soyez pas surpris d'avoir un empoisonnement alimentaire au cours d'une sortie. Surveillez attentivement les fromages! Les enfants de **Melahel** auront aussi une santé excellente. Certains prendront des produits naturels pour rehausser leur énergie. Certaines femmes auront des ennuis avec leurs organes génitaux. Chez les enfants d'**Haheuiah**, la santé sera bonne. Toutefois, certains vivront de légères dépressions, d'autres seront épuisés, fatigués. Plusieurs devront prendre du repos. Surveillez où vous mettez les pieds : il y a risque de blessures ou de foulures. Ne soyez pas surpris si vous devez porter un plâtre.

La chance des Trônes

Les chiffres 2, 24 et 32 seront trois chiffres très chanceux pour tous les Trônes. Votre journée de chance sera le lundi. Vos mois de chance seront **mai, juin, novembre** et **décembre**. Profitez-en pour jouer à la loterie lors de vos mois favorables. Si votre téléphone ne sonne qu'un seul coup et que vous portez un bijou en or sur vous, ce sera votre signe de chance. Achetez un billet de loterie. La chance sera bonne pour plusieurs, mais les enfants de **Pahaliah** seront les plus chanceux. Tout ce qu'ils toucheront se changera en or!

Ange Lauviah II : 5, 37 et 42. Votre chance est très faible. Ne dépensez pas trop votre argent dans les loteries puisque votre situation financière sera instable au courant de l'année. Si vous le désirez, vous pourrez toujours jouer avec une personne de sexe opposé ou une personne du groupe des Séraphins. Je vous conseille aussi de jouer en groupe; cela vous sera beaucoup plus favorable. Les groupes de trois personnes pourraient vous rapporter de petits gains, mais rien d'abondant. Que de légères petites sommes, si gain il y a.

Ange Caliel : 11, 40 et 44. Votre chance est excellente. Certains pourront même gagner un voyage d'une durée de sept à dix jours. Les personnes du groupe des Dominations vous seront favorables. Je vous conseille de jouer ou d'acheter un billet de loterie venant d'eux. De plus, la semaine du 11 août sera très bénéfique pour vous. Vous pourriez obtenir toutes sortes de gains, que ce soit dans les jeux du hasard, au travail ou dans la famille. Cette semaine vous appartient et vos décisions seront à la hauteur de vos attentes.

Ange Leuviah : 10, 30 et 36. Votre chance est bonne. Vous serez très chanceux, surtout si vous jouez avec votre partenaire amoureux. Choisissez la moitié des chiffres et demandez à votre partenaire de choisir l'autre moitié. Cela pourrait être une combinaison gagnante. Vous serez également chanceux, si ce dernier vous remet un billet de loterie. Lors d'une sortie en amoureux, je vous conseille d'acheter un billet, surtout si votre sortie a lieu dans la semaine du 10 juin.

Ange Pahaliah : 6, 27 et 45. Votre chance est excellente. Vous avez la main chanceuse. Alors, prenez le temps de choisir vous-même vos numéros et vos billets de loterie. Les groupes composés de sept personnes vous seront bénéfiques, surtout si l'une de ces personnes est sous la gouverne des Séraphins ou des Chérubins.

Ange Nelchaël : 12, 21 et 48. Votre chance est moyenne. Toutefois, vous serez plus chanceux lorsque vous achèterez vos billets hors de votre région. La journée du samedi vous sera aussi favorable.

Ange Yeiayel : 6, 24 et 33. Votre chance est bonne. Tout comme les enfants de l'Ange Leuviah, vous serez très chanceux si vous jouez avec votre partenaire amoureux. Choisissez la moitié des chiffres et demandez à votre partenaire de choisir l'autre moitié. Cela pourrait être une combinaison gagnante, surtout si votre partenaire est sous la gouverne des Principautés ou des Archanges. Les groupes de quatre personnes composés d'un homme et de trois femmes ou d'une femme et de trois hommes vous seront aussi bénéfiques. Ces groupes peuvent vous apporter de la chance, surtout si l'une de ces personnes est sous la gouverne des Principautés. La journée du samedi vous sera favorable ainsi que le mois de décembre.

Ange Melahel : 1, 20 et 28. Votre chance est bonne, mais elle sera meilleure si vous jouez avec votre partenaire amoureux, votre fille ou votre bru. Choisissez la moitié des chiffres et demandez à la personne de choisir l'autre moitié. Cela pourrait être une combinaison gagnante, surtout si la personne est sous la gouverne des Puissances. La journée du mardi vous sera favorable ainsi que le mois de septembre.

Ange Haheuiah : 15, 30 et 41. Votre chance est moyenne. Ne dépensez pas trop votre argent dans les loteries. Toutefois, si vous avez le goût d'acheter un billet, je vous conseille de le faire dans une autre ville. Sinon, jouez avec un membre de votre famille sous la gouverne des Séraphins. Cela vous sera favorable. Attendez-vous à recevoir de belles surprises les vendredis du mois de juin.

Aperçu des mois de l'année des Trônes

☆ **Les mois favorables** : février, mars, mai, juin, août, novembre et décembre.

☆ **Les mois non favorables** : janvier, juillet et septembre.

☆ **Les mois ambivalents** : avril et octobre.

☆ **Les mois de chance** : mai, juin, novembre et décembre.

Chapitre VIII

Informations supplémentaires propres à chacun des Anges Trônes

✦ ANGE LAUVIAH II ✦

(du 11 au 15 juin)

Les enfants de Lauviah II trouveront l'année 2011 difficile sur le plan financier. Plusieurs auront des ennuis d'argent causés par des imprévus.

Conseil angélique : *Surveillez votre budget et vos dépenses. Ainsi, vous éviterez de graves ennuis.*

Plusieurs enfants de Lauviah II seront anxieux par rapport à des situations où leur aide sera demandée. Certains devront retourner aux études, d'autres devront apprendre une nouvelle technique sur le plan du travail. Plusieurs vivront des changements sur le plan professionnel qui risquent de ne pas leur plaire. Il y en a même qui se révolteront.

Conseil angélique : Ne vous alarmez pas trop. Prenez une journée à la fois. Ne voyez pas les changements comme des fardeaux. Ainsi, votre mental s'en portera mieux et vous éviterez de faire des erreurs que vous pourriez regretter par la suite.

Malgré tout ce qui surviendra au cours de votre année, il y aura toujours une porte de sortie : il vous suffira de la prendre, sans regarder en arrière. Et surtout, n'ayez pas peur de demander de l'aide et d'accepter celle qui vous sera envoyée.

ANGE ACCOMPAGNATEUR : l'Ange Manakel (66). Cet Ange vous aidera à voir la vie sous un angle différent, ce qui aura un impact positif dans votre vie. De plus, cet Ange vous aidera à cheminer dans un environnement apaisant.

✦ ANGE CALIEL ✦
(du 16 au 21 juin)

Les enfants de Caliel seront en mesure de prendre leur vie en main et d'atteindre les buts qu'ils se sont fixés. Leur grande détermination leur permettra de vaincre tous leurs ennemis et leurs problèmes. Ils surmonteront leurs obstacles avec bravoure et ils en seront très fiers. Gare à ceux qui essaieront de vous déstabiliser. Ils risquent d'être surpris! Vous ne vous laisserez pas influencer par qui ou quoi que ce soit. Vous serez rempli d'une force inébranlable qui vous permettra de sortir vainqueur de tous les obstacles et les défis qui se présenteront sur votre route.

Conseil angélique : Prenez le temps d'écouter les conseils des personnes sous la gouverne des Dominations. Ils vous seront très favorables.

Tout voyage entrepris au courant de cette année sera agréable. Certains enfants de Caliel subiront une intervention chirurgicale. Toutefois, ils remonteront rapidement la pente. Il en est de même pour ceux qui seront malades. Un remède vous fera un bien énorme. Cependant, les cardiaques devront redoubler de prudence et suivre les conseils de leur médecin.

ANGE ACCOMPAGNATEUR : l'Ange Lehahiah (34). La Lumière de cet Ange est très puissante ainsi que l'aide qu'elle apporte. Elle veut voir l'humain réussir grâce à ses compétences et à sa grande détermination de se construire une vie structurée et accomplie. Sa mission est de le conduire vers le chemin de la réussite et de la satisfaction.

✦ ANGE LEUVIAH ✦
(du 22 au 26 juin)

Les enfants de Leuviah seront en harmonie avec tout ce qui se produira dans leur vie. Lorsqu'un problème surgira, au lieu de se décourager, ils trouveront rapidement la solution pour s'en sortir. Telle sera leur force en 2011. La plupart des enfants de Leuviah seront satisfaits des décisions qu'ils prendront, des gestes qu'ils feront ou des paroles qu'ils diront. Tout tournera en leur faveur puisqu'ils prendront le temps de tout régler dans le calme et dans le respect. Voilà pourquoi tout leur réussira cette année. Ceux qui appliqueront d'autres méthodes s'apercevront rapidement que ce n'est pas la bonne marche à suivre pour résoudre leurs problèmes. Ils devront demeurer calmes et respecter leurs proches. Ainsi, ils seront davantage portés à leur offrir ce qu'ils désirent. Autrement dit, cette année, vous aurez le dernier mot dans tout, mais vous le ferez d'une façon diplomatique et les gens se laisseront envoûter par votre façon d'agir!

Certains parleront de déménagement. Ne vous inquiétez pas, car votre nouvelle demeure vous apportera beaucoup de joie et de bonheur. Les couples âgés qui devront abandonner leur maison pour s'installer dans un logement ou dans un centre d'accueil, s'adapteront facilement à leur nouvel environnement. Tout se déroulera très bien.

ANGE ACCOMPAGNATEUR : l'Ange Haamiah (38). Cet Ange est la représentation même de l'amour. Cet Ange fera de votre union, une union heureuse remplie d'amour et de tendresse.

Prédictions Angéliques 2011

✦ ANGE PAHALIAH ✦
(du 27 juin au 1ᵉʳ juillet)

Les enfants de Pahaliah auront beaucoup de succès dans plusieurs domaines. Tout leur sera acquis. De plus, ils auront l'occasion d'effectuer les changements nécessaires afin d'améliorer leur vie. Il n'en tiendra qu'à eux de les intégrer sereinement dans leur nouvelle vie. S'ils le font, ils seront satisfaits et en harmonie. Certains adopteront un animal de compagnie.

Les mots « victoire » et « succès » vous suivront tout au long de l'année 2011. Tout ce que vous déciderez aura un impact favorable dans votre vie. De plus, si vous désirez entreprendre quelque chose de nouveau, vous aurez l'appui de votre entourage. Il y aura plusieurs occasions où vous serez animé par un sentiment de fierté. Vous serez fier de vous et de vos décisions. Votre grande détermination à prendre votre vie en main vous rapportera que du succès. De plus, vous obtiendrez que de bons résultats, ce qui vous encouragera à continuer dans la même direction.

Vous serez inébranlable face aux gens et aux situations qui essaieront de vous déstabiliser. Cette attitude éloignera de vous les vampires d'énergies puisque ceux-ci sauront rapidement qu'ils ne peuvent venir envahir votre terrain. En 2010, vous avez peut-être été une proie facile, mais en 2011, tout cela changera. Ceux qui essaieront de vous détruire seront surpris par votre attitude et vous n'aurez aucun problème à les chasser de votre vie.

Plusieurs recevront de belles récompenses. Un travail sera reconnu avec succès. Attendez-vous à vivre des changements en votre faveur. Il y aura des promotions, des honneurs, etc. De plus, sur le plan financier, une remontée vous allégera. Toutefois, cela ne veut pas dire d'aller tout dépenser. Soyez tout de même vigilant avec votre argent. Donnez-vous une chance de bien remonter la pente avant de vous lancer dans de folles dépenses, surtout en ce qui concerne la décoration de votre maison.

ANGE ACCOMPAGNATEUR : l'Ange Reiyiel (29) est l'Ange des animaux. Cet Ange vous aidera à choisir votre animal de compagnie. De plus, grâce à sa Lumière, vous serez dévoué envers votre prochain et vous récolterez les bénéfices de chacune de vos bonnes actions.

✦ ANGE NELCHAËL ✦

(du 2 au 6 juillet)

Les enfants de Nelchaël bougeront tout le temps. Attendez-vous à recevoir des téléphones, des courriels, des lettres, etc. Tout vous amènera à vous déplacer. Vous ne serez pas de tout repos pour votre entourage puisque vous ferez plusieurs choses à la fois. Vous serez conscient de toutes les opportunités qui s'ouvriront à vous et vous ne voudrez rien laisser passer.

> **Conseil angélique :** *Faites attention à votre santé. Si vous faites trop de choses, votre corps s'épuisera et cela pourra nuire à vos décisions. Ne quittez pas votre travail sur un coup de tête. Vous risquez de le regretter par la suite. Réfléchissez un certain temps avant d'agir.*

Ayez une structure et vous verrez que tout sera à votre satisfaction. Si vous n'avez pas de structure, vous vous promènerez dans toutes sortes de directions qui risqueront de vous épuiser inutilement. Ainsi, au lieu d'avancer, vous stagnerez et cela vous nuira avec le temps.

Plusieurs élargiront leur horizon grâce à de nouvelles connaissances. Pour d'autres, cela sera causé par des changements ayant un impact sur leur quotidien. Votre goût d'aller de l'avant avec plusieurs de vos projets vous amènera à faire des rencontres et à vivre toutes sortes d'événements positifs. Votre vie sera agitée. Toutefois, elle sera constructive et évolutive. Lorsque l'année 2011 se terminera, vous serez satisfait de la façon dont vous l'aurez dirigée, et surtout, vous serez satisfait des améliorations apportées. Plusieurs auront des projets en tête qui demanderont beaucoup de soin, de patience, d'analyse et de sacrifices. Toutefois, la plupart de vos projets seront couronnés de succès et de satisfaction.

Tout déplacement que vous ferez en 2011 vous sera profitable, que ce soit pour un voyage d'agrément ou d'affaires. Tout sera à la hauteur de vos attentes.

Plusieurs auront des ennuis mécaniques avec leur véhicule, ce qui les amènera à vouloir le changer. Ne soyez pas surpris si vous changez de véhicule en 2011. Vous serez satisfait de votre décision.

ANGE ACCOMPAGNATEUR : Vous pouvez prier l'Ange Hahahel (41) pour obtenir davantage confiance en vous et en vos capacités. Sa Lumière vous permettra de réussir vos projets et de faire grandir vos idées.

✦ ANGE YEIAYEL ✦
(du 7 au 11 juillet)

Plusieurs enfants de Yeiayel auront des choix à faire et des décisions à prendre. Ce ne sera pas toujours des choix faciles. Ils devront analyser profondément les avantages et les inconvénients avant de prendre leur décision finale. Malgré tout, vous serez tout de même en harmonie avec les choix que vous ferez.

Conseil angélique : Lors de moments de tension et d'incertitude, prenez du recul et tentez d'écouter votre voix intérieure plutôt que l'avis des autres. Ainsi, vous éviterez de faire des choix que vous pourriez regretter par la suite.

Le seul problème quant aux décisions que vous prendrez sera vos émotions. Vous vous êtes habitué à votre travail et à votre environnement. Vous aurez de la difficulté à laisser aller votre ancienne routine pour faire place à du nouveau. Si vous aviez la possibilité de faire un travail plus valorisant et payant, préféreriez-vous demeurer dans la même situation ou opteriez-vous pour un changement? Telles seront les questions auxquelles vous devrez répondre en 2011. Il est évident que la réussite de votre année 2011 repose entièrement sur vos épaules. Cependant, si vous analysez bien vos choix, vous ne serez pas déçu de ce que vous choisirez.

Tout ce qui vous arrivera en 2011 sera là pour améliorer votre vie. Il n'en tient qu'à vous de l'accepter ou non. Vous serez à la croisée des chemins; il suffit de choisir le chemin qui vous conviendra le mieux en temps opportun.

Conseil angélique : Surveillez les tentations de toutes sortes. Réfléchissez aux conséquences avant d'agir!

Attendez-vous à faire de belles rencontres qui feront palpiter votre cœur de joie et de bonheur. Plusieurs de vos problèmes se régleront, ce qui vous libérera et vous enlèvera un poids sur les épaules.

ANGE ACCOMPAGNATEUR : l'Ange Vehuiah (1). Lorsque vous êtes en pleine possession de vos capacités, vous avez tout ce qu'il faut pour vous en sortir et retrouver le bonheur. Alors, avant de prendre une décision, priez l'Ange Vehuiah afin qu'il vous aide à bien réfléchir avant d'agir. Cet Ange vous permettra de prendre les meilleures décisions pour retrouver rapidement le chemin du bonheur.

✦ ANGE MELAHEL ✦
(du 12 au 16 juillet)

Les enfants de Melahel seront attentifs à tous les événements qui se produiront dans leur vie. Comme des enfants en bas âge, ils chercheront à connaître le pourquoi des événements. Ils seront de vrais détectives à la recherche de réponses. Les « peut-être » ne seront pas des réponses acceptables à leurs yeux.

Parfois, les membres de votre entourage vous trouveront vindicatif et tranchant dans vos décisions. Pourtant, vous ne chercherez qu'à faire la lumière sur certains événements. Vous ne chercherez pas les problèmes, au contraire. Vous essayerez de trouver les meilleures solutions pour les régler. Toutefois, votre attitude et votre façon d'agir effrayera votre entourage. Dans le fond, vous prendrez tout simplement le contrôle des événements. Vous voudrez régler par vous-même vos problèmes puisque vous en aurez assez d'être à la merci de tout le monde. En 2011, vous reprendrez la place qui vous revient.

Pour plusieurs personnes, ce sera le début d'une nouvelle vie, d'une nouvelle façon de voir les choses. Cette nouvelle perception vous permettra d'exercer un meilleur contrôle sur les événements. Toutefois, cela ne fera pas le bonheur de tous. Ne laissez pas ces gens venir vous envahir. Reprenez votre pouvoir. Vous aurez l'énergie, la force et la détermination pour le faire. Alors, foncez! Cela fait tellement longtemps que vous vouliez le faire.

De plus, tous ceux qui se mettront au régime obtiendront les résultats désirés. Une nouvelle vie commencera avec une nouvelle taille et une nouvelle garde-robe! Vous refléterez la satisfaction même. Jamais vous n'aurez été si bien dans votre peau.

En 2011, attendez-vous à recevoir fréquemment des fleurs ou des petits cadeaux qui vous feront énormément plaisir. Ces petites attentions proviendront de gens qui vous aiment et qui vous estiment.

ANGE ACCOMPAGNATEUR : l'Ange Hariel (15). La mission de cet Ange sera de vous donner la force et le courage de perdre du poids. Puisqu'Hariel est l'Ange du nettoyage, cet Ange vous aidera à faire le ménage sur le plan de vos habitudes alimentaires et dans votre vie personnelle. Hariel vous ouvre également la porte des solutions servant à vous libérer rapidement de vos ennuis.

✦ ANGE HAHEUIAH ✦
(du 17 au 22 juillet)

Les enfants d'Haheuiah bougeront beaucoup. Ils ne seront pas de tout repos. Lorsqu'ils réclameront de l'aide, ils voudront que cela arrive instantanément. Ils seront impatients et anxieux d'aller de l'avant. En 2010, les enfants d'Haheuiah ont eu leur part de problèmes et ils ne veulent pas que cela se répète en 2011. C'est la raison pour laquelle ils seront exigeants, draconiens et intransigeants. En 2011, ils ne se laisseront plus contrôler par qui que ce soit. Ces êtres veulent avant tout reprendre possession de leur vie, de leurs idées et de leurs rêves. Bref, s'ils doivent faire des changements, ils le feront sans demander l'avis des autres. Ils seront moins conciliants, ce qui risquera de déranger leur famille et leur entourage. Il ne faut pas penser que ces êtres sont misérables et qu'ils ont tort d'agir ainsi. Au contraire, ces êtres s'affirment finalement et cherchent tout simplement le respect provenant de ceux qui les ont longtemps contrôlés au cours de leur vie.

Conseil angélique : *À tous ceux qui entourent un enfant d'Haheuiah : essayez de ne pas le contrarier puisqu'il vous tournera le dos facilement et cela provoquera une tempête d'émotions inutiles. Si vous le provoquez ou que vous êtes en désaccord avec lui, il s'éloignera de vous. Vous pouvez émettre votre point de vue, sans toutefois le brusquer. Respectez-le dans ses choix et dans ses décisions. Ainsi, il respectera vos points de vue et il ira même jusqu'à écouter vos conseils.*

Il est évident qu'il y aura plusieurs changements qui se produiront dans votre vie. Plusieurs parleront de déménagements. Le mois de juin vous sera très favorable pour faire l'achat d'une propriété. De plus, plusieurs prendront des décisions importantes au niveau de leur vie professionnelle et personnelle. Certains mettront fin à des relations de longue date.

Conseil angélique : *Réfléchissez un certain temps avant d'agir ou de parler. Ainsi, vous éviterez des ennuis de toutes sortes.*

Je vous conseille d'être vigilant sur le plan financier. Ne faites pas de dépenses inutiles puisqu'il y a risque de faillite pour certains. D'autres devront laisser aller des biens et les remettre aux créanciers. Soyez prévoyants. Établissez un budget. Ainsi, vous n'aurez pas de mauvaises surprises à la fin de l'année.

ANGE ACCOMPAGNATEUR : l'Ange Ariel (46). Cet Ange facilite la résolution des problèmes difficiles qui entravent l'équilibre de l'être humain ainsi que la paix dans son cœur et autour de lui.

Chapitre IX

Les Trônes au fil des saisons

Saison hivernale
(janvier-février-mars)

« Rien ne sert de courir, ni de reculer, ni de sauter.
Il suffit de marcher droit vers vos buts. Ainsi, vous aurez
le privilège de voir la réussite devant vous! »

(Paroles de l'Ange Iah-Hel)

Une année qui s'annonce bien pour vous. Toutefois, le mois de janvier ne sera pas facile pour certains. Plusieurs auront l'ambition de réussir leur année 2011 et ils travailleront très fort pour y parvenir. Certains verront deux de leurs buts se concrétiser. Vous serez dynamique, déterminé et créatif. Toutes ces qualités vous permettront d'aller de l'avant et d'atteindre vos buts. Vous prendrez votre vie en main et vous foncerez! Ce sera votre façon de diriger votre année 2011. Vous aurez plusieurs projets en tête et vous ferez tout pour les réussir. Rien ne vous ralentira ni ne vous arrêtera. Votre grande détermination vous conduira exactement sur la route où vous désirerez être. De plus, certains changeront leurs habitudes de vie ou alimentaires. Ces changements amélioreront leur qualité de vie. Il y en a qui perdront du poids, d'autres reprendront la forme physique en s'adonnant à des activités sportives.

Bref, vous aurez toutes les qualités requises pour réussir votre année 2011. D'ailleurs, plusieurs opportunités s'offriront à vous pour vous aider à obtenir tout ce que vous désirez.

En janvier, certains verseront des larmes. Est-ce des larmes de fatigue? Des larmes de déception? Des larmes causées par une mauvaise nouvelle? Qui sait? Mais c'est définitif que certains verseront des larmes. La semaine du 2 au 10 janvier sera la plus pénible pour vous. Ceux qui risquent de verser des larmes en janvier seront les enfants de **Lauviah II**, de **Nelchaël** et d'**Haheuiah**. Il serait important pour ces êtres de vivre une journée à la fois.

Les mois de février et mars vous amèneront à bouger beaucoup. *Après la pluie, le beau temps.* Il y aura deux déplacements importants qui vous permettront de mettre sur pied l'un de vos projets. De plus, certains auront le privilège de résoudre un problème qui durait depuis un certain temps. Une bonne décision sera prise et vous en serez satisfait.

Sur le plan affectif

Ce sera une période normale, remplie de moments de joie et de plaisirs. Certains régleront un problème, ce qui les soulagera. Après avoir vécu une période de tempête, le beau temps refera surface dans votre vie amoureuse. Toutefois, ceux qui vivront une période difficile sur le plan amoureux, risquent de se séparer. Votre union se terminera sur une mauvaise note et cela sera pénible pour vous. Ne vous en faites pas puisqu'une personne interviendra et vous aidera à vous relever et à vous prendre en main. Dites-vous que ce sera un mal pour un bien!

Certains enfants de **Lauviah II** devront surmonter certaines épreuves. Il y aura de la discorde et des arguments de toutes sortes. Les paroles seront blessantes. De plus, l'un des deux conjoints éprouvera une difficulté financière et cela dérangera énormément le couple. Tout ira bien pour la plupart des enfants de **Caliel**. Un voyage rapprochera le couple. Les enfants de **Leuviah**, de **Pahaliah**, de **Yeiayel** et de **Melahel** seront heureux. La discussion sera la clé de leur succès. Ces êtres prendront de bonnes décisions. Tandis que les enfants de **Nelchaël** vivront une période d'agitation qui les amènera à demander de l'aide et des conseils. Certains trouveront un terrain d'entente pour éviter des déceptions de toutes sortes. Les enfants de **Melahel** s'en sortiront bien. Une discussion avec le partenaire effacera les peurs et les doutes.

Pour les célibataires

Certains pourraient faire de belles rencontres. Il vous suffira d'accepter les invitations qui vous seront faites. Les enfants de **Leuviah**, de **Pahaliah**, de **Yeiayel** et de **Melahel** pourraient trouver leur idéal. Alors, sortez!

Sur le plan du travail

C'est une période active et enrichissante pour plusieurs. Vous travaillerez durement, mais cela en vaudra la peine. Certains débuteront un nouveau travail, d'autres s'appliqueront à réussir de nouvelles tâches. Il y en a qui mettront sur pied un projet, d'autres réussiront des entrevues. Certains recevront une augmentation de salaire. De plus, les problèmes seront réglés à votre grande satisfaction. Le seul ennui est que certains auront quelques petits arguments avec un collègue de travail. Une discussion franche ramènera l'harmonie.

Conseil angélique : *Soyez déterminé et vous verrez jaillir la réussite dans tout ce que vous entreprendrez.*

Les enfants de **Lauviah II** seront tourmentés par une tâche qui leur sera exigée. Leurs nouvelles tâches les angoisseront à un point tel qu'ils s'en rendront malades. La fatigue et l'épuisement dérangeront énormément la qualité de leur travail. Toutefois, après une bonne discussion avec un collègue, une aide précieuse leur prêtera main forte et tout redeviendra à la normale. Les enfants de **Caliel** et de **Pahaliah** auront la force, le courage et la détermination de tout entreprendre. Ces êtres auront la situation en main. De plus, de bonnes nouvelles leur parviendront. Certains auront le privilège d'améliorer leur vie professionnelle. Une offre alléchante leur sera offerte. Certains obtiendront une belle promotion. Les enfants de **Leuviah** seront débordés, mais ils adoreront leur travail. De plus, deux bonnes nouvelles les feront sauter de joie. Certains déménageront. Ils n'auront pas le choix d'emballer toutes leurs affaires. Cette situation leur plaira moins. Plusieurs auront peur de perdre des documents importants lors du transport. Si vous avez peur, assurez-vous de les amener vous-même! Plusieurs enfants de **Nelchaël** et d'**Haheuiah** penseront à quitter leur emploi. D'autres chercheront à améliorer leurs conditions de travail. Bref, il y aura de l'agitation.

De plus, un projet nouveau leur demandera énormément d'attention. S'ils veulent le réussir, ces êtres n'auront pas le choix que de prendre le temps nécessaire pour bien l'accomplir. Évidemment, cela les angoissera. Les enfants de **Yeiayel** et de **Melahel** sauront bien s'en sortir avec tout le travail qui leur sera donné. Attendez-vous à assister à des réunions qui parlent d'organisation et de restructuration, et ce, pour le bien de l'entreprise. D'ailleurs, une bonne nouvelle vous parviendra et celle-ci vous obligera à prendre une décision.

Sur le plan de la santé

Plusieurs Trônes seront victime de stress, de fatigue et d'épuisement. Vous serez angoissé et perturbé. Vous travaillerez trop et vous ne prendrez pas assez de temps pour vous.

Conseil angélique : *Prenez quelques jours de repos lorsque votre corps le réclamera.*

D'autres se plaindront de migraines et de maux physiques. De plus, certains devront prendre un médicament à la suite d'une maladie imprévue. Ne vous inquiétez pas puisqu'un spécialiste découvrira la cause de votre problème et, si vous écoutez ses conseils, vous retrouverez rapidement la santé.

Les enfants de **Lauviah II** prendront des médicaments pour soulager un rhume, un virus ou un problème quelconque. Ne soyez pas surpris d'être au repos pendant une période de cinq jours. La plupart des enfants de **Caliel**, de **Leuviah**, de **Pahaliah**, de **Yeiayel** et de **Melahel** seront en pleine forme. Certains prendront un produit naturel ou des vitamines pour rehausser leurs énergies. Toutefois, certains hommes se plaindront d'une douleur à l'épaule, à une jambe ou à l'estomac, tandis que certaines femmes auront des ennuis avec leurs organes génitaux. Certains enfants de **Nelchaël** et d'**Haheuiah** iront consulter le médecin. Ils devront ralentir le pas puisqu'ils auront grandement besoin de repos. D'autres se plaindront de maux de tête, de migraines, de maux de dents et de douleurs au genou gauche.

Sur le plan de la chance

Votre chance est couci-couça. Si vous jouez à la loterie, faites-le modérément.

Voici quelques événements qui pourraient survenir au cours de la période hivernale.

- Certains prendront en charge une personne âgée.

- Une femme vindicative vous fera verser des larmes par son comportement et par ses paroles.

- Annonce d'un mariage qui se terminera dramatiquement.

- Deux personnes de votre entourage vous annonceront une maladie imprévue, suivie d'une intervention chirurgicale.

- Vous, ou un proche, subirez une intervention chirurgicale au niveau des yeux.

- Vous, ou un proche, gagnerez la bataille contre le cancer.

- Certains décideront de mettre leur propriété sur le marché de la vente.

- Fin d'un ennui grâce à l'intervention d'une personne.

- Vous, ou un proche, renaîtrez à la vie. De bonnes nouvelles vous seront annoncées.

- Certains planifieront un voyage de 10 jours dans un pays étranger.

- Un problème qui dure depuis un certain temps se résoudra grâce à l'aide d'une gentille personne.

- Deux personnes proches de vous vous annonceront de bonnes nouvelles en ce qui concerne le travail.

- Un cardiaque devra subir une opération à cœur ouvert. L'opération sera une réussite. Cet homme remontera vite de son opération.

- Vous, ou un proche, vivrez une période difficile sur le plan monétaire. Toutefois, une aide vous parviendra et cette aide vous permettra de vous relever.

- Votre ambition de réussir vous conduira au succès.

- Un héritage fera énormément jaser les gens.

- Certains feront des randonnées en motoneige, d'autres feront du ski ou de la raquette à neige.

- Certains auront le privilège de voir une porte importante s'ouvrir devant eux. Foncez et vous ne serez pas déçu.

- Vous entendrez parler qu'un feu fait des ravages.

- Certains feront de la pêche sur la glace. Ce sera une belle aventure.

- Un vase d'une valeur sentimentale ou matérielle se brisera. Il est évident que votre cœur versera des larmes.

- Certains parleront de travailler le bois, d'autres parleront de peinture. Ne soyez pas surpris d'acheter de l'équipement et des outils nécessaires pour débuter cette nouvelle activité.

- Une personne en état d'ébriété au volant se fera arrêter par la police et verra son permis de conduire être suspendu.

- Quelqu'un vous parlera d'une tentative de suicide. Vous serez très surpris de cette nouvelle.

- Une personne s'agenouillera devant vous et vous demandera pardon pour toutes les peines qu'elle vous aura causées. Cette personne sera sincère. Ce sera à vous de décider.

- Un adolescent aura des ennuis avec la loi à cause de la drogue ou du vandalisme.

- La santé d'un proche vous inquiétera.

- Une femme réclamera de l'aide.

- Certains recevront un bijou en or pour une occasion spéciale.

- Certains retourneront aux études pour apprendre une nouvelle discipline. Réussite de ce cours.

- Vous, ou un proche, vous ferez faire un tatouage sur l'avant bras droit.

- Certains adopteront un animal de compagnie.

- Fugue d'un enfant qui vous ébranlera. Le tout se réglera rapidement.

Saison printanière
(avril-mai-juin)

« La persévérance est la meilleure qualité pour vous mener au succès. »

(Paroles de l'Ange Veuliah)

La saison printanière annonce la fin de vos ennuis. Tous vos petits tracas se régleront rapidement. Les solutions seront à la hauteur de vos situations. Vous serez en pleine forme physique et vous vous épanouirez dans vos tâches. Vous saurez exactement ce que vous voudrez et vous travaillerez en conséquence. Tout vous sera acquis, tout vous sourira. Bref, tout sera à la hauteur de vos attentes. Votre grand dévouement à vouloir réussir tout ce que vous entreprendrez vous apportera que du succès et de la réussite, ainsi qu'une belle satisfaction personnelle.

En avril, vous analyserez et vous évaluerez toutes les possibilités qui sont devant vous pour régler tout ce qui vous dérange, tandis qu'en mai et en juin, vous agirez et vous réglerez. N'oubliez pas que mai et juin seront des mois favorables pour vous. Alors, tout vous sera acquis. Profitez-en! Toutes transactions tourneront en votre faveur. Certains vivront des changements importants qui auront un impact favorable sur l'année 2011. De plus, en mars, tous vos efforts seront récompensés. Le mois de mars sera un mois très fertile pour les femmes désireuses d'enfanter ainsi que dans tous les aspects de votre vie.

Tous les Trônes seront satisfaits de leur saison printanière. Toutefois, ceux qui apprécieront davantage cette saison seront les enfants de **Lauviah II**, de **Caliel**, de **Nelchaël** et d'**Haheuiah**. Plusieurs événements qui surviendront les libéreront d'un fardeau sur les épaules. Un bel équilibre s'ensuivra.

Sur le plan affectif

Une période remplie d'harmonie. Plusieurs couples se découvriront et ils réaliseront qu'ils s'aiment et qu'ils sont bien ensemble. D'autres parviendront à trouver un terrain d'entente. Un conflit sera réglé et l'harmonie reviendra sous le toit. Plusieurs couples se promèneront dans les bois en amoureux. D'autres se promèneront en bicyclette ou feront une activité extérieure. Certains feront du camping; un feu de camp rallumera la flamme du désir entre eux. Toutefois, ceux qui vivront une période difficile avec leur partenaire auront besoin de solitude pour mieux réfléchir à leurs besoins. Par la suite, des décisions importantes seront prises. Les couples désireux de bâtir une famille auront l'opportunité de voir leur désir se réaliser. N'oubliez pas que la saison printanière sera très fertile pour plusieurs.

Conseil angélique : *Étant donné que vous serez dans une période de fertilité, si vous ne désirez pas avoir d'autres enfants, il serait sage d'y voir avant que la cigogne frappe à votre porte!*

Les enfants de **Lauviah II** auront une bonne discussion qui ramènera l'harmonie sous leur toit. Une sortie agréable rapprochera ces deux êtres. Les enfants de **Caliel**, de **Leuviah**, de **Pahaliah**, de **Yeiayel** et de **Melahel** seront heureux et en harmonie. Les amoureux se promèneront main dans la main. Plusieurs réaliseront l'importance qu'occupe leur partenaire dans leur vie et surtout dans leur cœur. Attendez-vous à avoir des soupers en tête-à-tête qui rallumeront la flamme du désir. Les enfants de **Nelchaël** et d'**Haheuiah** vivront toujours une période d'agitation. Les émotions seront à fleur de peau. Toutefois, un voyage ou une activité les rapprocheront. De plus, plusieurs feront un changement qui sera bénéfique pour leur union. Le soleil reluira à nouveau et les cœurs battront à l'unisson.

Pour les célibataires

Plusieurs auront la chance de rencontrer leur partenaire idéal. Vous ferez la rencontre de trois ou quatre personnes qui joueront un rôle important dans votre vie. L'une de ces rencontres pourrait être le partenaire de votre vie. Les enfants de **Lauviah II**, de **Leuviah**, de **Pahaliah**, de **Yeiayel**, de **Melahel** et d'**Haheuiah** pourraient trouver leur partenaire idéal. Alors, sortez!

Sur le plan du travail

Vous serez toujours dans une période active et enrichissante. Plusieurs vivront de grands changements qui amélioreront leurs conditions de travail. Que de bonnes nouvelles vous parviendront. Plusieurs obtiendront un emploi rêvé, d'autres débuteront des tâches différentes. Les entrevues seront réussies. Les conflits seront réglés. Les projets seront couronnés de succès. Tout changement qui se produira, améliorera la qualité et l'ambiance de travail.

Les enfants de **Lauviah II** et d'**Haheuiah** recevront l'aide demandée. De plus, certains devront suivre un cours obligatoire qu'ils réussiront. Un changement améliorera grandement la qualité et l'ambiance du travail. Les enfants de **Caliel** et de **Pahaliah** recevront un honneur ou une promotion. De plus, certains auront le privilège d'obtenir un poste rêvé. Ceux qui prennent leur retraite seront fêtés. Que de bonnes nouvelles parviendront aux enfants de **Leuviah**, de **Nelchaël**, de **Yeiayel** et de **Melahel**. Tous les changements qui se feront, amélioreront votre travail. Vous serez enchanté par ces changements. De plus, certains obtiendront un poste rêvé.

Sur le plan de la santé

La santé sera bonne. Plusieurs prendront des produits naturels pour les aider à rehausser leur niveau d'énergie. D'autres feront de la méditation ou de l'exercice physique, ce qui les aidera moralement et physiquement. Toutefois, il y en a qui seront un peu plus paresseux et négligeant. Ces êtres devront surveiller leur tension artérielle. Certains seront obligés de prendre un médicament important. De plus, certains auront des allergies. Les mois de mai et de juin seront difficiles pour certains asthmatiques.

En général, la santé des enfants de **Lauviah II** sera bonne. Toutefois, les enfants asthmatiques trouveront la période printanière difficile. Certains devront prendre un médicament obligatoire. La plupart des enfants de **Caliel**, de **Leuviah**, de **Pahaliah**, de **Nelchaël**, de **Yeiayel** et de **Melahel** seront en pleine forme. Certains prendront un produit naturel ou des vitamines pour rehausser leurs énergies. D'autres feront des exercices physiques pour garder la forme, comme la marche, la course ou des exercices cardiovasculaires. Si vous faites de l'exercice, assurez-vous de faire des exercices de réchauffement et allez-y en douceur au début, car certains risquent d'endolorir leurs muscles, ce qui les obligera à se frotter avec une lotion analgésique. D'autres devront prendre un médicament ou recevoir des massages thérapeutiques pour atténuer la douleur physique.

> **Conseil angélique :** *Avis aux cardiaques : écoutez les conseils de votre médecin. Ainsi, vous éviterez de graves ennuis.*

Sur le plan de la chance

Votre chance est élevée. Vos mois de mai et de juin vous réservent de belles surprises. En mai, jouez seul; en juin, jouez en groupe de trois personnes. De plus, si vous trouvez un sous par terre ou si vous voyez une femme enceinte, ce sera votre signe de chance. Achetez un billet de loterie!

Voici quelques événements qui pourraient survenir au cours de la période printanière.

- Certains gagneront trois belles sommes d'argent. Toutefois, ne soyez pas surpris si vous ou un proche gagnez une somme de plus de 50 000 dollars.

- Une personne se remettra d'une intervention chirurgicale.

- Certains rechercheront la solitude pour mieux régler l'un de leurs problèmes. Une solution sera trouvée et tout redeviendra normal.

- Certains trouveront leur partenaire idéal. Une belle histoire d'amour débutera.

- Un proche vous annoncera une grossesse.

- Si vous tombez enceinte en mai, il y a de fortes chances que vous donniez naissance à un gros garçon. Toutefois, si vous tombez enceinte en juin, vous donnerez naissance à une fille.

- Une jeune femme rousse ou blonde donnera naissance à un gros garçon.

- Certains parleront d'adoption. Si vos papiers sont conformes, avant que l'année 2012 se termine, cet enfant sera dans vos bras.

- Ceux qui recherchent leurs parents biologiques auront la révélation d'un proche qui vous permettra d'identifier l'un de vos deux parents.

- Certains déménageront à la campagne.

- À la suite d'une séparation, une personne refera sa vie. Elle connaîtra une vie amoureuse beaucoup plus harmonieuse.

- Certains éclairciront un malentendu. Une bonne discussion sera profitable aux parties en cause.

- Certains planifieront un voyage de sept jours dans une ville ou dans un pays étranger.

- Certains feront l'achat de deux tenues vestimentaires pour une occasion spéciale.

- Une fête sera réussie. Tout le monde en parlera.

- Certains recevront une belle somme d'argent par un héritage, par le gouvernement ou par la vente d'une propriété.

- Vous assisterez à deux mariages.

- Votre ambition de réussir vous conduira au succès. Un papier sera signé. Votre cœur en palpitera de joie.

- Vous assisterez à un décès qui fera jaser les gens autour.

- Plusieurs se promèneront dans les bois. Une nouvelle activité familiale naîtra.

- Une personne gravement malade sera délivrée par la mort. Ce sera un soulagement pour ceux qui l'entourent. Les Anges l'accompagneront vers sa demeure. Cette personne quittera la terre sereine et épanouie.

- Certains feront l'acquisition d'une piscine ou ils rénoveront un patio.

- Les pêcheurs feront une sortie de pêche qui sera miraculeuse. Jamais vous n'aurez vu autant de poissons mordre à l'hameçon!

- Plusieurs rénoveront leur jardin. Attendez-vous à avoir de belles fleurs.

- Certains feront deux voyages agréables en bonne compagnie.

- Un enfant recevra un honneur. Vous serez très fier de cet enfant.

- Vous, un enfant ou un proche, vous plaindrez d'un mal de genou causé par un sport.

- Vous, ou un proche, aurez besoin de mettre de l'ordre dans votre vie. Vous vous prendrez en main et vous ferez des changements radicaux qui auront un impact favorable par la suite.

- Tous ceux qui construisent une maison seront satisfaits de leur construction. Tandis que certains achèteront un terrain pour se faire construire l'an prochain, d'autres parleront de faire construire un garage qui prendra une bonne partie de leur cour.

- La santé d'une femme vous inquiétera.

- Une femme demandera de l'aide financière.

- Une personne vous remettra un collier venant d'une personne qui vous est chère. Un cadeau ayant une grande valeur sentimentale.

- Une personne qui vous veut du bien vous remettra un bouquet de fleurs et une tarte ou un gâteau. Cette personne viendra vous prêter main forte, lors d'une situation difficile.

Saison estivale
(juillet-août-septembre)

« Ayez confiance en votre pouvoir, relevez-vous
et vous vaincrez votre pire ennemi. »

(Paroles de l'Ange Reiyiel)

Plusieurs situations ainsi que certaines personnes vous dérangeront. Vous serez victime d'hypocrisie, de trahison et de malhonnêteté. Ces personnes et ces situations vous épuiseront psychologiquement et physiquement. Jamais vous n'auriez pensé que ces personnes puissent agir ainsi. Vous serez terriblement déçu et fâché. Ces situations vous donneront de bonnes leçons que vous ne serez pas prêt d'oublier. Toutefois, malgré le fait que vous serez anéanti par certaines situations et certaines personnes, vous aurez tout de même la force et le courage de réagir. Le peu d'énergie qui vous restera vous permettra de vous prendre en main et d'affronter ces vampires d'énergie et de régler rapidement les problèmes pour que vous puissiez retrouver votre équilibre et surtout votre honneur.

Le plus difficile dans tout ce que vous vivrez, c'est que rien ne laissait prévoir ces ennuis. Tout arrivera à l'improviste, ce qui vous déstabilisera momentanément. Toutefois, l'amour et le soutien de vos proches vous permettront rapidement de régler vos problèmes.

En juillet, toutes sortes d'imprévus surviendront pour vous déranger. De plus, il serait sage d'analyser profondément les personnes avec lesquelles vous transigerez. Si une personne vêtue de rouge ou d'orangé vous parle d'un feu quelconque, méfiez-vous de cette personne. Ces intentions ne seront pas honnêtes.

En août, un proche vous aidera à surmonter une difficulté. Cette personne ira à la source pour vous et vous donnera toutes les informations que vous aurez besoin pour vous libérer d'un de vos problèmes. En septembre, le problème sera réglé et la paix reviendra. Vous serez fier de tout ce que vous aurez entrepris pour régler ce problème. Bref, il est évident qu'une leçon vous sera donnée. Toutefois, vous serez heureux de la tournure des événements. Puisque vous serez conscient que cela aurait pu prendre des proportions plus dramatiques. Grâce à votre courage et à votre détermination, tout se réglera sans trop causer de dommages émotionnels.

Conseil angélique : *Méfiez-vous des personnes mal intentionnées. Ces personnes n'auront rien de bon à vous apporter, mis à part des ennuis.*

Les enfants de **Lauviah II**, de **Nelchaël**, de **Melahel** et d'**Haheuiah** auront de la difficulté à surmonter la saison estivale. Il serait important, pour ces êtres, d'étudier profondément les personnes qui viendront vers eux.

Sur le plan affectif

L'été annonce une période de discussions. Plusieurs auront besoin de clarifier certaines situations avec leur partenaire. Il y aura des discussions animées avec des tons de voix très élevés et d'autres un peu plus calmes. Certains parleront de séparation, d'autres se bouderont à un point tel que l'ambiance sera insoutenable, tandis que certains essayeront de trouver un terrain d'entente. Bref, le problème sera que chacun des partenaires aura son point de vue, et ni l'un ni l'autre ne voudront trancher ou coopérer. Tant que vous resterez dans cette énergie, le conflit perdurera. Aussitôt que l'un des deux partenaires mettra de l'eau dans son vin et qu'il deviendra un peu plus compréhensif devant la situation, tout se réglera.

Les enfants de **Lauviah II** auront de sérieuses conversations, à un point tel que cela les épuisera mentalement, moralement et émotionnellement. Un rien vous fera verser des larmes. Il est évident que si vous voulez retrouver votre harmonie, vous devrez faire face à la situation et trouvez la meilleure des solutions pour vous en libérer.

> *Conseil angélique :* Acceptez l'aide d'une gentille personne qui vous aidera à voir plus clair dans votre situation. Sans vouloir trop s'impliquer dans votre problème, cette personne vous donnera de bons conseils. Il n'en tiendra qu'à vous de les écouter et de les appliquer pour que tout se règle rapidement, sans causer trop de dommages.

Les enfants de **Caliel** et d'**Haheuiah** trouveront une solution pour régler leurs problèmes. Ils auront le contrôle des événements. Ces êtres parviendront à avoir de bonnes discussions avec leur partenaire, ce qui leur permettra de régler ensemble le problème. En peu de temps, la paix et l'harmonie reviendront sous leur toit. De plus, l'un des deux partenaires planifiera un voyage, ce qui les rapprochera. Les enfants de **Leuviah**, de **Pahaliah** et de **Melahel** sauront bien s'en sortir. Leurs paroles seront apaisantes et réconfortantes. Inconsciemment ou consciemment, votre douce façon d'agir envoûtera votre partenaire et cela vous donnera l'avantage de tout régler comme vous le souhaitez. Pour plusieurs enfants de **Nelchaël** et de **Yeiayel**, il y aura une période d'agitation sous leur toit. Toutefois, des discussions profondes avec leur partenaire les aideront à retrouver leur équilibre. De plus, ces êtres planifieront une activité qui les aidera à passer du temps ensemble. Ce temps d'une excellente qualité les rapprochera de nouveau et les amènera à vouloir faire plus d'activités ensemble.

Cependant, des êtres auront le goût de l'aventure. Si ça ne les concerne pas, cela concernera leur partenaire. Bref, l'être qui cherche l'aventure, au lieu de trouver un terrain d'entente avec son partenaire, fera tout pour s'éloigner de lui. Ces êtres provoqueront des tempêtes inutiles. Leurs paroles seront blessantes. Ils seront indifférents devant la douleur du partenaire. Bref, il est évident que ces êtres chercheront à reprendre leur liberté. Toutefois, ils ne voudront pas prendre la responsabilité de quitter et ils ne voudront pas être blâmés. Le cœur de certains hésitera entre deux personnes.

Conseil angélique : *Soyez franc avec votre partenaire et dites-lui la vérité. Ne blâmez pas votre partenaire pour ce qui vous arrive. Vous en êtes le seul responsable. Assumez vos responsabilités. Ainsi, vous ne vivrez pas dans la culpabilité. De plus, assurez-vous de faire le bon choix!*

Pour les célibataires

Méfiez-vous des beaux parleurs et des beaux charmeurs. Ils n'ont rien de bon à vous offrir. Surtout s'ils ne sont pas libres de vous aimer. Si vous vous engagez dans une situation compliquée, votre cœur en sortira meurtri. En août, plusieurs auront l'occasion de rencontrer une bonne personne qui cherchera à vous aimer. De plus, cette personne sera disponible pour vous aimer et elle sera libre de problèmes. Bref, elle possédera toutes les qualités que vous recherchez chez un partenaire idéal. Les célibataires qui devront se mettre à l'abri des beaux parleurs sont les enfants de **Lauviah II**, de **Nelchaël**, de **Yeiayel** et d'**Haheuiah**. Les enfants de **Leuviah**, de **Pahaliah**, de **Yeiayel** et de **Melahel** peuvent rencontrer leur partenaire idéal.

Sur le plan du travail

Plusieurs vivront des périodes difficiles causées par les commérages, les personnes hypocrites et les situations négatives. La plupart auront besoin de leurs vacances d'été pour se reposer et faire le vide. Certains prendront ce temps d'arrêt pour réfléchir et prendre des décisions au sujet de leur travail.

De plus, ne soyez pas surpris si certains sont obligés de faire des heures supplémentaires avant de quitter pour les vacances d'été. Il y aura un surplus de travail et l'employeur exigera que certaines tâches soient terminées avant votre départ. Cela ne sera pas sans vous frustrer. Toutefois, vous parviendrez à tout faire et vous quitterez en étant satisfait de tout ce que vous aurez accompli. Mais vous serez épuisé!

Les enfants de **Lauviah II** et de **Pahaliah** travailleront très forts. Certains devront faire des heures supplémentaires pour bien accomplir leurs tâches. Toutefois, un bon collègue de travail viendra vous prêter main forte. Ceci vous allégera et vous pourrez partir en vacances la tête reposée. Plusieurs, à leur retour de vacances, auront le privilège d'obtenir une promotion ou un changement de travail, ce qui leur fera énormément plaisir. Les enfants de **Caliel**, de **Leuviah**, de **Yeiayel** et de **Melahel** sauront bien s'en sortir avec toutes leurs tâches. Ils quitteront heureux et ils reviendront heureux. Plusieurs débuteront un nouveau travail ou de nouvelles tâches et ils chercheront à s'appliquer pour donner un bon rendement à leur employeur. De plus, ces êtres ne se laisseront pas impressionner par les situations ainsi que par les personnes négatives ou hypocrites. Ils seront en mesure de les remettre à leur place. Gare à ceux qui essayeront de les impliquer dans toutes sortes de situations négatives. Ces êtres ne vous épargneront pas. Bref, ils ne se gêneront pas pour vous dire vos quatre vérités. Il serait mieux pour vous de ne pas les provoquer, sinon ils vous rendront la monnaie de votre pièce! Les enfants de **Nelchaël** et d'**Haheuiah** auront des discussions importantes afin de régler un conflit. Certains vivront des moments de frustration causés par l'ambiance au travail ou l'attitude d'un collègue. Toutefois, le mois d'août leur apportera une bonne nouvelle sur le plan de leur travail et tout rentrera dans l'ordre. De plus, certains feront plusieurs téléphones ou enverront plusieurs courriels pour se trouver un nouvel emploi. Votre démarche vous apportera de bonnes nouvelles. Il vous sera permis de changer de travail.

Conseil angélique : *La communication est l'élément le plus important pour régler les différends et pour bâtir des projets. Communiquez vos besoins et vous verrez les portes s'ouvrir pour vous permettre de mettre en action tout ce que votre cœur désire.*

Sur le plan de la santé

La fatigue et le surmenage vous joueront de vilains tours. Lorsqu'on est fatigué, tout peut arriver. Prenez le temps de vous reposer lorsque votre corps le réclamera. Certains se plaindront de maux de ventre, d'autres se couperont et se blesseront avec toutes sortes d'objets. Ne soyez pas surpris de porter un plâtre ou un pansement à cause d'une légère blessure que vous vous ferez. Une blessure stupide à cause de votre manque d'attention.

Conseil angélique : *Regardez toujours droit devant vous. Ainsi, vous éviterez des petits incidents de toutes sortes. De plus, lorsque vous serez fatigué, ne conduisez pas votre véhicule.*

Les enfants de **Lauviah II** et de **Nelchaël** devront surveiller le surmenage et la fatigue. Si votre corps réclame du repos, alors donnez-le-lui! De plus, profitez de vos journées de vacances pour vous reposer. Profitez des moments agréables, cela fera du bien à votre moral. Certains devront subir une intervention chirurgicale. Laissez-vous la chance de récupérer et vous verrez que tout rentrera rapidement dans l'ordre. Et vous en serez très heureux. Les enfants de **Caliel**, de **Yeiayel** et d'**Haheuiah** auront une bonne santé. Toutefois, certains devront prendre un médicament pour soulager des allergies. D'autres se plaindront d'un mal à l'épaule ou de crampes dans les pieds. Faites attention aux feux : il y a risque de brûlures légères. Si vous vous exposez au soleil, assurez-vous de mettre une crème solaire protectrice. Sinon, certains auront un coup de soleil qui brûlera leur peau et celle-ci formera des bouffies d'eau par la suite. La santé des enfants de **Leuviah**, de **Pahaliah** et de **Melahel** sera excellente. Toutefois, certains prendront un médicament pour soulager une douleur quelconque. Certaines femmes auront des problèmes gynécologiques. De plus, certains pourront se plaindre de douleurs à l'estomac. Surveillez les boissons alcoolisées! Soyez raisonnable. Ainsi, votre estomac n'en souffrira pas trop!

Sur le plan de la chance

Votre chance est faible. Jouez raisonnablement.

Voici quelques événements qui pourraient survenir au cours de la période estivale.

- Un couple se séparera. L'un des deux partenaires quittera pour vivre une aventure. Celui-ci reviendra déçu du choix qu'il a fait.

- Un proche subira une intervention chirurgicale. Le tout se réglera. Cette personne remontera vite la pente.

- Certains trouveront le partenaire idéal. Une belle histoire d'amour débutera. Une proposition de mariage suivra.

- Une personne devra surveiller sa dépendance à l'alcool ou à la drogue. Un problème de santé surviendra et exigera de cette personne un arrêt obligatoire de sa dépendance.

- Lors d'une soirée, vous serez déçu du comportement d'une personne. L'alcool sera la cause de cette déception.

- On vous annoncera un déménagement. Un couple solidifiera leur union par un déménagement ensemble.

- Un mariage sera retardé, au grand désespoir de l'un des conjoints.

- Un enfant fera une fugue à cause de l'amour. Cela inquiétera énormément les parents. Avec de l'aide, on retrouvera l'enfant.

- Certains vendront leur maison pour s'installer dans un condo.

- À la suite d'une séparation, une personne refera sa vie. Tout le monde sera surpris de cette nouvelle, puisque personne ne s'attendait à ce que cette personne refasse sa vie aussi tôt.

- Pour les jeunes hommes, faites attention à l'alcool. Ne prenez pas le volant si vous consommez de l'alcool. Il y a risque d'accident et votre permis pourrait être suspendu.

- Certains rencontreront un messager. Cet Ange terrestre sera avec vous et il vous aidera à atteindre l'un de vos buts.

- Une personne vous annonce un remariage. Une bonne nouvelle qui, en même temps, surprendra l'entourage.

- La loi épinglera un homme violent. De plus, une femme s'éloignera d'un homme violent. Elle aura de l'aide, ce qui lui donnera la force et le courage de rebâtir sa vie et son estime, sans cet être violent.

- Plusieurs parleront de changer leur voiture. Si vous possédez actuellement une voiture crème ou blanche, il y a de fortes chances que vous la changiez pour une couleur plus foncée ou la couleur grise.

- Vous assisterez à un mariage, deux baptêmes et trois fêtes agréables.

- Il y aura une partie de pêche pour les amateurs de plein air.

- Ceux qui possèdent une écurie feront l'achat de deux chevaux de course. L'un des deux deviendra un champion et il remportera des médailles. Ce sera le cheval possédant une tâche blanche.

- On vous invitera à assister à un feu de camp ou à un feu d'artifice.

- Vous, ou un proche, subirez une intervention chirurgicale. Le problème sera trouvé et tout rentrera dans l'ordre par la suite.

- Vous entendrez parler d'une explosion qui a fait des ravages. Vous serez étonné par cette nouvelle.

- Une grossesse se fera par césarienne. Naissance d'un gros bébé.

- Plusieurs se promèneront près d'un lac. De plus, plusieurs feront des marches à l'extérieur. Ce qui aidera leur moral et leur physique.

- La fin justifiera les moyens. L'un de vos problèmes sera réglé et la paix reviendra. Un poids sur vos épaules sera enlevé.

- Une femme vous menacera. Toutefois, vous serez en mesure de remettre cette dame à sa place, et ce, poliment.

- Vous, un enfant ou un proche, vous plaindrez d'un mal de genou causé par un sport.

- Certains vivront des conflits inévitables. Toutefois, vous aurez toutes les possibilités pour les vaincre.

- Certains célibataires découvriront leur partenaire idéal. L'amour sera dans l'air. De plus, vous aurez pleins de projets et d'idées communes.

- D'autres célibataires rencontreront une gentille personne. Ce ne sera pas une relation amoureuse. Toutefois, ce sera une relation importante à vos yeux.

- La santé d'un enfant vous inquiétera. Un spécialiste trouvera la cause exacte des malaises de cet enfant. Une guérison s'ensuivra.

- Une jeune personne demandera de l'aide financière. Si vous prêtez une somme d'argent, assurez-vous d'avoir des documents en règle. Ainsi, vous éviterez toutes sortes d'ennuis.

- Il y aura des projets nouveaux qui demanderont beaucoup de soin et d'attention. Toutefois, ces projets seront couronnés de succès. Une belle réussite méritée.

- Certains agrandiront un espace. Des rénovations sont en vue.

- De jeunes personnes se marieront car la jeune fille sera enceinte.

- On vous annoncera la naissance de triplets.

Saison automnale
(octobre-novembre-décembre)

« Un des plus beaux cadeaux à offrir à tes proches :
ton respect et ta fidélité. »

(Paroles de l'Ange Yeialel)

Tout vous sera acquis durant la saison automnale. Plusieurs auront l'heureuse sensation d'avoir relevé des défis et de les avoir réussis. Vos ennuis et vos tracas disparaîtront comme par enchantement. Vous serez en pleine forme physique et vous n'aurez pas peur d'accomplir vos tâches. Rien ne vous arrêtera. Vous foncerez, vous créerez et vous obtiendrez. Telle sera votre saison automnale. Vous saurez exactement ce que vous voudrez et vous travaillerez en conséquence de ce que vous désirez. Tout vous sera acquis, tout vous sourira.

En octobre, vous vous appliquerez, vous analyserez et vous évaluerez toutes les possibilités qui seront devant vous pour régler tout ce qui vous dérange et bâtir tout ce que vous désirez. Ne soyez pas surpris de vous faire jalouser par votre entourage. Votre grande détermination ainsi que vos nombreux succès à obtenir gain de cause dans presque tout, dérangeront les paresseux et les personnes jalouses. Toutefois, cela ne vous empêchera pas de continuer. Votre bonne humeur sera contagieuse et elle chassera les personnes négatives.

Comme vous entrez dans une période très chanceuse, je vous conseille de jouer à la loterie durant les mois de novembre et de décembre. Ce seront deux mois très importants pour vous. Tout tournera en votre faveur. Tout vous sera acquis. Toutes les transactions qui se feront et toutes décisions qui se prendront seront à la hauteur de vos attentes. Ne soyez pas surpris de recevoir trois cadeaux magnifiques lors de ces mois. L'un de ces cadeaux pourrait être une magnifique somme d'argent. Il est évident que ces mois seront des mois de bonheur et de sécurité. Attendez-vous à vivre des moments agréables et mémorables en compagnie de gens que vous aimez. Le temps que vous passerez en famille sera un temps précieux. De bons moments agréables viendront vers vous. Ne les refusez pas et prenez le temps d'y assister. Votre cœur en sera réjoui et votre tête se remplira de beaux souvenirs. De plus, n'hésitez pas à prendre des photos que vous pourrez regarder par la suite et vous remémorer vos belles soirées passées en famille!

Tous les Trônes seront satisfaits de leur saison automnale. Toutefois, ceux qui apprécieront davantage cette saison seront les enfants de **Lauviah II**, de **Nelchaël** et d'**Haheuiah**. Plusieurs décisions seront prises et seront très profitables, et ce, sur tous les aspects de la vie.

Sur le plan affectif

Ce sera une période remplie de joie et d'harmonie. Toutefois, il faudra faire attention à la jalousie. Ce sentiment négatif pourra provoquer de petites disputes avec le partenaire. Plusieurs couples réaliseront qu'ils s'aiment et qu'ils sont bien ensemble. D'autres s'accorderont la chance de reconstruire leur vie sur de nouvelles bases plus solides. De plus, il y aura trois événements qui vous rapprocheront de votre partenaire. Ces événements vous feront comprendre l'importance que votre partenaire occupe dans votre vie et vous dans la sienne. Les couples reconstitués relèveront un défi avec satisfaction. Ces êtres réaliseront l'importance de bâtir leur union de façon solide, équilibrée et épanouie, et ce, pour le bonheur de toute la famille. Ceux qui vivront une période difficile avec le partenaire prendront des décisions importantes avant que l'année ne se termine.

Les enfants de **Lauviah II**, de **Nelchaël** et d'**Haheuiah** feront des changements importants. Un ultimatum sera lancé au partenaire. Si la situation ne change pas, ce sera vous qui changerez et quitterez. Votre grande détermination fera réfléchir le partenaire. De toute façon, il y aura des changements et ces changements amélioreront l'ambiance de votre demeure. Vous travaillerez fort, mais vous parviendrez à retrouver une belle harmonie sous votre toit. De plus, vous planifierez un voyage avec votre partenaire. Il pourra s'agir d'une fin de semaine en amoureux. Ce voyage fera un bien énorme à votre couple. Les enfants de **Caliel**, de **Leuviah**, de **Pahaliah**, de **Yeiayel** et de **Melahel** refléteront le bonheur même. Plusieurs se promèneront main dans la main avec leur partenaire. On se câlinera, on s'embrassera. Vous prendrez le temps de vous dire des mots doux, des mots tendres, des mots d'amour. Vous serez heureux et cela se verra. Plusieurs réaliseront l'importance qu'occupe leur partenaire dans leur vie et surtout dans leur cœur. Attendez-vous à avoir des soupers en tête-à-tête ainsi que de belles activités qui rallumeront la flamme du désir.

Pour les célibataires

Plusieurs auront la chance de rencontrer leur partenaire idéal. Vous ferez la rencontre de trois ou quatre personnes qui joueront un rôle important dans votre vie. L'une de ces rencontres pourrait être le partenaire de votre vie. De plus, il y a de fortes chances que vous rencontriez votre partenaire en allant rendre visite à un ami. Tous les célibataires Trônes pourraient trouver leur partenaire idéal. Alors, sortez!

Sur le plan du travail

Vous serez dans une période active et enrichissante. Plusieurs vivront de grands changements qui amélioreront leurs conditions de travail. Trois événements vous apporteront de bonnes nouvelles. Plusieurs obtiendront un emploi rêvé ou une augmentation de salaire. D'autres retourneront aux études pour mieux se spécialiser. Ces êtres seront en harmonie avec leur décision. Ceux qui prendront leur retraire seront également satisfaits de leur décision. Les entrevues seront réussies. Les conflits seront réglés. Les projets seront couronnés de succès. Tout changement améliorera la qualité et l'ambiance de travail.

Les enfants de **Lauviah II** et d'**Haheuiah** feront un changement qui leur sera avantageux. De plus, certains auront la possibilité de changer complètement d'emploi. Toutefois, certains vivront une période de conflit qui durera de cinq jours à cinq semaines. Ce sera à la suite de cette période que certains prendront une décision importante et qu'ils effectueront les changements nécessaires pour trouver une qualité de travail qui correspondra à leurs besoins ainsi qu'à leurs désirs.

Les enfants de **Caliel**, de **Leuviah**, de **Pahaliah**, de **Nelchaël**, de **Yeiayel** et de **Melahel** seront satisfaits de tout ce qu'ils entreprendront. Ils auront la situation en main et rien ne les effrayera. Les entrevues seront réussies. Les discussions seront entendues. Les changements exigés seront appliqués. Certains recevront un honneur ou une promotion. D'autres obtiendront un poste désiré. Tout leur sera acquis. Ces êtres seront fiers d'eux ainsi que de tout ce qu'ils accompliront pour améliorer la qualité de leur travail. Les mots « réussite » et « satisfaction » les suivront pendant la période automnale.

Sur le plan de la santé

La santé sera excellente pour tous ceux qui prendront des vitamines et qui respecteront la limite de leurs capacités. Tandis que les personnes négligentes, devront surveiller les rhumes et les virus. Couvrez-vous bien lors de températures plus froides, ainsi vous éviterez des laryngites et des grippes virales. Certains seront obligés de garder le lit pendant quelques jours. D'autres devront prendre trois sortes de médicament pour soulager un problème quelconque.

Conseil angélique : *Laissez la négligence de côté et prenez soin de votre santé!*

Les enfants de **Lauviah II** et de **Nelchaël** devront surveiller leur santé. Ceux qui fument trouveront la saison automnale difficile. Ces êtres n'arrêteront pas de tousser. De plus, certains se plaindront de maux de gorge et de laryngites. Soyez vigilant avec votre santé et vous éviterez de garder le lit pendant quelques jours. À moins que cela ne vous dérange pas d'être en congé forcé de maladie! La plupart des enfants de **Caliel**, de **Yeiayel** et de **Melahel** seront en pleine forme. Ces êtres dormiront leur huit heures de sommeil, d'autres feront des exercices physiques pour garder la forme. De plus, il y a en qui prendront des vitamines ou des produits naturels pour éviter d'être malade. Toutes ces bonnes intentions leur serviront bien, puisque ces êtres passeront la période automnale sans aucun rhume, ni grippe. Par contre, les négligents auront un peu de difficulté avec les virus et ils se plaindront souvent de maux musculaires ici et là. Les enfants de **Leuviah**, de **Pahaliah** et d'**Haheuiah** seront aussi en pleine forme. Certains surveilleront leur alimentation. D'autres prendront de la tisane ou un produit naturel qui les aideront à passer un hiver sans rhume et sans problème. Toutefois, les négligents auront souvent le mouchoir à la main puisque le nez coulera souvent.

Sur le plan de la chance

Votre chance est excellente. Vos mois de novembre et décembre vous réservent de belles surprises. En novembre, jouez en groupe de quatre personnes, de préférence de même sexe. Tandis qu'en décembre, vous pourrez jouer seul ou en groupe de trois personnes composé de deux personnes du même sexe et d'une personne de sexe différent. De plus, si vous trouvez un dix sous par terre, ce sera votre signe de chance. Achetez un billet de loterie.

Voici quelques événements qui pourraient survenir au cours de la période automnale.

- Méfiez-vous de la jalousie et des personnes jalouses. Vous vivrez quatre situations pénibles causées par la jalousie.

- De plus, surveillez vos objets de valeur : vous pourriez vous les faire voler. Dites à vos enfants de surveiller certains de leurs amis lorsqu'ils entrent dans votre demeure, surtout ceux qui ont des problèmes de consommation.

- Certains se plaindront de problèmes digestifs, d'autres se plaindront de problèmes intestinaux. Certains devront consulter leur médecin et seront obligés de prendre un médicament pour soulager leurs douleurs.

- Vous, ou un proche célibataire, trouverez le partenaire idéal. Une belle histoire d'amour débutera. De plus, il y aura la formation d'un couple reconstitué. Une belle aventure débutera pour eux. La réussite de leur union sera basée sur le respect mutuel de leur famille. Certains couples reconstitués solidifieront leur union par la venue d'un enfant.

- Certains rénoveront des marches, d'autres rénoveront l'entrée de leur demeure, tandis que d'autres encore décideront d'agrandir la demeure ou se feront construire un garage.

- Certains retourneront aux études pour mieux se perfectionner dans une discipline. Un diplôme sera obtenu. De plus, un adolescent qui avait abandonné ses études retournera à l'école dans un cours spécialisé et réussira.

- Attendez-vous à recevoir trois bonnes nouvelles qui vous feront sauter de joie. L'une de ces nouvelles concerne une somme d'argent.

- Vous, ou un proche, vous blesserez à la main. Ce sera une blessure mineure. Rien d'inquiétant.

- Certains parleront d'adoption. Si vos papiers sont conformes légalement, avant que l'année 2012 ne se termine, cet enfant sera dans vos bras.

- Deux femmes qui vous entourent subiront une hystérectomie. Vous rendrez visite à l'une de ces personnes.

- À la suite d'une séparation, une personne refera sa vie. Il y aura une différence d'âge entre elle et son nouveau partenaire.

- Certains recevront deux bijoux en or pour la fête de Noël. L'un de ces bijoux fera palpiter votre cœur de joie.

- Certains iront passer le temps des fêtes à l'extérieur de la ville, d'autres loueront un chalet.

- Certains débuteront une activité hivernale. Beaucoup de plaisir les attendront dans cette nouvelle activité.

- Faites attention aux chaussées glissantes. Vous, ou un proche, tomberez et vous vous blesserez au dos.

- Une jeune fille vous annoncera une grossesse. On parlera de la naissance d'une fille.

- Vous assisterez à un mariage d'amour. De plus, certains assisteront à un remariage et à un anniversaire de mariage.

- De belles discussions auront lieu près d'un feu ou d'un sapin de Noël.

- Certains assisteront à une soirée costumée. Vous courrez la chance de gagner un prix de présence ou un prix pour le plus beau costume.

- Une personne piquera votre curiosité. Vous chercherez à savoir ce que cette personne vous veut et ce qu'elle est venue faire dans votre vie.

- Il est conseillé aux femmes de surveiller leurs bijoux lorsqu'elles iront magasiner. Elles pourraient les perdre lorsqu'elles se changeront dans les cabines d'essayage.

- Certains auront des problèmes avec leur peau. Seule une crème médicamentée soulagera votre problème.

- Vous, ou un proche, devrez accueillir un enfant qui revient à la maison. Celui-ci est en brouille avec son partenaire amoureux et il vous demandera de l'héberger pour quelques temps. Mettez immédiatement cartes sur table, puisque cette personne risque de demeurer chez vous beaucoup plus longtemps que prévu.

- Certains pourront recevoir un billet de loterie chanceux.

- Gain d'une cause reliée à un enfant.

- Un enfant recevra un honneur. Vous serez très fier de cet enfant. Son nom apparaîtra dans un journal.

- À la suite d'une difficulté amoureuse, votre couple, ou celui d'un proche, se donnera une seconde chance et il repartira à zéro au grand plaisir de l'un des deux partenaires.

- Vous, ou un proche, mettrez de l'ordre dans votre vie. Cette personne se prendra en main et elle fera des changements importants qui marqueront l'année 2012.

- Certains devront signer deux papiers importants.

- Un héritage causera des problèmes à une famille.

- Une aide financière vous parviendra. Ceci vous permettra de vous remettre sur pied.

- Certains dépenseront une fortune en cadeaux de toutes sortes pour le temps des Fêtes. Plusieurs seront découragés lorsqu'ils recevront le montant total de leurs dépenses.

- Une personne aura de la difficulté à reconnaître ses torts. Son attitude vous blessera énormément.

- Vous, ou un proche, quitterez la ville pour aller vous installer dans une autre ville. Ce sera une décision qui sera prise sans réfléchir. Toutefois, vous serez en harmonie avec la décision, malgré le fait que certaines personnes pleureront votre départ.

- Vous, ou un proche, ferez l'acquisition d'un beau manteau de fourrure.

- Une femme optera pour une opération esthétique. Son opération sera réussie et cette dame sera satisfaite des résultats de son intervention.

- On vous annonce la guérison d'une personne souffrant d'un cancer.

- Vous, ou un proche, vous blesserez au poignet lors d'une activité sportive.

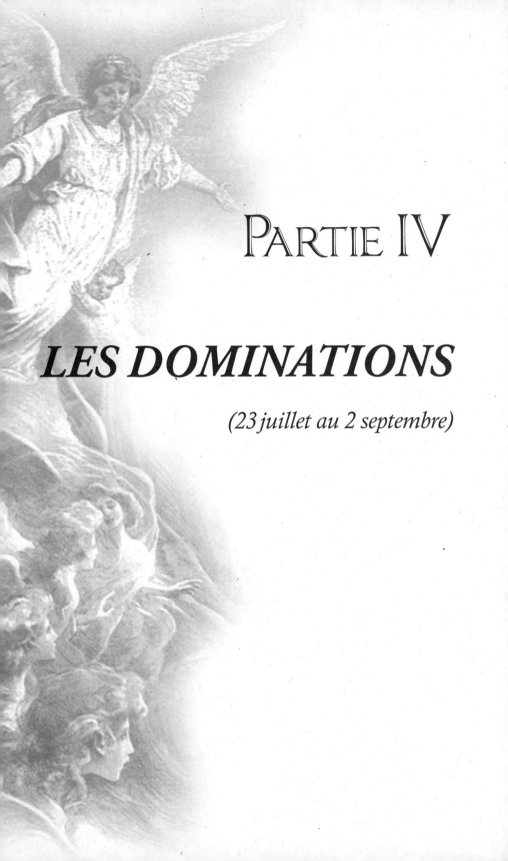

PARTIE IV

LES DOMINATIONS

(23 juillet au 2 septembre)

Chapitre X

L'année 2011 des Dominations

L'année 2011 sera une année de transformation. Vous ferez le grand ménage dans votre vie. Ce que vous voudrez conserver, vous le garderez et vous l'améliorerez. Ce que vous ne voudrez plus, vous vous en départirez. Ainsi, vous garderez seulement ce qui est important à vos yeux. Ce grand ménage s'appliquera à tous les aspects de votre vie. Toutefois, vous ne prendrez pas de décisions à la légère. Avant de prendre une décision, vous analyserez profondément chacune de vos possibilités. Toutes vos décisions seront analysées, mijotées et réfléchies. Vous savez que vous ne reviendrez pas en arrière, ni sur les choix que vous ferez. C'est la raison pour laquelle vous accorderez le temps nécessaire avant de prendre une décision importante. Ce grand ménage vous permettra de renouer avec la vie. Cela vous redonnera un regain d'énergie. De nouvelles idées se créeront, des changements s'imposeront, tout ceci dans le but d'améliorer votre qualité de vie.

L'année dernière, plusieurs d'entre vous ont vécu des périodes de découragement. Vous ne saviez plus où vous diriger. Ce sera tout le contraire en 2011. Votre année 2010 vous a assez fait souffrir que vous déciderez d'y remédier sans tarder. Vous désirez retrouver votre joie de vivre ainsi que l'harmonie autour de vous. Vous voulez retrouver votre équilibre. Votre grande détermination vous permettra d'y arriver en 2011.

> **Conseil angélique :** *Lors de moments plus difficiles, réclamez l'aide de votre Ange ou celle de l'Ange accompagnateur afin qu'ils puissent venir vous épauler. Ainsi, lorsque surviendra une période de questionnement, ils sauront vous guider vers la meilleure des décisions.*

Les enfants de **Haaiah**, d'**Omaël**, de **Lecabel** et de **Vasariah** trouveront l'année 2011 un peu plus difficile puisqu'ils auront de la difficulté à prendre leurs décisions et à retrouver rapidement leur équilibre. Ils devront mettre les bouchées doubles pour y parvenir. Toutefois, leur grande détermination les sauvera. Leurs durs efforts seront récompensés puisqu'ils parviendront tout de même à retrouver une belle qualité de vie.

L'amour des Dominations

Étant donné que vous êtes dans une période de transformation, attendez-vous à faire tous les changements nécessaires pour retrouver l'harmonie au sein de votre vie de couple. Vous serez conscient des problèmes et vous ferez tout en votre possible pour les régler. Si vous devez changer certaines de vos habitudes, vous le ferez. Votre grand désir de revoir le soleil luire dans votre vie amoureuse vous amènera à accepter les commentaires de votre partenaire pour améliorer votre vie à deux. Vous serez à l'écoute de ses besoins tout en communiquant les vôtres. Ensemble, vous parviendrez à trouver un accord mutuel et harmonieux pour retrouver votre équilibre.

Ceux qui ont vécu une peine d'amour l'année dernière guériront de cette peine en 2011. Certains réapprendront à aimer après avoir vécu une mauvaise aventure. D'autres se retrouveront et plusieurs apprivoiseront leur solitude. Toutefois, si vous faites une place à l'amour, celui-ci viendra frapper à votre porte de nouveau et vous apportera ce dont votre cœur a besoin pour être réconforté.

N'oubliez pas que 2011 est une année de transformation et de décisions importantes. Vous voudrez avancer et vivre pleinement votre vie amoureuse. Toutefois, si le partenaire avec lequel vous partagez votre vie en ce moment ne comprend pas les transformations qui s'opèrent en vous, s'il n'écoute pas vos demandes ou s'il est indifférent à vos états d'âme, vous vous retirerez tout simplement. En d'autres mots, vous vous éloignerez de votre conjoint afin de mieux analyser votre situation. Cette période de réflexion vous amènera à prendre la décision qui s'impose pour retrouver votre bonheur. Lorsque votre choix sera fait, rien ne vous arrêtera. Vous irez de l'avant et vous ne regarderez pas en arrière. Si cette décision est de quitter votre partenaire, vous le ferez en 2011. Tout au long de l'année, vous serez comme une bombe qui éclate sans avertissement.

> **Conseil angélique :** *Avis important aux conjoints des Dominations : prenez le temps d'écouter votre partenaire lorsque celui-ci réclamera votre attention pour améliorer votre vie à deux. Si vous jouez à l'autruche et que vous ne faites rien pour arranger la situation, vous risquez fort bien de vous retrouver seul par la suite. Le départ de votre partenaire pourrait avoir des conséquences néfastes pour vous.*

Les enfants de **Haaiah**, de **Yerathel**, d'**Omaël**, de **Lecabel** et de **Vasariah** auront une vie amoureuse quelque peu agitée. Encore une fois, leur grande détermination leur donnera l'énergie nécessaire pour régler tout ce qui est en dérangement.

En 2011, la relation amoureuse des enfants de **Haaiah** sera étouffante. En raison d'un partenaire trop possessif, jaloux ou désirant tout contrôler, plusieurs ne pourront s'épanouir en tant qu'individus. Ils auront l'impression d'être en prison. D'autres vivront une période difficile avec leur partenaire, causée par un manque de confiance dû à un adultère, à une séparation temporaire ou à des paroles blessantes qu'il aura prononcées. Cela vous obligera à faire le point sur votre situation amoureuse. Vous chercherez la meilleure façon pour vous sortir de cette impasse afin de retrouver votre équilibre.

> **Conseil angélique :** *Si vous aimez votre partenaire et que celui-ci vous réclame une seconde chance, accordez-lui cette chance. Il y a de fortes chances que ces événements fâcheux ne se reproduisent plus et que le soleil brille à nouveau au sein de votre union.*

Chez les enfants de **Yerathel**, ce sera le travail qui dérangera votre vie de couple. Il faudra faire attention à cet aspect. Le travail sera la cause de plusieurs arguments et de plusieurs désaccords au sein de votre union. Un temps de réflexion s'imposera. Sachez mettre vos valeurs à la bonne place.

Les enfants d'**Omaël** devront laisser le passé en arrière et vivre leur vie présente. Plusieurs se remémoreront des événements passés et les ramèneront sur le tapis. Cela provoquera des disputes inutiles entre vous et votre partenaire. D'autres s'inquiéteront de la santé de leur partenaire; ils auront peur de le perdre. De plus, ne soyez pas surpris d'avoir des disputes avec votre partenaire au sujet d'un enfant. Vous aurez de la difficulté à trouver un terrain d'entente. Il y aura aussi des moments d'incertitude à cause d'un manque de communication entre les partenaires. Quand viendra le temps de communiquer, certains crieront au lieu de parler, ce qui aggravera la cause. Certains vivront une séparation qui les dérangera énormément.

Conseil angélique : *Essayez d'éviter les situations qui provoqueront un sentiment de jalousie chez vous. Parlez de vos angoisses et de vos peurs au lieu de tout garder en dedans et de vous imaginer mille et un scénarios. Sinon, vous vous tourmenterez pour des riens et, à la longue, ce sentiment négatif éloignera votre amoureux.*

Plusieurs enfants de **Lecabel** vivront une période dépressive sur le plan amoureux. Ne soyez pas surpris de vivre une séparation douloureuse pouvant être causée par un décès ou le départ volontaire de votre partenaire. Ce ne sera pas facile pour vous. Toutefois, votre entourage sera là pour vous soutenir dans cette dure épreuve. D'autres vivront une période d'arrêt puisqu'ils ne sauront plus où se diriger dans leur vie amoureuse. Vous vous questionnerez sur vos émotions. Est-ce l'habitude de vie commune qui vous unit à votre partenaire, ou est-ce véritablement l'amour? Telles seront les questions qui seront posées. Ce temps d'incertitude peut durer jusqu'à trois mois avant de trouver la solution qui ramènera l'harmonie au sein de l'union.

Les enfants de **Vasariah** devront faire attention aux charmeurs et aux promesses qui ne seront pas tenues. Cela ne réglera pas votre vie de couple et ne sera pas à votre avantage.

Conseil angélique : *Avant d'agir sur un coup de tête, réfléchissez aux conséquences de vos actes. Ainsi, vous éviterez toutes sortes d'ennuis.*

Un déménagement amènera une période difficile sur le plan amoureux. Plusieurs auront des discussions avec leur partenaire en raison de paroles mensongères. Des problèmes d'alcool, de drogue ou de jeu causeront une tempête émotionnelle au sein de la vie de couple de certains. Si la personne aux prises avec ce problème n'essaie pas de le régler, une séparation s'ensuivra au cours de l'année 2011. Toutefois, un avertissement sera lancé à cette personne. Si elle ne tient pas compte de cet avertissement, c'est à ce moment que surviendra la séparation.

Les enfants de **Nith-Haiah** trouveront toujours la solution à leurs problèmes. La communication sera un atout gagnant au sein de leur union. Malgré les épreuves que vous vivrez, vous serez en mesure de les surmonter. Vous serez très fier des améliorations que vous aurez apportées à votre vie de couple. Plusieurs vivront des moments intenses en compagnie de leur douce moitié. Votre partenaire vous démontrera tout l'amour qu'il a pour vous. Toutes les petites attentions qu'il portera à votre égard vous sécuriseront. Attendez-vous à faire plusieurs sorties amusantes et excitantes en sa compagnie. Les moments que vous passerez avec votre partenaire rallumera votre flamme. Votre couple prend un nouvel envol et vous êtes tous les deux très amoureux et contents de retrouver la vivacité du début.

Les enfants de **Seheiah** et de **Reiyiel** refléteront le bonheur même. Certains parleront de solidifier leur union par un mariage. Plusieurs travailleront très fort afin que leur vie de couple soit à la hauteur de leurs attentes. Cela en vaudra la peine puisque vous serez récompensé de votre labeur. Votre union reflétera exactement ce que vous désirez. Vous serez satisfait de votre union et de votre partenaire. Vous travaillerez en équipe et vous adorerez le faire. Lorsque surviendra un problème, au lieu de vous éloigner l'un de l'autre, vous vous rapprocherez. Vous chercherez conjointement à régler la situation. Ainsi, vous découvrirez rapidement que vous êtes une bonne équipe et que vous êtes faits pour vivre ensemble. Parfois, il suffit de vivre des épreuves pour mieux voir la force de votre amour et de votre union.

Les Dominations célibataires

Pour les célibataires, plusieurs événements surviendront pour vous permettre de faire de belles rencontres. Il n'en tient qu'à vous d'aller de l'avant et de laisser la chance à votre cœur d'aimer à nouveau.

Certains enfants de **Nith-Haiah** et d'**Omaël** renoueront avec leur passé. Soit vous laisserez une chance à un amour du passé ou soit vous rencontrerez une personne qui a déjà fait partie de votre passé. Par exemple, il peut s'agir d'un ancien camarade de classe ou d'un ami d'enfance comme d'une simple connaissance telle qu'une personne qui demeurait sur la même rue que vous ou qui prenait le même moyen de transport. Votre relation s'amorcera en parlant d'événements du passé qui vous relient. D'autres pourront rencontrer leur partenaire idéal par le biais d'Internet, d'une connaissance, d'une annonce dans le journal ou lors d'un mariage. De belles lettres d'amour attendent les enfants de **Nith-Haiah**. Les enfants d'**Omaël** devraient se concentrer sur le moment présent au lieu de se re-mémorer leur passé. Ne parlez pas trop de votre passé ou de vos anciens partenaires. Cela fera fuir votre nouvelle rencontre. Laissez la chance à un nouvel amour de fleurir, de faire ses preuves avant d'en tirer des commentaires négatifs.

Les enfants de **Yerathel**, de **Seheiah** et de **Reiyiel** rencontreront leur partenaire idéal à leur travail ou grâce à un collègue de travail. Vous pourriez aussi le rencontrer lors d'une soirée bénéfice ou d'un gala. Les enfants de **Yerathel** devront s'abstenir d'être trop exigeants avec leur nouvelle rencontre. Il est vrai que vous aurez à travailler minutieusement cette nouvelle rela-tion, toutefois, cela en vaudra le coup! Ne laissez pas vos besoins un peu pointilleux venir affaiblir le début de votre relation. Cette personne saura vous aimer. Elle vous donnera tout l'amour et le respect que vous méritez. Faites-lui confiance! Les enfants de **Seheiah** n'auront que de l'admiration pour leur nouvelle rencontre. Cet être sera exactement comme vous l'aviez rêvé! Attendez-vous à recevoir plusieurs surprises de sa part et à faire de belles sorties en sa compagnie. Une vie de rêve pour vous! Les enfants de **Reiyiel** trouveront enfin un partenaire idéal qui apportera des changements favorables dans leur vie. Cet être vous soutiendra et il vous appuiera dans vos démarches. Vous bougerez beaucoup avec lui. Vous planifierez plusieurs activités ensemble. Vous prendrez plaisir à y participer.

C'est grâce à la musique que les enfants d'**Haaiah** rencontreront leur partenaire idéal, à une soirée dansante, à un mariage, à une fête ou à un concert. D'une manière ou d'une autre, la musique sera grandement présente lors de votre première rencontre. Vous serez sous le charme de votre partenaire. Il vous envoûtera. De plus, votre vie sexuelle sera très active!

Les enfants de **Lecabel** et de **Vasariah** rencontreront leur partenaire idéal dans un endroit hors du commun. Par exemple, vous pourriez être témoin d'un accident, vous assisterez à un enterrement ou vous devrez rendre visite à l'un de vos amis à l'hôpital. Jamais vous n'auriez pensé rencontrer votre partenaire idéal à un tel endroit. De plus, plusieurs découvriront qu'ils ont le béguin pour une personne de leur entourage. Un sentiment se réveillera. Cela vous prendra par surprise. Les enfants de **Lecabel** devraient arrêter d'avoir peur de commencer une nouvelle relation. Laissez votre cœur aimer de nouveau. Offrez-vous cette chance. Il ne sert à rien de vous remémorer le passé. Cessez d'être négatif en ce qui concerne votre vie amoureuse et vous aurez la chance d'y voir le soleil briller à nouveau. Les enfants de **Vasariah** seront hypnotisés par leur nouvelle rencontre. Tout leur plaira en cette personne. Ils boiront leurs mots d'amour. Plusieurs vivront un coup de foudre passionnel. D'autres rencontreront l'amour de leur vie.

Le travail des Dominations

En 2011, plusieurs Dominations vivront des événements majeurs sur le plan du travail. Il y aura un grand nombre de possibilités qui s'offriront à vous pour améliorer votre travail. Certains réfléchiront longuement avant d'agir. Toutefois, lorsque votre décision sera prise, rien ne pourra vous faire changer d'idée.

Lorsque vous aurez un doute, un événement surviendra pour vous montrer si votre doute est fondé ou non. Ainsi, il sera beaucoup plus facile pour vous d'analyser la situation et de prendre la bonne décision. Cette analyse permettra à certains de renouer avec un travail passé et d'y retourner. D'autres décideront de devancer la date de leur retraite. Plusieurs changeront leur horaire de travail, surtout ceux qui travaillent avec les chiffres. Vous chercherez à travailler selon un horaire qui vous conviendra davantage.

Bref, en 2011, les problèmes se règlent et l'harmonie revient. Il n'en tiendra qu'à vous de décider si vous changez de travail ou si vous demeurez au même endroit. Qu'importe la décision, la plupart seront satisfaits de leur choix. Les enfants de **Nith-Haiah**, de **Yerathel**, de **Seheiah** et de **Reiyiel** auront la chance d'obtenir une amélioration sur le plan travail.

Les enfants de **Nith-Haiah** auront de nombreuses possibilités pour améliorer leur situation de travail. Certains recevront une belle lettre de recommandation ou une lettre louangeant leurs capacités sur le plan du travail. Toute entrevue qui se fera pendant les mois de février, mars, avril, novembre ou décembre vous sera favorable.

Tout sourira aux enfants de **Yerathel**, de **Seheiah** et de **Reiyiel**. Qu'importe la décision que vous prendrez, elle sera exactement à la hauteur de vos attentes. De belles récompenses vous seront réservées, telles qu'une augmentation de salaire ou une rémunération pour un passe-temps ou une activité que vous aimerez. Plusieurs débuteront un nouveau travail totalement différent de ce qu'ils faisaient auparavant. Ceci vous obligera à vous appliquer davantage. Toutefois, vous serez en mesure de relever ce nouveau défi. De plus, certains retourneront aux études pour approfondir leurs connaissances. En résumé, le succès vous attend sur le plan professionnel.

Le travail de plusieurs enfants de **Haaiah** les étouffera. Vous serez débordé et l'aide que vous réclamerez ne vous sera pas donnée. Quelques fois, vous vous sentirez manipulé et pas apprécié à votre juste valeur. Votre travail sera exigeant. De plus, l'ambiance sera malsaine, ce qui aura un impact négatif au sein des équipes de travail. Ne soyez pas surpris de prendre des journées de congé à l'occasion pour reposer votre mental. Toutefois, il y aura des changements qui se produiront pour améliorer la qualité de votre travail. Certains auront la chance de quitter un endroit afin de se diriger vers un endroit beaucoup plus calme et beaucoup plus agréable. Il n'en tiendra qu'à vous de relever ce défi!

Plusieurs enfants d'**Omaël**, de **Lecabel** et de **Vasariah** subiront des batailles, des reproches et de l'abus. L'ambiance au travail sera malsaine. Les gens se bousculeront, ce qui provoquera des argumentations, des chicanes. L'hypocrisie causera d'énormes dommages. Les gens se mettront à dos, se diront des méchancetés. Le respect manquera à l'appel. Cette situation en mettra plus d'un à l'envers et elle vous angoissera. Votre travail ne sera pas le problème. C'est l'ambiance qui ne sera plus acceptable. Vous aurez des choix à faire, si vous voulez améliorer votre situation. Ces choix ne seront peut-être pas faciles, mais ils constitueront un investissement à long terme. Afin de maximiser votre état de santé, vous n'aurez pas le choix de faire face aux problèmes et de les régler, que ce soit en quittant définitivement votre travail, en consultant les normes du travail ou en parlant à un chef d'équipe ou au directeur. Vous n'aurez pas le choix d'agir pour retrouver une qualité de vie. Plus vous hésiterez à prendre une décision, plus votre santé mentale s'affaiblira. Cependant, à travers tous ces bouleversements, il y aura de bonnes personnes sur votre chemin pour vous venir en aide. Il vous suffira d'écouter leurs bons conseils.

La santé des Dominations

En général, la santé sera bonne. Toutefois, il faudra surveiller vos gestes. Soyez vigilants, car certaines personnes des Dominations risquent de porter un plâtre à cause d'une blessure. Certains devront prendre un médicament pour soulager des allergies ou une douleur quelconque. La peau sera une partie du corps à surveiller; elle sera fragile. Les jeunes des Dominations devront consulter un dermatologue puisqu'ils souffriront d'acné sévère.

Conseil angélique : À *tous ceux qui subiront une intervention chirurgicale en 2011 : donnez le temps nécessaire à votre plaie pour guérir. Si vous essayez de remonter la pente trop vite, vous redescendrez aussitôt et il sera plus difficile de vous relever par la suite. Prenez un jour à la fois. Soyez patient. Ainsi, vous vous rétablirez plus vite et vous serez en mesure de recommencer à faire vos activités quotidiennes.*

La santé sera bonne chez les enfants de **Nith-Haiah**. Toutefois, certains auront des problèmes avec leur vessie ainsi que des faiblesses au niveau des genoux et des problèmes d'allergies. Plusieurs femmes auront des ennuis gynécologiques; certaines auront une hystérectomie. Quelques femmes enceintes donneront naissance par césarienne.

Les enfants de **Haaiah**, d'**Omaël**, de **Lecabel** et de **Vasariah** devront surveiller leur santé. Soyez attentif aux crises de panique, aux angoisses et au surmenage qui risqueront de perturber votre quotidien. Certains devront prendre un médicament pour soulager leurs états d'âme.

Conseil angélique : À *tous ceux qui souffriront de crises de panique, d'angoisse ou de surmenage, acceptez votre problème. Plus vous essaierez de le nier, plus votre mental en souffrira et il vous sera plus difficile de vous relever par la suite. Si vous devez prendre un médicament pendant quelques temps, n'hésitez pas et prenez-le. Quand votre santé s'améliorera, il sera plus facile de vous sevrer et de vous libérer de vos médicaments.*

> ***Conseil angélique :*** *Lorsque vous vous sentirez fatigué et en manque d'énergie, allez prendre de l'air. Faites des marches à l'extérieur. Cela aura un impact favorable sur votre santé physique et mentale.*

Certains hommes auront des problèmes avec leur prostate; un diagnostic de cancer sera révélé. En ce qui concerne la femme, ce sera au niveau des organes féminins qu'un cancer pourrait être détecté. Les personnes qui sont déjà malades devront prendre bien soin d'eux et écouter les recommandations de leur médecin, surtout les personnes cardiaques et les diabétiques. Autrement, votre corps souffrira davantage.

> ***Conseil angélique :*** *Soyez à l'écoute des signaux d'alarme que votre corps vous lancera. Si vous prenez le temps de les écouter, il y a de fortes chances que votre état de santé s'améliore plus rapidement. Ainsi, vous serez en mesure de reprendre rapidement le contrôle de votre vie. Si vous négligez ces signaux, des problèmes de toutes sortes en découleront. Certains de ces problèmes seront difficiles à accepter. Voilà donc l'importance d'écouter les signaux de votre corps et de consulter votre médecin, si vous en ressentez le besoin.*

La santé des enfants de **Yerathel** sera excellente. Certains prendront un produit naturel ou des vitamines pour rehausser leur énergie. Si vous prenez le temps de respecter la limite de vos capacités, la fatigue ne viendra pas vous hanter et vous éviterez des ennuis de tout genre. Faites attention lorsque vous utiliserez des outils. Sachez bien vous en servir, si vous ne voulez pas être victime d'un incident. Certains auront une main enflée ou une contusion au pouce à cause d'un coup de marteau. Soyez vigilant avec les outils!

La santé sera excellente pour les enfants de **Seheiah**. Lorsqu'une douleur surviendra, elle ne restera pas longtemps. Toutefois, certains devront prendre un médicament pour soulager une douleur. Ce médicament aura un effet bénéfique sur votre douleur. Ceux qui subiront une intervention chirurgicale, seront satisfaits du déroulement de l'intervention et ils remonteront rapidement la pente à la grande surprise du personnel médical et de votre entourage.

Les enfants de **Reiyiel** auront également une santé excellente. Vous bougerez tout le temps. Vous serez animé par la joie de vivre. Certains feront un changement important sur le plan de leur alimentation, ce qui aura un effet bénéfique sur eux. Plusieurs reprendront la forme physique grâce à une bonne alimentation et à une activité physique. La marche et la natation feront partie de votre programme de remise en forme en 2011. Ceux qui sont déjà malades prendront conscience qu'ils doivent améliorer certains aspects de leur vie s'ils veulent retrouver leur équilibre mental et physique. Plus vous retarderez les changements, plus votre santé s'affaiblira.

La chance des Dominations

Les chiffres chanceux des Dominations seront les chiffres 9, 17 et 21. Votre journée de chance sera le samedi. Vos mois de chance seront **février**, **avril**, **août** et **décembre**. Pour plusieurs, la chance sera excellente. De belles petites sommes d'argent vous parviendront. Profitez-en pour faire des transactions ou jouer à la loterie lors de vos mois favorables. Si vous voyez un bijou ou un objet représentant une licorne, ce sera votre signe de chance. Achetez un billet de loterie. Les enfants de **Haaiah**, de **Yerathel**, de **Seheiah** et de **Reiyiel** seront les plus chanceux. Les enfants de **Seheiah** auront la chance de gagner une belle somme d'argent! Ce montant vous fera sauter de joie.

Ange Nith-Haiah : 7, 40 et 49. Votre chance est bonne. Je vous conseille de jouer avec votre partenaire amoureux. Choisissez la moitié des chiffres et demandez-lui de choisir l'autre moitié. Cela pourrait être une combinaison gagnante. De plus, vous avez la main chanceuse. Alors, prenez le temps de choisir vous-même vos numéros et vos billets de loterie.

Ange Haaiah : 6, 15 et 30. Votre chance est très élevée. Vous avez la chance collée à vous. De belles surprises vous attendent. Tout au long de l'année, vous serez chanceux. Je vous conseille d'acheter un billet de loterie lors d'une sortie reliée à la musique. Ne soyez pas surpris de recevoir une belle somme d'argent, soit par la loterie, un héritage, une vente avec profits ou autre. Vous serez favorisé par la chance dans tout ce que vous entreprendrez. Les groupes de trois personnes vous seront également favorables, lorsque vous planifierez de jouer en groupe. Vous serez davantage chanceux si le groupe est composé de deux hommes et d'une femme. Assurez-vous qu'une personne des Archanges ou des Séraphins fait partie du groupe.

Ange Yerathel : 8, 15 et 36. Votre chance est excellente! Vous avez la main chanceuse. Alors, prenez le temps de choisir vous-même vos numéros et vos billets de loterie. De plus, certains auront un gain inattendu grâce à une belle augmentation de salaire ou la vente d'un immeuble.

Ange Seheiah : 18, 26 et 33. Tout comme les enfants de Haaiah, vous avez la chance collée à vous. Vous aurez de belles surprises également. Tout ce que vous toucherez se changera en or! Tout au long de l'année, vous serez chanceux dans tout ce que vous entreprendrez. Lors d'un voyage près de l'eau, achetez un billet de loterie. Vous pourriez être surpris… En 2011, ne soyez pas étonné de recevoir une grosse somme d'argent, soit par la loterie, un héritage, une vente, un gain lors d'un procès, etc. Jouez seul puisque la chance vous appartient. Toutefois, si vous avez le goût de jouer en groupe, je vous conseille de jouer avec un groupe de neuf personnes.

Ange Reiyiel : 1, 10 et 44. Votre chance est excellente. Je vous conseille de jouer avec un collègue de travail. Cela pourrait vous être bénéfique. Les personnes sous la gouverne des Chérubins vous seront aussi favorables.

Ange Omaël : 8, 34 et 44. Votre chance est nulle. En 2011, il vous sera préférable de jouer en groupe. Les groupes de cinq personnes vous seront davantage favorables, plus particulièrement ceux qui comprennent trois femmes et deux hommes ou quatre femmes et un homme. Ces groupes pourront vous apporter de la chance. Avis important aux enfants d'Omaël : ne vous occupez pas des billets, ni de les acheter. Vous risqueriez de les perdre!

Ange Lecabel : 3, 23 et 39. Votre chance est nulle. Jouez en groupe, cela vous sera plus favorable. Les groupes de trois personnes seront à votre avantage, surtout si le groupe est composé de deux hommes et d'une femme. Certains pourront recevoir une somme d'argent en héritage.

Ange Vasariah : 7, 12 et 47. Votre chance est moyenne. Fiez-vous à votre instinct. Si l'envie d'acheter un billet vous hante, achetez-le. Vous ne gagnerez pas de grosse somme d'argent, mais vous pourriez être surpris des petits gains que vous obtiendrez.

Aperçu des mois de l'année des Dominations

☆ **Les mois favorables** : février, mars, avril, juillet, août et décembre.

☆ **Les mois non favorables** : janvier, mai et octobre.

☆ **Les mois ambivalents** : juin, septembre et novembre.

☆ **Les mois de chance** : février, avril, août et décembre.

Chapitre XI

Informations supplémentaires propres à chacun des Anges Dominations

✦ ANGE NITH-HAIAH ✦
(du 23 au 27 juillet)

Les enfants de Nith-Haiah seront en mesure de trouver une solution à chacun de leurs problèmes. Lorsqu'un problème surviendra, une solution arrivera en même temps, ce qui leur permettra de se sortir rapidement de leurs ennuis. La réussite de votre année 2011 ne dépend que de vous. Si vous ne faites rien pour régler vos problèmes, vous risquez de trouver l'année 2011 épuisante. Toutefois, si vous y voyez immédiatement lorsque surviendra un ennui, votre année 2011 défilera comme une étoile filante et vous serez très fier de tout ce que vous accomplirez. Ainsi, votre force en 2011 sera de prendre votre vie en main et de régler vos problèmes immédiatement. La plupart seront satisfaits des décisions et des changements qui se feront. Tout sera à la hauteur de vos attentes, et ce, puisque vous aurez le contrôle sur les événements. Voilà pourquoi tout vous réussira.

Plusieurs se réconcilieront. Les gens s'excuseront et ils vous demanderont pardon. Vous serez très compréhensif envers tous ceux qui vous supplieront de leur pardonner. Leurs explications vous suffiront à leur donner une seconde chance. Ceci allégera votre cœur et plusieurs retrouveront la joie de vivre quand tout sera réglé et pardonné. Ceux qui refuseront de régler la situation verront leur moral en prendre un coup!

Conseil angélique : *Si un sentiment de rancune est toujours omniprésent à l'intérieur de vous, n'attendez pas trop pour régler le conflit qui vous hante. Ainsi, vous serez davantage en mesure d'apprécier votre année.*

De toute façon, tout vous est acquis pour régler vos problèmes. Que ce soit sur le plan affectif, personnel ou professionnel, tout peut se régler. Il suffit de le vouloir et d'apporter les changements nécessaires. Certaines femmes accoucheront par césarienne. Il y a plus de chance de donner naissance à une fille qu'à un garçon.

Plusieurs mots d'encouragement, de paix et d'amour vous seront envoyés. Les gens vous démontreront leur affection par l'envoi de paroles positives. Cela fera un bien énorme à votre moral. Grâce à ces belles paroles, vous réaliserez vite l'importance que vous avez auprès de vos proches.

ANGE ACCOMPAGNATEUR : l'Ange Vasariah (32) viendra prêter main forte à l'Ange Nith-Haiah. Grâce à ces deux magnifiques Anges, tous vos problèmes seront réglés, et ce, d'une façon rapide. Il ne faut pas oublier que, lorsqu'on a besoin d'un miracle, on doit prier l'Ange Vasariah.

✦ ANGE HAAIAH ✦
(du 28 juillet au 1ᵉʳ août)

Les enfants d'Haaiah devront travailler très fort pour obtenir le contrôle de leur vie. Plusieurs seront manipulés par leurs proches ou par des vampires d'énergie.

> **Conseil angélique :** *Mettez votre pied à terre. Affirmez-vous en tant qu'individu. Si vous ne le faites pas, vous serez une victime tout au long de votre année 2011 et votre moral en prendra un coup. Si vous voulez être bien, prenez la place qui vous revient. N'ayez pas peur de dire « non ». Arrêtez de vous tracasser pour les autres et, surtout, arrêtez de vous sentir coupable vis-à-vis votre entourage. Si vous parvenez à vous affirmer, vous serez en mesure de bien diriger votre année. Sinon, l'année 2011 sera éprouvante et pénible.*

Plusieurs souffriront d'angoisses, de fatigue et de dépression. Tous ces symptômes seront causés par l'emprise que possède votre entourage sur vous. Vous aurez de la difficulté à atteindre vos buts. Vous serez incapable de bouger. Votre manque d'intérêt vous empêchera d'avancer. Rien ne se fera et cela vous affectera énormément. Toutefois, si vous parvenez à prendre votre place, vous serez en mesure de voir toutes les possibilités qui s'ouvriront à vous pour entreprendre vos projets et les réussir. Il n'en tient qu'à vous de faire le nécessaire pour éloigner les vampires d'énergie qui viendront vers vous ou les éviter. Écoutez vos sens! Ceux-ci vous avertiront du danger de l'emprise que possèdent ces personnes sur vous. Lorsque votre alarme intérieure sonnera, éloignez-vous immédiatement. Si vous ne pouvez pas vous en éloigner, prenez votre position et confrontez bravement la personne. Montrez-lui que vous êtes en contrôle, et rapidement, cette personne s'éloignera de vous.

ANGE ACCOMPAGNATEUR : l'Ange Lauviah II (17) est la meilleure boussole pour l'humain. Il vous aidera à prendre votre vie en main et à trouver votre équilibre pour que votre santé mentale se porte mieux. La Lumière de Lauviah II atténue les angoisses.

✦ ANGE YERATHEL ✦
(du 2 au 6 août)

Les enfants de Yerathel auront mille et une idées en tête et ils chercheront à toutes les concrétiser. Ils ne seront pas de tout repos, car ces êtres bougeront continuellement. Rien ne les arrêtera. Plusieurs retourneront aux études pour mieux se perfectionner. D'autres étudieront des techniques pour mieux mettre sur pied un projet ou une idée. Ne soyez pas surpris d'être souvent au téléphone ou de naviguer sur Internet pour obtenir des informations qui vous aideront à prendre vos décisions, à mettre sur pied vos projets et vos idées ou à mieux analyser une situation. Vous serez de vrais investigateurs à la recherche de réponses. Sachant que ces réponses auront parfois des impacts importants dans votre prise de décisions, chaque moment sera précieux pour vous. Vous vivrez avec une envie forte de réussir vos plans. Telle sera votre force en 2011 : votre grande détermination. Elle vous conduira sur le chemin de la satisfaction. Plusieurs projets seront réussis. Cela aura un impact positif sur votre estime personnelle. Vous serez très fier de tout ce que vous accomplirez. Toutefois, il ne faudra pas trop négliger votre vie amoureuse et votre famille. Cela pourrait provoquer des guerres inutiles avec votre partenaire. Vous n'aurez ni le goût ni la patience d'être en guerre. Alors, lorsque votre partenaire réclamera votre présence, passez du temps en sa compagnie. Si vous ne le faites pas, ne soyez pas surpris que votre partenaire vous lance un ultimatum avant que l'année se termine.

Vous vous êtes fait la promesse que l'année 2011 ne sera pas comme votre année 2010, et vous tiendrez parole. Vous ne laisserez rien en suspens. Vous avancerez et vous produirez. En 2011, vous concrétiserez les buts et les projets que vous vous êtes fixés. Tout vous sera acquis pour le faire. Plusieurs feront des changements importants qui auront un impact majeur dans leur vie. Ces changements amélioreront votre vie. En 2011, vous aurez toute une année devant vous!

ANGE ACCOMPAGNATEUR : l'Ange Yehuiah (33). La mission de cet Ange est d'envoyer vers vous des personnes qui vous aideront à atteindre vos buts ou à mettre sur pied vos projets et vos idées. Yehuiah aime voir l'humain entreprendre de nouvelles expériences pour l'aider à s'enrichir dans son apprentissage et dans ses connaissances.

✦ ANGE SEHEIAH ✦

(du 7 au 12 août)

Les enfants de Seheiah seront satisfaits de tout ce qu'ils entreprendront. Vous travaillerez très fort, mais les résultats en vaudront la peine. Vous serez fier de vous et de tout ce qui se produira durant l'année. Vous regarderez avec admiration les fruits de vos efforts. De plus, les récoltes seront abondantes et fructueuses.

Il y aura des moments difficiles, mais vous serez en mesure de trouver la meilleure solution pour vous en libérer. En 2011, tout ce que vous entreprendrez et tout ce que vous déciderez sera réfléchi et analysé. Vous ne prendrez pas de décisions à la légère. Rien ne vous sera acquis facilement. Il vous faudra travailler très fort pour obtenir les résultats désirés. Mais cela en vaudra la peine puisque le mot « satisfaction » sera souvent sur vos lèvres. Plusieurs miseront beaucoup sur un changement qu'ils entreprendront ou sur une décision importante qu'ils prendront. Toutefois, attendez-vous à travailler très fort pour parvenir à tout finaliser. Néanmoins, les résultats vous épateront puisqu'ils changeront favorablement un aspect de votre vie.

En ce qui concerne la justice, certains gagneront leur débat ou leur cause. À votre grand soulagement, le problème se réglera, ce qui vous libérera d'un poids sur vos épaules.

En 2011, l'argent sera à vos pieds. Il sera facile d'en gagner et d'en obtenir. Que ce soit par une augmentation de salaire, une transaction, une loterie ou autre, la chance vous suivra tout au long de l'année. Si vous gérez bien votre argent, il vous sera facile d'améliorer votre situation financière. Grâce à ce coup de pouce monétaire, plusieurs feront de gros achats qui les rendront heureux.

ANGE ACCOMPAGNATEUR : l'Ange Anauël (63) attirera la prospérité vers vous. Cela ne veut pas dire qu'il vous enverra des millions. Toutefois, l'Ange Anauël vous aidera à vous relever et à retrouver un bel équilibre financier. On peut aussi le prier par rapport à des situations liées à la santé, à l'amour, au travail et à l'argent. La mission de l'Ange Anauël est de vous trouver la meilleure solution pour vous libérer de votre problème pour que vous puissiez retrouver un bel équilibre dans tous les aspects de votre vie.

♦ ANGE REIYIEL ♦
(du 13 au 17 août)

L'année 2011 sera une année de changements pour les enfants de Reiyiel. Tout ce qui ne fonctionne pas bien dans votre vie s'améliorera. Vous ne voudrez plus vivre dans l'incertitude et dans l'inquiétude. Vous serez très exigeant envers vous-même. L'année 2010 ne vous a pas épargné au niveau émotionnel. Vous avez vécu plusieurs épreuves et vous avez dû vous battre pour les surmonter. En 2011, vous deviendrez prévoyant et analytique. Fini les événements négatifs qui vous déroutent. Dorénavant, vous mettrez à l'épreuve votre sixième sens. Et vous ne serez pas déçu! Cette façon de faire vous permettra de voir venir les événements, les situations et les personnes négatives. Vous vous armerez contre eux. Attention à ceux qui chercheront à vous nuire, vous serez comme un vrai soldat au champ de bataille. Vous défendrez vos droits et chasserez l'Ombre lorsque celle-ci essayera de s'approcher de vous. Il y a de fortes chances que vos proches trouvent votre attitude très froide et impassible. Toutefois, cette attitude vous préviendra des personnes dangereuses et elle vous permettra d'avoir le contrôle sur les événements.

Toutes les décisions qui seront prises ainsi que tous les changements qui se feront, vous apporteront beaucoup de satisfaction. Plusieurs désireront trouver un sens à leur vie et telle sera leur mission en 2011. Pour ce faire, ne soyez pas surpris de faire des changements importants. Par exemple, certains quitteront un emploi de longue date pour s'orienter vers un autre travail. D'autres quitteront leur lieu de résidence pour immigrer dans un autre pays ou une autre ville. Quelques-uns quitteront même un partenaire de longue date pour s'aventurer dans une nouvelle relation. Tout est possible en 2011. Il est évident que plusieurs proches des enfants de Reiyiel seront perturbés par les événements que provoqueront ces êtres. Toutefois, il ne faut pas oublier que ces êtres ne feront rien à la légère. Tout sera analysé et étudié avant d'entreprendre quoi que ce soit. Lorsque leur décision sera prise, ils prendront leur courage à deux mains et ils fonceront vers ce changement qui améliorera leur vie.

Conseil angélique : *À tous ceux qui entourent un enfant de Reiyiel : le mieux que vous puissiez faire, c'est d'essayer de les comprendre au lieu de les juger. Si vous les provoquez trop, ils risquent de s'éloigner de vous et de mettre un terme à votre relation.*

Bref, plusieurs prendront des décisions très importantes qui changeront radicalement leur vie. Néanmoins, tout vous sera acquis pour l'améliorer. Les portes s'ouvriront à vous. Il suffira de foncer et d'atteindre vos buts. Vous ne serez pas déçu des résultats que vous obtiendrez.

Conseil angélique : *Écoutez les conseils des gens qui vous aiment. N'oubliez pas que ces êtres ne cherchent que votre bien. Votre attitude les dérangera. Soyez donc un peu vigilant avec eux. Ne soyez pas trop sévère. Parfois, une bonne explication vaut son pesant d'or!*

ANGE ACCOMPAGNATEUR : La Lumière de l'Ange Haiaiel (71) agira comme une armure en vous et elle vous permettra de bloquer l'Ombre qui essayera de vous attaquer. Les paroles de cet Ange vous feront un grand bien lorsque vous serez en période de questionnement.

♦ ANGE OMAËL ♦
(du 18 au 22 août)

Les enfants d'Omaël vivront dans l'incertitude et dans la peur. Au lieu d'avancer et de régler leurs problèmes, ils s'éloigneront et ils se replieront sur eux-mêmes. Ils attendent qu'un événement vienne les aider à se sortir de leur gouffre. Ceux qui joueront à la victime et qui ne feront rien pour améliorer leur vie souffriront énormément. Ne soyez pas surpris d'avoir des petits problèmes de santé causés par vos angoisses.

Conseil angélique : *Arrêtez d'hésiter. Foncez! Faites face aux événements au lieu de les fuir. Si vous parvenez à affronter les événements, vous serez en mesure de les régler. Si vous faites une erreur, vous n'aurez qu'à vous reprendre. C'est tout.*

Plusieurs vivront des batailles de toutes sortes. Certaines batailles causeront des ruptures d'amitié, de relations amoureuses, de contrats, etc. Il est évident que ce ne sera pas facile pour vous. Toutefois, au lieu de vous attarder sur l'événement, relevez vos manches et reconstruisez-vous. De toute façon, il sera trop tard pour essayer de réparer les pots cassés. Le mieux que vous pourriez faire serait de recommencer à zéro.

Si vous restez accroché à votre passé et à la peur qu'il engendre, vous aurez de la difficulté à voir les opportunités qui s'offriront à vous pour améliorer certains aspects de votre vie. Plusieurs trouveront l'année 2011 très pénible, mais si vous changez votre attitude face à votre passé et à la vie, vous serez en mesure de bien traverser votre année 2011. Grâce à une bonne attitude, vous ferez l'acquisition d'une grande sagesse qui vous permettra de ne plus refaire les mêmes erreurs. Vous serez fier de vous et votre santé s'en portera mieux. Certains devront subir une intervention chirurgicale. La remontée ne dépend que de votre attitude. Il en est de même pour tout ce que vous vivrez en 2011.

Conseil angélique : *Surveillez vos paroles et vos gestes. Sinon, vous risquez de provoquer des guerres inutiles qui vous nuiront physiquement et émotionnellement.*

ANGE ACCOMPAGNATEUR : l'Ange Sitaël (3). La mission de cet Ange est de mettre fin aux émotions liées au passé. L'Ange Sitaël vous donnera également la force et le courage de surmonter vos difficultés. Lorsque vous vous retrouverez dans une période de votre vie où tout semble s'écrouler ou que vous vous sentirez incapable de surmonter une épreuve, priez l'Ange Sitaël.

✦ ANGE LECABEL ✦

(du 23 au 28 août)

Les enfants de Lecabel seront très émotifs. Tellement qu'un rien les ébranlera et les atterrera. Il faut dire que vous ne serez pas épargné par les événements en 2011. Tout pourra vous arriver. Une année remplie d'obstacles et de mauvaises nouvelles de toutes sortes. Il vous faudra travailler très fort pour vous en sortir.

Conseil angélique : *Priez les Anges Lecabel et Eyaël afin qu'ils puissent vous aider à apprécier les défis de votre année 2011.*

Plusieurs événements vous feront souffrir; en particulier trois événements qui ne seront pas faciles sur le plan émotionnel et que vous trouverez très difficile à surmonter. Il y a des amitiés qui pourront se briser, un amour qui pourra se terminer, une maladie qui pourra survenir, la perte d'un être cher, etc. Au lieu de chercher les raisons pour lesquelles tel ou tel événement survient, cherchez plutôt une façon de vous en sortir. N'épuisez pas vos énergies à essayer de comprendre les événements et pourquoi cela vous arrive à vous, au lieu des autres. Si vous agissez de la sorte, vous vous épuiserez mentalement et émotionnellement. Votre corps physique en prendra un coup. Certains enfants de Lecabel devront prendre des journées de congé de maladie forcées, puisqu'ils auront de la difficulté à fonctionner. Tout leur corps sera en mode de survie. À la longue, cela pourrait leur nuire.

L'année 2011 sera également très difficile pour les cardiaques. Vous devrez consulter votre médecin, à quelques reprises, et vous devrez respecter leurs recommandations, si vous désirez prévenir de fâcheuses situations.

Conseil angélique : *Prenez une journée à la fois. Si vous vous en mettez trop sur les épaules, vous ne pourrez plus fonctionner. Essayez de régler une chose à la fois. De cette façon, vous serez en mesure de régler tout ce qui vous dérange. Si vous agissez ainsi, vous serez en contrôle des événements qui surviendront au cours de votre année et vous prendrez les bonnes décisions au moment opportun. Vous ne serez pas déçu lorsque tout se stabilisera. Vous serez même fier de vous et de tout ce que vous aurez accompli durant l'année.*

L'année 2011 vous aidera à acquérir une grande sagesse et de belles expériences de vie. Vous ne verrez plus les choses de la même manière. Vous serez en mesure d'apprécier chaque petit moment que la vie aura à vous offrir.

ANGE ACCOMPAGNATEUR : l'Ange Eyaël (67). Sa mission sera de faire tout son possible pour que la personne en détresse puisse voir la lumière au bout du tunnel et que son cœur puisse de nouveau sourire à la vie.

✦ ANGE VASARIAH ✦

(du 29 août au 2 septembre)

Les enfants de Vasariah vivront plusieurs changements imprévus. L'année 2011 est comme une boîte à surprises. On ne sait pas ce qui en sortira. Vous pourrez vivre des moments extraordinaires comme des moments pénibles. Votre année sera à l'image de montagnes russes. Il y aura des hauts et des bas. Toutefois, vos hauts seront tellement agréables que vous serez en mesure de comprendre les bas.

Plusieurs partiront à l'aventure et à la découverte de la vie. Une aventure enrichissante pour vous, mais pénible pour vos proches. Vous aurez la sensation de vous réveiller après avoir été endormi pendant plusieurs années. Vous exploserez! Vous ressentirez le besoin de mettre vos pendules à l'heure. Cette explosion fera des ravages autour de vous. Mais rien ne vous arrêtera. Vous aurez envie de faire ces expériences. Après tant d'années de recherche, vous vous retrouverez enfin. Vous serez comme un adolescent qui part à la découverte de sa vie d'adulte.

Il serait sage pour vous de réfléchir avant d'agir. Toutefois, vous ne le ferez pas. Même si on vous dit de faire attention et qu'on vous met en garde contre telle ou telle situation, vous agirez tout de même. Vous irez jusqu'à faire des choix dévastateurs dans votre vie. Si vous avez besoin de frapper un mur pour pouvoir avancer, vous le frapperez. Trop longtemps vous avez fait comme on vous le demandait. Maintenant, vous ne voudrez qu'en faire à votre tête. Serait-ce l'adolescent en vous qui se réveille? Qui sait? Cependant, il est certain que cette attitude provoquera des tempêtes de toutes sortes autour de vous. Le bien dans tout cela est que vous serez en contrôle de vos décisions ainsi qu'avec tout ce qu'engendreront vos décisions.

Plusieurs parleront de faire un déménagement important. Ne soyez pas surpris de quitter un lieu de résidence de plusieurs années pour vous installer dans une région ou une ville étrangère. Vous pourriez même quitter votre pays natal pour vous installer dans un pays étranger. Certains quitteront un emploi sécuritaire pour accepter un autre emploi moins sécuritaire. Il en sera de même avec votre relation amoureuse. Certains quitteront leur partenaire de longue date pour s'aventurer avec un nouvel amour. Cela ne veut pas dire que vous ferez toujours le bon choix. En 2011, vous ferez certainement des erreurs. Toutefois, vous serez en mesure de réparer les pots que vous briserez. Il y aura des périodes qui ne seront pas évidentes. Néanmoins, au plus profond de votre être, vous aurez besoin de vivre ces événements pour mieux apprécier ce que vous possédiez déjà.

Conseil angélique : À tous les proches d'un enfant de Vasariah : soyez patients et parlez souvent avec lui. Si vous le provoquez, si vous le critiquez ou si vous le blâmez sur tout, vous le perdrez. Discutez avec lui de vos émotions, sans toutefois lui reprocher quoi que ce soit, et ce, même s'il est la cause de plusieurs situations pénibles que vous vivrez. Essayez de le comprendre et vous parviendrez à l'aider à surmonter ce sentiment explosif en lui. Si vous l'aimez et que vous le supportez dans ce qu'il vit, vous parviendrez ensemble à surmonter ce défi de la vie. Il vous en sera très reconnaissant par la suite.

ANGE ACCOMPAGNATEUR : l'Ange Yezalel (13). En le priant, cet Ange guidera vos pas vers des situations ou des événements favorables qui vous permettront de retrouver un bel équilibre et une joie de vivre. Cet Ange vous fera comprendre qu'il ne faut pas grand-chose pour être heureux. Il suffit d'apprécier ce que l'on possède déjà.

Chapitre XII

Les Dominations au fil des saisons

Saison hivernale
(janvier-février-mars)

« Respirez la nature et vos poumons s'oxygéneront à travers celle-ci. »
(Paroles de l'Ange Melahel)

Une nouvelle année qui s'annonce bien pour vous. Plusieurs se prendront en main et ils atteindront les buts qu'ils se sont fixés.

Toutefois, le mois de janvier ne sera pas facile pour certains. Des rumeurs circuleront et vous inquiéteront. De plus, des commérages vous dérangeront. Au lieu de vous inquiéter, il serait sage pour vous d'aller à la source même. Ainsi, vous aurez l'heure juste, ce qui vous permettra par la suite de prendre les décisions en conséquences des événements. Vivre dans le doute et dans l'incertitude n'aidera pas votre moral. De plus, il est toujours difficile de prendre de bonnes décisions lorsqu'on ne sait pas exactement les causes exactes qui dérangent son quotidien. En allant directement à la source, il vous sera beaucoup plus facile d'y voir clair et de tout régler. De plus, vous serez en mesure de faire taire les mauvaises langues.

Conseil angélique : *Éloignez-vous des personnes négatives, hypocrites et manipulatrices. Ces personnes peuvent vous épuiser psychologiquement, moralement et émotionnellement. Voyez-y avant qu'il ne soit trop tard!*

En février, vous aurez une chance inouïe. Jouez à la loterie. Plusieurs recevront d'excellentes nouvelles qui auront un impact favorable sur leur année 2011. Un contrat sera signé. Un désir sera réalisé. Votre cœur est heureux et joyeux. Il en sera de même pour votre mois de mars. Vous serez en harmonie avec tous les événements qui se produiront. En mars, plusieurs se concentreront sur un but précis et ils avanceront vers la réussite de celui-ci. Que de bonnes nouvelles viendront à vous! Vous regardez droit devant et vous êtes très fier de tout ce que vous accomplissez pour réussir vos projets.

Conseil angélique : *La porte de l'abondance s'ouvre à vous. Profitez-en pour faire tous les changements désirés. De plus, n'ayez pas peur de demander, puisqu'il y aura plusieurs situations qui seront présentes pour vous apporter tout ce que votre cœur désirera. Il suffit de demander et vous obtiendrez tout!*

Ceux qui trouveront leur mois de janvier pénible à cause de certains événements, seront les enfants de **Nith-Haiah**, d'**Haaiah**, de **Yerathel**, d'**Omaël**, de **Lecabel** et de **Vasariah**. Il serait important pour ces êtres d'aller à la source du problème ainsi, ils éviteront des ennuis de toutes sortes.

Sur le plan affectif

Ce sera une période remplie de joie et de belles surprises. Le couple se retrouve grâce à des sorties agréables. Plusieurs iront manger au restaurant, d'autres assisteront à des pièces de théâtre et à des spectacles. Certains iront au cinéma. Bref, attendez-vous à sortir avec votre partenaire et à profiter de sa présence auprès de vous. Plusieurs verront l'un de leur vœu se réaliser dans le domaine de l'amour.

Toutefois, pour ceux qui vivent une période difficile, une solution sera adoptée et vous en serez satisfait. À la suite d'une discussion avec le partenaire, vous allez réaliser qu'il y a encore de l'espoir pour que tout redevienne comme avant.

Certains enfants de **Nith-Haiah** et de **Seheiah** recevront de belles paroles d'amour de leur partenaire. Des mots doux, des mots tendres... Votre partenaire vous démontrera son amour par toutes sortes de petites attentions. De plus, vous planifierez une belle sortie ensemble. Cette sortie rallumera la flamme du désir.

Chez certains enfants d'**Haaiah** et de **Reiyiel**, la libido sera à la hausse. Vous avez un grand besoin de tendresse et de caresses. Vous serez très romantique et très sensuel. Si votre partenaire n'est pas habitué de vous voir ainsi, il risque de se demander ce qui se passe! Faites-lui comprendre que votre désir envers lui est toujours aussi fort que lors de vos premières rencontres! Il y a de fortes chances que votre partenaire se laisse envoûter par ce désir fou qui vous envahit.

Les enfants de **Yerathel** vont travailler très fort pour essayer de plaire au partenaire. Attendez-vous à faire plein d'activités agréables en compagnie de votre partenaire. Certaines sorties risquent d'être dispendieuses, mais cela en vaudra la peine puisque votre partenaire sera heureux et amoureux.

Les enfants d'**Omaël**, de **Lecabel** et de **Vasariah** devront surmonter certaines épreuves. Il y aura de la discorde et des argumentations de toutes sortes. Les enfants, le travail et l'argent seront souvent des sujets orageux. Toutefois, vous ferez quelques sorties avec votre partenaire qui aideront votre couple.

Pour les célibataires

Certains pourraient rencontrer leur partenaire idéal et connaître un mariage heureux. Les mois de février et mars sont des mois magiques pour faire la rencontre de la perle rare.

Tous les célibataires Dominations auront la chance de rencontrer leur idéal. Toutefois, les enfants de **Nith-Haiah**, de **Seheiah**, de **Reiyiel** seront plus sujets à trouver leur perle rare. Alors, sortez et acceptez les invitations qui vous seront offertes.

Sur le plan du travail

Tout ira bien. Plusieurs recevront de bonnes nouvelles. Certains débuteront un nouveau travail ou de nouvelles tâches, d'autres commenceront un travail d'équipe qui sera valorisant. Un contrat sera signé. Des entrevues seront réussies. Certains recevront une augmentation de salaire. Le seul ennui, ce seront les commérages et les personnes négatives. Toutefois, vous serez en mesure de vous éloigner de ces personnes et de ces situations négatives.

Les enfants de **Nith-Haiah** recevront de l'aide pour accomplir l'une de leurs tâches. De plus, une personne viendra s'excuser de son comportement. Cette personne sera vraiment désolée de tout ce qu'elle a pu provoquer par ses gestes ou ses paroles. Il serait bon pour vous de tourner la page et de pardonner à cette personne puisque celle-ci prendra son courage à deux mains pour vous rencontrer et vous faire un aveu.

Les enfants d'**Haaiah**, d'**Omaël**, de **Lecabel** et de **Vasariah** seront tourmentés par une tâche qui leur sera exigée et par l'attitude d'un collègue de travail. Cette situation pourra les angoisser à un point tel qu'ils s'en rendront malades. Il serait important de régler votre situation puisque cela dérangera énormément la qualité de votre travail. Bref, prenez votre courage à deux mains et régler votre problème avant que cela devienne une situation désastreuse.

Les enfants de **Yerathel**, de **Seheiah** et **Reiyiel** seront débordés mais ils aimeront leur travail. De plus, deux bonnes nouvelles les feront sauter de joie. Ces êtres auront la force, le courage et la détermination de tout entreprendre. Ils auront la situation en main. Une offre alléchante leur sera faite. Certains obtiendront une belle promotion et de belles récompenses. Le mot « satisfaction » sera sur leurs lèvres.

Sur le plan de la santé

La santé sera bonne. Toutefois, il faudra faire attention aux rhumes, aux virus et à la grippe. De plus, certains se plaindront souvent de maux de gorge et de laryngites. Il serait important de bien vous couvrir lors de journées plus froides. Avis aux fumeurs : il serait sage de modérer. Certains éprouveront des problèmes aux poumons. Si vous ne voulez pas que cela s'aggrave, voyez-y avant qu'il ne soit trop tard.

Les enfants de **Nith-Haiah** et d'**Haaiah** prendront des médicaments pour soulager un rhume, un virus ou un problème quelconque. Ne soyez pas surpris d'être au repos pendant une période de sept à dix jours.

La plupart des enfants de **Yerathel**, de **Seheiah** et de **Reiyiel** seront en forme. Certains prendront un produit naturel ou des vitamines pour rehausser leur énergie. Malgré tout, certains devront prendre un médicament pour soulager une douleur quelconque, tandis que d'autres peuvent se plaindre de sinusites.

Certains enfants **d'Omaël**, de **Lecabel** et de **Vasariah** iront consulter le médecin. Il serait sage pour eux de ralentir le pas. Ces êtres ont besoin de repos. Certains se plaindront de maux de tête, de migraines, de surmenage et d'angoisse. Certains devront passer des examens médicaux pour déceler la cause de leurs problèmes de santé. D'autres prendront un médicament pour soulager les angoisses. Un repos sera obligatoire.

Sur le plan de la chance

Votre chance est excellente en février. Alors, profitez-en pour jouer à la loterie ou pour prendre des décisions.

Voici quelques événements qui pourraient survenir au cours de la période hivernale.

- Méfiez-vous des personnes négatives; leurs paroles vous dérangeront.

- Une femme vindicative vous fera verser des larmes par son comportement et par ses paroles.

- De mauvaises langues vous irriteront. Des personnes hypocrites feront du bavardage sans fondement qui vous blessera. Ne vous inquiétez pas, vous serez en mesure de confronter ces personnes et de les remettre à leur place. Votre sang-froid les déstabilisera, à un point tel, qu'ils regretteront les paroles méchantes qu'ils ont dites.

- Une femme vous annoncera qu'elle souffre d'un cancer au sein gauche. Toutefois, cette personne s'en sortira.

- Une femme donnera naissance à des jumeaux : un garçon et une fille.

- Certains célibataires feront la rencontre d'une bonne personne et la relation deviendra sérieuse.

- Il vous sera permis d'assister à deux événements agréables.

- Vous, ou un proche, recevrez une demande en mariage.

- Vous, ou un proche, renaîtrez à la vie. De bonnes nouvelles vous seront annoncées.

- Certains planifieront un voyage de sept jours dans un pays étranger.

- Certains seront victimes d'abus verbal et sexuel.

- Vous, ou un proche, devrez fait un choix en ce qui concerne le travail. Toutefois, le choix qui sera fait sera à la hauteur et il apportera un changement favorable.

- Plusieurs recevront des mots gentils. Les gens vous aimeront et vous le démontreront bien par toutes sortes de petites attentions.

- Certains feront l'achat d'une chaise.

- Plusieurs se consacreront à des buts précis et travailleront pour les atteindre.

- Vous, ou un proche, devrez faire un choix en ce qui concerne la vie amoureuse.

- Méfiez-vous des beaux parleurs. Vous, ou un proche, risquez de tomber dans le piège de la séduction et le regretter amèrement par la suite.

- Certains feront l'achat d'un instrument de musique.

- Certains parleront d'adopter un animal de compagnie.

- Plusieurs feront du ski alpin. Certains changeront tout leur équipement. De belles randonnées entre amis sont à prévoir.

- Vous, ou un proche, vous ferez manipuler par un beau parleur. Inconsciemment, cet être vous étouffe. Vous avez tellement peur de lui déplaire que vous êtes en train de vous rendre malade pour lui apporter tout ce qu'il désire. Prenez votre courage à deux mains et régler ce problème immédiatement avant que vous ne tombiez malade.

- Une personne en état d'ébriété au volant se fera arrêter par la police et verra son permis de conduire suspendu.

- Quelqu'un vous parlera d'une tentative de suicide. Vous serez très surpris de cette nouvelle.

- Une personne s'agenouillera devant vous et vous demandera pardon pour toutes les peines qu'elle vous a causées. Cette personne sera sincère. Ce sera à vous de décider.

- Un adolescent aura des ennuis avec la loi à cause de la drogue ou du vandalisme.

- Une jeune fille parle d'un avortement.

- Vous, ou un proche, améliorerez votre personnalité en perdant du poids ou en subissant une chirurgie esthétique.

- Une solution arrivera au bon moment à ceux qui auront des démêlés avec la justice.

Saison printanière
(avril-mai-juin)

« Ne perdez jamais le contrôle sur le mental.
Si vous le perdez, vous serez perdu. Il vous sera beaucoup
plus difficile de vous retrouver par la suite »

(Paroles de l'Ange Lauviah II)

Vous devez garder espoir que tout peut se régler et que tout peut s'arranger. Certains vivront des ennuis de toutes sortes. Toutefois, ne vous découragez pas, car il y aura toujours une porte de sortie ou une aide imprévue qui viendra vers vous au moment où vous en attendez le moins. Si vous vous découragez, cela vous empêchera de voir les solutions et l'aide providentielle qui viendront vers vous.

Il y aura des situations qui prendront du temps avant de se régler. Toutefois, elles se régleront. Et c'est cela qui est important. Plusieurs éclairciront des malentendus de toutes sortes, ce qui, par la suite, allégeront les situations.

Bref, vous avez tout ce qu'il faut pour vous en sortir. Alors, soyez-en conscient! Ne vivez pas dans la peur, vivez dans l'espoir et tout ira bien pour vous!

Votre mois d'avril sera un mois chanceux pour plusieurs. Plusieurs solutions seront possibles pour régler vos petits conflits. Certains se videront le cœur. Laisser aller leurs émotions les soulagera.

Le mois de mai sera difficile pour certains. Un événement causera quelques petits ennuis. De plus, une mauvaise nouvelle vous parviendra et vous déstabilisera temporairement. Certains pourront même verser des larmes à cause de cette mauvaise nouvelle. Il y aura aussi des batailles de mots et des moments difficiles sur le plan financier. Tout pourra vous arriver en mai. Il faudra prendre une journée à la fois.

En juin, vous voudrez avoir l'heure juste. Vous allez tout faire pour obtenir les réponses à vos questions. Pour tout ce qui vous dérangera, vous vous organiserez pour trouver une réponse. Bref, vous éclaircirez des malentendus et vous parviendrez à faire la lumière sur plusieurs situations qui étaient en suspens. Vous aurez besoin de sécurité et de savoir où vous vous dirigez. Tel sera votre but en juin : prendre des décisions pour être en mesure de retrouver le contrôle de votre vie. Grâce à votre ténacité, vous parviendrez à régler vos problèmes et à retrouver votre équilibre.

Les enfants d'**Haaiah**, d'**Omaël**, de **Lecabel** et de **Vasariah** trouveront la période printanière difficile. Il serait important pour ces êtres de garder espoir et de demander de l'aide, s'il trouve cela trop difficile.

Sur le plan affectif

Ce sera une période d'inquiétude pour plusieurs. Vous aurez besoin de réponses. Toutefois, votre partenaire ne répondra pas à l'appel. Plusieurs se sentiront seuls et abandonnés. Ils chercheront à établir des dialogues, mais le partenaire ne semblera pas préoccupé par la situation. Certains partenaires resteront indifférents à votre sentiment d'inquiétude. De plus, ils accuseront l'autre d'être l'élément déclencheur de certaines situations. Bref, il y aura des discussions parfois orageuses et des paroles blessantes.

Les enfants de **Nith-Haiah**, de **Lecabel** et de **Vasariah** trouveront leur relation amoureuse difficile. Ces êtres vivront deux situations qui les dérangeront émotionnellement. Ils seront épuisés par les événements, ce qui les rendra vulnérables. Bref, leurs états d'âme les amèneront à critiquer et à dire des paroles méchantes au partenaire, qu'ils regretteront par la suite. Ces êtres demanderont pardon et ils feront tout pour que le soleil brille de nouveau sous leur toit.

Les enfants d'**Haaiah** et d'**Omaël** se sentiront manipulés par leur partenaire. Aussitôt que vous essayerez de lui en parler, il fera la sourde oreille. De plus, il ne voudra rien faire pour régler le problème. Bref, il rejettera le blâme sur vous, ce qui vous exaspéra. Il est évident que son attitude fera exploser vos émotions. À la suite d'une discussion intense, vous mettrez votre partenaire au pied du mur. Vous lui lancerez un ultimatum. Si celui-ci ne change pas dans le temps exigé, vous ferez les changements nécessaires pour retrouver votre équilibre et une qualité de vie.

Les enfants de **Yerathel**, de **Seheiah** et de **Reiyiel** vivront une période difficile au travail. L'un des deux partenaires travaillera trop et négligera sa vie amoureuse. Toutefois, à la suite d'une bonne conversation, un changement se fera et tout redeviendra normal, à la satisfaction des deux conjoints.

Pour les célibataires

Trop de situations vous préoccuperont. Vous ne serez pas dans une bonne énergie pour faire des rencontres. Seul le mois d'avril pourrait vous amener à rencontrer des bonnes personnes. Toutefois, il y aura plus de possibilités de développer un sentiment d'amitié qu'un sentiment d'amour.

Sur le plan du travail

Ce sera une période ambivalente. Il y aura de bons moments comme des moments difficiles. Plusieurs devront accomplir une tâche qu'ils n'aimeront pas. Mais on vous obligera à la faire et vous n'aurez pas le choix. C'est cette situation qui vous dérangera le plus, celle de ne pas être en mesure de donner votre point de vue. De plus, certains vivront un conflit avec un collègue de travail qui perturbera leurs émotions et la qualité de leur travail. Ne vous inquiétez pas puisqu'une personne prendra le problème en main et le règlera pour le bien de tous.

Les enfants de **Nith-Haiah** et d'**Omaël** parviendront à trouver un terrain d'entente. Par la suite, tout redeviendra normal, à la grande satisfaction de tout le monde.

Les enfants d'**Haaiah**, de **Lecabel** et de **Vasariah** se sentent étouffés et manipulés par certaines personnes et par certaines situations. Ces êtres n'auront pas le choix d'y voir avant qu'il ne soit trop tard. Ce ne sera pas facile de confronter certaines personnes. Toutefois, pour votre bien-être, il serait mieux pour vous de régler le problème. De toute façon, une personne étrangère à votre problème viendra vous prêter main forte. Cette personne détiendra de bons arguments qui vous permettront de reprendre possession de votre pouvoir et de vos droits.

Les enfants de **Yerathel**, de **Seheiah**, de **Reiyiel** s'appliqueront à faire leur travail sans se mêler des affaires d'autrui. Ils seront en contrôle de toutes les situations qui se présenteront à eux. Rien ne viendra les déstabiliser. Certains auront le privilège de recevoir une belle récompense ou une belle promotion.

Sur le plan de la santé

La santé sera bonne, mais le mental sera épuisé par tous les événements que vous vivrez, ce qui affectera le corps physique. Certains auront des problèmes ici et là, sans que cela soit grave. Tout sera relié à la fatigue. Toutefois, les personnes malades devront subir des examens approfondis pour vérifier la gravité de la maladie. Un bon spécialiste s'occupera de vous et fera tout ce qui est possible pour vous ramener sur le chemin de la santé. Certains éprouveront des problèmes aux poumons. Les fumeurs devraient modérer leur consommation, s'ils ne veulent pas que leur situation s'aggrave.

Les enfants de **Nith-Haiah**, de **Yerathel** et d'**Omaël** seront épuisés mentalement. Un congé forcé leur sera prescrit par le médecin. De plus, certains se plaindront de mal au genou qui les amènera à boiter pendant quelques jours, tandis que d'autres devront prendre un médicament pour soulager une douleur quelconque. Il serait sage que ces êtres prennent le temps de se reposer lorsque leur corps est fatigué.

Certains enfants d'**Haaiah**, de **Lecabel** et de **Vasariah** recevront un diagnostic qui les dérangera. Écoutez les conseils de votre médecin. Celui-ci sait exactement ce qu'il vous faut pour retrouver le chemin de la santé. Si vous négligez votre santé, vous le regretterez par la suite. Il est important de prendre soin de vous et d'écouter sagement les conseils de votre médecin.

Pour les enfants de **Seheiah** et de **Reiyiel**, la santé sera bonne. Un régime ou un changement dans leur alimentation les aideront à retrouver la forme. Certains peuvent même débuter une activité physique. L'énergie sera à la hausse. Toutefois, certains se plaindront de maux physiques reliés à la fatigue, à une nouvelle activité physique ou à une faiblesse de l'un de leurs membres.

Sur le plan de la chance

Votre chance est excellente en avril. Alors, profitez-en pour jouer à la loterie, pour faire des transactions, pour avoir de bonnes discussions et pour prendre des décisions.

Voici quelques événements qui pourraient survenir au cours de la période printanière.

- Une personne déploiera son amertume sur vous. Vous serez son bouc émissaire. Toutefois, cette personne viendra s'excuser par la suite de son comportement.

- Plusieurs feront l'achat d'un meuble en bois.

- Une femme malade recevra une bonne nouvelle en ce qui concerne son problème de santé.

- Plusieurs auront le privilège de rencontrer de bonnes personnes. Il y aura au moins cinq nouvelles connaissances qui entreront dans votre vie. De belles amitiés naîtront. L'une de ces nouvelles connaissances deviendra votre Ange gardien, tellement cette personne prendra soin de vous.

- Tous ceux qui ont mis leur maison sur le marché de la vente en février, recevront une offre raisonnable pour leur propriété. Une transaction aura lieu à votre grande satisfaction.

- Certains devront se perfectionner pour accomplir une nouvelle tâche qui exigera de l'attention et de l'exactitude.

- Une personne qui fume beaucoup recevra un diagnostic négatif au sujet de ses poumons.

- Il y aura quatre bonnes nouvelles concernant la santé. Grâce à la science et à la technologie, quatre personnes recouvreront la santé.

- Quelqu'un fera une rencontre sur Internet qui sera désastreuse. Cette personne sera très déçue puisque la personne qu'elle devait rencontrer est totalement à l'opposé de l'image qu'elle s'en était faite.

- Vous, ou un proche, verrez la fin de vos difficultés. Une solution arrivera au moment opportun et cette solution réglera le problème. Vous en serez fier et satisfait.

- Certains seront victimes d'abus verbal et sexuel, à un point tel que vous demanderez de l'aide.

- Vous allez entendre parler de trois décès. L'un de ces décès vous obligera à prendre la route pour y assister.

- Vous, ou un proche, travaillerez très fort sur un projet. Toutefois, vous aurez le privilège de récolter les fruits de vos efforts. Une belle récompense vous parviendra.

- Certains reverront un ami d'enfance. De belles discussions vous attendent.

- De belles surprises arriveront pour certaines mamans lors de la fête des Mères.

- Vous, ou un proche, vivrez une période difficile sur le plan des amours. Un choix s'imposera, même si ce choix sera pénible à faire.

- Vous, ou un proche, vous blesserez à la main. Faites attention aux coups de marteau!

- Certains auront le privilège de voir un défunt. Ce défunt vous fera signe en vous envoyant des libellules sur votre route.

- Un animal est malade. Vous devez consulter le vétérinaire.

- Certains feront l'achat d'une piscine, d'un barbecue ou d'un patio. D'autres rénoveront leur cour. Certains voudront se faire un bassin d'eau et y mettre des poissons. Cet endroit deviendra rapidement un havre de paix.

- Certains parleront de faire l'achat d'une nouvelle voiture.

- Une personne en état d'ébriété au volant se fera arrêter par la police et verra son permis de conduire suspendu.

- Un voyage sera retardé, mais il vous sera possible de le refaire un peu plus tard dans l'année.

- Certains feront un grand ménage et une vente de garage pour se débarrasser des articles inutiles. L'argent ainsi amassé servira à acheter un autre meuble!

Saison estivale
(juillet-août-septembre)

« Ayez toujours le courage de dire la vérité,
ainsi votre cœur se libérera! »

(Paroles de l'Ange Asaliah)

La saison estivale sera une période marquée par des situations favorables et agréables. Tout tournera en votre faveur. Les solutions seront devant vous pour résoudre vos problèmes. De plus, vous obtiendrez toutes les réponses à vos questions. Bref, vous vivrez des moments agréables en compagnie de gens que vous aimez. Plusieurs activités familiales et amicales auront lieu et chacune de ces activités vous apportera de belles discussions et de belles joies.

Conseil angélique : *Amusez-vous et profitez de chaque moment qui se présentera à vous. Ceci est le meilleur remède contre les maux de toutes sortes !*

Plusieurs événements agréables surviendront en juillet. Plusieurs seront souvent sur la route, que ce soit pour rendre visite à la famille, à un ami, etc. Chaque déplacement apportera de belles aventures. Plusieurs en profiteront pour se rafraîchir près d'un lac ou aller à la pêche, d'autres pour faire du camping. Votre mois de juillet sera un mois rempli d'événements agréables et divertissants.

Puisque le mois d'août sera un mois de chance pour plusieurs, il serait sage d'en profiter pour jouer à la loterie ou pour faire vos transactions. Plusieurs événements surviendront en août et apporteront un changement bénéfique sur certains aspects de votre vie. Toute activité que vous entreprendrez obtiendra de bons résultats. La semaine du 10 juillet vous réserve de belles surprises.

Votre mois de septembre sera plus tranquille. Vous en profiterez pour vous reposer.

Conseil angélique : *Se ressourcer, c'est se respecter!*
Reposez-vous lorsque vos énergies sont à la baisse.

Tous les personnes des Dominations vivront des moments magiques lors de la saison estivale. Des moments inoubliables.

Sur le plan affectif

L'amour est au rendez-vous. Vous êtes heureux et le partenaire répond bien à l'appel de votre amour. Plusieurs vivront des moments agréables remplie de magie, d'amour et de joie. Vous serez heureux d'être ensemble et de planifier des activités. Plusieurs n'auront jamais vécu un si bel été. Il y aura parfois des moments irritants mais votre joie de vivre trouvera toujours une solution pour que l'harmonie refasse surface. Les familles reconstituées seront heureuses. Les couples en difficulté vivront un tournant positif qui améliorera la situation.

Les enfants de **Nith-Haaiah**, d'**Haaiah**, de **Yerathel** et de **Vasariah** seront heureux et ils s'en sortiront bien. La plupart des petits orages qu'ils auront avec leur partenaire seront provoqués par l'argent, le travail ou par un proche. Toutefois, ils aimeront les périodes de réconciliation. Ils seront comme deux adolescents au début de leur amour. Ils se colleront, s'excuseront, s'embrasseront. Bref, ils seront tout miel, tout sourire!

Les enfants de **Seheiah** et de **Reiyiel** refléteront le bonheur. Ils seront heureux et resplendissants. Plusieurs seront au comble du bonheur. Plusieurs événements viendront marquer favorablement leur vie. Certains solidifieront leur union par un mariage, d'autres par des fiançailles. Il y aura de l'amour dans l'air et cela se verra et se ressentira. Les couples s'aimeront et se feront la promesse de s'aimer éternellement. Que du bonheur pour ces êtres! Ceux qui vivent des moments difficiles seront en mesure de reconquérir leur amour. Tout leur sera permis.

Les enfants d'**Omaël** et de **Lecabel** vivront dans la peur d'être rejetés par le partenaire. Arrêtez de vous tracasser, votre partenaire vous aime et il vous le démontrera. Toutefois, il serait important pour vous de changer d'attitude. Si vous conservez une attitude négative, il y a de fortes chances que cela éloignera votre partenaire, et une séparation temporaire pourra avoir lieu. La réussite de votre été ne dépendra que de vous!

Pour les célibataires

Vous pourriez faire la rencontre d'une personne très intéressante! Il peut s'agir du partenaire idéal. Cet être ouvrira tendrement la porte de son cœur pour vous aimer. Plusieurs occasions arriveront vers vous pour vous permettre de faire de belles rencontres. Sortez et vous ne serez pas déçu! De plus, certains auront le privilège de voir revenir vers eux un ancien amour. Votre cœur vous indiquera rapidement que vous avez encore des sentiments pour cette ancienne flamme!

Sur le plan du travail

Tout ira bien sur le plan du travail. Plusieurs partiront l'esprit en paix pour les vacances d'été. Lorsqu'ils reviendront, ils reprendront leur travail normalement. Certains profiteront de la période estivale pour se chercher un nouvel emploi. Ils feront des demandes un peu partout et ils auront l'occasion de passer des entrevues. Ceux qui vivent une période difficile trouveront une solution et tout s'arrangera, à leur grand soulagement.

Les enfants de **Nith-Haiah**, de **Reiyiel** et de **Vasariah** seront débordés au travail. Ne soyez pas surpris de mettre les bouchées doubles pour tout terminer avant les vacances. Vous aurez tellement d'énergie que vous aiderez aussi certains de vos collègues en détresse.

Les enfants d'**Haaiah**, de **Yerathel** et de **Seheiah** seront débordés dans leurs tâches. Attendez-vous à faire des heures supplémentaires. Mais cela ne vous dérangera pas. Certains seront même récompensés à leur retour de vacances puisqu'une bonne nouvelle leur parviendra et les rendra heureux.

Pour les enfants d'**Omaël** et de **Lecabel**, le travail vous causera souvent des maux de tête. Prenez vos pauses puisque vous en aurez grandement besoin. Toutefois, un changement vous sera favorable et tout redeviendra normal.

Sur le plan de la santé

En général, la santé sera excellente. Profitez de vos moments de repos pour vous ressourcer et refaire le plein d'énergie. Certains se plaindront d'un mal de jambes, ce qui sera normal puisque vous ferez beaucoup de randonnées pédestres en visitant des lieux.

Conseil angélique : *Profitez de vos temps libres pour méditer ou faire une sieste de 30 minutes. Votre corps l'appréciera!*

Chez les enfants de **Nith-Haaiah** et de **Vasariah**, la santé sera bonne. Certains prendront un produit naturel ou des vitamines pour les aider à remonter la pente. Toutefois, quelques-uns pourront se plaindre de petits problèmes avec la vessie. Certains devront consulter leur médecin.

Les enfants d'**Haaiah**, de **Seheiah** et de **Reiyiel** seront en pleine forme et leur énergie vitale sera à la hausse. Ils exploseront d'énergie, ce qui les amènera à faire mille choses à la fois. Ils seront étourdissants!

Chez les enfants de **Yerathel** et d'**Omaël**, la santé sera bonne. Toutefois, certains prendront un médicament pour soulager des migraines ou des douleurs physiques.

Certains enfants de **Lecabel** seront fatigués et en manque d'énergie. Prenez le temps de vous reposer lorsque vous en aurez l'occasion. De plus, les cardiaques devront être très vigilants avec leur santé et écouter les bons conseils de leur médecin. Ainsi, ils éviteront des ennuis de toutes sortes.

Sur le plan de la chance

Votre chance est moyenne. N'oubliez pas que le mois d'août est un mois bénéfique et chanceux. Jouez en groupe de 4 personnes, cela pourrait vous être favorable. Certains recevront une belle petite somme d'argent!

Conseil angélique : *Vivez et savourez tous les événements qui se produiront cet été. Ne manquez rien. C'est la clé de votre bonheur estival.*

Voici quelques événements qui pourraient survenir au cours de la période estivale.

- Certains auront la chance de changer de travail.

- Plusieurs auront le privilège de recevoir de deux à quatre petites entrées d'argent.

- Certains vivront un tournant positif sur le plan de leur vie amoureuse.

- Vous, ou un proche, reconstituerez votre famille. Un beau bonheur vous attendra dans cette nouvelle voie.

- Plusieurs vivront une période de bonheur remplie de moments magiques et inoubliables.

- À votre grande surprise et à votre grande joie, un amour ancien refera surface dans votre vie.

- Un membre de l'entourage se blessera à un genou lors d'une activité pédestre ou équestre.

- Plusieurs sorties se feront près d'un lac, d'une rivière ou d'une piscine.

- Plusieurs petits déplacements vers la campagne se feront. Il y aura de belles parties de pêche à prévoir. Les amateurs de plein air seront choyés par les activités qu'ils entreprendront.

- Certains feront la rencontre de leur partenaire idéal qui chambardera favorablement leur vie. Cela annoncera une belle période de bonheur et de joie!

- Les pisciculteurs auront de belles récoltes. Ils seront satisfaits de leur pisciculture. Pour eux, ce sera une belle réussite.

- Plusieurs événements vous charmeront. Attendez-vous à faire de belles rencontres sociales lors de ces événements.

- Un nouveau couple se bâtit. Ce couple fera parler d'eux à cause de la différence d'âge entre les conjoints.

- Un couple d'une dizaine années de mariage renouvellera leurs vœux.

- Certains obtiendront la maison de leur rêve.

- Un désir que vous aviez mis de côté, en le pensant irréalisable, refera surface. Vous serez surpris de constater qu'il peut se réaliser. Ce désir fera palpiter votre cœur de joie!

- Un membre de l'entourage parlera d'une séparation. Ce sera une séparation temporaire et tout redeviendra comme avant pour le bien des personnes concernées.

- N'oubliez pas de jouer à la loterie en août, puisque certains pourraient recevoir une belle surprise monétaire.

- Un enfant se plaindra de maux de tête. Une consultation chez le médecin est à prévoir.

- Certains verront un changement survenir dans leur vie. Ce changement orientera leur vie différemment et favorablement.

- Certains seront fatigués d'entendre les gens se plaindre. Ne soyez pas surpris de vous éloigner des gens négatifs.

- Un enfant fera une gaffe et provoquera la colère de l'un de ses parents. Cet enfant n'aura pas le choix de réparer sa gaffe avant que celle-ci prenne des tournures dramatiques. Cette situation lui donnera une bonne leçon qu'il n'est pas prêt d'oublier.

Saison automnale
(octobre-novembre-décembre)

« Prenez le temps d'écouter les paroles des autres, car elles auront un sens quant au cheminement que vous aurez à parcourir. »

(Paroles de l'Ange Lauviah I)

Votre période automnale vous apportera que du bon et du bien. La porte de l'abondance s'ouvre à vous, et ce, dans tous les aspects de votre vie. Vous récolterez enfin tous les bienfaits de vos efforts. Vos idées connaîtront de bons succès. Vos décisions seront à la hauteur de vos attentes. Vos changements amélioreront votre vie. Tout se réglera, et ce, à votre entière satisfaction. Vous terminerez votre année en beauté. Vous prendrez votre vie en main et vous vous dirigerez exactement vers les objectifs de votre vie. Vous voudrez commencer votre nouvelle année sur une note favorable et c'est exactement ce que vous ferez. Plusieurs seront fiers d'eux et de tout ce qu'ils auront accomplis.

En octobre, plusieurs prendront des décisions importantes qui auront un impact sur la fin de leur année. Vous tournerez la page pour en débuter une nouvelle beaucoup plus en harmonie avec vos désirs et vos buts. Vous aurez le goût de reconstruire votre vie sur de nouvelles bases et c'est exactement ce que vous ferez. Fini les attentes, maintenant, vous passez à l'action.

C'est la raison pour laquelle en novembre, il y aura plusieurs événements qui vous demanderont de réfléchir longuement avant de vous prononcer. Toutefois, lorsque votre décision sera prise, tout ira de l'avant comme vous l'aviez souhaité.

Il serait aussi important qu'en décembre, vous saisissiez toutes les belles occasions qui se présenteront à vous. Plusieurs opportunités se présenteront pour améliorer *in extenso* votre vie. Vous serez émerveillé par toutes les belles situations qui surviendront. La joie, l'harmonie et l'amour feront partie de votre mois de décembre. Victoire et réussite vous suivront. Profitez-en, puisque vous le méritez grandement!

Conseil angélique : *Mettez toutes les chances de votre côté et saisissez toutes les belles occasions qui viendront vers vous. Ces chances sont temporaires et uniques; elles ne reviendront pas. Il est important de les saisir immédiatement et de les intégrer dans votre vie. Vous ne serez pas déçu!*

Sur le plan affectif

Certains vivront une période de séparation ou d'agitation temporaire pour ensuite faire place à une belle réconciliation. Les partenaires prendront le temps de dialoguer et d'analyser les causes qui dérangent l'harmonie sous leur toit. Ils travailleront mutuellement sur leurs faiblesses. Chacun cherchera à rehausser l'ambiance familiale et la remplira d'amour, d'harmonie et de respect. Ils deviendront l'exemple parfait d'un couple heureux et harmonieux. Il est évident que certains couples devront reconstruire sur des bases différentes. Mais les résultats en vaudront la peine. Les couples se feront des promesses et chercheront à les respecter. Bref, ce sera une période de réconciliation et d'efforts pour retrouver l'harmonie sous votre toit. Plusieurs enfants des Dominations mettront de l'eau dans leur vin. Ils travailleront

minutieusement leur vie de couple. Toutefois, l'amour, le respect et l'harmonie seront dans l'air! Et cela se reflétera sur vos humeurs.

Les enfants de **Nith-Haiah**, de **Yerathel** et de **Lecabel** trouveront toutes
sortes de solutions pour parvenir à trouver l'harmonie sous leur toit. Ces
êtres vivront des changements qui amélioreront leur vie de couple. Une décision que vous prendrez sera à la hauteur de vos attentes. Vous mettrez de
l'eau dans votre vin et cela aura des effets bénéfiques sur votre union.

Les enfants d'**Haaiah** et de **Vasariah** seront directs et ils lanceront un
ultimatum au partenaire. Plusieurs partenaires réagiront favorablement à cet
ultimatum. Ils feront le nécessaire pour combler les besoins et les désirs de
l'autre. Bref, votre partenaire vous démontrera ses sentiments envers vous, ce
qui éliminera vos doutes et vos peurs.

Les enfants de **Seheiah** et de **Reiyiel** seront totalement en amour. Vous
serez heureux, gâté et aimé, tout pour faire palpiter votre cœur de bonheur.
L'amour sera dans l'air. Cela se verra et se ressentira. De belles sorties vous sont
réservées avec votre partenaire.

Les enfants d'**Omaël** vivront des moments agréables qui les aideront à
voir la vie du bon côté. Une discussion avec le partenaire vous donnera le
goût de repartir à zéro et de régler vos différends. Des promesses seront faites
et elles seront tenues.

Pour les célibataires

Acceptez les offres de sorties qui viendront vers vous. Lors d'une sortie
imprévue, certains auront la chance de rencontrer une personne très intéressante. Cette personne vous offrira un café ou une boisson alcoolisée. Vous aurez
un bel entretien avec cette personne. Vous passerez une soirée magique!

Sur le plan du travail

Ce sera une période importante pour plusieurs. Une proposition très
alléchante vous sera faite. La décision ne sera pas facile à prendre. Vous devez réfléchir sérieusement avant de l'accepter. Lorsque votre décision sera
prise, il vous sera impossible de retourner en arrière. Toutefois, il ne faut
pas oublier que vous êtes dans une période de chance inouïe. Toutes les
décisions qui seront prises vous seront avantageuses. Plusieurs changeront
d'emploi. Ils auront un travail rêvé. D'autres auront de belles promotions.
Les entrevues seront réussies. Que de bonnes nouvelles vous parviendront.

Les enfants de **Nith-Haaiah** et de **Yerathel** vivront des changements soudains qui orienteront leur carrière différemment. Certains obtiendront un poste rêvé. D'autres réussiront une entrevue. Bref, plusieurs opportunités viendront vers eux pour améliorer leurs conditions de travail.

Les enfants d'**Haaiah** auront la possibilité de se libérer de tâches ingrates. De plus, certains assisteront à une réunion qui parlera d'un changement qui se produira au printemps 2012, tandis que d'autres quitteront leur emploi pour un travail plus rémunérateur.

Que de bonnes nouvelles et de belles opportunités arriveront vers les enfants de **Seheiah** et de **Reiyiel**. Ceux qui auront une entrevue donneront leur maximum, ce qui aura un impact favorable. Vous ferez une bonne impression. De belles récompenses viendront vers vous. Satisfaction et réussite seront la clé de votre succès.

Malgré tous les obstacles qui barreront la route des enfants d'**Omaël**, de **Lecabel** et de **Vasariah**, ils parviendront tout de même à trouver les solutions pour se libérer rapidement de leurs petits ennuis. Lors d'une discussion ou d'une réunion, un problème se réglera, ce qui vous soulagera. Certains penseront à retourner aux études pour se rafraîchir ou s'orienter vers une nouvelle carrière. Bref, vous serez satisfait de vos décisions.

Sur le plan de la santé

Pour plusieurs, la santé sera bonne. Toutefois, il faudra surveiller les rhumes et les virus. Il serait important de vous laver les mains régulièrement pour éviter d'être contaminé par toutes sortes de maladies virales. Les personnes malades devront prendre un médicament important et ils devront se reposer régulièrement.

Conseil angélique : *Évitez les endroits où il y a un risque de contagion. De plus, les personnes cardiaques devront écouter les conseils de leur médecin. Évitez les excès en tout.*

La plupart des enfants de **Nith-Haaiah** et de **Yerathel,** la santé sera bonne. Toutefois, certains se plaindront d'un mal au genou. D'autres auront des problèmes avec leur vessie. De plus, certains devront prendre un sirop médicamenté ou un médicament pour soulager un problème de santé.

Les enfants d'**Haaiah**, d'**Omaël**, de **Lecabel** et de **Vasariah** devront surveiller les maladies virales. Plusieurs attraperont toutes sortes de virus. D'autres se trimballeront avec la boîte de papiers mouchoirs car leur nez coulera souvent. Il serait sage de vous laver régulièrement les mains pour ne pas contaminer les autres et pour ne pas que votre état se détériore. Certains risquent de garder le lit pendant une période de 2 à 7 jours.

Chez la plupart des enfants de **Seheiah** et de **Reiyiel**, la santé sera excellente. Ces êtres sauront bien prendre soin d'eux. Plusieurs respecteront leur corps. Bref, lorsque le corps réclamera du repos, ces êtres prendront le temps de se reposer. Toutefois, les personnes négligentes devront suivre les conseils judicieux de leur médecin. Ainsi, ils éviteront des ennuis de toutes sortes.

Sur le plan de la chance

La chance sera excellente en décembre. Tous les billets qui vous seront donnés en cadeaux peuvent vous réserver de belles surprises.

Voici quelques événements qui pourraient survenir au cours de la période automnale.

- Les portes de l'abondance s'ouvriront pour vous en décembre. De belles surprises vous sont réservées et ce, dans tous les aspects de votre vie.

- Saisissez toutes les occasions qui viendront vers vous. Certains auront de une à cinq opportunités de transformer favorablement leur vie. Ne laissez pas passer ces chances uniques.

- Plusieurs planifieront une activité hivernale. Certains iront faire du ski dans un endroit montagneux, d'autres iront faire de la motoneige. Il y a en qui iront faire du traîneau. Bref, ce sera une journée remplie de rires et de plaisir.

- Un événement vous surprendra. Une personne en excellente santé souffrira d'un arrêt cardiaque qui lui sera fatal.

- Certains devront prendre un médicament pour soulager une douleur ou un malaise. De plus, plusieurs devront subir des examens de toutes sortes pour vérifier l'origine d'une douleur. Les résultats vous satisferont.

- Certains seront invités à une fête d'Halloween, d'autres devront organiser un party de Noël. Noël risque de coûter très cher pour plusieurs personnes.

- Vous assisterez ou vous participerez à une pièce de théâtre.

- Vous, ou un proche, vivrez une séparation temporaire. Une bonne discussion remettra tout en ordre.

- Vous, ou un proche, romprez une promesse. Plusieurs seront déçus de cette décision.

- Certains feront l'achat d'une fourrure.

- Certains vivront une période d'épreuves pouvant durer cinq jours, cinq semaines ou cinq mois. Tout pourra arriver lors de cette période.

- Vous, ou un proche, vous sentirez trahi dans une situation. Il y aura des discussions orageuses pour clarifier la situation. Quand le tout sera terminé, le sujet sera clos. Et la page sera tournée.

- Un homme regrettera une parole ou un geste qu'il aura commis.

- Certains se verront offrir une belle opportunité : une occasion en or de mettre sur pied un projet ou de réaliser l'un de ses projets. Le problème : votre insécurité et votre peur de faire une erreur puisque certains risquent gros dans cette affaire. Bref, si tout se déroule bien, ce sera un succès phénoménal pour vous. Toutefois, la peur vous fera hésiter. Même si tout démontre que vous n'avez rien à perdre et tout à gagner, vous serez tout de même hésitant et craintif. Avant de prendre votre décision, demandez conseils à des experts. Ensuite, faites votre choix et ne reculez pas. Ainsi, vous serez satisfait de votre décision.

- Les fermiers parleront de bétails. Certains acquerront un ou deux taureaux. Ils seront satisfaits de leur transaction.

- Un projet connaîtra de bons résultats.

- On vous annoncera une grossesse et la naissance d'un garçon.

- Vous découvrirez le visage caché d'un membre de l'entourage. Cette personne n'est pas aussi franche et loyale qu'elle le laisse paraître.

- Vous, ou un proche, serez témoin de violence conjugale.

- Un jeune homme aura des démêlés avec la justice à cause de la violence, d'autres auront des problèmes d'alcool ou de drogue qui nécessiteront l'intervention des policiers.

- Certains débuteront un nouveau travail qui les passionnera.

- On vous annoncera la maladie de trois personnes. Le cœur est la faiblesse de ces trois personnes.

- Certains partiront dans le sud. Le voyage sera réussi. La température sera mieux que ce que vous aviez espéré!

- Vous, ou un proche, vivrez une séparation douloureuse. Des larmes seront versées. Toutefois, les proches seront présents et ils vous aideront à surmonter votre peine.

- Plusieurs recevront de un à sept cadeaux imprévus. De belles surprises qui vous rendront très heureux.

- Certains recevront une somme d'argent par héritage ou en cadeau de la part d'un membre de la famille.

- Certains seront heureux de leur perte de poids. Ils atteindront le poids qu'ils s'étaient fixé. Vous serez récompensé après vos efforts. Toutefois, ne soyez pas trop gourmand durant la période des Fêtes!

PARTIE V

LES PUISSANCES

(3 septembre au 13 octobre)

Chapitre XIII

L'année 2011 des Puissances

L'année 2011 sera une année importante et très révélatrice. Une année constructive qui vous permettra de mettre sur pied tous vos projets. Tout ce que vous entreprendrez transformera favorablement votre vie. Vous regarderez droit devant vous et vous avancerez fièrement vers les buts que vous vous êtes fixés.

Ne soyez pas surpris de faire des rencontres importantes qui joueront un rôle majeur dans votre vie. Toutes ces rencontres vous ouvriront des portes pour réaliser vos projets et vos rêves. Vous aurez le monde à vos pieds, alors, profitez-en!

Conseil angélique : *Saisissez toutes les chances qui s'offriront à vous. Si vous le faites, vous serez émerveillé par tous les événements qui se produiront au cours de votre année. Si vous ne le faites pas, vous regretterez amèrement les belles occasions qui s'offraient à vous. N'oubliez pas que tout est éphémère; d'où l'importance de profiter de chaque occasion qui se présentera sur votre chemin. Ces occasions ne se représenteront pas une deuxième fois.*

Toutes ces belles occasions vous permettront de bâtir, de créer, de changer, d'améliorer et de réaliser de grands rêves. De plus, vous serez en mesure de régler vos problèmes et de surmonter vos épreuves. Tout vous sera acquis. Il suffira de le vouloir, de relever vos manches et d'aller de l'avant pour tout obtenir. Si vous le faites, il vous sera permis de retrouver un bel équilibre sur plusieurs aspects de votre vie.

Plusieurs obtiendront un poste permanent. D'autres solidifieront leur union amoureuse. Certains amélioreront leur situation financière. En 2011, vous posséderez toutes les solutions pour régler les doutes, les questionnements ou les peurs. Vous y apporterez la paix, le calme et l'équilibre. Les enfants de **Chavakhiah**, et à l'occasion ceux de **Yehuiah** et de **Ieiazel**, auront de la difficulté à saisir les occasions qui se présenteront à eux et ils trouveront leur année 2011 compliquée. Ces êtres laisseront passer de belles occasions qu'ils regretteront probablement par la suite.

Conseil angélique : *N'attendez pas trop avant de prendre une décision. Ainsi, vous éviterez de laisser passer des occasions en or sous vos yeux. Dans le doute, n'hésitez pas à prier votre Ange et à réclamer son aide ou celle de l'Ange accompagnateur afin qu'ils puissent venir vous épauler lors de périodes d'incertitude.*

L'amour des Puissances

Plusieurs vivront une grande transformation dans leur vie de couple, que ce soit par un mariage, une nouvelle union, une cohabitation, une réconciliation, une entente ou la finalisation d'un divorce. Tous ces événements apporteront un changement important au sein de votre vie affective. Vous prendrez conscience que ces événements jouent un rôle prépondérant dans celle-ci.

Dites-vous que rien n'arrivera pour rien. Et tout ce qui arrivera sera pour le mieux, pour votre bien-être et votre bonheur. Plusieurs devront se familiariser avec ces changements qui se produiront dans leur vie. Certains trouveront un peu difficile de s'acclimater à cette nouvelle situation. Toutefois, ils seront conscients que la plupart de ces changements furent désirés longuement et que, maintenant, ils font partie de la réalité présente. Un nouveau jour se lèvera pour vous. Ce nouveau jour sera rempli d'espoir, de joie et de bonheur.

Ceux qui ont vécu des déceptions, comme une peine d'amour, une séparation, un divorce ou un deuil, seront récompensés. L'année 2011 vous annonce la renaissance de votre vie amoureuse. La porte de l'amour s'ouvrira à nouveau. Vous n'aurez qu'à laisser votre cœur battre à l'unisson avec cette nouvelle flamme qui comblera votre vie. Ne cherchez pas à comprendre ce qui se passe. Cherchez plutôt à vivre et à savourer vos moments. Une seconde chance vous sera donnée afin que vous puissiez être heureux, alors, profitez-en! Que ce soit avec le partenaire actuel, un ancien ou un nouveau partenaire, l'important est de savourer chaque moment que vous passerez ensemble. Vous partirez à la découverte de qui vous êtes, de vos besoins et de votre relation. La réussite de votre union sera importante pour vous. C'est la raison pour laquelle vous serez profond dans vos gestes et dans vos paroles. Vous communiquerez vos intentions, vos buts, vos projets et vos émotions. Vous aurez une forte envie de partir du bon pied et telle sera votre mission première en ce qui concernera votre vie amoureuse. Vous réglerez vos différends avant que ceux-ci viennent détruire votre relation. En adoptant cette attitude, vous aurez tout à gagner! De grandes décisions seront prises par les enfants de **Yehuiah**, de **Chavakhiah**, de **Rehaël** et d'**Ieiazel**. Ceux-ci voudront retrouver le chemin du bonheur et ils feront tout en leur pouvoir pour retrouver l'harmonie au sein de leur vie amoureuse.

Les enfants de **Yehuiah** et de **Rehaël** seront en mesure de surmonter leurs chagrins. Ces êtres vivront de profondes transformations qui les libéreront des souffrances et qui leur permettront de retrouver le chemin du bonheur. Toutefois, ne soyez pas surpris si le partenaire de certains d'entre vous s'agenouille en vous réclamant une seconde chance. La décision finale vous reviendra!

Les enfants de **Chavakhiah** et d'**Ieiazel** seront confrontés à toutes sortes d'émotions. Ils auront beaucoup de difficultés à prendre leurs décisions. Ils seront angoissés par l'idée de faire une erreur. Plusieurs chercheront la solitude pour mieux faire des choix. N'oubliez pas que tout ce qui vous arrivera sera pour le mieux. Alors, faites-vous confiance!

Les enfants de **Lehahiah** et d'**Aniel** mettront de l'eau dans leur vin. Plusieurs vivront une belle réconciliation. D'autres seront en harmonie avec leur décision. Vous changerez et vous améliorerez tous les aspects qui nuisent à votre relation. De plus, vous vous libérerez de toutes les situations ainsi que de toutes les personnes négatives qui dérangeront votre vie amoureuse ou qui l'influenceront. Un voyage d'amour est à prévoir.

Plusieurs enfants de **Menadel** et d'**Haamiah** vivront une belle histoire d'amour. Certains se réconcilieront, d'autres bâtiront une nouvelle union.

214 ✦ Prédictions Angéliques 2011

Vous parlerez de mariage ou de cohabitation. L'amour sera dans l'air. Ce sera le fruit de l'accomplissement de votre désir affectif.

Les Puissances célibataires

Pour les célibataires, l'année 2011 annonce l'arrivée d'un être qui fera chavirer totalement votre vie. Cet être sera votre flamme jumelle, l'amour de votre vie. Vous serez envahi par le bonheur!

Aussi bizarre que cela puisse paraître, les enfants de **Yehuiah** et de **Lehahiah** pourront rencontrer leur idéal lors de funérailles, lors d'un achat, près d'un lac, près d'une piscine, lors d'un voyage ou lors d'un déplacement chez des amis. Ce sera un endroit inusité pour vous. Un endroit où vous n'auriez jamais pensé rencontrer votre partenaire idéal. Cette rencontre chambardera totalement votre vie. De plus, ne soyez pas surpris si votre relation se développe à la suite d'un réconfort que vous apporterez à l'autre qui aura vécu un décès, une énorme peine ou une séparation difficile. Votre écoute et vos gestes de réconfort développeront un sentiment de quiétude et de bien-être lorsque vous serez ensemble. Au départ, vous serez gênés de vous avouer vos sentiments. Toutefois, vos regards, vos sourires et vos gestes le feront pour vous!

Les enfants de **Chavakhiah** et d'**Aniel** seront animés par un coup de foudre! Un sentiment puissant que vous ne pourrez pas éviter ou ignorer. Vous serez chambardé par cette émotion inhabituelle chez vous. Ce sentiment inusité vous amènera à vouloir connaître davantage la personne qui vous fera cet effet magique. Vous serez hypnotisé par cette personne. Plusieurs découvriront en elle la personne de leurs rêves. Cette rencontre pourra se faire par l'entremise d'une connaissance, lors d'une soirée agréable ou au cours d'un déplacement.

Les enfants de **Menadel** et d'**Haamiah** trouveront enfin leur flamme jumelle, leur partenaire idéal. Cet être sera exactement comme vous l'aviez rêvé. Une belle histoire d'amour débutera pour vous. Plusieurs parleront de mariage, de cohabitation et de plans futurs. Ce sera un amour profond, véritable et équilibré. L'amour de votre vie! Cette rencontre pourra se faire par l'entremise de vos amis, lors d'un mariage ou d'une fête organisé. Elle pourra aussi se faire via Internet ou une annonce classée dans un journal. Elle pourra même avoir lieu à cause d'un déménagement quelconque.

Le passé de certains enfants de **Rehaël** et d'**Ieiazel** refera surface. Soit que vous laisserez une chance à un amour du passé, soit que vous rencontrerez une personne qui a déjà fait partie de votre passé, sans que vous n'ayez toutefois eu une relation avec elle. De toute façon, il y aura de nombreuses sorties et plusieurs événements qui vous permettront de faire de belles rencontres. L'une de ces rencontres viendra faire palpiter votre cœur. La communication sera la clé essentielle qui vous permettra d'entrer en douceur dans la vie de cet être et vice versa. Son charme et ses lettres d'amour vous envoûteront. Laissez vos peurs de côté et vous aurez le privilège de vivre un grand amour! Cet être annonce la fin de vos peines et le début de belles joies.

Le travail des Puissances

Il y aura beaucoup de turbulences au sein de votre vie professionnelle. Plusieurs se questionneront à savoir s'ils sont à la bonne place. D'autres réaliseront que leur travail les angoisse et qu'il faudra prendre de sérieuses décisions pour retrouver leur santé physique et mentale. Certains s'apercevront que leur travail dérange leur vie amoureuse et familiale, et qu'eux aussi devront prendre de sérieuses décisions, s'ils veulent retrouver une qualité de vie.

Tous ces questionnements ne se feront pas sans peine. Il n'est jamais facile de faire face à des situations où tout est en évidence pour vous faire réaliser que vous n'êtes pas heureux et que cela dérange votre santé mentale et physique. De plus, il n'est pas facile de prendre une décision. Est-ce la bonne décision que vous prenez? Devriez-vous attendre un peu avant de prendre votre décision? Quel sera l'impact de votre décision sur votre environnement immédiat? Vous vous poserez toutes ces questions lorsqu'arrivera le temps de faire un choix pour améliorer votre vie. Plusieurs auront de la difficulté à prendre des décisions. Toutefois, si vous attendez trop, votre santé mentale en prendra un coup ainsi que la qualité de votre travail. Ce qui risquera de vous apportez quelques conflits avec vos collègues de travail.

Il y aura des portes importantes qui s'ouvriront pour améliorer votre qualité au travail. Tous ceux qui voudront changer d'emploi pourront le faire. Tous ceux qui voudront changer complètement de carrière pourront aussi le faire. Tous ceux qui recherchent une sécurité d'emploi pourront l'avoir.

Conseil angélique : *Soyez attentif aux occasions qui se présenteront à vous. N'oubliez pas que ces occasions seront là pour vous libérer d'un fardeau.*

Toutes les Puissances auront la chance d'obtenir une amélioration sur le plan du travail. N'oubliez pas que le Chœur des Puissances est un Chœur important lorsqu'il s'agit d'ouvrir des portes majeures dans le domaine du travail.

Les enfants de **Yehuiah** et d'**Aniel** auront la chance de changer complètement de travail. Ils auront aussi l'occasion de changer d'endroit, de débuter une nouvelle carrière ou de continuer un travail avec une nouvelle équipe. Certains prendront de bonnes décisions qui transformeront radicalement leur milieu professionnel. Au début, l'adaptation sera un peu difficile, mais vous vous acclimaterez rapidement à vos nouvelles tâches et à votre nouvelle équipe. On vous supportera et l'énergie sera totalement différente. Cette nouvelle énergie ressemblera beaucoup à la vôtre. Vous vous amalgamerez facilement, ce qui aura un impact favorable sur votre production. Sur le plan de travail, l'année 2011 vous annonce un triomphe et du succès dans tout ce que vous entreprendrez! Les mois d'août et de septembre seront des mois importants pour vous.

Il en sera de même pour les enfants de **Lehahiah**, de **Menadel** et d'**Haamiah**. Les associations seront fructueuses. Les ententes porteront fruit. Un contrat sera signé et il vous apportera un soulagement. Certains vivront des changements qui amélioreront leurs tâches. D'autres déménageront dans un nouvel emplacement beaucoup plus agréable. Le mois de juillet sera un mois important pour aller de l'avant avec l'un de vos projets. Une entrevue sera réussie. Promotion et succès vous suivront, si vous y portez attention.

Les enfants de **Chavakhiah**, de **Rehaël** et d'**Ieiazel** trouveront ardue leur vie professionnelle. Ils seront confrontés à plusieurs problèmes. Plusieurs réaliseront que leur travail les angoisse et les rend malades. D'autres seront malheureux à leur travail, soit à cause de l'ambiance ou à cause de leurs tâches. D'autres perdront leur emploi. Les contrats ne se renouvelleront pas. Les promesses ne seront pas tenues par les employeurs, ce qui en décevra plusieurs. En 2011, il y aura beaucoup de signes qui vous avertiront qu'il est temps pour vous de faire un changement, si vous voulez retrouver un bel équilibre. Toutefois, vous serez dans une période d'incertitude et de confusion. Une partie de vous voudra faire un changement et l'autre partie aura peur de faire un mauvais choix. Certains se plairont dans leur travail, mais ce sera l'ambiance ou un collègue de travail qu'ils n'aimeront pas. Ceux qui travaillent dans une agence de voyage ou dans un établissement de santé vivront des moments tendus. Il y aura des changements inévitables qui se produiront.

La meilleure solution pour vous sera d'analyser profondément vos priorités. Est-ce que ça vaut la peine de demeurer à cet endroit au détriment de votre santé? Est-ce que vous vous sentez à l'aise pour régler un conflit avec un collègue? Êtes-vous en forme pour débuter un nouveau travail? Toutes ces questions devront être répondues. Lorsque vous en aurez fait une bonne analyse, il vous sera beaucoup plus facile de prendre votre décision. De toute façon, il y aura des occasions qui vous seront offertes pour améliorer votre vie professionnelle. Il n'en tiendra qu'à vous d'être à l'écoute et de faire le bon choix!

La santé des Puissances

Généralement, la santé sera bonne. Toutefois, il faudra prendre soin de votre santé mentale. Plusieurs souffriront d'anxiété, ce qui affectera leur corps physique en provoquant des maux ici et là. Il sera difficile pour la médecine générale de diagnostiquer la cause exacte de vos maux. D'ailleurs, plusieurs recevront un diagnostic affirmant que la douleur est provoquée par un grand stress. Cela vous dérangera énormément de vous faire dire que l'origine de vos maux sera le stress. Toutefois, ce sera véridique, d'où l'importance de vous reposer et de vous éloigner des situations négatives qui vous dérangent.

Plusieurs femmes se plaindront de problèmes gynécologiques. En 2011, ce sera leur point faible. Certaines femmes devront subir une hystérectomie. Certains hommes auront des problèmes avec leur prostate. Il faudra aussi surveiller les allergies. Plusieurs devront prendre des médicaments pour soulager leurs allergies. D'autres se plaindront d'une douleur constante à l'épaule droite ou d'une douleur à un pied ou à une cheville.

Plusieurs enfants de **Yehuiah** souffriront de fibromyalgie et de douleurs chroniques. Certains essaieront toutes sortes de médicaments pour soulager une douleur.

Conseil angélique : Il serait sage pour ces êtres de surveiller leur santé. Prenez le temps nécessaire pour vous reposer. Respectez également la limite de vos capacités. Ainsi, vous éviterez plusieurs ennuis de toutes sortes sur le plan de la santé.

> **Conseil angélique :** *Avant d'accepter toutes sortes de produits que votre entourage vous suggérera d'essayer, il serait mieux de consulter votre spécialiste de la santé et de tenir compte de son diagnostic. Il sera le mieux placé pour vous prescrire un médicament adéquat pour enrayer vos malaises. Si vous essayez toutes sortes de produits pharmaceutiques, sous les conseils de votre entourage, cela pourrait vous être beaucoup plus nuisible qu'efficace.*

L'humain n'aime pas toujours consulter un médecin. Il a peur du diagnostic. Toutefois, si vous voulez guérir, votre médecin sera la personne adéquate pour bien vous guider dans le choix des médicaments à prendre pour soulager vos douleurs physiques.

Chez la plupart des enfants de **Lehahiah** la santé sera bonne. Plusieurs changeront leurs habitudes alimentaires, ce qui aura un effet bénéfique sur leur physique ainsi que sur leur mental. De plus, plusieurs seront davantage incités à prendre des produits naturels pour soulager leur douleur et à faire des exercices pour tonifier leurs muscles. Toutefois, il y aura des faiblesses à surveiller. Certaines femmes auront des ennuis gynécologiques. De plus, certains enfants de Lehahiah devront surveiller où ils poseront les pieds. Plusieurs pourront se blesser à la cheville ou au talon. D'autres devront utiliser une crème médicamentée pour soulager des rougeurs sur la peau. Ceux qui consommeront de l'alcool en grande quantité auront de graves ennuis, s'ils ne font pas attention. Leur médecin les obligera à arrêter de consommer. Si ces êtres continuent leur consommation d'alcool, cela aura un impact dévastateur sur leur qualité de vie ainsi que sur leur longévité.

Les enfants de **Chavakhiah**, de **Rehaël** et d'**Ieiazel** devront surveiller leur santé mentale. Plusieurs devront prendre des médicaments pour soulager leurs angoisses. Ce ne sera pas facile pour vous d'accepter que vous en êtes rendu là. Vous avez brûlé la chandelle par les deux bouts et maintenant votre corps ne répond plus à l'appel. Votre corps physique et votre santé mentale auront besoin de refaire leurs énergies. Voilà l'importance d'écouter les alarmes de votre corps, et surtout, d'écouter les conseils judicieux de votre médecin. Si votre médecin vous suggère des médicaments, peut-être qu'il serait bon pour vous de les prendre. Si vous vous battez contre le fait de prendre des médicaments servant à calmer vos nerfs, cela ne vous sera d'aucun secours. Plusieurs seront épuisés et sans énergie. Si vous voulez reprendre votre vie en main, il faudra avant tout reprendre votre santé en main.

> **Conseil angélique :** *Il serait sage de consulter un théra-peute qui vous aidera à regarder au plus profond de vous-même pour mieux vous libérer de vos angoisses. De plus, affrontez vos problèmes et ne les fuyez pas. Si vous fuyez vos problèmes, cela ne vous aidera pas à améliorer votre état de santé. Cela vous prendra encore plus de temps pour remonter la pente et retrouver une qualité de vie et ainsi qu'un bel équilibre.*

Le bon côté, c'est qu'il y aura plusieurs ressources qui vous permettront de remonter la pente rapidement. Il n'en tiendra qu'à vous de les écouter. De plus, lorsque votre corps réclamera du repos, écoutez-le! Ainsi, vous referez rapidement vos énergies.

> **Conseil angélique :** *Dans le but d'améliorer votre état mental, apprenez à faire de la méditation. Cela vous sera d'un grand secours.*

En 2011, il y aura des diagnostics qui en dérangeront plusieurs. Toutefois, dites-vous que ceux qui vous entourent chercheront à vous guérir le plus rapidement possible. N'oubliez pas que, si vous voulez éviter ces problèmes, il vous suffira d'écouter les signaux d'alarme que votre corps vous enverra. Reposez-vous quand celui-ci le réclamera.

Certains se plaindront d'une infection au niveau des yeux. Votre œil droit sera plus sujet à faire de l'infection. Certaines femmes auront des problèmes avec leur glande thyroïde, d'autres auront des ennuis gynécologiques et des infections urinaires qui nécessiteront des traitements. De plus, vous devrez surveiller le soleil et les lits de bronzage. Votre peau sera fragile. Plusieurs souffriront d'eczéma et de psoriasis. Ne soyez pas surpris si l'une de vos mains vous fait mal, surtout le pouce. Surveillez également votre cheville droite : il y a risque de foulure. Certains se plaindront de douleurs aux genoux. Quelques-uns devront même subir une intervention chirurgicale à leur genou.

> **Conseil angélique :** *Il serait doublement important que les enfants d'Ieiazel puissent prendre du temps pour se reposer. Lorsque vous serez fatigué et épuisé par les événements de la vie, reposez-vous. Essayez de vous adonner à la méditation; cela aura un impact favorable sur votre moral et votre mental.*

Les enfants de **Menadel**, d'**Aniel** et d'**Haamiah** seront en mesure de régler rapidement leurs problèmes. Comme ces êtres détestent la maladie, il est évident que, lorsqu'un problème surviendra, ils iront consulter immédiatement un professionnel de la santé pour que tout redevienne normal. Plusieurs prendront des vitamines ou des produits naturels qui auront un effet bénéfique sur eux. D'autres s'adonneront à des activités physiques pour améliorer leur état de santé. Il y en a même qui prendront leur poids en main. Plusieurs décideront de se mettre au régime pour perdre les kilos en trop. De plus, les résultats vous épateront. Vous ne voudrez pas être malade et vous ferez tout en votre pouvoir pour ne pas l'être. Telle sera votre mission envers votre santé en 2011. Bref, pour plusieurs, cette remise en forme sera bénéfique. D'ailleurs, cela aura un impact favorable sur vos humeurs!

Toutefois, il y aura des faiblesses à surveiller. Les femmes ne devraient pas négliger les petites bosses sur leurs seins. Il vaut mieux prévenir que guérir! Pour certains, ce sera les douleurs physiques qui les empêcheront de mener à bien leurs tâches quotidiennes. Vous travaillerez trop et vos muscles seront fatigués et endoloris. Si vous faites des exercices, cela vous aidera. De plus, lorsque vos muscles seront trop endoloris, recevez un massage de détente. Cela vous détendra et soulagera vos muscles endoloris.

Ceux qui souffrent d'hypertension et de problèmes cardiaques devront redoubler de prudence en 2011 et écouter les conseils de leur médecin. Certains se plaindront d'une douleur à l'un de leurs bras; une douleur logée près du coude. Plusieurs consulteront un spécialiste afin de connaître l'origine de ce mal. D'autres seront sujets à avoir des maux de gorge et à faire des laryngites. Il serait important pour vous de bien vous couvrir, lors de journées froides.

Certains subiront une intervention chirurgicale ou des traitements pour améliorer leur état de santé. Vous serez entre bonnes mains et le spécialiste qui vous opérera vous redonnera une qualité de vie et une meilleure santé. Tel sera son but, telle sera sa réussite. Il suffira d'écouter ses sages conseils et vous retrouverez rapidement la santé.

La chance des Puissances

Les chiffres chanceux des Puissances seront les chiffres 1, 11 et 31. La journée du mardi vous sera favorable pour acheter vos billets et faire vos transactions. Vos mois de chance seront **avril, mai, septembre** et **octobre**. Votre chance sera moyenne. Ce ne sera pas cette année que vous gagnerez un million! Toutefois, je vous conseille de vous fier à votre instinct. Si un sentiment fort vous inspire à jouer à une loterie, faites-le. Néanmoins, il ne faut pas dépenser une somme énorme puisque vous risquerez de ne gagner que de petites sommes d'argent. L'important, cette année, c'est de jouer lorsque vous sentirez que vous êtes dans une période de chance. La plupart des enfants Puissances seront chanceux, s'ils choisissent eux-mêmes leurs numéros et leurs billets. Si vous voyez un pendentif ou un objet représentant un lion, ce sera votre signe de chance. Achetez un billet de loterie à ce moment-là.

Ange Yehuiah : 4, 13 et 44. Votre chance sera occasionnelle. Il faudra en profiter à ce moment-là. Tous les billets que vous recevrez en cadeau vous porteront chance. De plus, vous aurez la main chanceuse. Choisissez vous-même vos numéros et vos billets. Certains pourront recevoir une somme d'argent par la vente d'une propriété, un retour d'impôts, une augmentation de salaire ou un héritage.

Ange Lehahiah : 5, 14 et 41. Votre chance est bonne. Achetez un billet lors d'un déplacement dans une ville étrangère. Ceci pourrait être bénéfique pour vous. De plus, les enfants d'**Umabel**, d'**Iah-Hel**, d'**Anauël** et de **Mehiel** vous apporteront de la chance. Il serait bon de jouer avec eux. Certains pourront avoir la chance de gagner un voyage pour deux. Cela pourra être une croisière, une fin de semaine dans une auberge, un voyage dans les Caraïbes ou dans un autre pays chaud. Le mois de juillet vous sera favorable pour faire toutes sortes de gains.

Ange Chavakhiah : 9, 18 et 33. Votre chance sera occasionnelle et il faudra en profiter à ce moment-là. Jouez en groupe de trois, cela vous sera beaucoup plus favorable, surtout si l'une de ces personnes fait partie du Chœur des Trônes. Les groupes de trois femmes ou de deux femmes et d'un homme sont à conseiller.

Ange Menadel : 3, 30 et 33. Votre chance est excellente. Si vous recevez un billet en cadeau, cela vous sera bénéfique. De plus, trois événements vous donneront l'occasion de fêter. Premièrement, il pourra s'agir d'un simple gain d'argent. Deuxièmement, certains auront la chance de gagner un voyage pour deux, ce qui vous fera sauter de joie! Troisièmement, certains gagneront un prix lors d'un mariage ou de la célébration d'un anniversaire de mariage.

Ange Aniel : 11, 22 et 44. Votre chance est bonne. Achetez un billet lors d'un déplacement dans une ville étrangère, ceci pourrait être bénéfique pour vous. De plus, tous ceux qui font partie du Chœur des Dominations vous apporteront de la chance. Il serait bon de jouer avec eux ou de recevoir un billet venant d'eux. Certains auront également la chance de gagner un voyage pour deux. Cela pourra être une fin de semaine dans une auberge ou un voyage dans un pays chaud. Le mois d'août vous sera favorable pour faire toutes sortes de gains.

Ange Haamiah : 10, 28 et 46. Votre chance est excellente. Je vous conseille de jouer avec votre partenaire amoureux ou un ami de sexe opposé. Ce sera une combinaison gagnante. De plus, vous avez la main chanceuse. Alors, choisissez vous-même vos numéros et vos billets de loterie.

Ange Rehaël : 7, 34 et 43. Votre chance est bonne. Si une personne aux cheveux foncés vêtue de rose et de blanc est à vos côtés, ou si celle-ci vous offre un billet, achetez-le. Ceci sera un signe chanceux. De plus, si vous vous retrouvez à côté d'une femme enceinte, cela aussi sera un signe de chance pour vous. Certains auront également la possibilité de gagner un prix lors d'un mariage ou de la célébration d'un anniversaire de mariage.

Ange Ieiazel : 4, 13 et 49. Votre chance sera occasionnelle. Il faudra en profiter à ce moment-là. Tous les billets que vous recevrez en cadeau vous porteront chance. Si vous voyez quatre statues de bouddha, dans la même journée ou au cours d'une semaine, ce sera un signe qui vous indiquera d'acheter un billet de loterie. Toutefois, il serait important de ne pas le perdre et de le vérifier.

Aperçu des mois de l'année des Puissances

☆ **Les mois favorables** : février, avril, mai, juillet, septembre, octobre et novembre.

☆ **Les mois non favorables** : janvier, mars, août et décembre.

☆ **Le mois ambivalent** : juin.

☆ **Les mois de chance** : avril, mai, septembre et octobre.

Chapitre XIV

Informations supplémentaires propres à chacun des Anges Puissances

✦ ANGE YEHUIAH ✦
(du 3 au 7 septembre)

De profondes transformations viendront marquer l'année 2011 des enfants de Yehuiah. Vous arrivez à la fin d'un cycle de vie pour en commencer un meilleur. L'année 2010 vous a épuisé de différentes manières et vous aurez la ferme intention de régler tout ce qui vous dérange. Vous tournerez la page du passé pour débuter une année 2011 sur de nouvelles bases. Vous aurez la force de régler tout ce qui vous dérange. De toute façon, la vie vous offrira trois cadeaux importants qui vous permettront de vous remettre sur pied et de vous prendre en main. Grâce à cette nouvelle attitude, vos douleurs et vos peines s'estomperont pour faire place à une belle sérénité. Vous sécherez vos larmes pour faire place à des sourires. Vous vous éloignerez de la solitude pour faire place à la joie de vivre. Vous renaîtrez à la vie et c'est ce qui sera important pour vous. En 2011, vous vivrez tout de même des épreuves, mais vous aurez la force, la détermination et le courage de tout surmonter ce qui se produira dans votre vie.

ANGE ACCOMPAGNATEUR : l'Ange Mebahel (14) vous aidera à prendre votre vie en main et à bien la structurer. Sa Lumière vous permettra de bien analyser votre vie, vos désirs, vos buts et vos pensées. Lorsqu'une personne est en contrôle avec sa vie, elle est en équilibre et en force pour accomplir tout ce que son cœur désire accomplir. C'est la voie de la réussite!

✦ ANGE LEHAHIAH ✦
(du 8 au 12 septembre)

Les enfants de Lehahiah mettront de l'eau dans leur vin. Ils feront tout pour s'améliorer et changer leurs mauvaises habitudes. Ces êtres ont pris conscience que certains de leurs défauts ont nui à plusieurs aspects de leur vie. En 2011, les enfants de Lehahiah répareront les pots qu'ils ont brisés à cause de leur attitude. Ces êtres chercheront à retrouver la confiance de leur entourage. Les promesses seront tenues, les décisions seront bien prises. Ils demanderont pardon et ils se réconcilieront. Ce changement de cap leur sera favorable. Il faut parfois tomber au bas de l'échelle pour réaliser ce que l'on possédait et c'est exactement ce qui arrivera aux enfants de Lehahiah.

L'année 2010 fut difficile pour eux. Plusieurs ont vécu des échecs, des peines et des frustrations qui les ont amenés à analyser profondément les raisons pour lesquelles ils ont vécu ces événements. Ceci les a conduits à réfléchir sur eux-mêmes et sur leur comportement. C'est pourquoi ces êtres décideront de changer leur attitude à l'égard de certaines personnes ou événements. Ce nouveau comportement leur sera d'un grand secours et il leur apportera de la satisfaction dans tous les aspects de leur vie. Grâce à ce changement, les enfants de Lehahiah s'orienteront vers un avenir prometteur. Quand l'année 2011 se terminera, ces êtres seront satisfaits d'eux et de tout ce qu'ils auront entrepris et réglé. Ils seront en harmonie et cela se reflétera sur leur entourage.

ANGE ACCOMPAGNATEUR : l'Ange Mahasiah (5) est l'Ange idéal de toutes les personnes qui ont régulièrement des sautes d'humeur et qui se laissent emporter par des émotions négatives. En priant Mahasiah, sa Lumière améliorera votre caractère et elle vous fera prendre conscience des effets provoqués par votre humeur instable sur votre entourage.

✦ ANGE CHAVAKHIAH ✦

(du 13 au 17 septembre)

Conseil angélique : *Si vous voulez retrouver votre séré-nité, affrontez vos problèmes et apportez les changements nécessaires. Prenez votre courage à deux mains et faites un effort. Vous verrez que tout s'arrangera, si vous y voyez dès maintenant.*

Remettre à plus tard ne vous sera pas d'un grand secours. D'ailleurs, vous le savez bien, puisque c'est exactement ce que vous avez fait en 2010 et c'est la raison pour laquelle tout vous tombe sur la tête aujourd'hui. L'année 2011 vous ouvrira des portes importantes qui vous permettront de régler vos problèmes. Il n'en tiendra qu'à vous de le faire.

Plusieurs seront dans une période de confusion et d'incertitude. Vous n'oserez pas avancer ou faire certains gestes, de peur de vous tromper. Toutefois, si vous ne faites rien, votre moral et votre physique en prendront un coup. En 2011, vous serez conscient que vous ne pouvez plus fonctionner de la sorte et qu'il faut absolument qu'il y ait des changements qui se produisent afin que vous puissiez retrouver votre équilibre.

Sachez cependant qu'il vous sera permis de faire les changements néces-saires. Mais vous devrez le vouloir! Bref, votre année 2011 ne dépend que de vous. Elle peut être une année extraordinaire puisque vous réglerez tous vos petits problèmes grâce aux solutions qui vous seront données ou elle pourra être dévastatrice puisque vous n'aurez rien fait pour vous en sortir. Si vous choisissez la deuxième option, vous risquez de tomber dans un tourbillon d'émotions et une dépression pourra s'ensuivre.

ANGE ACCOMPAGNATEUR : l'Ange Aladiah (10) est un Ange prompt à secourir. Cet Ange arrivera toujours au moment opportun, lorsque vous ferez appel à lui. La Lumière d'Aladiah vous permettra de vous émerveillez devant la vie. Ainsi, vos problèmes disparaîtront comme par enchantement.

✦ ANGE MENADEL ✦
(du 18 au 23 septembre)

Les enfants de Menadel seront en mesure de régler tout ce qui les dérange. La paix et l'harmonie feront partie intégrante de leur année 2011. Plusieurs auront le privilège de mettre sur pied des projets importants dont les résultats les épateront. Tout ce que vous entreprendrez ou déciderez sera couronné de succès. De plus, trois ou quatre événements se produiront et vous permettront de célébrer. Vous serez très fier de vos récoltes et de vos récompenses. Tous vos efforts seront enfin reconnus et récompensés. Ne soyez pas surpris si l'un de vos désirs se réalise.

L'amour sera dans l'air en 2011 et vous serez heureux de chaque événement qui se produira dans votre vie. Ce seront des cadeaux providentiels qui arriveront à des moments opportuns dans votre vie.

Dites-vous que, même s'il y aura des changements ou des situations qui ne seront pas faciles à vivre, tout arrivera pour une bonne raison. Après la pluie, le soleil reluit et telle sera votre année 2011. En 2010, la pluie n'a pas cessé de tomber et, en 2011, le soleil reluira de nouveau dans votre vie. Ce qui vous amènera à savourer pleinement chaque moment qui se présenteront à vous.

ANGE ACCOMPAGNATEUR : l'Ange Yelahiah (44) vous permettra de bâtir votre propre paradis sur terre. La Lumière de cet Ange vous conduira vers le chemin de la réussite et du succès.

✦ ANGE ANIEL ✦
(du 24 au 28 septembre)

Les enfants d'Aniel seront en force pour entreprendre tous les petits projets qu'ils auront en tête. En 2011, tout bougera avec vous. Vous ne voudrez plus revivre ce que vous avez vécu en 2010 et vous ne voudrez plus attendre après qui que ce soit pour faire tout ce que vous avez en tête. Vous avez pris la décision de vous prendre en main et d'aller de l'avant avec vos projets. Au début de l'année, vous dresserez une liste de choses à faire et de buts à atteindre, et vous vous y consacrerez religieusement.

> **Conseil angélique :** *Malgré tous les projets stimulants que vous aurez en tête, ne brûlez pas la chandelle par les deux bouts. Ainsi, vous éviterez des petits ennuis de santé.*

De plus, vous serez en contrôle de tous les événements qui se produiront au cours de votre année. Voilà l'importance de régler tout ce qui doit être réglé et de faire les changements qui s'imposent. Bref, en 2011, le mot « triomphe » sera votre mot clé. Alors, profitez-en pour entreprendre tout ce qui vous passe par la tête!

ANGE ACCOMPAGNATEUR : l'Ange Iah-hel (62) vous permettra de mener à terme vos projets. Sa Lumière vous donnera l'énergie et la détermination pour aller de l'avant et réussir tous vos projets.

✦ ANGE HAAMIAH ✦
(du 29 septembre au 3 octobre)

Les enfants d'Haamiah seront heureux et en harmonie avec tout ce qui se produira dans leur vie. Tous les changements qu'ils feront ainsi que toutes les décisions qu'ils prendront leur apporteront un bel équilibre. Ces êtres ne voudront pas vivre dans les problèmes, et c'est la raison pour laquelle ils feront tout en leur pouvoir pour les régler, lorsqu'ils surviendront. L'année 2010 ne les a pas épargnés sur le plan des émotions. Ils en ont vécu des situations problématiques. Toutefois, ces êtres ont décidé de se relever les manches et de foncer à la recherche de solutions. Leur grand désir de retrouver la paix dans leur vie les amènera à régler tout ce qui entrave leur paix intérieure.

Gare aux personnes négatives et aux personnes à problèmes : ne vous approchez pas des enfants d'**Haamiah** puisqu'ils ne voudront plus avoir affaire avec des gens compliqués ou ayant des problèmes. Ces êtres s'éloigneront de vous. De plus, les enfants d'**Haamiah** ne se gêneront pas pour dire aux personnes négatives de changer leur attitude, sinon ils ne perdront pas leur temps avec elles.

Bref, en 2011 vous prêcherez l'amour et vous vous attendrez à ce que votre entourage en fasse autant. La joie, la paix, l'équilibre et l'amour seront dans l'air. Vous serez heureux et comblé par plusieurs événements qui se produiront au courant de l'année. Vous refléterez le bonheur et vous le savourerez à fond!

ANGE ACCOMPAGNATEUR : l'Ange Achaiah (7) a comme mission de résoudre les problèmes les plus difficiles. Achaiah permet de voir le problème en face et de trouver la meilleure solution pour le régler. Cet Ange vous permettra de vous libérer de tout ce qui vous retient prisonnier.

✦ ANGE REHAËL ✦
(du 4 au 8 octobre)

Si les enfants de Rehaël ont de la difficulté en 2011, ils en seront les seuls responsables puisque l'année 2011 leur offrira de nombreuses possibilités pour réussir. Plusieurs solutions leur seront données. De l'aide leur sera apportée. Ces êtres auront la chance de rencontrer des personnes importantes qui leur apporteront aide et soutien dans plusieurs de leurs projets. Tout leur sera acquis. Il leur suffira de claquer des doigts et tout viendra à eux.

De plus, attendez-vous à faire de belles rencontres; chacune d'elles aura de belles choses à vous apporter. De belles amitiés naîtront. Les gens vous respecteront et ils seront prêts à vous aider. Bref, si vous prenez votre vie en main, il est évident que vous serez choyé par tous les événements qui se produiront par la suite.

Conseil angélique : *Écoutez vos instincts puisque votre sixième sens sera très développé en 2011.*

ANGE ACCOMPAGNATEUR : l'Ange Pahaliah (20) a le pouvoir d'aider l'humain à mettre sur pied un projet et à concrétiser une idée. De plus, Pahaliah vous donnera la volonté d'entreprendre tout ce dont vous désirez puisque tout est possible avec cet Ange. Il suffit de le prier.

✦ ANGE IEIAZEL ✦

(du 9 au 13 octobre)

Les enfants d'Ieiazel seront très solitaires en 2011. Plusieurs chercheront la paix et la solitude. Vous aurez besoin de faire le vide. De grandes analyses seront faites. D'importantes décisions seront prises. Vous aurez besoin de mettre de l'ordre dans votre vie et c'est ce que vous ferez en 2011.

Plusieurs ont vécu des moments très émotifs en 2010 et ils auront besoin de récupérer et de retrouver leur équilibre. C'est la raison pour laquelle vous serez introverti cette année. Vous serez dans votre bulle et inaccessible. Ce ne sera pas facile pour votre entourage de vous voir de la sorte. Toutefois, pour vous, ce temps sera précieux puisqu'il vous permettra de mieux analyser vos besoins.

Conseil angélique : *Votre corps réclame du repos et il serait important de le respecter. N'essayez pas de dépasser la limite de vos capacités, ni de vous surpasser pour plaire aux autres. Si vous le faites, votre moral en prendra un coup et cela affectera également votre physique. Il vous faudra beaucoup plus de temps pour récupérer et remonter la pente.*

En 2011, l'important pour vous sera de vivre une journée à la fois et vous verrez qu'avant la fin de l'année, vous retrouverez votre équilibre et vous aurez l'énergie pour débuter toutes sortes de projets pour 2012.

ANGE ACCOMPAGNATEUR : l'Ange Haziel (9) vous infusera sa Lumière de force et d'énergie pour bien mener votre année. Lorsque vous serez angoissé par un événement, une situation, une relation ou des émotions, priez Haziel. Sa Lumière pourra anéantir les situations angoissantes qui vous préoccuperont. Cet Ange sera votre lumière au bout du tunnel!

Chapitre XV

Les Puissances au fil des saisons

Saison hivernale
(janvier-février-mars)

« Réparer une erreur, c'est réparer sa vie. »

(Paroles de l'Ange Vasariah)

Votre nouvelle année débutera difficilement. Plusieurs souffriront de fatigue, de maux de gorge, de troubles divers. La période des Fêtes ne fut pas facile. Plusieurs n'ont pas respecté la limite de leurs capacités. Certains ont défoncé leur budget et ça les préoccupe énormément. D'autres ont fait des excès de table et d'alcool et maintenant leur estomac en souffre. Bref, il faudra être courageux et essayer de vous reprendre en main. Sinon, vous risquez de trouver la période hivernale très longue et douloureuse.

Plusieurs problèmes surviendront en janvier. Des rumeurs circuleront et vous inquiéteront. De plus, des commérages vous dérangeront. Bref, l'attitude de certaines personnes qui vous entourent vous décevra. Certains peuvent même vous faire verser des larmes par leurs paroles et leurs gestes. Comme vous n'êtes pas dans une bonne phase de votre vie, il serait sage pour vous d'éviter ces personnes négatives. D'ailleurs, elles n'ont rien à vous apporter sauf vous blesser inutilement. Gardez vos énergies pour entreprendre des actions qui vous plaisent et non pour vous impliquer dans des histoires interminables.

En février, une personne viendra s'excuser de son comportement, ce qui apaisera votre cœur. Tandis qu'en mars, vous serez inquiet de la santé d'un membre de la famille. Le cœur sera sa faiblesse. De plus, le comportement de deux personnes vous irritera énormément. Attendez d'être en forme pour régler votre différend. Ainsi, il vous sera plus facile de dire ce que vous pensez vraiment.

Conseil angélique : *Vivez une journée à la fois. Ne vous préoccupez pas de vos lendemains. Ne vous préoccupez pas non plus des problèmes des autres ainsi que des personnes et des situations négatives. Lorsque vous serez en meilleure forme, vous serez en force pour tout régler. Il est important d'attendre de retrouver la forme avant de régler tout ce qui vous dérange.*

Ceux qui trouveront leur mois de janvier pénible à cause de certains événements, seront les enfants de **Yehuiah**, de **Chavakhiah** et d'**Ieiazel**. Il serait important pour ces êtres d'attendre le moment propice pour régler les différends de toutes sortes.

Sur le plan affectif

Une période difficile et tendue pour plusieurs. Les paroles seront blessantes et menaçantes. De plus, au lieu de dialoguer, on crie et on ne parvient pas à trouver un terrain d'entente. Certains parleront de séparation. D'autres accuseront le partenaire de trahison et d'insouciance. Certains reviendront à la charge avec des événements passés. Que des conversations qui épuisent émotionnellement le couple! Si vous prenez le temps de dialoguer sagement, vous parviendrez à vous comprendre et à trouver les meilleures solutions pour que la paix revienne sous votre toit.

Les enfants de **Yehuiah** devraient arrêter de critiquer les événements du passé. Tournez la page, une fois pour toutes. Vous vous faites du tort inutilement et cela vous épuise moralement et émotionnellement.

Les enfants de **Lehahiah**, de **Menadel** et de **Rehaël** mettront de l'eau dans leur vin. Ainsi, ils éviteront les disputes de toutes sortes. De plus, ils auront le plaisir de voir le partenaire se rapprocher et être attentif à vos besoins.

Les enfants de **Chavakhiah** et d'**Ieiazel**, ne savent plus exactement ce qu'ils veulent. Plusieurs se poseront des questions au niveau de leur relation amoureuse et au niveau de leurs sentiments envers leur partenaire. Vous serez distant et songeur. Votre attitude inquiétera énormément le partenaire. Celui-ci cherchera à comprendre la raison pour laquelle vous agissez ainsi. Comme vous n'avez pas le goût de répondre à son appel, celui-ci vous boudera. Votre attitude le dérangera énormément et le chagrinera. Il cherchera à comprendre exactement la raison pour laquelle vous ne répondez plus à son appel, ni à ses besoins. À la suite d'un conflit, vous aurez une conversation franche avec votre partenaire. Cette conversation sera salutaire autant à l'un comme à l'autre. Vous parviendrez à régler le problème et à retrouver votre équilibre.

Les enfants d'**Aniel** et d'**Haamiah** auront la situation en main. Vous travaillerez très fort pour régler tout ce qui ne va pas. Si vous devez mettre de l'eau dans votre vin, vous le ferez. Si vous devez changer certaines de vos habitudes, vous le ferez. Toutefois, vous exigerez que le partenaire en fasse autant. Bref, vous serez déterminé et ferme. De plus, vous imposerez à votre partenaire qu'il soit présent à certaines activités familiales. Vous serez tellement convaincant et autoritaire, qu'il n'y aura pas de place pour un refus! Votre partenaire n'aura d'autre choix que de suivre vos consignes. Sinon, gare à lui! Il pourrait trouver l'année très longue!

Pour les célibataires

Vous êtes tellement fatigué que vous n'êtes pas trop en forme pour faire des rencontres. Votre attitude négative se reflète dans vos faits et gestes, ce qui n'est pas trop attirant. Toutefois, si vous avez le goût de faire des rencontres, le mois de février sera un mois magique pour faire des rencontres importantes. Bref, si vous voulez faire une bonne impression, soyez plus souriant et moins dépressif.

Les enfants célibataires de **Lehahiah**, de **Menadel** et d'**Haamiah** seront animés par le sentiment du coup de foudre. Il y a de fortes chances qu'une personne vous fasse un effet du tonnerre!

Sur le plan du travail

Plusieurs seront dérangés par les commérages, les personnes et les situations négatives. Certains se verront accuser injustement de certaines situations. D'autres recevront des reproches et on jettera le blâme sur leur comportement et leur manière d'agir. Toutes ces situations négatives seront provoquées par des personnes à problèmes. Ce ne sera pas de tout repos pour vous sur le plan émotionnel. Toutefois, vous serez en mesure de bien régler les arguments et les problèmes en frappant aux bonnes portes. Bref, vous allez sauver votre honneur et vous allez rapidement vous éloigner de ces personnes et de ces situations négatives.

Les enfants de **Yehuiah** et de **Rehaël** seront déçus et déchirés par les événements. Ces êtres régleront un problème avec beaucoup de peine. Toutefois, ils s'en sortiront gagnant.

Les enfants de **Lehahiah**, de **Menadel**, d'**Aniel** et d'**Haamiah** trouveront de bonnes solutions pour régler tout ce qui les dérange. Ces êtres sauront cogner aux bonnes portes pour régler les problèmes de toutes sortes. De plus, une personne viendra s'excuser pour son comportement. Cette personne sera vraiment désolée de tout ce qu'elle aura pu provoquer par ses gestes ou ses paroles.

Les enfants de **Chavakhiah** et d'**Ieiazel** seront tourmentés par les commérages qui se feront à leur sujet. Cette situation pourra les angoisser à un point tel qu'ils s'en rendront malades. Il serait important de régler votre situation puisque cela dérangera énormément la qualité de votre travail. Bref, prenez votre courage à deux mains et faites taire ces mauvaises langues. En les confrontant, elles risquent de calmer leur passion favorite : le commérage. N'hésitez pas à consulter un directeur ou des personnes importantes pour relater les événements. Ainsi, vos supérieurs pourront être aux aguets, vérifier ce qui se passe et régler immédiatement le problème avant que cela prenne des proportions plus dramatiques.

Conseil angélique : *Ne vous laissez pas importuner par les commérages. Agissez immédiatement! Votre grande détermination apeurera les personnes médisantes et cela chassera leur envie de commérer.*

Sur le plan de la santé

La santé sera à surveiller. Plusieurs seront fatigués par les événements, ce qui aura un impact sur votre physique. Il faudra surveiller les grippes, les virus, les rhumes, les maux de gorge, les laryngites. Plusieurs devront garder le lit pendant une période de 48 heures. Il serait important de vous reposer puisque votre corps le réclame. Toutefois, les personnes cardiaques et les personnes qui fument trouveront la période hivernale très difficile, il serait sage pour eux d'écouter les conseils du médecin. Certains recevront des diagnostics qui les contrarieront.

Les enfants de **Yehuaih** et d'**Aniel** souffriront de douleurs physiques. Certains devront consulter le médecin. Certains cardiaques peuvent subir une intervention chirurgicale d'urgence. Toutefois, ils retrouveront rapidement la santé.

Les enfants de **Lehahiah** et de **Rehaël** devront prendre du sirop médicamenté. Ils devront aussi se promener avec des papiers mouchoirs. Le nez coulera souvent à cause de rhumes. Il faudra aussi surveiller les virus. Certains peuvent garder le lit pendant une période de 48 heures. Buvez beaucoup et prenez des vitamines.

Les enfants de **Chavakhiah** et d'**Ieiazel** seront dépressifs. Un rien leur fera verser des larmes. De plus, certains auront une infection à l'œil. D'autres se moucheront tellement qu'ils devront par la suite prendre une crème médicamenté pour soulager les rougeurs et les irritations près des narines. Il serait sage pour ces êtres de se reposer lorsqu'ils en ont la chance.

La plupart des enfants de **Menadel** et d'**Haamiah** seront en forme. Certains prendront un produit naturel ou des vitamines pour rehausser leur énergie. D'autres surveilleront leur alimentation. Malgré tout, certains devront prendre un médicament pour soulager une douleur quelconque. D'autres prendront un sirop médicamenté pour soulager une toux sèche.

Sur le plan de la chance

Vous n'êtes pas dans une période de chance. Alors, surveillez les dépenses inutiles.

Voici quelques événements qui pourraient survenir au cours de la période hivernale.

- Méfiez-vous des personnes négatives. Leurs paroles risquent de vous déranger inutilement. Il serait sage pour vous de les confronter et de les affronter. En agissant ainsi, ces personnes s'éloigneront de vous. Votre sang-froid les déstabilisera et les dérangera, à un point tel qu'ils regretteront les paroles méchantes qu'ils auront dites. Bref, ils choisiront une autre victime et vous en serez débarrassé.

- Surveillez aussi les personnes qui vous impliqueront dans toutes sortes d'histoires. Affirmez-vous et refusez de faire partie de leurs histoires à problèmes. Certains seront mêlés à une histoire d'aventure extraconjugale. L'un de vos proches vous utilisera pour camoufler son infidélité. Celui-ci dira à son partenaire qu'il était avec vous. Lorsque le partenaire vous questionnera, vous serez très mal à l'aise, ne sachant pas quoi dire. Cette situation ne vous enchantera guère et vous allez rapidement régler le tout en vous libérant de cette histoire.

- Une femme versera des larmes. Une mauvaise nouvelle la dérangera.

- Deux femmes vous annonceront un cancer du sein.

- Vous, ou un proche, tomberez sous le charme d'un cupidon. Coup de foudre pour certains célibataires!

- Il y aura souvent des petites querelles insignifiantes qui dérangeront votre quotidien. Vous avertirez les personnes impliquées de vous laisser à l'écart de leurs histoires stupides. Votre réaction les surprendra tout en les faisant réfléchir.

- Le comportement de deux personnes vous irritera. Vous aurez une discussion avec ces personnes.

- Un couple en détresse se réconciliera, à la grande joie des partenaires.

- Vous, ou un proche, renaîtrez à la vie. De bonnes nouvelles vous seront annoncées.

- Certains planifieront un voyage de sept à dix jours dans un pays étranger.

- Une personne en colère provoquera des orages. La justice s'interposera. Une amende ou une pénalité lui sera donnée.

- Vous pourrez entendre parler ou assister à trois décès. L'un de ces décès sera causé par le cœur.

- Une promesse sera tenue à la grande surprise des gens. De plus, une personne alcoolique cessera de boire.

- Plusieurs recevront trois cadeaux significatifs. Ces cadeaux seront très importants à vos yeux.

- Une association se fera. Elle sera fructueuse et elle apportera beaucoup du succès.

- Plusieurs parleront de déménagements qui se feront en juillet 2011.

- Il y aura des réconciliations agréables.

- Certains planifieront une belle croisière.

- Certains recevront une somme d'argent par un héritage ou par une vente avec profit.

- Certains trouveront l'hiver froid. Ils préféreront rester à la maison.

- Vous, ou un proche, subirez de profondes transformations. Votre vie changera totalement. Vous tournerez la page et vous avancerez vers un meilleur avenir.

- Certains parleront de déménager dans une autre ville ou un pays étranger.

- Quelqu'un vous parlera d'une tentative de suicide. Vous serez très surpris de cette nouvelle.

- Une personne s'agenouillera devant vous et vous demandera pardon pour toutes les peines qu'elle vous a causées. Cette personne sera sincère. Ce sera à vous de décider.

- Une jeune fille aura une grosse peine d'amour. Encouragez-la puisqu'au bout de trois semaines ou de trois mois, un nouvel amour viendra apaiser sa douleur.

- Vous, ou un proche, referez votre vie. Une vie beaucoup plus sereine et heureuse.

- Une bonne nouvelle viendra alléger une douleur émotionnelle. Grâce à cette bonne nouvelle, un tracas se dissoudra.

Saison printanière
(avril-mai-juin)

« La communication est importante entre les humains.
Pourquoi garder en vous une parole ou un geste qui pourrait aider
l'autre à mieux comprendre votre réaction ou à mieux comprendre qui
vous êtes? Si vous communiquez, vous éviterez des ennuis et du chagrin.
Voilà l'importance de communiquer votre état d'âme »

(Paroles de l'Ange Leuviah)

La période printanière apportera à plusieurs personnes des Puissances des cadeaux providentiels de toutes sortes. Que ce soit sur le plan affectif, professionnel, financier, personnel ou autre, attendez-vous à recevoir des cadeaux inespérés. Trois événements surviendront et chambarderont positivement votre année. Tout ce que vous avez accompli durant le début de l'année, vous aurez le privilège d'en savourer les récoltes. Vous serez heureux et fier de tout ce qui se produira et de tout ce que vous accomplirez. Un succès bien mérité vous attend.

Dès le 3 avril, la porte de l'abondance s'ouvre à vous. Elle restera ouverte jusqu'au 24 mai 2011. Il serait important d'en profiter et de vous acheter des billets, mais de façon raisonnable. En avril, plusieurs recevront trois bonnes nouvelles. En mai, des papiers importants seront signés. En juin, vous retrouverez un bel équilibre. Toutefois, il faudra surveiller les manipulations de toutes sortes. Certains risquent d'être manipulés par une situation ou une personne. Vous n'aurez pas le choix d'y voir rapidement avant que le tout s'envenime. Après une discussion franche, le problème sera réglé.

Conseil angélique : *Assurez-vous de bien lire vos documents avant de les signer. Et assurez-vous de les conserver dans un endroit sécuritaire à l'abri des malfaiteurs et des personnes mal intentionnées.*

Ceux qui devront redoubler de prudence avec la signature de documents seront les enfants de **Yehuiah**, de **Chavakhiah** et d'**Ieiaziel**.

Sur le plan affectif

C'est une période normale. Il y aura des moments agréables comme des moments difficiles. Toutefois, on parviendra toujours à trouver un terrain d'entente. La faiblesse du couple est que l'un des partenaires veut sortir et l'autre ne veut pas. Soit qu'il est fatigué, soit qu'il ne veut pas dépenser trop d'argent. Cette situation causera la plupart de vos disputes. Vous ferez tout de même de deux à quatre sorties agréables, une avec le partenaire et une autre sans le partenaire.

Les enfants de **Yehuiah** et d'**Ieiazel** se sentiront souvent seuls et abandonnés. Certaines situations vous causeront du chagrin. Toutefois, vous aurez le privilège de faire deux sorties agréables.

Les enfants de **Lehahiah**, de **Menadel**, d'**Aniel** et d'**Haamiah** seront heureux. Ils refléteront le bonheur. Si le partenaire ne veut pas sortir, eux, ils sortiront avec des amis. Des rires et des joies les attendent. Toutefois, ils vont tout de même planifier un voyage ou un repas avec le partenaire qui rallumera la flamme du désir. De bons moments leur sont aussi réservés avec le partenaire.

Les enfants de **Chavakhiah** et de **Rehaël** trouveront difficile leur relation amoureuse. Ils ne savent plus où donner de la tête. Ces êtres ont un énorme besoin de sentir le partenaire à leurs côtés. Ce sera primordial pour eux. Si leur partenaire ne répond pas à l'appel, il y a de fortes chances qu'ils sombrent dans un état végétatif ou vers une dépression. Il serait important que le partenaire de ces êtres puisse être à l'écoute de leurs besoins. Prenez le temps d'assurez votre partenaire et faites quelques activités avec lui. Celui-ci se portera mieux et vous verrez l'harmonie régner de nouveau sous votre toit.

Pour les célibataires

Rendez visite à vos amis. Il y a de fortes chances de faire de bonnes et de belles rencontres qui feront palpiter votre cœur. La porte de l'amour s'ouvre à vous. Plusieurs auront le privilège de vivre une belle histoire d'amour.

Les enfants de **Chavakhiah**, de **Menadel** et d'**Haamiah** peuvent rencontrer leur partenaire idéal. Soyez attentif à toutes les occasions qui se présenteront sur votre chemin.

Sur le plan du travail

Ce sera une période très active. Plusieurs vivront des changements importants. Il y aura des contrats prolongés. D'autres signeront des contrats nouveaux. Certains recevront une promotion. D'autres réussiront une entrevue. Ceux qui retournent aux études pour se spécialiser seront heureux de leur décision. Ceux qui sortent de l'école seront heureux de se trouver un emploi. Que de bonnes nouvelles vous parviendront sur le plan professionnel. Toutefois, certains devront régler un problème qui se produira en juin. Est-ce causé par les vacances d'été ? Il y aura des discussions animées pour faire place à une solution. Ce sera un directeur qui viendra régler le différend.

Les enfants de **Yehuiah** et d'**Ieiazel** vivront des transformations au niveau du travail. Certaines transformations seront agréables, d'autres moins. Cependant, vous comprendrez rapidement que ces changements sont là pour améliorer votre travail.

Les enfants de **Lehahiah**, de **Menadel**, d'**Aniel** et d'**Haamiah** auront la chance d'obtenir une promotion ou une augmentation de salaire. Les associations seront fructueuses. Les entrevues seront réussies. Certains recevront une bonne nouvelle qui les amènera à faire un travail totalement différent.

Les enfants de **Chavakhiah** et de **Rehaël** ne seront plus où donner de la tête tellement il y aura du travail. Cette situation va les amener à se poser plusieurs questions au niveau du travail. Certains vont se demander s'ils doivent quitter leur emploi ou bien rester. Plusieurs questions viendront hanter leurs journées. Ils sont incertains et ils ont peur de faire de mauvais choix. Toutefois, avant que le printemps se termine, ces êtres auront fait des choix et ils s'en tiendront à leurs décisions.

Sur le plan de la santé

La santé sera bonne. Toutefois, certains devront prendre des médicaments pour des petits problèmes quelconques. Il faudra surveiller aussi certaines activités physiques car certains peuvent se plaindre d'un mal à l'épaule ou d'une main engourdie. Certains passeront des examens approfondis pour détecter l'origine et la cause de la douleur. Les hommes seront plus sujet à se blesser. Redoublez de prudence, surtout si vous soulevez des objets lourds.

Les enfants de **Yehuiah**, de **Lehahiah, de Chavakhiah**, de **Rehaël** et d'**Ieiazel** devront être vigilants dans tout. Certains peuvent se plaindre d'une main engourdie. D'autres peuvent se blesser à un pied. Certains auront des problèmes avec le sang : le cholestérol. De plus, les personnes alcooliques devront surveiller leur pancréas, car elles peuvent souffrir d'une pancréatite. D'autres auront besoin de repos.

Chez les enfants de **Menadel**, d'**Aniel** et d'**Haamiah**, la santé sera bonne. Un produit naturel leur fera du bien et cela haussera leurs énergies. Certains débuteront une activité physique. Toutefois, à l'occasion, certains se plaindront de maux physiques reliés à la fatigue, à une nouvelle activité physique ou à une faiblesse de l'un de leurs membres.

Sur le plan de la chance

Votre chance est excellente en avril et en mai. Alors, profitez-en pour jouer à la loterie, pour faire des transactions, pour avoir de bonnes discussions et pour prendre des décisions. De plus, tout billet que vous recevrez en cadeau vous sera favorable. Certains auront le privilège de gagner trois belles sommes d'argent.

Voici quelques événements qui pourraient survenir au cours de la période printanière.

- Attendez-vous à recevoir trois bonnes nouvelles, trois belles surprises, trois cadeaux ou trois belles sommes d'argent. Le chiffre 3 vous sera très favorable durant la période printanière.

- Vous, ou un proche, vous blesserez à la main. Ce sera une blessure mineure.

- Vous, ou un proche, signerez un papier à la banque. Il pourra s'agir d'un emprunt, d'une consolidation de dettes, d'un placement ou d'une hypothèque.

242 ✦

- Vous, ou un proche, ferez une rencontre importante. La manifestation d'un sentiment puissant naîtra. Vous ne pourrez ni ignorer ni éviter ce sentiment d'amour profond. À la suite de cette manifestation, une relation naîtra et un mariage d'amour s'ensuivra.

- Tous ceux qui auront mis leur maison sur le marché de la vente en janvier se verront offrir une offre raisonnable pour leur propriété. Une transaction aura lieu à votre grande satisfaction.

- Plusieurs amélioreront la qualité de leur vie. Un bel équilibre s'ensuivra.

- Vous, ou un proche, gagnerez une belle somme d'argent.

- Certains auront à régler un problème que seule la justice peut trancher. Un avocat plaidera votre cause en votre faveur. Toutefois, cet avocat vous coûtera très cher.

- Vous assisterez à un mariage civil.

- Certains devront signer des papiers chez le notaire.

- Un adolescent aura des ennuis avec la justice. Un accident ou un incident en sera la cause.

- Un jeune homme parlera de son désir de devenir pompier ou policier. Son rêve se réalisera.

- Vous serez surpris d'apprendre qu'un proche a des problèmes de santé mentale. On décèlera un problème de bipolarité.

- Une jeune femme âgée de 18 à 24 ans parlera de suicide. Elle aura besoin d'aide. Elle vivra une dépression majeure.

- Une femme donnera naissance à son bébé à la fête des Mères.

- Vous assisterez à quatre événements agréables. L'un de ces événements est un mariage et l'autre sera un anniversaire de naissance.

- Un homme se plaindra d'une douleur à l'épaule, tandis qu'un autre se plaindra d'une douleur à la poitrine. Ces deux personnes devront consulter le médecin. Il y aura un suivi pour aider ces personnes à retrouver le chemin de la santé.

- Certains recevront de beaux mots d'amour qui rendront leur cœur heureux.

- Si vous avez deux animaux, un troisième entrera dans votre demeure.

- Vous entendrez parler de trois grossesses.

- Certains parleront de faire l'achat d'une nouvelle voiture.

- Une personne en état d'ébriété au volant se fera arrêter par la police et verra son permis de conduire être suspendu.

- Certains se feront manipuler par un homme de puissance. Le problème sera réglé grâce à la justice ou à un autre homme de puissance.

- Perte de poids pour ceux qui commenceront un nouveau régime.

- Une femme aux cheveux argentés aura des problèmes de santé. Toutefois, elle s'en sortira grâce aux gens qui la soutiendront dans son épreuve.

- Vous entendrez parler d'une naissance de triplets.

- Certains recevront un cadeau d'une valeur très sentimentale. Un objet ou un bijou qui appartenait à l'un de vos ancêtres.

- Vous, ou un proche, parlerez d'un retour sur les bancs d'école.

- Vous recevrez souvent de la visite, plus qu'à l'habitude. Toutes les personnes qui entreront dans votre demeure auront toujours des nouvelles à vous apprendre. Certaines visites vous seront très agréables, d'autres un peu moins.

- Si vous éprouvez un problème financier, une aide providentielle vous aidera.

- Certains recevront un honneur ou une belle promotion.

- Certains connaîtront de belles réussites sur le plan professionnel ou personnel.

- Certains rénoveront un plancher ou l'entrée de la cour.

Conseil angélique : *La justice sera souvent autour de vous. Soyez prudent sur la route. Surveillez la vitesse, ainsi vous éviterez des contraventions et la suspension du permis.*

Saison estivale
(juillet-août-septembre)

*« Soyez à l'écoute de nos signes, puisque nous sommes
constamment autour de vous! »*

(Paroles de l'Ange Nanaël)

La saison estivale sera une période animée par toutes sortes de sorties agréables. Il y aura des sorties au théâtre, au cinéma, à des concerts de musique, à des activités de plein-air, etc. Ce sera un été actif et rempli de belles occasions pour vous amuser et pour faire de belles rencontres. Le sourire sera souvent sur vos lèvres. La plupart seront satisfait de leur été.

Conseil angélique : *Il est temps pour vous de renouer avec les joies de la vie! Voilà l'importance de sortir et de vous amuser. Votre mental et votre physique en ont grand besoin.*

Un mois très actif : plusieurs sorties se feront en juillet. Plusieurs feront des activités en famille. Certains iront faire du camping et des activités de plein air. Il serait même question de faire une croisière en bateau ou en moto. Certains visiteront des monuments historiques, d'autres assisteront à des pièces de théâtre. Bref, votre mois de juillet sera un mois agréable couronné de joies et de sourires. Vous êtes dans l'esprit des vacances et vous en profitez au maximum. De plus, de bons conseils vous seront donnés pour entreprendre tous les petits projets que vous avez en tête.

Votre mois d'août sera un peu épuisant, surtout pour ceux qui déménagent pendant ce mois. Plusieurs parleront de rénovations, de peinture, de ménage intérieur. Bref, vous serez occupé par toutes sortes de tâches que vous aviez laissées en suspens. En août, vous relevez vos manches et vous attaquez ces tâches avant que l'été se termine. Certains se plaindront de maux de cœur et de tête. Il faudra surveiller votre alimentation et les boissons alcoolisées. Plusieurs négligeront leur alimentation et cela aura un impact sur l'estomac. Profitez de votre été, mais soyez tout de même vigilant avec certains aliments et les boissons alcoolisées. Ainsi, vous éviterez de petits ennuis de santé.

Puisque le mois de septembre sera un mois de chance pour plusieurs, il serait sage d'en profiter pour jouer à la loterie ou pour faire vos transactions. Du 10 au 20 septembre, il y aura plusieurs événements bénéfiques qui surviendront et qui amélioreront certains aspects de votre vie. Attendez-vous à faire de belles sorties agréables. Avant que le mois se termine, une bonne nouvelle vous sera annoncée. Votre cœur sera heureux et joyeux.

Conseil angélique : *Si vous avez besoin de faire des changements ou d'entreprendre des projets, profitez-en du 10 au 20 septembre. Tout vous sera favorable lors de cette période. Plusieurs se retrouveront au bon endroit, au bon moment. Voilà l'importance de régler tout ce qui vous dérange et d'aller de l'avant avec vos projets.*

Sur le plan affectif

L'amour et l'harmonie seront au rendez-vous. Votre partenaire sera attentif à vos besoins. Plusieurs feront des sorties agréables en famille. Vous vous sentirez aimé, respecté et en sécurité. Tels seront les sentiments que vous vivrez cet été, ceux de la vie à deux. Ce sera pour plusieurs un été inoubliable. Les familles reconstituées vivront des moments magiques qui solidifieront l'union et qui sécuriseront les enfants. Pour ce qui est des couples en détresse, une aide précieuse les aidera à se relever et à tourner la page. Cette aide vous aidera à apprécier les moments agréables que vous offrent votre été.

Les enfants de **Yehuiah**, de **Lehahiah**, de **Menadel**, d'**Aniel** et d'**Haamiah** seront heureux des changements qu'ils auront faits au début de l'année. Plusieurs ont réglé les conflits et ont tournés la page sur certains événements. Le couple se prendra en main et il avancera fièrement vers un avenir plus prometteur. Grâce à cette nouvelle attitude, ces êtres passeront un magnifique été rempli de projets de toutes sortes. Ils rallumeront la flamme du désir, la flamme de la passion et la flamme de l'amour. Plusieurs feront des sorties en amoureux qui aideront le couple à s'épanouir davantage.

Les enfants de **Chavakhiah**, de **Rehaël** et d'**Ieiazel** verront le partenaire sous un œil différent. Ils réaliseront l'importance que celui-ci occupe dans leur vie. Cela changera leur perception de la vie amoureuse. Il y aura un rapprochement qui soulagera l'un comme l'autre. On réalise qu'on a besoin de l'un comme de l'autre pour s'épanouir et être heureux. Un voyage ou une sortie rallumera la flamme du désir. De belles discussions rendront le cœur heureux, joyeux et amoureux.

Pour les célibataires

Certains auront la chance de rencontrer leur partenaire idéal. Cette personne, qui viendra vers vous, vous ouvrira la porte de son cœur. Beaucoup de bonheur et de joie vous attendent avec cette personne. Votre désir affectif se réalisera à la rencontre de cette charmante personne. Il y a de fortes chances que vous ferez cette rencontre lors d'une soirée agréable où il y aura de la musique ou près d'un feu de camp.

Les enfants de **Yehuiah**, de **Lehahiah**, de **Chavakhiah**, de **Menadel** et d'**Haamiah** seront plus sujets à faire cette merveilleuse rencontre qui chambardera positivement leur vie amoureuse.

Sur le plan du travail

Tout ira bien sur le plan du travail. Les travaux importants seront accomplis à temps pour partir l'esprit en paix pour les vacances d'été. Comme votre été sera agréable, lorsque vous reviendrez à votre travail, vous serez en pleine forme pour accomplir toutes vos tâches. Vous allez facilement vous rattraper, si vous aviez du retard.

Conseil angélique : Respectez-vous et n'acceptez pas les tâches qui ne vous appartiennent pas. Sinon, vous allez le regretter. Bref, vous vous épuiserez pour accomplir les tâches de personnes négligentes. Votre santé vaut mieux qu'un « merci » non reconnaissant. Si vous tenez vraiment à apporter votre aide, aidez ceux qui l'apprécieront et ceux qui feront la même chose pour vous.

Les enfants de **Yehuiah** et d'**Ieiazel** seront débordés au travail. Un changement de dernière minute les préoccupera. Ces êtres devront faire des heures supplémentaires pour être en mesure de tout accomplir avant de partir en vacances.

Les enfants de **Lehahiah**, de **Menadel**, d'**Aniel** et d'**Haamiah** s'en sortiront bien. Ces êtres sauront tellement bien doser leurs énergies qu'ils seront en mesure de tout faire à temps. Certains recevront une bonne nouvelle à leur retour de vacances. De plus, ceux qui parleront d'associations seront heureux d'apprendre qu'ils ont pris une excellente décision.

Les enfants de **Chavakhiah** et de **Rehaël** seront anxieux. Inconsciemment, ces êtres se mettront de la pression sur les épaules, ce qui réduira leur compétence au travail. Leur travail leur causera souvent des maux de tête. Il serait sage pour ces êtres de marcher au lieu de courir. Prenez le temps qu'il faut pour terminer vos tâches. De plus, n'essayez pas de tout faire en même temps. Vous n'y parviendrez pas et cela vous angoissera deux fois plus. Faites les tâches les plus importantes et gardez le reste lorsque vous reviendrez de vacances. Vous aurez la tête plus reposée et il vous sera beaucoup plus facile de trouver la meilleure façon de bien les accomplir. De plus, n'ayez pas peur de demander de l'aide. Une bonne personne vous aidera à vous libérer des tâches les plus importantes pour que vous puissiez partir en vacances l'esprit en paix.

Sur le plan de la santé

En général, la santé sera bonne. Toutefois, plusieurs peuvent se plaindre de maux de dents, de migraines, de maux d'oreilles et d'allergies. Ces maux vous obligeront à consulter un spécialiste et à prendre un médicament pour soulager votre douleur.

 **Conseil angélique :** *Évitez les sucreries durant le temps des vacances. De plus, faites attention si vous mordez dans une pomme ou dans un fruit dur. Vous risquez de perdre un plombage ou un morceau de dent!*

La santé des enfants de **Yehuiah** sera bonne. Toutefois, certains prendront un médicament pour soulager une migraine ou des douleurs physiques. Certains auront aussi des problèmes avec les allergies.

La santé des enfants de **Lehahiah** et de **Rehaël** sera bonne. Certains prendront un produit naturel ou des vitamines pour les aider à remonter la pente. Toutefois, quelques-uns peuvent se plaindre de petits problèmes avec la vessie. Certains devront consulter leur médecin. Il serait sage de ne pas se promener pieds nus. Ainsi vous éviterez des ennuis de toutes sortes.

Plusieurs des enfants de **Chavakhiah** et d'**Ieiazel** seront fatigués et en manque d'énergie. Certains seront aussi angoissés par toutes sortes de situations. Il serait sage que vous preniez le temps de vous reposer lorsque vous en avez la chance. De plus, il serait important aussi de respecter la limite de vos capacités et de dormir huit heures de sommeil. Si vous prenez soin de vous, vous serez en pleine forme pour faire toutes les activités que vous avez au programme.

Les enfants de **Menadel**, d'**Aniel** et d'**Haamiah** seront en pleine forme. Ils exploseront d'énergie, ce qui les amènera à faire mille et une choses à la fois. Ils seront étourdissants et actifs! Toutefois, certains devront surveiller leur alimentation : il y a risque de maux d'estomac.

Sur le plan de la chance

Votre chance est moyenne. N'oubliez pas que votre mois de septembre est un mois bénéfique et chanceux. Jouez en famille ou avec un membre de la famille; cela pourrait augmenter vos chances de gagner.

Conseil angélique : *Profitez de votre été. Pensez à vous et prenez le temps de faire des activités qui vous enchanteront. D'ailleurs vous le méritez grandement. Ces activités auront un effet bénéfique sur vous et sur votre santé mentale, ce qui vous permettra d'entrer dans votre période automnale sans être trop épuisé.*

Voici quelques événements qui pourraient survenir au cours de la période estivale.

- Vous, ou un proche, vous plaindrez d'un mal de dent. Ne soyez pas surpris d'avoir une intervention chirurgicale. Cela pourra être causé par une dent de sagesse. De plus, un enfant se plaindra aussi de maux de dents.

- Un homme fêtera un bel événement. Un honneur ou un mérite lui sera accordé à sa grande joie.

- Certains vivront une période d'ennuis et de problèmes de toutes sortes qui durera de trois à dix jours.

- Vous, ou un proche, reconstituerez votre famille. Un beau bonheur vous attendra dans cette nouvelle vie. Certains solidifieront leur union par la venue d'un enfant.

- Plusieurs vivront une période de bonheur remplie de moments magiques et inoubliables. Les célibataires rencontreront leur partenaire idéal.

- Un couple séparé se donnera une deuxième chance. Cette deuxième chance leur sera favorable.

- Plusieurs auront de belles conversations près d'un feu de camp.

- Plusieurs sorties se feront en bateau ou en moto. Certains parleront de faire l'achat d'un pédalo, d'un bateau ou d'une nouvelle moto.

- Les amateurs de plein air seront choyés par les activités qu'ils entreprendront. L'une de leurs sorties sera très dispendieuses; toutefois, elle sera inoubliable.

- Certains feront la rencontre de leur partenaire idéal. C'est l'annone d'une belle période de bonheur et de joie!

- Vous entendrez parler d'un feu.

- Vous, ou un proche, serez déçu d'une nouvelle coupe de cheveux ou d'une nouvelle couleur. Certains en verseront des larmes tellement ils seront déçus. Assurez-vous de confier vos cheveux à votre coiffeur habituel, sinon vous risquez d'être déçu.

- Plusieurs feront de belles sorties champêtres, entourés de musiciens, de chanteurs. De plus, certains iront voir des pièces de théâtre dans des villes étrangères.

- Un nouveau couple se créera. Ce couple fera parler d'eux à cause de la différence d'âge entre les conjoints ou de la différence sociale.

- Un couple renouvellera leurs vœux de mariage.

- Une personne malade consultera un spécialiste qui l'aidera à guérir.

- À la suite d'une opération à cœur ouvert, un cardiaque renaîtra à la vie. Cet être parviendra à bien s'en sortir et à retrouver une belle qualité de vie.

- Certains seront souvent entourés de personnes malades ou de personnes qui doivent subir une intervention chirurgicale. Si leur problème vous affecte et cela nuit à votre moral, il serait important pour vous d'éviter les discussions avec ces êtres. Si cela est impossible, restez éloigné de ces êtres temporairement.

- N'oubliez pas de jouer à la loterie en septembre, puisque certains pourraient recevoir une belle surprise monétaire.

- Vous, ou un proche, serez accablé par toutes sortes de tâches difficiles à compléter. Vous serez dans une période vulnérable. Plusieurs regretteront d'avoir accepter ces tâches.

- Certaines personnes perdront le goût de vivre. Les sentiments d'abandon et de tristesse viendront les hanter pendant une période de 14 jours. Une aide précieuse viendra les aider à voir la vie du bon côté. Cette aide précieuse donnera l'envie de faire un changement qui aurait dû se faire il y a belle lurette. De plus, cette aide vous aidera à faire le changement. Ainsi, ce changement vous permettra de prendre votre vie en main et d'avancer vers un but et un projet que vous aviez mis de côté. À la suite de cette période négative, vous verrez la vie du bon côté, ce qui attirera vers vous que du beau et du bien. Bref, vous serez fier de vous et de tout ce que vous entreprendrez. De plus, vous serez reconnaissant envers cette aide précieuse qui vous a sorti du gouffre. Un lien précieux naîtra entre vous deux.

- Plusieurs consulteront un massothérapeute pour alléger une douleur physique.

- Certains feront une petite croisière ou ils seront invités à prendre part à un événement qui se déroulera sur un bateau.

- Vous, ou un proche, ferez l'achat d'un violon. Vous serez enchanté de votre achat.

- Certains prendront un cours de chant ou de musique.

Saison automnale

(octobre-novembre-décembre)

« On reçoit ce que l'on reflète.
Alors, ne reflétez que le meilleur de vous-même! »

(Paroles de l'Ange Yeiayel)

Vous serez en période de changement lors de la période automnale. Vous avez le goût d'améliorer certains aspects de votre vie, ce qui vous amènera à faire des changements de toutes sortes. Certains changeront l'aspect de leur personnalité en optant pour une intervention chirurgicale esthétique. D'autres suivront un régime pour perdre du poids. Bref, vous êtes tellement conditionné à faire des changements importants que vous réussirez tout ce que vous entreprendrez ou déciderez. Vous serez fier de vous et de vos résultats. Vous n'êtes pas sans faire parler de vous. Certains seront même jaloux de cette nouvelle attitude que vous adopterez. Toutefois, vos proches et vos amis sincères seront fiers de vous voir agir ainsi et surtout de voir que vous parvenez à prendre votre vie en main et à atteindre les buts que vous vous étiez fixés. Vous deviendrez rapidement un bel exemple à suivre.

Puisque le mois d'octobre est un mois chanceux pour vous, il serait bon de jouer à la loterie et d'entreprendre tous les projets que vous avez en tête. Votre mois d'octobre vous annonce des triomphes de toutes sortes. Plusieurs opportunités se présenteront pour réaliser tous les changements désirés. Vous voudrez accomplir tout ce qui est nécessaire pour atteindre vos buts.

En novembre, plusieurs seront heureux et en paix avec toutes les décisions et les changements qu'ils auront faits. Plusieurs prendront des décisions importantes qui auront un impact favorable pour la nouvelle année qui s'en vient. Vous tournerez la page du passé pour ouvrir les pages de votre présent et de votre avenir. Vous aurez le goût de créer et d'obtenir. Fini les attentes! Dorénavant, vous passerez à l'action!

C'est la raison pour laquelle, en décembre, plusieurs orienteront leur vie d'une façon différente. Ce ne sera pas de tout repos. Certains pourraient être très fatigués à la période des Fêtes. Toutefois, ce sera une belle fatigue puisque que vous aurez réalisé plusieurs de vos buts et de vos rêves. Une fin d'année très active est prévue, mais très prometteuse pour la nouvelle année qui débute.

Conseil angélique : Foncez vers vos buts. Il y aura tellement de belles occasions qui se présenteront à vous pour réaliser vos rêves et vos buts. Alors, il faut en profiter au maximum.

Sur le plan affectif

Plusieurs feront des changements qui amélioreront leur vie amoureuse. De belles conversations apaiseront les doutes et raviveront les émotions. On se rapproche et on fait confiance en la vie. Plusieurs réaliseront qu'ils sont heureux avec le partenaire qui partage sa vie. Ces êtres cherchaient tout simplement à connaître les sentiments de leur partenaire. Ces belles conversations viendront répondre à tous leurs questionnements. Par la suite, l'amour, l'harmonie et la joie feront leur entrée dans leur demeure. Attendez-vous de vivre de belles heures de plaisir en famille.

Toutefois, ceux qui éprouvent de la difficulté en couple, c'est en décembre que vous prendrez une décision importante.

Les enfants de **Yehuiah**, de **Lehahiah**, d'**Aniel** et de **Rehaël** vivront de grands changements qui amélioreront la vie amoureuse. Ils trouveront toutes sortes de solutions pour parvenir à trouver l'harmonie sous leur toit. Leurs conversations les rapprocheront et leur feront découvrir l'importance de leur union. Ce couple réalisera qu'il a besoin de l'un comme de l'autre pour réaliser leurs rêves. Plusieurs parviendront à trouver un terrain d'entente. Vous parlerez même de consacrer un temps précieux à votre couple, soit en mangeant en tête-à-tête, soit en faisant une activité ensemble. Bref, vous trouverez mille et une façons de vous rapprocher et de former l'équipe dynamique et amoureuse que vous étiez auparavant.

Les enfants de **Chavakhiah** et d'**Ieiazel** prendront des décisions impor-tantes pour améliorer la vie amoureuse. Ils joueront franc jeu et ils lanceront un ultimatum au partenaire. Si celui-ci est à l'écoute de cet ultimatum, il lui sera possible de sauver sa vie de couple. S'il ne l'est pas, malheureusement, une décision sera prise, une décision ferme sans possibilité de retourner en arrière. Si vous aimez votre partenaire, prenez le temps de discuter et de trouver un terrain d'entente pour que l'harmonie revienne sous votre toit. Si vous négligez son ultimatum, votre partenaire vous quittera et il sera impossible pour vous de le reconquérir.

Les enfants de **Menadel** et d'**Haamiah** seront heureux et en amour. Certains se réconcilieront. D'autres se pardonneront. Bref, plusieurs vivront des moments agréables qui les aideront à voir la vie du bon côté. Vous aurez de belles discussions avec le partenaire. Des promesses seront faites et elles seront tenues. De plus, certains en profiteront pour faire des sorties agréables qui les rapprocheront.

Pour les célibataires

Votre période automnale est propice pour faire de belles rencontres. Certains verront leur désir se concrétiser sur le plan affectif. Ce que votre cœur avait désiré, il l'obtiendra. La personne qui fera son entrée dans votre cœur et dans votre vie y apportera un bel équilibre grâce à son amour et à son respect envers vous. Vous resplendirez de bonheur et de joie.

Sur le plan du travail

Ce sera une période importante pour plusieurs. Il y aura des changements en votre faveur. Les contrats se renouvelleront. D'autres seront signés. Certains mettront sur pied un projet qui sera couronné de succès. Vous êtes dans une période de triomphe. N'hésitez pas à régler les problèmes qui vous préoccupent puisqu'il y aura une porte de sortie et de solutions pour vous. Plusieurs se verront offrir un poste rêvé. De plus, tout changement que vous ferez sera à votre avantage. Toutefois, certains risquent de quitter un emploi à la fin de l'année. Soit que le contrat ne peut être prolongé, soit que vous n'êtes plus heureux à cet endroit. Si cela vous arrive, ne vous inquiétez pas car dès le début de l'année, une bonne nouvelle vous parviendra. Vous reprendrez un ancien travail ou débuterez un nouveau travail.

Les enfants de **Yehuiah**, de **Lehahiah** et d'**Ieiazel** vivront des changements soudains qui orienteront leur carrière différemment. Certains obtiendront un poste rêvé. D'autres réussiront une entrevue. Un contrat sera renouvelé, un autre sera signé. Bref, plusieurs opportunités viendront vers eux pour améliorer leurs conditions de travail.

Malgré tous les obstacles qui barreront la route des enfants de **Chavakhiah** et de **Rehaël**, ils parviendront à relever tous les défis qui se présenteront à eux. De plus, ces êtres parviendront à trouver des solutions pour les aider à retrouver le goût du travail. Une discussion importante donnera naissance à une belle amélioration. Ils seront satisfaits de tous les changements qui se produiront.

Que de bonnes nouvelles arriveront vers les enfants de **Menadel**, d'**Aniel** et d'**Haamiah**. Ils se verront offrir de belles opportunités qui leur permettront de faire tous les changements désirés. Certains verront leur vœu se réaliser dans le domaine du travail. Bref, ceux qui auront une entrevue donneront leur maximum, à un point tel qu'on leur offrira l'emploi.

Sur le plan de la santé

Pour plusieurs, la santé sera bonne. Toutefois, il faudra surveiller les excès de fatigue. Prenez le temps de vous reposer lorsque le corps le réclamera. Certains se plaindront de maux de toutes sortes. Votre système immunitaire sera à la baisse. Alors, plusieurs attraperont tous les virus qui circuleront. Il sera important de vous protéger et de vous éloigner des endroits infectés par les maladies virales.

Conseil angélique : *Votre système immunitaire est à la baisse. Il serait sage pour vous de prendre du repos et de prendre des vitamines. De plus, évitez les endroits propices aux virus et à toutes sortes de maladies virales. Tenez-vous loin de ces endroits, et ce, pour le bien de votre santé.*

Les enfants de **Yehuiah**, de **Chavakhiah**, de **Rehaël** et d'**Ieiazel** devront surveiller les maladies virales. Leur pire ennemi : la grippe. Ils auront mal partout et ils auront de la difficulté à compléter leur journée. Certains risquent de garder le lit pendant une période de 2 à 13 jours. D'autres se trimballeront avec la boîte de papiers mouchoirs, car le nez coulera souvent. Il serait sage de vous laver régulièrement les mains pour ne pas contaminer les autres et pour que votre état de santé ne se détériore pas.

Les plupart des enfants de **Lehahiah**, de **Menadel**, d'**Aniel** et d'**Haamiah**, la santé sera bonne. Ils prendront bien soin d'eux. Il y en a qui se reposeront lorsqu'ils se sentiront fatigués. D'autres prendront des produits naturels et des vitamines. Certains feront des exercices ou des activités extérieures qui hausseront leurs énergies. Ils feront tout pour s'éloigner des virus. Toutefois, les personnes négligentes devront tout de même se surveiller.

Sur le plan de la chance

La chance sera excellente en octobre. Profitez-en pour jouer à la loterie. De plus, les journées de quart de lune vous seront aussi favorables. Si vous jouez en groupe, favorisez un groupe de deux personnes. De plus, il serait bon d'acheter un billet à l'extérieur de votre ville. La journée du samedi vous sera aussi favorable.

Voici quelques événements qui pourraient survenir au cours de la période automnale.

- Les portes de l'abondance s'ouvriront à vous en octobre. De belles surprises vous seront réservées dans tous les aspects de votre vie.

- Certains auront le privilège de signer deux contrats qui leur seront très favorables.

- Certains amélioreront leur personnalité, soit en subissant une chirurgie esthétique, soit en perdant du poids.

- Vous, ou un proche, si vous éprouvez des ennuis de jeu, ferez une perte énorme qui mènera à la faillite.

- Certains se plaindront d'un mal à l'épaule. Plusieurs devront recevoir des injections de cortisone.

- Vous, ou un proche, gagnerez un prix du meilleur costume lors de la fête de l'Halloween.

- Un enfant se blessera à la cheville ou au genou lors d'un sport d'hiver.

- Certains vivront des épreuves de toutes sortes. Toutefois, il y aura toujours une solution.

- Un emprunt ou un contrat sera refusé.

- Plusieurs auront des décisions importantes à prendre. L'une de vos décisions vous causera beaucoup de soucis. Ne soyez pas surpris de devoir revoir une décision et de la modifier.

- Certains partiront dans le sud pour les vacances de Noël.

- Certains feront une rencontre importante qui les aidera à mettre sur pied l'un de leurs projets. Une belle réussite s'ensuivra.

- Un homme regrettera une parole ou un geste qu'il commettra.

- Certains verseront des larmes à cause de paroles blessantes.

- Un homme quittera sa famille. Celle-ci le recherchera pendant une période de 2 à 5 jours. La raison de sa fuite : une dépression.

- Plusieurs débuteront un cours de yoga, de Qi-Gong, de relaxation ou de méditation. Ces cours les aideront à se libérer de leur angoisse. De plus, ils auront un impact favorable sur leur patience et leur concentration.

- Une personne implorera votre pardon. Cette personne sera sincère.

- Vous, ou un proche, orienterez votre carrière. Cela vous prendra cinq mois avant de réaliser que vous avez fait un bon choix.

- Une personne vous dévoilera ses sentiments. Vous serez très surpris de cette révélation.

- Certains rechercheront la paix et la solitude après avoir vécu une épreuve. Lors de cette période de solitude, vous parviendrez à trouver une façon de vous libérer et de guérir de cette douleur intérieure causée par cette épreuve.

- Certains seront déçus d'une décision d'un membre de la famille.

- Certains obtiendront une somme d'argent par un héritage ou un gain à la loterie.

- On vous annoncera la naissance de jumeaux.

- Vous, ou un proche, vivrez une perte financière douloureuse. Des larmes seront versées. Il peut s'agir de la perte de la maison ou d'un véhicule.

- Les célibataires feront des rencontres intéressantes. L'une de ces rencontres changera favorablement la vie. Une union se bâtira et se solidifiera par un mariage ou par l'achat d'une propriété.

- Vous, ou un proche, réclamerez de l'aide lors d'une épreuve difficile. Toutefois, vous serez soutenu par les proches.

- Plusieurs auront le privilège de réaliser de un à cinq de leurs désirs. L'un de ces désirs concernera une somme d'argent.

- Un enfant qui avait abandonné ses études prendra une décision importante. Il retournera apprendre une technique et il réussira à se trouver du travail dans cette discipline.

- Certains devront assister à deux enterrements. L'un de ses enterrements se déroulera dans une ville étrangère. Ne soyez pas surpris de faire un trajet de quatre à sept heures de route pour vous y rendre.

- Quelqu'un vous fera une remarque sur l'un de vos petits défauts. Vous aurez de la difficulté à accepter cette remarque. Toutefois, cette personne ne voulait pas vous blesser, au contraire, elle cherchait tout simplement à vous éviter des ennuis avec des membres de votre entourage.

- Lors d'une sortie sociale, faites attention à votre porte-monnaie, votre cellulaire ou vos clés. Assurez-vous de les mettre dans un endroit sûr.

- Il serait sage de ne pas prêter de l'argent à qui que ce soit, car vous ne reverriez plus cet argent.

- Certains seront surpris d'apprendre qu'un proche a un problème de jeu, de drogue ou d'alcool. Un problème caché se révèlera à vous.

- Certains recevront un appel ou une facture qui les dérangera.

- Une somme d'argent sera soutirée de votre compte sans votre consentement. Il pourra s'agir d'une compagnie avec lequel vous aviez déjà fait affaire ou peut être une erreur de votre banque. De toute façon, le tout se réglera rapidement mais vous causera des maux de tête.

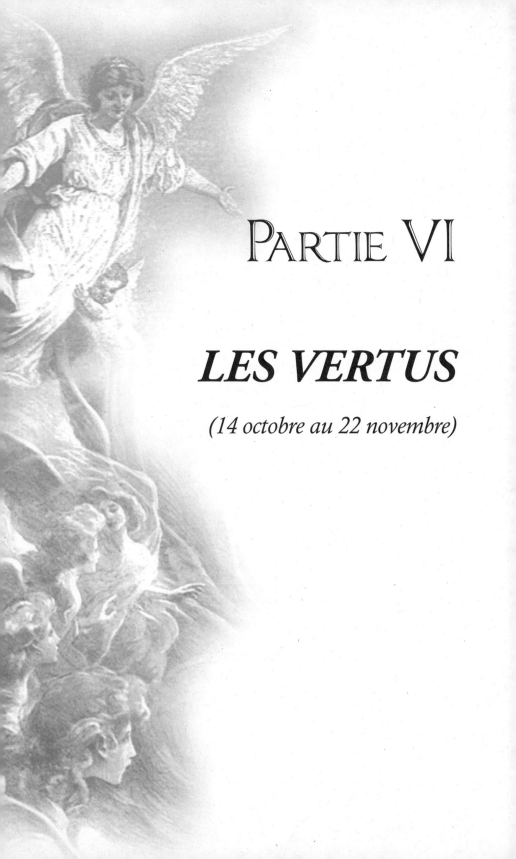

PARTIE VI

LES VERTUS

(14 octobre au 22 novembre)

Chapitre XVI

L'année 2011 des Vertus

L'année 2011 ne sera pas une année facile pour plusieurs. Ce sera une année nostalgique. Vous regretterez des gestes que vous avez faits ou des paroles que vous avez dites. Vous regretterez même certaines décisions que vous avez prises. En 2010, vous avez vécu sur des coups de tête. Maintenant, il faut faire face aux conséquences de ces coups de tête.

En 2011, vous aurez deux choix : pleurer sur votre sort et ne rien faire ou vous prendre en main et accepter les conséquences de vos actes.

> *Conseil angélique : Si vous vous apitoyez sur votre sort, vous trouverez votre année très longue et pénible. Vivre dans le passé n'apportera rien de bon à votre futur. Si vous vous prenez en main et que vous regardez droit devant vous, vous verrez qu'un nouveau jour est sur le point de se lever; il n'attend que votre approbation.*

Vous devrez mettre de l'ordre dans votre vie, si vous voulez retrouver votre équilibre et votre joie de vivre. Il n'en tiendra qu'à vous de le faire. De toute façon, il y aura deux ou trois événements importants qui vous permettront de régler vos problèmes et de changer votre routine. En regardant votre vie en face et en étant conscient des conséquences de vos décisions, il vous sera beaucoup plus facile d'y apporter tous les changements nécessaires afin d'améliorer les aspects qui vous dérangent. Dites-vous que tout n'est pas perdu.

Conseil angélique : *Prenez votre courage à deux mains et réglez les problèmes ainsi que les situations qui vous dérangent. Faites-vous confiance et vous verrez jaillir la réussite dans tout ce que vous entreprendrez. Si vous agissez ainsi, il vous sera possible de retrouver le calme après avoir vécu la tempête!*

Cette tempête, au lieu d'être dévastatrice, vous apportera une grande sagesse puisqu'elle vous aura permis d'apprendre à réfléchir aux conséquences de vos actes avant d'agir. Vous aurez donc appris une belle leçon de vie. Toutefois, si vous vous apitoyez sur votre sort, il est évident que cette tempête sera dévastatrice et qu'elle causera des dommages sur le plan de vos émotions et de votre mental. Alors, agissez afin que tout redevienne à la normale. Les enfants de **Veuliah** auront de la difficulté à agir et ils risquent de trouver l'année 2011 plus difficile. Ces êtres devront mettre les bouchées doubles pour parvenir à leurs fins.

Conseil angélique : *Si cela devient trop pénible au niveau émotionnel, consultez un thérapeute ou confiez-vous à quelqu'un en qui vous avez confiance. De plus, prenez le temps de prier votre Ange personnel ou son Ange accompagnateur. Cela vous sera d'un grand secours lors des tempêtes émotionnelles.*

L'amour des Vertus

De grandes analyses seront faites. Plusieurs se poseront des questions existentielles sur leur vie amoureuse. Tout ceci sera causé par la tempête émotionnelle que vous avez vécue l'an passé ou que vous vivez encore aujourd'hui. Le cœur est meurtri et il a besoin d'un second souffle de vie. À la suite de cette analyse, plusieurs réapprendront à aimer. Cela ne veut pas nécessairement dire que vous changerez de partenaire. Au contraire, cela peut signifier que vous aimerez votre partenaire d'une façon différente, d'une manière plus saine, autant pour vous que pour lui.

En 2011, vous ferez place à la communication. Vous aurez besoin de communiquer vos émotions et que votre partenaire communique les siennes. Vous ne voudrez plus vivre dans le doute et dans l'incertitude. Vous voudrez vivre dans la joie et dans la sérénité. Vous aurez le goût de partager et de former une équipe avec votre partenaire. C'est la raison pour laquelle plusieurs Vertus prendront leur vie amoureuse en main. L'année 2011 sera pour vous une année déterminante et révélatrice. Soit que ça passe ou que ça casse! Telle sera votre devise.

Plusieurs réfléchiront sur la qualité de leur union. Quant à être souvent seul parce que le partenaire est absent, pourquoi ne pas partir? Quant à être mal aimé, pourquoi ne pas chercher un nouvel amour? Quant à vous disputer régulièrement pour des chimères, pourquoi ne pas vous quitter? Vous avez épuisé toutes vos ressources pour améliorer votre vie amoureuse, en 2011, vous agirez.

Cette attitude dérangera beaucoup votre partenaire. Toutefois, vous agirez pour le bien des deux. Votre seul et unique désir sera d'être bien et heureux avec votre partenaire. Si celui-ci répond à l'appel, vous ferez tout en votre pouvoir pour changer tous les aspects qui dérangent votre union. Vous mettrez de l'eau dans votre vin. S'il faut que vous amélioriez certains aspects de votre personnalité, vous le ferez. Vous ferez tout ce qu'il faut pour être heureux et en harmonie. Bref, votre grande détermination à retrouver la joie de vivre à deux vous conduira vers la réussite de votre vie amoureuse.

Tous ceux qui ont vécu des déceptions, des peines d'amour, une séparation, un deuil ou un divorce, guériront de leur peine en 2011. Votre plaie se guérira et cela vous permettra d'aimer de nouveau. Vous reprendrez goût à l'amour!

Les enfants de **Hahahel** et de **Sealiah** vivront de profondes transformations. Plusieurs mettront un terme à une relation pour se diriger vers de la nouveauté. D'autres se réconcilieront avec leur partenaire ou avec un partenaire du passé; une seconde chance lui sera accordée. Certains se rétabliront à la suite d'une déception, d'un deuil, d'une séparation ou d'un adultère. Vous surmonterez votre chagrin. Bref, vous travaillerez très fort pour faire les changements nécessaires afin de retrouver l'harmonie au sein de votre vie amoureuse, et les résultats seront à la hauteur de vos attentes puisque vous renaîtrez à l'amour.

Les enfants de **Mikhaël** et d'**Asaliah** travailleront très fort pour retrouver leur équilibre au sein de leur vie amoureuse. Plusieurs se sentiront manipulés par leur partenaire, ce qui donnera lieu à de sérieuses conversations avec ce dernier. Un ultimatum sera lancé. Si le partenaire le prend en considération, tout rentrera rapidement dans l'ordre et l'amour jaillira de nouveau sous leur toit. Sinon, il y aura de l'orage dans l'air. Des décisions importantes seront prises qui nécessiteront l'aide d'un médiateur ou d'un avocat. Toutefois, toutes les décisions qui seront prises amélioreront le bien-être des personnes impliquées. Ces êtres regarderont droit devant eux. Ils ne s'attarderont plus à leur passé. Ils tourneront définitivement la page et ils avanceront avec sérénité vers un futur meilleur. De toute façon, il y aura trois événements qui surviendront pour vous aider à améliorer votre union et à bien prendre vos décisions.

Les enfants de **Veuliah** vivront dans la bataille. Ces êtres auront de la difficulté à faire des choix. Ils préféreront se fermer les yeux que d'affronter la tempête qui fait rage dans leur vie. Les paroles seront blessantes et les gestes seront destructifs. Tout ceci vous mettra dans un état de paralysie. Ne sachant plus où vous diriger, vous sombrerez rapidement dans un état dépressif. Vous aurez plusieurs arguments avec votre partenaire qui seront causés par un enfant, le travail ou un problème non réglé appartenant au passé. De plus, au lieu de parvenir à trouver une solution, vous serez comme deux guerriers qui partent à la guerre et qui ne cherchent qu'à écraser leur ennemi. Agir ainsi ne vous apportera rien de bon.

Conseil angélique : *Au lieu de vous blesser mutuellement, il serait sage de vous asseoir et de discuter. Parlez de vos émotions. Ne les criez pas, car cela ne vous avantagera pas du tout. Si vous êtes incapables de parvenir à une entente, n'hésitez pas à demander l'aide d'un médiateur ou d'un membre de la famille en qui vous avez confiance.*

Les enfants de **Yelahiah**, d'**Ariel** et de **Mihaël** seront en mesure de prendre leur vie amoureuse en main et de régler tous les petits conflits. Ces êtres regarderont droit devant eux. Ils tourneront la page du passé et ils se consacreront entièrement à leur avenir, ce qui aura un impact favorable dans leur relation amoureuse. Dans le fond, ces êtres communiqueront facilement leurs besoins et leurs émotions. Ils seront francs et directs. S'il y a une situation qui les dérange, ils vous le diront immédiatement. Ils n'attendront pas que tout s'envenime avant de la régler. Plusieurs se réconcilieront et se pardonneront. Une nouvelle vie débutera pour eux. Cela pourra être avec le même partenaire ou avec un partenaire différent. Toutefois, ce changement leur sera favorable puisque ces êtres miseront davantage sur la réussite de leur vie amoureuse que sur la réussite de leur vie professionnelle. Leur vie amoureuse passera au premier plan, ce qui fera le bonheur du partenaire.

Les Vertus célibataires

Les célibataires auront l'occasion de rencontrer des personnes qui pourraient marquer favorablement leur vie amoureuse. Vous aurez l'embarras du choix! Toutefois, si vous courez deux lièvres à la fois, vous risquez de les perdre! Concentrez-vous plutôt sur les êtres qui ressemblent davantage à l'image de votre partenaire idéal.

Les enfants de **Hahahel**, de **Sealiah** et de **Mihaël** reprendront contact avec le passé : soit un ancien amoureux qui fera palpiter votre cœur à nouveau ou soit une personne que vous avez déjà connue dans le passé. Cette personne représentera exactement ce que vous recherchez. Un désir s'accomplira dans le domaine de l'amour. Votre cœur sera joyeux et heureux. Vous renaîtrez à l'amour. Il y a de fortes chances que vous rencontriez votre partenaire idéal lors d'une soirée amicale, d'une visite que vous rendrez à un ami, d'une visite dans un lieu médical ou lors de funérailles. De plus, ne soyez pas étonné si cet être porte un plâtre, un pansement adhésif ou un bandage à la suite d'une blessure. Ce sera votre sujet de conversation et, par la suite, vous vous remémorerez des événements du passé. Votre relation naîtra à travers ces conversations.

Les enfants de **Mikhaël** et de **Veuliah** trouveront l'amour lorsqu'ils s'y en attendront le moins. Cela pourra être une personne qui fait partie de votre vie depuis un certain temps et que, tout à coup, votre cœur se réveille en sa présence. De toute façon, l'amour arrivera en douceur dans votre vie.

Conseil angélique : Lorsque votre cœur vous fera ressentir une émotion pour la personne qui se trouve en face de vous, ne soyez pas trop indépendant. Sondez le terrain. Vous serez surpris de réaliser que cette personne est exactement l'être que vous attendiez depuis longtemps. Ce sera un amour équilibré.

Certains pourront rencontrer une personne qui vivra une période difficile causée par une séparation ou un problème quelconque. Il se peut même que la justice soit impliquée. Il est évident que ce problème risque de perturber le début de votre relation. Cependant, si vous lui laissez une chance, vous ne serez pas déçu par la suite.

Les enfants de **Yelahiah** et d'**Asaliah** pourront faire la rencontre de leur perle rare. Une belle histoire d'amour pourrait débuter pour vous. Toutefois, la décision finale vous reviendra. Cette indécision sera causée par un petit problème lié à l'argent. La situation financière de l'un des deux sera mieux que l'autre. Si vous en faites un drame, cela vous nuira. Toutefois, si vous l'acceptez, vous bâtirez rapidement une union solide avec cette personne. Cette belle rencontre se fera lors d'une sortie agréable. Vous serez envouté par le regard que cette personne posera sur vous.

Les enfants d'**Ariel** rencontreront leur étoile, leur rayon de soleil, leur rayon d'amour. Vous serez littéralement hypnotisé par cette nouvelle rencontre. Tout vous plaira en cette personne. Vous boirez ses mots d'amour. Plusieurs vivront un coup de foudre passionnel. D'autres rencontreront l'amour de leur vie. Cette magnifique rencontre pourra se faire par l'entremise d'une bonne amitié. De plus, ne soyez pas étonné si cette nouvelle personne possède un bijou, un tatouage ou un vêtement avec le dessin d'une libellule, d'un papillon ou d'un soleil. Aussi banal que cela puisse paraître, votre sujet de conversation sera lié à un meuble ou à un coffre de bois!

Le travail des Vertus

Il y aura beaucoup d'énergie négative au sein de votre vie professionnelle. Plusieurs seront déçus de l'attitude de leurs collègues de travail, à un point tel que vous vous demanderez si vous devez restez dans cette ambiance malsaine ou si vous devez quitter. Même si vous aimez votre travail, il n'en demeure pas moins que l'ambiance vous dérangera et elle affectera aussi la qualité de votre travail.

Ne soyez pas étonné de ressentir de la jalousie autour de vous ou d'être la source de commérages. Les gens vous jalouseront et jalouseront votre travail. Ce ne sera pas facile pour vous d'essayer de faire comprendre à certaines personnes que vous voulez tout simplement les aider et non voler leur emploi. Vous n'aimez pas rester à ne rien faire. Vous aimez occuper vos journées et lorsqu'arrive un temps d'arrêt, cela vous épuise. Alors, vous préférez apporter votre aide que ne rien faire. Toutefois, cette générosité de votre part fera parler les autres. Dans ces moments, dites-vous que ceux qui critiquent le plus souvent sont ceux qui se laissent emporter par des sentiments sombres. De plus, ce sont aussi ceux qui ne donnent pas leur maximum au travail. Ils sont conscients qu'ils ne sont pas à la hauteur, mais ils ne l'admettront jamais. Au lieu de changer leur attitude, ils préféreront critiquer et blesser ceux qui ont du cœur au ventre.

De plus, si vous débutez un travail, il se peut que ceux qui doivent vous montrez vos nouvelles tâches le feront qu'à moitié. Il faudra que vous releviez vos manches et que vous y mettiez toute votre énergie afin de réussir vos nouvelles tâches. Plusieurs se décourageront.

Conseil angélique : *Vous possédez toutes les qualités requises pour réussir ce que vous entreprendrez. Ne vous laissez pas influencer par des personnes ou des situations négatives. Foncez. Vous possédez tous les atouts nécessaires pour le faire.*

La plupart des Vertus auront la chance d'obtenir une amélioration sur le plan du travail. Toutefois, les enfants de **Veuliah** auront plus de difficulté à s'adapter à leurs nouvelles conditions de travail.

Il y aura une porte de sortie pour les enfants de **Hahahel** et de **Sealiah**. D'une part, tous les problèmes qui surviendront seront réglés rapidement. D'autre part, plusieurs auront la chance de retourner travailler à un endroit qui leur plaisait. De plus, vous recevrez l'aide nécessaire pour bien accomplir les tâches et les terminer aux dates prévues. Toutes les entrevues qui se feront seront réussies, surtout si elles se font un mardi. Une belle amélioration se fera ressentir pour tous ceux qui œuvrent dans le monde médical ainsi que pour les policiers et les pompiers.

Une personne ou une décision importante améliorera l'ambiance de travail des enfants de **Mikhaël** et de **Mihaël**. Des réunions auront lieu et elles donneront naissance à une meilleure qualité sur le plan du travail. Une entente sera signée. Grâce à de nouvelles directives qui seront instaurées, l'équilibre se fera ressentir de nouveau. De belles victoires seront annoncées et rendront les gens heureux. Des changements, des ententes et des contrats verront le jour pour tous ceux qui œuvrent dans le monde juridique, médical, financier ou gouvernemental.

Il y aura beaucoup de discussions animées chez les enfants de **Veuliah**. Ils seront confrontés à plusieurs problèmes. De plus, plusieurs seront pris entre l'arbre et l'écorce, ce qui ne sera pas facile pour eux. Vous détestez la mésentente et pourtant vous serez touché par celle-ci puisqu'on vous impliquera dans des situations sans votre consentement. Il se pourrait que votre patron ne parle pas à l'un de vos collègues et que vous deviez faire l'intermédiaire entre les deux. Il est évident que cette situation vous angoissera et vous rendra malade.

Conseil angélique : *Il serait important d'avoir une discussion sérieuse avec ces êtres pour leur faire comprendre que cette situation absurde ne peut pas continuer. De plus, faites attention à vos paroles. Ainsi, vous éviterez plusieurs ennuis inutiles.*

Certains seront débordés à cause d'un surplus de tâches. D'autres perdront leur emploi. Les contrats ne se renouvelleront pas. La meilleure solution pour vous sera d'analyser vos priorités. Est-ce que cela vaut la peine de demeurer à cet endroit? Êtes-vous capable de régler vos conflits? Vous sentez-vous apte à commencer un nouveau travail? Toutes ces questions devront être réfléchies et analysées.

De belles opportunités viendront frapper à la porte des enfants de **Yelahiah**, d'**Ariel** et d'**Asaliah**. Les emplois temporaires deviendront permanents. Plusieurs obtiendront le poste désiré. Certains auront le privilège d'obtenir une augmentation de salaire. Pour d'autres, la qualité et l'ambiance du travail s'amélioreront. De plus, les contrats fuseront de toutes parts. Les entrevues seront réussies. Si vous vivez des problèmes, des solutions seront trouvées. Certains retourneront aux études pour s'améliorer. Bref, vous serez comblé sur le plan professionnel.

Conseil angélique : *Appréciez toutes les opportunités qui défileront devant vous et savourez-les!*

La santé des Vertus

En général, la santé sera bonne. Si vous êtes à l'écoute des signaux que votre corps physique vous envoie, vous éviterez plusieurs petits ennuis. Certains se rétabliront à la suite de problèmes, d'autres tenteront de se guérir par la médecine alternative. Ces êtres prendront des produits naturels et ils changeront leur alimentation pour retrouver leur énergie.

En 2011, plusieurs seront conscients qu'il est important de prendre soin de leur santé. C'est la raison pour laquelle ces êtres feront tout pour retrouver une santé équilibrée. S'ils doivent changer leurs habitudes alimentaires, ils le feront. S'ils doivent prendre des médicaments, ils en prendront. S'ils doivent perdre du poids, ils en perdront. S'ils doivent faire de l'exercice, ils en feront. Dans le fond, ces êtres seront à l'écoute de leur corps et de leur médecin. En agissant ainsi, ces êtres retrouveront facilement la forme physique et mentale. D'ailleurs, il y aura de nombreuses possibilités sur leur chemin pour mettre à profit leurs intentions de se prendre en main sur le plan de la santé.

Cependant, il y aura des faiblesses à surveiller. Plusieurs auront des ennuis avec leur peau. Certains souffriront de rougeurs, de psoriasis, de zona, d'eczéma ou d'urticaire. Ils devront utiliser une crème médicamentée pour soulager leurs rougeurs. D'autres auront des ennuis avec leur vessie. De plus, surveillez où vous poserez les pieds : il y a risque de blessures causées par du verre ou par un clou. Il serait sage de ne pas vous promener pieds nus. Certains iront même jusqu'à porter un plâtre en raison d'une blessure ou d'une foulure. À l'occasion, certains se plaindront de maux de tête ou d'insomnie, ce qui les obligera à prendre un médicament ou un produit naturel. Enfin, certains devront subir une intervention chirurgicale en raison d'un problème de santé. Toutefois, la convalescence se fera rapidement.

> **Conseil angélique :** *Les Anges Vertus peuvent accomplir des miracles lorsqu'il s'agit de la santé. Il suffit de réciter la prière à cet effet. [NDLR : Cette prière se trouve dans* La Bible des Anges *et dans* Les Anges au Quotidien.*]*

Les enfants de **Hahahel**, de **Mikhaël**, de **Sealiah** et de **Mihaël** auront la possibilité de se rétablir d'un problème de santé. Après la maladie, la santé reviendra. Grâce à l'intervention d'un médecin ou d'un médicament, un problème sera réglé. Ces êtres remonteront la pente. Cela sera bénéfique au niveau de leur humeur puisqu'ils reprendront goût à la vie. De plus, plusieurs seront incités à prendre des produits naturels ou des vitamines pour rehausser leurs énergies.

Les faiblesses à surveiller en 2011 seront les blessures aux pieds. Surveillez où vous poserez les pieds. Il y a risque de blessures pouvant nécessiter le port d'un plâtre ou d'un pansement. Certains se plaindront d'un mal à l'épaule, d'un mal de genou ou d'un mal de dos, d'autres iront consulter un chiropraticien ou un physiothérapeute pour soulager leur douleur. Ceux qui devront subir une intervention chirurgicale remonteront rapidement la pente. L'intervention sera réussie. Toutefois, il serait sage d'écouter les recommandations de votre médecin. Celui-ci est le mieux placé pour vous aider à guérir. Ceux qui abusent de la drogue et de l'alcool auront de graves ennuis de santé, s'ils ne portent pas attention à leur problème de consommation.

Les enfants de **Veuliah** devront redoubler de prudence et surveiller leur santé. Plusieurs auront tendance à abuser de leur santé. En 2011, votre corps vous avertira. Vous devrez être plus vigilant.

Conseil angélique : *Écoutez tous les signaux que votre corps vous lancera. N'ayez pas peur d'aller consulter votre médecin. Mieux vaut prévenir que guérir! Si vous prenez le temps d'écouter votre corps, vous éviterez de graves ennuis.*

En 2011, la grande faiblesse du corps sera liée à la tête. Certains pourraient être victime d'un arrêt cardio-vasculaire, d'une perte de mémoire ou d'une tumeur au cerveau, ce qui les mènera dans un état de paralysie temporaire. Toutefois, ces situations pourront être évitées s'ils consultent leur médecin lorsqu'une douleur inusuelle se fait ressentir. Voilà l'importance de ne pas négliger les signaux de votre corps. Plusieurs souffriront d'insomnie et de maux de tête. Certains auront des problèmes avec leurs oreilles ou leurs sinus. Tous ces maux devront être pris en considération. Peut-être souffrez-vous d'un manque de sommeil?

Conseil angélique : *Faites le vide et prenez du repos. N'aggravez pas votre santé. Lorsqu'une douleur se fera sentir, prenez-en note immédiatement et vous verrez qu'il vous sera beaucoup plus facile de remonter la pente et de retrouver rapidement vos énergies.*

Certains devront subir une intervention chirurgicale. Toutefois, vous serez bien soignés. Alors, vous n'avez rien à craindre!

La santé sera bonne pour les enfants de **Yelahiah**, d'**Ariel** et d'**Asaliah**. Advenant un problème, ils seront en mesure de remonter rapidement la pente. Certains prendront des médicaments pour soulager une douleur; ce médicament aura un impact positif sur la douleur. Les faiblesses de ces êtres, en 2011, seront les infections, les virus et les allergies. Plusieurs devront consulter un médecin en raison de l'un de ces problèmes. De plus, les asthmatiques devront redoubler de prudence puisque 2011 ne sera pas une année facile au niveau de leurs poumons.

Conseil angélique : *À tous les asthmatiques : lors des froids hivernaux intenses, couvrez-vous suffisamment ou restez tout simplement à la maison.*

Certains changeront de médecin. Ce nouveau médecin répondra exactement à vos demandes. Même si, au début, vous aviez vu ce changement d'un mauvais œil, vous changerez vite d'idée. Ce sera un bon médecin pour vous puisqu'il sera en mesure de trouver la cause de vos malaises. Il sera aussi en mesure de vous remettre sur pied.

La chance des Vertus

Les chiffres chanceux des Vertus seront les chiffres 3, 8, 22, 24, 38 et 42. La journée du mardi vous sera favorable pour acheter vos billets et faire vos transactions. Vos mois de chance seront **avril**, **août** et **octobre**. Votre chance sera excellente. Votre grande générosité sera récompensée. Plusieurs feront des gains d'argent qui leur permettront de réaliser un de leurs projets. Certains pourront même gagner un voyage. La chance vous sourit. Alors, profitez-en lors de vos mois de chance. De plus, votre chance sera très forte lorsque vous achèterez des billets de loterie à l'extérieur de votre région. Si une personne aux cheveux foncés vous remet des fleurs ou un fruit, ce sera votre signe de chance. Achetez un billet de loterie!

Ange Hahahel : 2, 10 et 20. La chance est bonne. Vos billets de loterie seront plus chanceux lorsque vous les achèterez à l'extérieur de votre ville. De plus, si une personne vêtue de blanc et de rouge vous offre un billet, achetez-le. Ce sont des couleurs chanceuses pour vous! Avant que l'année se termine, plusieurs recevront une belle récompense.

Ange Mikhaël : 2, 28 et 39. La chance est bonne. Vous serez plus chanceux lorsque vous jouerez à deux. Les personnes faisant partie du Chœur des Puissances vous seront favorables. Aussi banal que cela puisse paraître, si vous voyez une personne ayant un tatouage, un vêtement ou un bijou avec l'insigne d'une épée, ce sera également un signe de chance pour vous. Alors, achetez un billet.

Ange Veuliah : 2, 22 et 29. La chance sera occasionnelle. Toutefois, elle comptera pour les fois où vous n'aurez pas été chanceux. Si vous jouez en groupe, les groupes de deux ou de trois personnes vous seront favorables. Toutefois, un groupe comportant deux hommes et une femme sera davantage chanceux pour vous.

Ange Yelahiah : 1, 4 et 46. Votre chance est excellente! Vous avez la main chanceuse. Alors, choisissez vous-même vos billets et vos numéros. Plusieurs seront surpris de voir que la chance les poursuit. De belles surprises fuseront de partout.

Ange Sealiah : 4, 13 et 49. Votre chance sera occasionnelle. Il faudra en profiter à ce moment-là. Tous les billets que vous recevrez en cadeau vous porteront chance. Malgré le fait que votre chance est occasionnelle, il y a tout de même trois belles surprises en argent qui viendront vers vous avant que l'année se termine.

Ange Ariel : 17, 35 et 44. Votre chance est excellente! Vous êtes sous une bonne étoile. À un point tel que certains pourront gagner une très belle somme d'argent en 2011. Les loteries instantanées vous seront plus favorables que les autres loteries. Les personnes faisant partie du Chœur des Anges vous seront favorables ainsi que la journée du vendredi.

Ange Asaliah : 4, 12 et 33. Votre chance est excellente! Plusieurs seront surpris de voir que la chance est au rendez-vous. Vous aurez trois belles surprises qui viendront vers vous. De plus, tous les billets que vous recevrez en cadeau vous porteront chance. Si vous jouez en groupe, les groupes de trois personnes vous seront davantage favorables.

Ange Mihaël : 1, 10 et 30. Votre chance est très élevée. Vous serez surpris de tous les cadeaux providentiels que vous recevrez en 2011. La chance vous suit et elle vous permettra de réaliser quelques petits projets.

Aperçu des mois de l'année des Vertus

☆ **Les mois favorables** : mars, mai, août, octobre et décembre.

☆ **Les mois non favorables** : janvier, février, juin, juillet et septembre.

☆ **Les mois ambivalents** : avril et novembre.

☆ **Les mois de chance** : avril, août et octobre.

Chapitre XVII

Informations supplémentaires propres à chacun des Anges Vertus

✦ ANGE HAHAHEL ✦

(du 14 au 18 octobre)

C'est un nouveau cycle de vie qui commence pour les enfants de Hahahel. Plusieurs tourneront la page du passé et avanceront fièrement vers les objectifs qu'ils se sont fixés. L'année 2010 n'a pas été de tout repos. Maintenant, ils ont tout simplement le goût de passer à autre chose et c'est ce qu'ils feront en 2011.

Grâce à cette nouvelle attitude, les douleurs et les peines s'estomperont pour faire place à une belle sérénité. Les larmes sécheront pour faire place aux sourires. La solitude fera place à la joie de vivre. Les plaies guériront. Bref, vous renaîtrez à la vie. Et pour couronner le tout, vous penserez à vous en premier. Fini le temps où vous laissiez passer les autres en premier. Fini les sacrifices pour les autres qui ne vous apportent rien et qui vous épuisent. En 2011, vous serez plus sélectif quant à l'aide que vous apporterez aux autres. Votre entourage aura de la difficulté à s'adapter à votre nouvelle attitude, mais vous vous épanouirez tellement à travers celle-ci que les remarques des autres ne vous affecteront guère. Cependant, vous ne serez pas à l'abri d'épreuves. Toutefois, vous aurez la force, la détermination et le courage de régler immédiatement vos problèmes. Rien ne restera en suspens. Vous serez fier de vous et de tout ce que vous accomplirez cette année.

ANGE ACCOMPAGNATEUR : l'Ange Melahel (23) a comme mission de délivrer l'humain de ses maux. De plus, en le priant, Melahel vous aidera à bâtir vos projets sur des bases solides pour que, à la première tempête, vous ayez la force de la traverser.

✦ ANGE MIKHAËL ✦
(du 19 au 23 octobre)

Les enfants de Mikhaël chercheront à équilibrer plusieurs aspects de leur vie. Ils prendront leur vie en main et ils régleront tous les problèmes qui les empêchent d'avancer et d'être heureux. En 2011, vous aurez une folle envie de regarder droit devant vous. Vous ne voudrez plus vous attarder au passé. C'est la raison pour laquelle vous réglerez vos problèmes. Certains d'entre eux seront résolus par la justice. D'autres le seront grâce à de judicieux conseils qu'on vous donnera.

À quelques reprises, votre attitude sera froide et tranchante. Toutefois, vous n'aurez pas le choix d'agir ainsi. Autrement, vos décisions seront influencées par d'autres individus. Et c'est exactement ce que vous voudrez éviter en 2011 : des gens qui vous dictent quoi faire et comment le faire. Vous désirerez régler vos problèmes avec vos forces et vos faiblesses. De cette façon, vous serez davantage en mesure d'en apprécier les retombées.

Cette nouvelle façon de voir les choses vous permettra de mieux ressentir les gens qui vous entourent. Vous serez même surpris de voir que deux proches vous manipulent depuis un certain temps. Ne soyez pas surpris d'avoir une conversation importante avec ces personnes. Vous remettrez les pendules à l'heure! Bref, vous serez fier de vous et de tout ce que vous accomplirez en 2011.

ANGE ACCOMPAGNATEUR : l'Ange Haheuiah (24) vous sera d'une très grande aide pour régler vos conflits. De plus, cet Ange vous aidera à mieux formuler vos pensées pour que les gens puissent bien comprendre vos points de vue.

✦ ANGE VEULIAH ✦

(du 24 au 28 octobre)

Les enfants de Veuliah devront travailler très fort pour conserver le contrôle de leur vie. Plusieurs seront tourmentés et manipulés par leurs proches ou par des vampires d'énergie. Il y aura souvent des situations ou des personnes qui amorceront des batailles inutiles, des batailles qui épuiseront vos énergies.

Votre manque d'intérêt vous empêchera d'avancer. Vous aurez de la difficulté à atteindre vos buts. Vous serez incapable de bouger. Rien ne se fera et cela vous affectera énormément. Plusieurs souffriront d'angoisse, de fatigue et de dépression. Tous ces symptômes seront causés par l'emprise que possède votre entourage sur vous.

Conseil angélique : Il serait important pour vous et votre bien-être de ne pas laisser les autres mener votre vie et de mettre votre pied à terre. Si vous voulez être bien, prenez votre place. N'ayez pas peur de vous affirmer en tant qu'individu. N'ayez pas peur de dire « non ». Arrêtez de vous tracasser pour les autres et, surtout, arrêtez de vous sentir coupable vis-à-vis votre entourage.

Si vous parvenez à vous affirmer, vous serez en mesure de bien diriger votre année. Si vous ne le faites pas, vous serez victime toute l'année 2011 et votre santé en prendra un coup. Toutefois, si vous parvenez à prendre votre place, vous serez en mesure de voir toutes les possibilités qui s'ouvrent à vous pour entreprendre vos projets et les réussir.

Il n'en tient qu'à vous de faire le nécessaire pour vous éloigner des vampires d'énergie qui viennent vers vous et les éviter. Écoutez vos sens! Ceux-ci vous avertiront du danger de l'emprise que possèdent ces personnes sur vous. Lorsque votre alarme intérieure sonnera, éloignez-vous immédiatement. Si vous ne pouvez vous éloigner, prenez votre position et confrontez bravement la personne. Montrez-lui que vous êtes en contrôle. Bientôt, cette personne s'éloignera de vous.

ANGE ACCOMPAGNATEUR : l'Ange Ieiazel (40) a le pouvoir de mettre fin à une période difficile pour vous diriger vers une meilleure qualité de vie. Cet Ange vous donnera le courage de régler immédiatement ce qui ne fonctionne pas bien dans votre vie.

✦ ANGE YELAHIAH ✦
(du 29 octobre au 2 novembre)

Plusieurs situations viendront combler les enfants de Yelahiah. En 2011, plusieurs récolteront les bienfaits de leurs bonnes actions. Tout leur sera acquis. Qu'importe la situation ou le problème, ces êtres trouveront toujours la meilleure solution. Pour tout réussir, il vous suffira d'être conscient de votre potentiel. Ainsi, vous serez en mesure de relever tous les défis qui se présenteront à vous. Vous aurez le goût d'aller de l'avant, et c'est exactement ce que vous ferez en 2011.

Plusieurs travailleront très fort pour améliorer leur statut financier. Ne soyez pas surpris de mettre les bouchées doubles. Toutefois, les résultats en vaudront vraiment la peine. En 2011, votre force sera votre grande ambition de vouloir réussir tout ce que vous entreprendrez. Ce bon vouloir vous apportera que du succès! Plusieurs signeront des papiers qui leur seront favorables. Certains papiers exigeront l'aide d'un notaire ou d'un banquier. Toutefois, ces papiers seront à la hauteur de vos attentes.

ANGE ACCOMPAGNATEUR : En priant l'Ange Menadel (36), celui-ci vous donnera le courage d'entreprendre toutes vos actions afin de les réussir; même les tâches les plus difficiles. Cet Ange vous guidera vers les meilleures ressources afin que vous puissiez obtenir ce que vous désirez.

✦ ANGE SEALIAH ✦
(du 3 au 7 novembre)

Les enfants de Sealiah vivront de profondes transformations en 2011. Ces êtres ont décidé de tourner la page du passé pour mieux se consacrer à leur vie présente et future. Fini les larmes, fini les chagrins, fini les déceptions causés par des événements ou des personnes du passé. En tournant la page du passé, il vous sera permis de mieux savourer les événements favorables que vous réserve l'année 2011. Il est évident que l'année 2010 vous a épuisé. Toutefois, cette année, vous aurez la ferme intention de régler tout ce qui vous dérange dans le but que vous puissiez rapidement retrouver une qualité de vie ainsi que votre équilibre, et ce, dans tous les aspects de votre vie. Grâce à cette nouvelle attitude, les douleurs et les peines s'estomperont pour faire place à une belle sérénité. Vous renaîtrez à la vie et c'est ce qui sera important pour vous. Lorsqu'une situation négative arrivera vers vous, vous serez en mesure de la régler immédiatement, ce qui vous permettra de retrouver confiance en vous et en votre potentiel.

Vous serez heureux d'apprendre que l'année 2011 vous réserve de deux à trois cadeaux importants qui permettront de vous remettre sur pied et de vous prendre en main.

ANGE ACCOMPAGNATEUR : l'Ange Aniel (37) a le pouvoir de sauver tous ceux qui sont enchaînés à des problèmes. Cet Ange vous permettra de tourner la page définitivement et d'y inscrire le mot « fin ». Aniel, c'est la clé de votre libération.

✦ ANGE ARIEL ✦
(du 8 au 12 novembre)

Les enfants d'Ariel seront choyés par la bonne providence. En raison de certains événements qui se sont produits en 2010, vous avez misé sur l'espoir qu'un nouveau jour se lève pour vous. Cette attitude positive a porté fruit puisque ce nouveau jour se concrétisera en 2011. Plusieurs auront la chance de se trouver au bon endroit au bon moment.

Conseil angélique : Tout vous sera acquis facilement, si vous prenez le temps de regarder ce qui se passe autour de vous. Toutes vos solutions s'y trouvent. Il vous suffira d'être conscient des événements de la journée.

Plusieurs auront la possibilité de saisir de grandes opportunités et de réussir grâce à ces chances soudaines. Que ce soit sur le plan affectif, professionnel, amical ou financier, il y aura toujours une solution à vos côtés. De plus, tout ce que vous chercherez à savoir vous sera révélé. Vous obtiendrez toujours les réponses à vos questions. Certains travailleront très fort pour atteindre leurs buts et donner vie à leurs projets. Toutefois, ils seront très satisfaits de tout ce qu'ils auront accompli puisque la réussite se fera ressentir dans tout ce qu'ils auront à décider ou à entreprendre. De plus, plusieurs videront leur sac et mettront les pendules à l'heure avec certains membres de leur entourage. Fini les problèmes de toutes sortes causés par des personnes négatives. Vous serez tenace dans vos paroles et dans vos décisions, ce qui ne laissera pas le choix aux personnes concernées de faire les changements nécessaires, si elles veulent conserver votre amitié.

ANGE ACCOMPAGNATEUR : l'Ange Imamiah (52) vous aidera à bâtir un mur d'acier contre l'Ombre. Cet Ange vous infusera une force inébranlable devant l'adversité et les épreuves de la vie.

✦ ANGE ASALIAH ✦
(du 13 au 17 novembre)

Les enfants d'Asaliah seront heureux de la tournure de certains événements. Enfin, il vous sera permis de recevoir la récolte de vos efforts. Au cours de l'année, il y aura trois événements qui vous feront sauter de joie. Vous serez toujours au bon endroit, au bon moment, ce qui vous facilitera la tâche dans tout ce que vous entreprendrez. Lors de moments plus difficiles, vous aurez toujours une solution pour vous en sortir. Sinon, il y aura toujours quelqu'un qui vous offrira de l'aide pour vous libérer de votre problème. Tout ce que vous déciderez aura un impact positif. Votre vie s'améliorera grâce à votre bon vouloir. Attendez-vous à vivre des moments agréables en compagnie de bonnes personnes. Les gens vous aimeront et ils vous le démontreront bien. Le mot « réussite » vous suivra tout au long de l'année.

ANGE ACCOMPAGNATEUR : l'Ange Harahel (59) apporte la fertilité dans tous les sens du mot. Il permet de bien faire fructifier une action, un geste, une parole. Il suffit de le prier et de lui demander de faire fructifier l'action sur laquelle vous travaillez.

✦ ANGE MIHAËL ✦
(du 18 au 22 novembre)

Plusieurs régleront des problèmes qui durent depuis un certain temps. Malgré que tout semble s'écrouler, une aide vous parviendra et vous permettra de vous relever. L'année 2011 annonce la fin de vos ennuis.

Conseil angélique : *Soyez attentif à toute l'aide qui vous sera envoyée. Il serait aussi sage de ne pas refuser cette aide. Votre Ange a entendu vos demandes et il envoie sur votre chemin des personnes-ressources qui vous permettront de mettre fin à des situations pénibles.*

De plus, il vous sera permis de mettre sur pied certains de vos projets, et ce, grâce à l'aide providentielle qui vous sera envoyée. *Après la pluie, le beau temps.* Vous reprendrez confiance en la vie, ce qui vous permettra de réaliser plusieurs petits projets ou rêves que vous aviez mis de côté, ne pensant plus être en mesure de les voir un jour se réaliser. En 2011, vous ferez un grand ménage dans votre vie. Tout ce qui est inutile et qui ne vous apporte plus rien, vous vous en départirez. Que ce soit un souvenir, un meuble, une photo, une personne, qu'importe! Vous ferez place aux changements. Toutefois, cette grande détermination vous sera donnée par les personnes qui vous supporteront dans vos démarches; les personnes qui vous tendront la main pour que vous puissiez remonter à la surface avant que vous ne sombriez dans le néant. Grâce à ces aides providentielles, vous serez en mesure de vous relever et de prendre votre vie en main pour que vous puissiez retrouver l'équilibre, la joie, l'amour, la paix et la sérénité. Pour toutes ces raisons, vous travaillerez très fort. Cependant, vous serez très heureux de tout ce que vous accomplirez. Vos attentes, vos rêves et vos projets feront maintenant partie intégrante de votre année 2011. Vous serez dorénavant en mesure de voir votre horizon se dessiner devant vous et vous serez même impatient d'ouvrir la porte aux nouvelles opportunités qui s'offriront à vous.

ANGE ACCOMPAGNATEUR : l'Ange Mehiel (64) possède en lui une force inébranlable. Rien n'arrive à le déstabiliser. La Lumière de cet Ange pourra vous aider à escalader les plus grandes montagnes et elle pourra aussi vous aider à surmonter les pires épreuves. Cet Ange vous aidera à prendre votre vie en main et à avancer vers un avenir plus prometteur.

Chapitre XVIII

Les Vertus
au fil des saisons

Saison hivernale
(janvier-février-mars)

« Soyez toujours présent lorsqu'un enfant réclame votre aide.
Soyez toujours à l'écoute lorsque celui-ci vous parle.
Si vous agissez ainsi, vous ferez de cet enfant un adulte épanoui
et heureux. N'oubliez pas que les enfants
représentent le futur, la nouvelle génération. »

(Paroles de l'Ange Eyaël)

Le début de l'année commencera difficilement. La période des Fêtes aura été éprouvante pour plusieurs. Cela vous aura épuisé à un point tel que certains auront des petits ennuis de santé. Il pourra s'agir d'une extinction de voix, d'une laryngite ou d'une grippe qui vous obligera à garder le lit pendant une période de trois à huit jours. Vous ne serez pas trop en forme pour entreprendre quoi que ce soit. Il serait sage de vous respecter et de prendre tout le repos nécessaire pour recouvrer la santé. Votre pire période sera du 3 au 18 janvier. Tout pourra vous arriver lors de cette période. De plus, surveillez vos paroles et réfléchissez avant de parler. Vous serez tellement vulnérable et fatigué que vous pourriez dire des paroles blessantes que vous regretteriez.

Il en est de même en février. Réfléchissez avant de parler ou d'agir. Ainsi vous éviterez des ennuis de toutes sortes. De plus, il serait sage de vous reposer lorsque votre corps le réclamera. Vous serez déçu par l'attitude de certaines personnes. Vous détesterez les mensonges et les mauvaises langues qui racontent toutes sortes d'histoires pour nuire. Il y aura trois situations qui vous feront exploser de rage. Malgré le fait que vous serez épuisé par les événements, il vous restera un peu d'énergie pour mettre fin aux ragots et aux situations négatives. Votre dégoût de la situation vous donnera la détermination pour clore le sujet et pour rabrouer ces mauvaises langues qui vous irritent.

À partir du 5 mars, vous serez en meilleure forme pour régler tous les problèmes et toutes les situations qui vous dérangent. Vous reprendrez confiance en vous et en vos projets. Plusieurs feront des démarches importantes pour mettre sur pied l'un de leurs projets. Une belle réussite vous attend.

Conseil angélique : *Surveillez vos paroles puisque certaines mauvaises langues pourront les ébruiter pour vous nuire.*

Ceux qui seront atteints par les mauvaises langues seront les enfants de **Veuliah**, de **Sealiah**, d'**Ariel** et de **Mihaël**. Il serait important pour ces êtres de s'éloigner des situations et des personnes à problèmes.

Sur le plan affectif

C'est une période d'indifférence et de détachement. Certains parleront de séparation, d'autres négligeront les besoins du partenaire. Il y aura souvent des paroles blessantes qui causeront de l'émoi. Les discussions seront animées, le ton de voix sera élevé. Rien pour aider le couple à s'épanouir et à trouver des solutions. Tout pourra s'arranger, si vous prenez le temps de réfléchir et de dialoguer dans une atmosphère plus calme. Allez au restaurant, s'il le faut, pour dialoguer. Ainsi, vous serez en mesure de vous écouter l'un et l'autre.

Certains enfants de **Hahahel**, de **Yelahiah**, de **Sealiah** et de **Mihaël** s'en sortiront bien. Vous ferez des changements nécessaires qui amélioreront votre vie de couple. Toutefois, les faiblesses du couple seront les personnes et les situations reliées au passé. Arrêtez d'avoir des discussions reliées au passé. Cela vous épuisera inutilement. Si vous parvenez à tourner la page, tout se replacera.

Les enfants de **Mikhaël** se sentiront manipulés par le partenaire. Son attitude provoquera des discussions animées. Certains verseront des larmes. D'autres parleront de séparation et consulteront un avocat. Toutefois, si vous parvenez à trouver un terrain d'entente, vous serez surpris de voir l'harmonie régner de nouveau sous votre toit. Prenez le temps de dialoguer avec votre partenaire. De plus, lorsque vous lui parlerez, ne soyez pas sur la défensive puisque celui-ci ne vous écoutera pas. Soyez direct, franc et loyal. Dites ce que votre cœur a besoin de dire. Dites-le calmement, sans crier. Vous verrez que votre partenaire écoutera ce que vous avez à dire et il s'excusera par la suite de son comportement. Et le soleil brillera de nouveau dans votre cœur et dans votre maison!

Les enfants de **Veuliah** verseront des larmes. Des moments très tendus et pénibles les attendent. Ils auront des discussions animées avec le partenaire à cause d'un enfant, du travail, d'un problème financier ou d'un mensonge. De plus, les paroles seront blessantes et vindicatives. Vous prendrez vos distances et cela peut durer pendant une période de deux mois consécutifs, si vous n'y voyez pas rapidement. Cette distance nuira énormément à votre couple. Certains se sépareront.

Tout ira bien pour les enfants d'**Ariel** et d'**Asaliah**. Ils trouveront un terrain d'entente pour éviter les déceptions de toutes sortes. Un geste du partenaire réconfortera votre cœur et apaisera vos peurs.

Pour les célibataires

Vous n'avez pas le goût de sortir, ni de faire des rencontres. De plus, votre attitude pourrait faire fuir les prétendants. Attendez en mars pour la rencontre de votre partenaire idéal. Vous serez en meilleure forme et cela se reflétera sur votre personnalité. Vous serez débordant d'énergie positive, ce qui vous aidera à attirer vers vous l'être idéal.

Sur le plan du travail

Plusieurs vivront une période d'insatisfaction. Premièrement, plusieurs collègues de travail seront malades, ce qui ralentira certaines de vos tâches. Certains risquent de faire leur travail en plus du travail de leurs collègues pour que les dates d'échéances soient respectées. Ce sera épuisant et frustrant. Deuxièmement, l'ambiance au travail ne sera pas agréable à cause d'un manque du personnel et de la fatigue des gens. Finalement, il y aura aussi des commérages et des situations négatives qui seront dérangeantes et qui entraîneront des arguments et des irritations. Bref, plusieurs seront fatigués et épuisés d'entendre le monde se plaindre pour toutes sortes de raisons. Il serait sage pour vous de ne pas vous laisser influencer par cette énergie négative. Faites votre travail et ne vous mêlez pas du reste. Ainsi, vous serez moins affecté par les événements négatifs qui se produiront.

Les enfants de **Hahahel** et d'**Asaliah** seront épuisés par tous les problèmes au travail. Cela aura un impact sur leur humeur. À un point tel que ces êtres consulteront un directeur ou la personne en charge pour que le problème se règle. La discussion sera franche et directe. Bref, s'il n'y pas de changements qui s'opère dans les délais prévus et promis, il y a de fortes chances que vous décidiez de quitter votre emploi ou de placer une plainte auprès des personnes dont la responsabilité est d'analyser et d'enquêter sur les situations problématiques.

Les enfants de **Mikhaël**, de **Yelahiah**, de **Sealiah** travailleront pour que la justice soit faite. Ces êtres ne s'en laisseront pas imposer. Vous détestez les commérages et les personnes hypocrites. Bref, vous ne vous gênerez pas pour les remettre à leur place. Votre attitude froide et en contrôle éloigneront de vous les personnes et les situations à problèmes. De plus, lorsqu'un problème surviendra, vous saurez le régler rapidement. Rien ne viendra vous déstabiliser.

Les enfants de **Veuliah** et de **Mihaël** seront épuisés d'entendre les autres critiquer tout ce qui touche le travail. Ce sera dur pour votre système nerveux et pour vos émotions. Ce que vous trouverez le plus difficile, c'est que vous serez souvent pris entre deux personnes. L'une vous contera une histoire et l'autre vous dira sa version. Parfois, vous aimerez mieux vous fermer les yeux et vous boucher les oreilles que de faire un choix. Ces situations vous paralyseront et vous empêcheront de travailler à votre pleine capacité. De plus, il faudra surveiller continuellement vos paroles puisque si vous prenez la part de l'un ou de l'autre, ça risque de vous nuire. Certains prendront des journées de congés forcés à cause de cette situation. Tout ce que vous faites pour que l'harmonie revienne n'aboutit à rien et cela vous décourage.

Certains enfants d'**Ariel** seront victimes de commérages et de mensonges. Toutefois, vous serez en mesure de régler rapidement la situation. Vous serez en contrôle et en force. Ceci vous permettra de confronter audacieusement les personnes et les situations à problèmes. Bref, vous serez en mesure de mettre fin à ces difficultés. Avec vous, il y aura toujours une solution. Qu'importe le problème, la solution se trouvera. De plus, vous ne vous gênerez pas pour mettre au pied du mur les personnes hypocrites. Ces personnes s'éloigneront de vous. La peur de se faire prendre à votre piège apaisera leur désir et l'envie de commérer.

Sur le plan de la santé

Plusieurs Vertus seront victimes de fatigue et d'épuisement à cause du stress au travail, ce qui les amènera à attraper tous les virus qui circuleront. Il serait important pour vous de prendre soin de votre santé, dormir huit heures de sommeil par nuit et respecter la limite de vos capacités. Certains se plaindront de maux de tête, de migraines, de sinusites, de maux de gorge et de laryngite. Plusieurs feront de la fièvre et devront garder le lit pendant une période de 48 heures.

Conseil angélique : *Votre système immunitaire sera faible. Essayez de le remonter. Prenez du repos et prenez des vitamines. Ainsi, vous éviterez d'attraper des mauvais rhumes et des virus.*

Les enfants de **Hahahel** et d'**Asaliah** ne doivent pas soulever des poids trop lourds. Certains devront consulter un chiropraticien ou un physiothérapeute à cause d'une douleur intense au dos ou au cou. Il faudra aussi surveiller où vous poserez les pieds. Certains risquent de se fracturer ou se fouler un membre. Ne soyez pas surpris d'être obligé de porter un plâtre ou un pansement. Certains devront même se promener temporairement avec des béquilles à cause d'une douleur physique ou d'un incident.

Certains enfants de **Mikhaël**, de **Veuliah** et de **Mihaël** devront subir une intervention chirurgicale. L'opération sera une réussite et ces personnes retrouveront rapidement la santé. Toutefois, certains se plaindront de maux de tête, de migraine, de mal d'oreilles, de dents ou d'un mal à l'épaule. Ces douleurs vous obligeront à consulter un spécialiste. Une ordonnance vous sera prescrite pour soulager la douleur.

Les enfants de **Yelahiah** et d'**Ariel** prendront des médicaments pour soulager un rhume, un virus ou un problème quelconque. Toutefois, les diabétiques devront redoubler de prudence et faire très attention à leur alimentation.

Certains enfants de **Sealiah** apprendront une mauvaise nouvelle en ce qui concerne leur santé. Si vous fumez, il serait sage d'arrêter. Certains se plaindront de maux de gorge, de laryngite. Vous aurez besoin de pastilles, des antibiotiques ou un sirop médicamenté pour soulager votre mal de gorge. Ce sera aussi une période difficile pour ceux qui font de la fibromyalgie ou de l'arthrite.

Sur le plan de la chance

Votre chance sera nulle. Je vous conseille de faire attention à votre argent. Certains vivront des ennuis d'argent qui les préoccuperont énormément.

Voici quelques événements qui pourraient survenir au cours de la période hivernale.

- Méfiez-vous des personnes négatives. Leurs paroles et leur attitude vous dérangeront. De mauvaises langues vous irriteront. Des personnes hypocrites feront du bavardage qui vous blessera énormément. Ne vous inquiétez pas, vous serez en mesure de confronter ces personnes et de remettre les pendules à l'heure. Votre sang-froid les déstabilisera et les dérangera. Elles regretteront les paroles méchantes qu'elles ont dites à votre sujet.

- Certains auront des disputes avec le partenaire à cause d'un enfant.

- Certains seront impliqués dans une querelle familiale. Ceci aura un impact sur vos émotions.

- Trois femmes proches de vous vous annonceront qu'elles sont victimes d'un cancer. Toutefois, ces personnes auront toutes les capacités pour s'en sortir.

- Un enfant vous préoccupera. Rien ne fonctionnera à l'école. Une décision devra être prise, une décision qui ne sera pas facile. Toutefois, il serait sage de consulter plusieurs spécialistes avant de prendre une décision définitive. Écoutez la voix de votre cœur.

- Vous, ou un proche, serez préoccupé par la santé d'un enfant. Celui-ci sera souvent malade. De plus, il se plaindra de maux de tête intense. Cet enfant passera des examens approfondis pour connaître l'origine de ces maux.

- Un jeune garçon, âgé de 8 à 13 ans, sera impliqué dans une bataille à l'école. Ceci causera tout un émoi chez les parents. Toutefois, il serait important d'aller au fond de l'histoire. Cet enfant pourrait être victime de taxage.

- Un jeune adolescent, âgé de 18 à 24 ans, éprouvera des ennuis avec la justice. La drogue sera la cause de son arrestation.

- Vous, ou un proche, recevrez une demande en mariage ou reformulerez vos vœux de mariage.

- Vous assisterez à trois événements agréables.

- Une situation négative brisera une amitié.

- Certains seront victimes d'abus verbal et sexuel. La justice s'en mêlera.

- Vous, ou un proche, devrez subir une intervention chirurgicale au niveau du dos ou à l'épaule. Cette intervention vous obligera à garder le lit pendant une période de 20 jours. De plus, il vous faudra plus de 20 semaines pour vous rétablir de cette intervention. Si vous écoutez les conseils de votre médecin, vous retrouverez le chemin de la santé.

- Certains auront des démêlés avec la justice. Un avocat sera engagé ou il vous sera possible de vous défendre vous-même. Dans plusieurs des cas, la justice sera équitable.

- Il serait à conseiller aux adultes dans la vingtaine de surveiller la vitesse. Ainsi, ils éviteront des contraventions. De plus, ne soyez pas surpris de voir votre permis être suspendu à cause de la vitesse.

- Plusieurs travailleront pour retrouver un bel équilibre dans leur vie. Cela les amènera à faire des changements importants. Toutefois, les résultats seront satisfaisants et encourageants.

- Vous, ou un proche, quitterez temporairement votre partenaire amoureux. Vous allez regretter votre décision et vous reviendrez demander pardon. Une deuxième chance vous sera accordée.

- Ceux qui travaillent dans la construction devront redoubler de prudence : il y aura risque de chute ou d'incident de travail. Portez toujours votre casque protecteur.

- Une personne en état d'ébriété causera des batailles de toutes sortes. Son attitude sera déplaisante.

- Certains couples infertiles iront vers l'adoption. Plusieurs examens seront exigés. Toutefois, ces êtres auront le privilège de voir leurs rêves se réaliser dans les 20 mois après que la demande soit faite et que tous les papiers soient remplis.

- Plusieurs feront du ski alpin, de la raquette à neige, de la planche à neige et du patin. Plusieurs reprendront goût aux activités extérieures.

- Certains se feront manipuler par leur employeur. Une enquête vous soulagera. Cette enquête sera en votre faveur.

- Une personne en état d'ébriété au volant se fera arrêter par la police et verra son permis de conduire être suspendu.

- Certains entendront parler qu'un proche est atteint d'un cancer au cerveau. Cette personne devra subir une intervention chirurgicale très délicate. Il y aura une légère paralysie à la suite de cette intervention.

- Une personne du passé refera surface dans votre vie. Vous ne serez pas particulièrement heureux de revoir cette personne. Toutefois, elle vous révèlera un secret ou vous fera un aveu qui vous permettra de mieux comprendre un événement qui s'était produit dans le passé.

- Plusieurs personnes qui vous entourent auront des problèmes avec la justice. D'autres parleront d'intervention chirurgicale. Certains parleront de problèmes à cause d'un enfant. Toutes ces situations négatives vous affectent. Essayez de ne pas trop vous impliquer dans leurs problèmes et ne les prenez pas trop à cœur. Ainsi, votre moral s'en portera mieux.

- Une personne atteinte d'une grave maladie surprendra tout le monde. Elle renaîtra à la vie!

- Certains surveilleront leur alimentation. Ce changement leur donnera un regain d'énergie.

- Un jeune enfant subira une intervention chirurgicale au niveau de ses oreilles.

Conseil angélique : Vivez une journée à la fois. Lorsque trop d'événements négatifs se produisent, retirez-vous temporairement et analysez profondément les conséquences que peuvent avoir ces événements dans votre vie. Ainsi, il vous sera possible de mieux les affronter pour ensuite mieux les régler.

Saison printanière
(avril-mai-juin)

« Si vous faites un pas à la fois et que vous faites toujours en premier un bon pas, tout vous réussira. »

(Paroles de l'Ange Vehuiah)

Vous travaillerez très fort pour réussir tous les projets que vous avez en tête. Le début de l'année ne vous a pas épargné avec les événements négatifs. Maintenant, vous avez décidé de vous prendre en main et d'aller de l'avant avec vos buts et vos idées. Votre grande détermination vous permettra de tasser tout ce qui entravera votre cheminement. Vous ne voudrez plus être à la merci de tout le monde. Vous voudrez vivre pour vous et pour vos rêves. Et c'est exactement ce que vous ferez lors de la saison printanière. Gare à ceux qui essayeront de vous déstabiliser ou de vous convaincre de changer d'idées! Vous allez rapidement les remettre à leur place, ce qui risque d'en frustrer quelques-uns. Toutefois, vous ne vous laisserez pas intimider par leur attitude. Vous serez même en mesure de leur dire ceci : « Tu m'acceptes tel que je suis. Tu acceptes mes désirs. Si tu en es incapable, alors rien ne t'empêche de partir! »

Dès le 8 avril, vous prendrez des décisions qui auront un impact sur votre saison printanière. La semaine du 8 avril sera très importante pour vous. Vous ferez des rencontres. Vous serez à la recherche de réponses et vous ferez tout pour les trouver. Le mois d'avril sera un mois très actif et valorisant.

Le tout se poursuivra en mai. Vous serez animé par le sentiment de coup de foudre. Cela ne veut pas nécessairement dire au niveau affectif. Plusieurs opportunités arriveront vers vous et vous serez enchanté et heureux de tout ce qui se produira. Il y aura des choix à faire, c'est évident. Toutefois, vos choix seront bien pensés et analysés.

Le mois de juin sera pénible et épuisant. Certaines personnes ou certaines situations vous causeront quelques petits tracas. Comme vous ne voulez rien laisser en suspens, vous affronterez vos situations pour les régler. C'est la raison pour laquelle vous irez à la source pour obtenir l'heure juste. Vous allez tout faire pour obtenir les réponses à vos questions. Vous vous organiserez pour trouver les raisons qui ont causées des dérangements dans votre vie. Si cela est provoqué par une personne, vous allez rapidement la confronter. Bref, vous éclaircirez les malentendus et vous parviendrez à faire la lumière sur plusieurs situations qui étaient en suspens.

Conseil angélique : *Méfiez-vous des personnes hypocrites. Si vous êtes incertain d'une situation, assurez-vous d'aller à la source même. Ainsi, vous aurez l'heure juste et il vous sera plus facile de prendre les décisions adéquates.*

Sur le plan affectif

Ce sera une période ambivalente. Il y aura de belles journées et des journées d'orages. La manipulation dérangera énormément votre union. Plusieurs se sentiront étouffés et manipulés par le partenaire. Vous travaillerez très fort pour améliorer la situation. Attendez-vous à deux conversations très intenses avec votre partenaire à ce sujet. Ces conversations seront positives pour votre union. Certains se réconcilieront et se pardonneront, tandis que d'autres vivront une séparation.

Les enfants de **Hahahel**, de **Mikhaël**, de **Yélahiah**, de **Sealiah**, d'**Ariel** et d'**Asaliah** se réconcilieront. Ils régleront leurs différends. À la suite de discussions et d'un changement, un bel équilibre s'installera dans leur union. Certains feront de belles sorties qui rallumera la flamme de l'amour.

Les enfants de **Veuliah** et de **Mihaël** trouveront leur relation amoureuse ardue. Ils se sentiront manipulés par le partenaire. Chaque fois qu'ils essayeront de lui en parler ouvertement, celui-ci fera la sourde oreille. Il fera tout pour ignorer l'ampleur de la situation et il ne cherchera pas non plus à le régler. Il sera sur la défensive, ce qui l'amènera à se venger en jetant le blâme sur vous. Il vous décevra et vous désappointera. Il est évident que son attitude fera exploser vos émotions, ce qui risque de provoquer une tempête infernale. Vous aurez plusieurs discussions avec lui. Il arrivera un moment où vous perdrez patience et vous mettrez votre partenaire au pied du mur. Vous lui lancerez un ultimatum. Si celui-ci ne change pas dans le temps exigé, vous ferez les changements nécessaires pour retrouver votre équilibre et une qualité de vie. Bref, vous le quitterez.

Pour les célibataires

Ouvrez vos yeux. Cupidon sera près de vous. Il lancera sa flèche et il attrapera votre cœur! Plusieurs seront animés par le coup de foudre. Attendez-vous à faire de belles rencontres lors de sorties agréables.

Conseil angélique : *Surveillez les beaux parleurs! Ces êtres veulent passer une nuit avec vous, mais pas une vie!*

Sur le plan du travail

Ce sera une période active. Certains débuteront de nouvelles tâches. D'autres commenceront un nouveau travail. Plusieurs devront mettre à profit leurs connaissances et leurs talents pour bien réussir la charge de travail imposée. Bref, vous n'aurez pas de longue période d'arrêt. Toutefois, vous serez très productif et votre employeur l'appréciera.

Les enfants de **Hahahel**, de **Mikhaël** et de **Mihaël** s'appliqueront à faire leur travail. Rien ne viendra les déstabiliser. Certains vivront des changements favorables qui allégeront leurs tâches. D'autres retourneront à un ancien travail ou à une ancienne technique. Plusieurs auront le privilège de recevoir une belle récompense ou une promotion. Ces êtres mériteront toutes les belles opportunités qui se présenteront à eux.

Plusieurs enfants de **Veuliah** et de **Sealiah** souffriront des maux de tête causés par l'ambiance au travail. Ils se retrouveront souvent impliqués dans des situations à problèmes. Certains se sentiront manipulés et ils seront incapables de faire face au problème. Il est évident que toutes ces situations négatives les étoufferont et les rendront malades. Ces êtres n'auront pas le choix d'y voir avant qu'il ne soit trop tard. Ce ne sera pas facile de confronter certaines personnes, toutefois, pour votre bien-être, il serait mieux pour vous de régler le problème. Sinon, votre santé mentale écopera et vous serez obligé de prendre des journées de congé.

Les enfants de **Yelahiah**, d'**Ariel** et d'**Asaliah** recevront de belles récompenses. Certains se verront offrir un travail rêvé. D'autres obtiendront une belle promotion. Il y aura aussi une augmentation de salaire. Les contrats se prolongeront et les entrevues seront réussies. Que de bonnes nouvelles arriveront vers eux.

Sur le plan de la santé

Généralement, la santé sera bonne. Toutefois, le mental sera épuisé par des événements négatifs qui se produiront durant la période printanière. Il est évident que votre corps physique réagira. Plusieurs se plaindront de douleurs et de maux d'estomac. D'autres auront des problèmes avec le dos. Certains se blesseront à une jambe ou à la cheville par inattention.

Conseil angélique : *Avis aux personnes négligentes. Si cela fait longtemps que vous n'avez pas consulté votre médecin, il serait sage de prendre un rendez-vous. Surtout si vous ressentez souvent une douleur au niveau de la poitrine. Vaut mieux prévenir que guérir!*

Plusieurs enfants de **Hahahel**, de **Veuliah** et de **Mihaël** seront épuisés mentalement. Un congé forcé sera recommandé par le médecin. Plusieurs souffriront de maux de tête et de migraines. D'autres se plaindront d'une douleur au genou ou à la cheville qui les feront boiter pendant quelques jours. Certains se plaindront d'une douleur au dos ou à l'épaule qui les obligeront à garder le lit et à ralentir certaines activités. Bref, ne soyez pas surpris de porter un plâtre ou d'être obligé de marcher avec des béquilles.

Généralement, la santé des enfants de **Mikhaël** et de **Sealiah** sera bonne. Toutefois, les personnes négligentes recevront un diagnostic qui les dérangera. Il serait important pour eux d'écouter les conseils du médecin. Celui-ci saura exactement ce qu'il leur faudra pour retrouver le chemin de la santé. Si vous négligez votre santé, vous le regretterez par la suite. Il est important de prendre soin de vous et d'écouter sagement les conseils de votre médecin. Certains devront subir une intervention chirurgicale à cause d'une douleur ou d'un problème de santé. L'opération sera réussie et plusieurs se rétabliront rapidement.

La santé des enfants de **Yelahiah**, d'**Ariel** et d'**Asaliah** sera bonne. Certains prendront des produits naturels ou des vitamines qui les aideront à retrouver la forme. D'autres débuteront une activité physique, telle que la marche, ce qui aura un effet bénéfique sur leur énergie. À l'occasion, certains se plaindront de problèmes d'allergies. Ils devront prendre un médicament pour soulager leurs allergies. D'autres se plaindront de maux physiques reliés à la fatigue. Rien d'alarmant, ni d'inquiétant. Il suffit de prendre du repos.

Sur le plan de la chance

Votre chance sera bonne en avril. Jouez raisonnablement puisque vous ne gagnerez pas de grosses sommes, si vous gagnez!

Voici quelques événements qui pourraient survenir au cours de la période printanière.

- Vous travaillerez très fort pour obtenir tout ce que vous désirez. Rien ne vous sera acquis facilement. Toutefois, vous serez satisfait de vos résultats.

- Certains commenceront un nouveau travail. Ce travail vous angoissera au début. Mais vous allez rapidement vous habituer à vos nouvelles tâches.

- Deux personnes de votre entourage seront atteintes d'un cancer.

- Il faudra surveiller votre entourage. Plusieurs seront victimes de profiteurs et de manipulateurs. Apprenez à bien connaître les gens avant d'entreprendre quoi que ce soit avec eux.

- Vous, ou un proche, serez déçu d'une nouvelle rencontre. Ce sera une relation basée sur le sexe et non sur l'amour comme vous l'aviez souhaité.

- Certains devront se perfectionner pour accomplir une nouvelle tâche qui exige de l'attention et de l'exactitude.

- Une personne diabétique recevra un diagnostic négatif sur l'état de sa santé. Il serait important pour cette personne d'être vigilante et d'arrêter de jouer avec le feu. D'ailleurs, son médecin lui donnera un ultimatum. Si cette personne n'écoute pas les conseils de son médecin, il y a de fortes chances qu'elle perde un pied à cause de la gangrène.

- Certains devront prendre un médicament pour soulager leurs allergies.

- Deux couples se disputeront à cause d'un enfant. L'un de ces couples finira par se séparer.

- Il y aura trois soirées qui vous décevront. Lors d'une de ces soirées, un couple n'arrêtera pas de se quereller devant les gens. Il y aura aussi une soirée qui débutera avec 2 heures de retard, ce qui frustrera les gens. Vous serez déçu de l'ambiance à une autre soirée.

- Certains seront victimes d'abus verbal et sexuel. Vous demanderez de l'aide. Une enquête sera menée pour mieux régler le problème par la suite.

- Certains signeront un papier chez le notaire. D'autres signeront un papier à la banque.

- Vous, ou un proche, tomberez sous le charme d'une personne. Le coup de foudre sera de la partie. Assurez-vous que votre cœur est libre. Sinon, vous risquez de faire de la peine aux personnes concernées. Avant de quitter votre partenaire, assurez-vous que vous faites le bon choix!

- Certains apprendront un instrument de musique.

- De belles surprises arriveront pour certaines mamans lors de la fête des Mères. Si un enfant s'était éloigné, il y aura de fortes chances qu'il revienne pour la fête des Mères.

- Un papier causera beaucoup de problèmes. La justice devra être consultée pour vérifier l'étendue des dommages de ce papier.

- Vous, ou un proche, vous blesserez à la main. Faites attention aux coups de marteau!

- Certains débuteront la construction de la maison de leurs rêves. Ce sera un été chargé et stressant. Toutefois, vous serez heureux d'entrer dans votre nouvelle demeure.

- Un proche vous annoncera une bonne nouvelle. Celui-ci recevra un gain d'argent considérable, soit par la loterie, soit par une vente ou soit par un héritage.

- Certains parleront de faire l'achat d'une nouvelle voiture.

- Certains feront un grand ménage de printemps. Ils feront une vente de garage pour se débarrasser de tous les articles qui ne servent plus. Une journée agréable, mais épuisante.

Conseil angélique : *Ne laissez personne fouiller dans vos papiers et vos objets personnels. Portez attention à ceux avec qui vous transigez. Assurez-vous de placer vos bijoux et vos papiers importants dans un lieu sécuritaire ou dans un coffre de sécurité. Certains peuvent être victimes de vandalisme causé par un membre de l'entourage.*

Saison estivale
(juillet-août-septembre)

« Chantez votre bonne humeur. »

(Paroles de l'Ange Lelahel)

La saison estivale sera une période difficile et imprévue. Plusieurs situations vous apporteront de l'insatisfaction. Vous travaillerez très fort pour régler vos problèmes. Toutefois, personne ne répondra à votre appel. Plusieurs se sentiront abandonnés, négligés et très solitaires dans leurs épreuves. Vous serez souvent déçu du comportement de certaines personnes qui vous entourent. Ce qui vous épuisera le plus, ce seront les personnes hypocrites, les mensonges et les commérages. L'un vous racontera une histoire et l'autre vous dira le contraire. Il sera difficile pour vous de savoir la vérité puisque les versions seront toujours erronées de part et d'autre. Cela vous épuisera énormément. Lorsque votre chemin sera embrouillé par toutes sortes d'histoires, demandez aux Anges de vous aider à y voir clair!

Conseil angélique : *Méfiez-vous des personnes jalouses. Avant de juger une personne ou une situation, vérifiez les faits auprès des personnes honnêtes. Ainsi, vous éviterez de faire des erreurs de jugement. Vous serez en mesure de prendre les décisions qui s'imposent pour mieux régler la situation.*

Votre pire mois sera juillet. Du 2 au 14 juillet, il y aura des histoires de toutes sortes. S'il vous est possible de vous éloigner de ces histoires, faites-le. Sinon, prenez garde.

En août, cela se calmera un peu. N'oubliez pas que votre mois d'août pourra vous réserver de belles surprises sur le plan de la loterie. Jouez raisonnablement. Les groupes de deux ou quatre personnes vous seront favorables. En septembre, certains événements vous feront de la peine. Il y aura trois mauvaises nouvelles qui vous dérangeront émotionnellement. Il y aura deux semaines en août où tout peut vous arriver. Les deux autres semaines, vous les prendrez pour récupérer.

Conseil angélique : *Méfiez-vous des personnes à problèmes. Ces êtres peuvent vous épuiser psychologiquement et émotionnellement. Plus vous essayerez de les aider, plus vous vous épuiserez. Ceci risque de vous entraîner dans un tourbillon d'émotions qui affectera à court terme votre mental.*

Les enfants de **Veuliah** trouveront leur période estivale difficile. Voilà l'importance de demander de l'aide et de frapper aux bonnes portes pour mieux vous en sortir.

Sur le plan affectif

Ce sera une période émotive pour plusieurs. Certains vivront une période d'ennui et de dépression au sein de leur relation amoureuse. La déception, la douleur et la tristesse se feront ressentir. Plusieurs se sentiront négligés, trompés, rejetés et abandonnés par le partenaire. D'autres auront des doutes quant aux émotions qu'éprouve le partenaire envers eux. De plus, le sentiment de jalousie se fera sentir. Ce sentiment négatif nuira à la relation. Il est évident qu'il serait important de discuter avec votre partenaire pour trouver un terrain d'entente afin que l'harmonie règne de nouveau sous votre toit. Si vous n'y voyez pas rapidement, cette situation pourrait engendrer une séparation ou un divorce.

Les enfants de **Hahahel**, de **Yelahiah** et de **Mihaël** demanderont de l'aide autour. Plusieurs prendront une décision importante. Soit ils tourneront la page et quitteront le partenaire pour s'aventurer vers une nouvelle relation, soit ils tourneront la page et pardonneront au partenaire afin de rebâtir la vie à deux. Qu'importe la décision, elle sera réfléchie et analysée. Lorsqu'elle sera prise, elle sera immédiatement appliquée. Vous serez fier de votre décision.

Pour ce qui est des enfants de **Mikhaël**, certains hésiteront à faire un choix. Une partie d'eux voudra partir; une partie voudra rester. La raison de cette indécision, c'est qu'ils aiment toujours leur partenaire. Mais celui-ci est manipulateur, contrôleur et impatient, ce qui cause parfois des discussions animées. Toutefois, une situation les amènera à réfléchir longuement avant de prendre une décision définitive.

Les enfants de **Veuliah** et de **Sealiah** seront au désespoir. Il y aura souvent des discussions animées à cause d'un enfant, d'un problème de jeu ou d'alcool. Les paroles sont blessantes et dérangeantes. Vous ne parvenez pas à trouver un terrain d'entente. Lorsque vous engagez la conversation avec le partenaire, celui-ci fait la sourde oreille et il demeure indifférent à vos émotions. Une séparation temporaire pourra avoir lieu. Il est évident que votre vie amoureuse vous causera des maux de tête. Toutefois, une situation défavorable vous fera comprendre à tous les deux le mal que vous vous faites mutuellement. À la suite de cet événement, l'un des deux partenaires prendra une décision importante qui ramènera l'harmonie dans sa vie.

Les enfants d'**Ariel** et d'**Asaliah** s'en sortiront bien avec tous les problèmes qui surviendront dans la relation amoureuse. Ils seront en mesure de traverser la tempête. La plupart des petits problèmes qu'ils auront avec le partenaire seront provoqués par l'argent ou un proche. Ils auront une franche discussion et ils trouveront une solution qui leur sera favorable à tous les deux.

Pour les célibataires

Méfiez-vous des entremetteurs qui veulent vous présenter un ami ou un proche. Il y a de fortes chances que la personne qu'on vous présente ne soit pas du tout votre genre. De plus, votre entremetteur organisera des soirées pour que vous puissiez être en compagnie de la personne qu'il vous aura présentée. Ceci pourrait vous mettre mal à l'aise. Vous pouvez avoir du plaisir en compagnie de cette nouvelle connaissance, mais vos émotions n'y sont pas. Soyez franc dès le début avec votre entremetteur et avec la nouvelle connaissance. Ainsi, vous éviterez des petits désagréments.

Sur le plan du travail

Ce ne sera pas une période de tout repos. Vous travaillerez à la sueur de votre front. Vous voulez vous assurer de compléter toutes vos tâches avant de prendre vos vacances. Certains feront des heures supplémentaires. D'autres mettront les bouchées doubles pour tout accomplir avant de quitter. Il est évident que vous commencerez vos vacances fatigué et épuisé. Toutefois, après trois jours en bonne compagnie, vous allez rapidement oublier votre travail.

Les enfants de **Hahahel**, de **Mikhaël** et de **Yelahiah** seront débordés au travail. Certains feront des heures supplémentaires. D'autres apporteront du travail à la maison. Certains prendront leur week-end pour avancer dans leur travail. Bref, vous ferez tout pour partir en vacances l'esprit en paix. Certains recevront une bonne nouvelle au retour de vacances. Un changement sera prévu à l'horaire. Un contrat se renouvellera. Un autre se signera. Bref, un changement bénéfique se produira et améliorera la qualité de votre travail.

Les enfants de **Veuliah** seront débordés au travail. De plus, on exigera d'eux d'autres tâches qu'ils n'étaient pas censés accomplir. Cela les frustrera et les angoissera. Ne soyez pas surpris de faire des heures supplémentaires. Vous ferez le travail de deux personnes, mais un seul salaire vous sera donné. Vous mériterez vos vacances lorsqu'elles arriveront.

Les enfants de **Sealiah**, d'**Ariel**, d'**Asaliah** et de **Mihaël** vivront des changements qui seront très bénéfiques. Certains recevront une promotion. Un contrat se prolongera. Une entrevue sera réussie. Certains changeront de travail. Ils obtiendront un travail désiré. De bonnes nouvelles viendront vers eux. La réussite les attend!

Sur le plan de la santé

Généralement, la santé sera bonne. Toutefois, surveillez le feu. De plus, plusieurs Vertus seront victimes de la fatigue et d'épuisement, ce qui les amènera à ressentir des douleurs ici et là. Le seul remède qui vous fera du bien, ce sera le repos! Profitez de vos vacances pour vous reposer et faire le plein d'énergie.

> **Conseil angélique :** *Avis aux personnes malades et aux cardiaques : il serait important de redoubler de prudence et de surveiller votre santé. Ainsi, vous éviterez de graves ennuis.*

La santé sera bonne chez la plupart des enfants de **Hahahel**, de **Mikhaël** et de **Sealiah**. Toutefois, ils devront surveiller les petites brûlures. De plus, certains se plaindront de douleurs physiques reliés à des activités de plein-air. Le dos et les épaules seront aussi des parties fragiles. Ne soulevez rien de lourd. Les personnes malades subiront une intervention chirurgicale qui leur permettra de recouvrir la santé.

Les enfants de **Veuliah** et de **Mihaël** prendront un médicament pour soulager une migraine, un mal de dent, un mal d'oreille ou une douleur physique. Ils seront souvent fatigués et en manque d'énergie. Il serait sage pour eux de se reposer lorsqu'ils en ont la chance.

La santé des enfants de **Yélahiah**, d'**Ariel** et d'**Asaliah** sera bonne. Certains prendront un produit naturel ou des vitamines pour les aider à remonter la pente, ce qui leur permettra de faire milles et une chose à la fois.

Sur le plan de la chance

Votre chance sera moyenne. N'oubliez pas que votre mois d'août sera un mois bénéfique et chanceux. Certains auront la surprise de recevoir une belle petite somme d'argent!

Voici quelques événements qui pourraient survenir au cours de la période estivale.

* Plusieurs vivront une période difficile au sein de leur relation amoureuse. Il faudra surveiller le sentiment de jalousie et les doutes non fondés.

* Méfiez-vous des personnes jalouses et hypocrites. Ces personnes vous causeront des douleurs émotionnelles inutilement.

* Certains réaliseront que parmi leur entourage, il y a deux à quatre personnes dont ils doivent se méfier. Ces personnes ne leur seront pas favorables. Vous serez impliqué dans une situation négative et troublante à cause de ces personnes. Ceci viendra confirmer vos doutes envers eux.

* Vous entendrez parler de trois décès. L'un de ces décès sera causé par le cœur. Un décès sera imprévisible. Ce décès fera parler beaucoup les gens.

* Certains verront réaliser l'un de leurs projets, un projet sur lequel ils ont mis toutes leurs énergies et leurs forces. Toutefois, le résultat les comblera de joie.

- À votre grande surprise, quelqu'un vous fera un aveu ou une confidence. Jamais vous n'auriez pensé recevoir une confidence venant de cette personne.

- Un membre de l'entourage se blessera à un genou lors d'une activité pédestre.

- Plusieurs sorties se feront près d'un lac, d'une rivière ou d'une piscine. De belles sorties champêtres en famille sont prévues.

- Vous, ou un proche, organiserez une fête extérieure. Ce sera une épluchette de blés d'inde. Une journée remplie de joie et de sourire vous attend. Vous vous amuserez lors de cette journée spéciale.

- Un enfant vous contera un mensonge. Toutefois, il regrettera ce qu'il vous a dit et il viendra vous dire la vérité.

- Un adolescent suivra sa voie. Un beau succès l'attend.

- Une personne gravement malade sera soulagée par une guérison ou par la mort.

- Un homme se blessera en moto. La vitesse en sera la cause.

- Certains recevront une somme d'argent par héritage ou par loterie.

- Certains rénoveront la maison. Toutefois, ils dépasseront leur budget, ce qui les amènera à éliminer certaines sorties qu'ils devaient faire.

- Vous, ou un proche, aurez le privilège de voir un Ange ou un défunt. Vous en parlerez longtemps.

- Un membre de l'entourage parlera d'une séparation. Ce sera une séparation temporaire.

- N'oubliez pas de jouer à loterie en août, puisque certains pourraient recevoir une belle surprise monétaire.

- Un enfant aura la lèvre enflée. Une chute en sera la cause.

- Certains seront déçus de leur coiffure. Votre tête ne ressemblera pas à l'image que vous aviez à l'esprit.

- Certains seront fatigués d'entendre les gens se plaindre. Éloignez-vous de ces gens négatifs. Ils vous épuisent.

- Certains apprendront une nouvelle qui les bouleversera totalement.

- Certains feront la signature de deux contrats.

- Un déménagement causera énormément de problèmes.

- Un camion tombera en panne. Les coûts de réparation seront très onéreux. Vous serez découragé. Toutefois, si vous voulez conserver votre véhicule, vous devrez le faire réparer.

- Vous allez recevoir un appel qui vous surprendra. Vous n'aviez pas eu de nouvelles de la personne au bout du fil depuis longtemps.

- Vous, ou un proche, parlerez de vous engager dans l'armée. Cette décision dérangera énormément les proches.

- Une personne en état d'ébriété vous lancera des paroles qui vous blesseront. Cette personne sera mal à l'aise par la suite et elle viendra s'excuser. Toutefois, vous deviendrez très froide envers cette personne. Vous n'êtes pas prêt d'oublier cet événement, ni ses paroles.

- Lors d'un décès ou d'un enterrement, le comportement de deux personnes vous frustrera énormément.

- Une personne qui avait vécu une épreuve difficile sur le plan amoureux refera sa vie. Un beau bonheur l'attend.

- Trois personnes vous annonceront une grossesse.

- Vous assisterez à quatre événements agréables. Toutefois, vous assisterez aussi à deux événements désagréables.

- Un enfant recevra une médaille d'or lors d'une compétition sportive.

Saison automnale
(octobre-novembre-décembre)

« *Ayez confiance en votre pouvoir, relevez-vous
et vous vaincrez votre pire ennemi.* »

(Paroles de l'Ange Reiyiel)

Après avoir vécu une période de retard, de lutte et de problème, votre période automnale s'annonce meilleure. Vous serez choyé par tous les événements favorables qui surviendront. La porte de l'abondance s'ouvrira à vous, et ce, dans tous les aspects de votre vie. Vous récolterez enfin tous les bienfaits de vos efforts. Vos idées et vos projets connaîtront de bons succès. Vos décisions et vos solutions seront toujours à la hauteur de vos attentes. Tout changement vous apportera satisfaction. Bref, vous serez heureux et en harmonie avec tous les événements qui se produiront. Vous terminerez votre année en forme, en force et en beauté. Vous prendrez votre vie en main et vous vous dirigerez exactement vers vos prochains objectifs. Lorsque vous regarderez en arrière, vous serez fier de ce que vous aurez accompli.

Le mois d'octobre sera un mois de solutions. Tous les problèmes qui accaparent votre vie pourront se régler. Et c'est exactement ce que vous ferez en octobre. De plus, il ne faut pas oublier que votre mois d'octobre est aussi un mois chanceux pour vous. Il faut en profiter pour jouer à la loterie et pour faire vos transactions. Certains auront le privilège de faire un voyage. Ce sera un voyage agréable. Une seconde lune de miel!

Le mois de novembre vous surprendra. Ce sera un mois rempli d'imprévus. Il y aura parfois des moments orageux et d'autres fois des moments d'extases. Vous serez indécis pendant tout le mois de novembre. Il y aura des journées où vous déciderez de faire un changement, et le lendemain vous changerez d'idée. Ce ne sera pas évident pour ceux qui vous entourent. Mais tout se replacera en décembre. Bref, le problème de votre mois de novembre, c'est qu'il y aura plusieurs situations qui vous permettront de faire tous les changements désirés. Toutefois, vous chercherez à les faire tous en même temps, de peur que l'occasion ne se représente plus. Il serait impossible de tout faire en même temps. Vous allez vite le constater. Cependant, votre cran et votre détermination à vouloir tout entreprendre, vous amènera à essayer de réaliser plusieurs choses à la fois. Ne vous inquiétez pas, de toute façon, vous prendrez les bonnes décisions et tout se concrétisera comme vous l'aviez souhaité.

La joie, l'harmonie et l'amour feront partie de votre mois de décembre. Victoire et réussite vous suivront. Profitez-en, puisque vous le méritez grandement! Bref, vous serez fier de vous et de tout ce que vous aurez accompli et réalisé.

Conseil angélique : *Votre période automnale vous apportera des occasions en or pour vous permettre de vous remettre sur pied et de trouver un bel équilibre. Savourez à fond tous les événements qui se présenteront à vous.*

Sur le plan affectif

Votre bonne humeur et votre désir d'être heureux se projetteront sur votre vie amoureuse. Vous serez enchanté par tous les événements favorables qui se produiront dans votre relation. Plusieurs couples auront la sensation d'être en lune de miel. Plusieurs feront de belles sorties. D'autres planifieront des voyages ou des déplacements en amoureux. Bref, il y aura plusieurs occasions qui vous permettront d'être ensemble et de vous amuser. La joie, le bonheur et l'harmonie seront présents dans votre foyer. Le couple qui éprouvera de la difficulté parviendra à trouver un terrain d'entente pour améliorer la situation.

Les enfants de **Hahahel** et de **Veuliah** trouveront toutes sortes de solutions pour parvenir à trouver l'harmonie sous leur toit. Ces êtres vivront des changements qui amélioreront leur vie de couple. Certains feront un voyage ou un déplacement qui rallumera la flamme du désir. D'autres vivront de belles aventures avec le partenaire. Vous visiterez des endroits que vous avez jadis vus lors de vos premières sorties de couple. Vous aurez l'impression de revivre le début de votre rencontre.

Les enfants de **Mikhaël** et de **Sealiah** retrouveront leur équilibre. Plusieurs vivront des moments agréables qui les aideront à se rapprocher et à voir la vie du bon côté. Une discussion avec le partenaire vous donnera le goût de repartir à zéro et de régler vos différends. Des promesses seront faites et elles seront tenues. Vous ferez deux belles sorties agréables qui rallumeront la flamme de la passion.

Les enfants d'**Ariel**, de **Yélahiah** et d'**Asaliah** seront heureux et en amour. Votre cœur palpitera de bonheur. L'amour sera dans l'air. Cela se verra et se ressentira. De belles sorties vous seront réservées avec votre partenaire. Vous allez vous promener main dans la main, comme au temps de vos premières rencontres. Vos regards se parleront et vos corps se désireront. La passion vous envoûtera et votre sexualité sera à la hausse.

Pour les célibataires

Plusieurs auront le privilège de rencontrer leur partenaire idéal. Lors d'une sortie imprévue, votre cupidon sera présent. Son regard mystérieux vous envoûtera toute la soirée. Vous boirez ses paroles. Vous serez submergé par la personnalité de cette personne. Vos conversations seront intéressantes et excitantes. Vous parlerez de voyage, d'un endroit spécifique que vous rêvez d'aller ou que vous avez déjà visité. Bref, vous passerez une soirée magique et vous échangerez vos numéros de téléphone!

Sur le plan du travail

Ce sera une période active et très importante pour plusieurs. Une décision que vous aurez prise vous donnera de l'élan pour faire un changement. Ce changement sera avantageux pour vous. De plus, plusieurs obtiendront une belle promotion ou une augmentation de salaire. D'autres changeront de travail, ils auront le privilège d'obtenir l'emploi qu'ils désiraient depuis long-temps. Les problèmes se résoudront, ce qui aura un impact favorable sur l'ambiance et la qualité du travail. Bref, vous serez satisfait de tout ce qui se produira sur le plan professionnel puisque toutes les décisions qui seront prises seront à votre avantage.

Plusieurs enfants de **Hahahel**, de **Yelahiah**, de **Sealiah**, d'**Ariel** et d'**Asaliah** vivront des changements qui leur seront favorables. Certains ob-tiendront un poste rêvé. D'autres réussiront une entrevue. Les problèmes se résoudront. De plus, les collègues apprécieront la qualité de leur travail. Ils viendront vous prêter main forte lors d'un surplus de travail. L'esprit d'équipe se fera ressentir, ce qui aura un impact extraordinaire sur l'ambiance et sur le rendement de tout le monde. Bref, la satisfaction et la réussite vous suivront tout au long de la période automnale.

Malgré les obstacles qui obstrueront leur route, les enfants de **Mikhaël**, de **Veuliah** et de **Mihaël** parviendront à trouver un bel équilibre. Ils trouveront les meilleures solutions et ils les appliqueront instantanément, ce qui les libérera rapidement de leurs petits ennuis. Il y aura aussi plusieurs discussions et réunions pour répartir les tâches et trouver un bon terrain d'entente afin que tout le monde puisse être heureux. Plusieurs opportunités viendront vers eux pour améliorer leurs conditions de travail. Bref, vous serez satisfait de tout ce qui se produira et de tout ce que vous déciderez.

Sur le plan de la santé

Pour plusieurs, la santé sera bonne. Certains prendront un produit naturel ou des vitamines pour soutenir leur système immunitaire. Toutefois, ceux qui se négligent devront surveiller les rhumes et les virus. Il serait important de vous laver les mains régulièrement pour éviter d'être contaminer par toutes sortes de virus.

Conseil angélique : *Avis aux personnes malades : il serait important d'éviter les endroits sujets à contamination. Ainsi, vous éviterez les hopitaux.*

La santé des enfants de **Hahahel**, de **Mikhaël**, et de **Yelahiah** sera bonne. Toutefois, certains se plaindront d'une douleur physique au niveau du dos, du cou et des épaules. D'autres devront prendre un sirop médicamenté et des pastilles à cause d'une toux sèche.

Généralement, la santé sera bonne pour les enfants de **Veuliah**, de **Sealiah**, d'**Ariel**, d'**Asaliah** et de **Mihaël**. Toutefois, ceux qui se négligent devront surveiller les maladies virales. Plusieurs attraperont toutes sortes de virus. D'autres se trimballeront avec la boîte de papiers mouchoirs, car le nez coulera souvent. Il serait sage de vous laver régulièrement les mains pour ne pas contaminer les autres et pour ne pas que votre état se détériore. Certains risqueront de garder le lit pendant une période de 2 à 7 jours.

Sur le plan de la chance

La chance sera excellente en octobre. Certains pourraient même gagner un voyage. Tous les billets achetés hors de votre région vous seront aussi favorables. Si une femme tenant dans ses mains une pomme, vous offre un billet, achetez-le!

Voici quelques événements qui pourraient survenir au cours de la période automnale.

- Les portes de l'abondance s'ouvriront dès le 8 octobre. De belles surprises vous seront réservées dans tous les aspects de votre vie.

- Plusieurs recevront de belles récompenses. Vous récolterez les bienfaits de votre grande générosité.

- Il y aura de une à trois opportunités durant la période automnale. Ces opportunités pourront influencer favorablement votre vie.

- Certains partiront en voyage pour la période des Fêtes. Une belle croisière sera peut-être au programme.

- Quelques petites occasions vous dirigeront vers la campagne.

- Il y aura deux grossesses dans votre entourage.

- Certains seront invités à une fête d'Halloween, d'autres à un party de Noël ou du Jour de l'An. Lors d'une de ces soirées, vous gagnerez un prix de présence ou un prix quelconque. Bref, vous reviendrez à la maison avec un cadeau sous le bras.

- Certains feront de deux à huit sorties agréables avec le partenaire.

- Faites attention aux beaux parleurs. Certains réaliseront que deux personnes de l'entourage ne sont pas sincères.

- Vous, ou un proche, prendrez une résolution. Vous cesserez de fumer ou de boire. Vous posséderez la force et la détermination pour réussir cette résolution. Il suffira de passer le temps des Fêtes.

- Plusieurs recevront de la visite imprévue. Chaque personne vous apportera un petit cadeau.

- Plusieurs seront gâtés durant la période automnale. Votre entourage vous aimera et il vous le démontrera bien en vous réservant toutes sortes de belles surprises.

- Certains parleront de faire de la raquette à neige ou du patin.

- Une personne regrettera une parole ou un geste qu'elle posera. Cette personne réclamera le pardon.

- Certains éprouveront des ennuis avec la voiture. Il y aura de grosses dépenses à prévoir. Toutefoïs, certains vont en profiter pour changer de véhicule.

- Il y aura deux projets de mariage. Vous assisterez à l'un de ces mariages.

- Une jeune femme malade prendra le chemin de la guérison. Sa santé reviendra, au grand plaisir de sa famille.

- Vous, ou un proche, aux prises avec un problème de drogue, vous prendrez en main et règlerez ce problème. Ce ne sera pas facile au début. Toutefois, votre désir de retrouver le chemin de la santé vous facilitera la tâche.

- Un problème qui dure depuis un certain temps se résoudra à la grande joie des personnes concernées.

- Vous, ou un proche, serez victime de violence conjugale. Une personne vous proposera de l'aide. Si vous acceptez, cette personne vous aidera à retrouver une vie plus sereine.

- Un homme aura des démêlés avec la justice à cause de la violence. D'autres auront des problèmes d'alcool ou de drogue qui nécessiteront l'intervention des policiers. Un procès aura lieu.

- Une personne malade renaîtra à la vie. Sa vie ne sera plus en danger.

- Pour plusieurs, la période automnale annoncera la fin des ennuis.

- Certains auront le privilège de recevoir une belle somme d'argent, soit par la loterie, par un héritage, par le gouvernement ou par un proche qui vous en fait cadeau.

- Un jeune recevra un bel honneur. Un autre obtiendra son diplôme, à la joie de ses parents.

- Certains seront obligés de déménager. Ce déménagement imprévu dérangera énormément la routine.

- Vous entendrez parler de trois interventions chirurgicales.

- Vous, ou un proche, vous blesserez à la main.

- Une entrevue sera réussie. Un nouveau travail vous sera offert.

- Une jeune femme donnera naissance à des jumeaux identiques.

- Plusieurs souffriront d'infections à l'œil. Des gouttes seront prescrites.

- Certains se promèneront en calèche. Une belle sortie entre amis!

- Ceux qui auront mis leur maison sur le marché de la vente, la vendront avant la fin de l'année.

- Plusieurs auront le privilège de recevoir une aide précieuse qui les aidera au moment où ils en auront le plus besoin. Bref, il y aura toujours une porte de sortie qu'importe la situation.

PARTIE VII

LES PRINCIPAUTÉS

(23 novembre au 31 décembre)

Chapitre XIX

L'année 2011
des Principautés

Vous serez choyé par plusieurs événements favorables qui surviendront en 2011. Ce sera une année féerique pour plusieurs. Tout ce que vous déciderez ou tout ce que vous entreprendrez sera couronné de succès. Votre grande détermination à vouloir réussir votre année vous redonnera confiance en vous et en votre potentiel. Vous serez animé par la joie et par la passion de créer, de bâtir et de réussir. Vous serez en contrôle de votre vie. Vos décisions et vos choix seront analysés et réfléchis. Fini les moments d'incertitude qui dérangent vos énergies. Vous en savez quelque chose puisque c'est ce que vous avez vécu tout au long de l'année 2010, à un point tel que votre moral et votre santé en ont pris un coup.

Dès le début de l'année 2011, vous améliorerez certains aspects de votre vie. L'année passée, vous avez assez souffert que vous ne voudrez plus revivre les événements qui vous hantent et qui vous rongent intérieurement. Le peu d'énergie qui vous reste vous permettra de vous reprendre en main et d'avancer vers une année meilleure. En 2011, plusieurs belles opportunités s'offriront à vous afin que vous puissiez effectuer tous les changements nécessaires pour retrouver une belle qualité de vie. Plusieurs sauteront sur les occasions qui leur seront offertes. Ainsi, ils verront leur vie changer favorablement. De plus, cela les aidera à reprendre confiance en la vie.

En 2010, plusieurs enfants Principautés ont pensé que les Anges les avaient abandonnés. Au contraire, les Anges étaient présents avec vous. Ils vous soutenaient et ils vous encourageaient à continuer la route. Maintenant, grâce à votre foi et à votre détermination à améliorer les aspects de votre vie, vous serez comblé par les événements qui se produiront cette année. Vous aurez de belles réussites. Il n'en tiendra qu'à vous de foncer et d'aller de l'avant. Vous ne serez pas déçu et vous serez fier de tout ce que vous accomplirez cette année.

C'est certain qu'il y aura des mois difficiles. Toutefois, vous serez apte à les surmonter et à régler immédiatement le problème ou la situation qui sera en cause. Vous ne laisserez rien passer. Votre grande détermination à éliminer et à régler tout ce qui vous dérange vous permettra de résoudre rapidement toutes les situations et les problèmes qui viendront vers vous au courant de l'année.

Les enfants de **Nanaël** et de **Mebahiah** auront un peu de difficulté à surmonter les obstacles et à saisir les occasions qui se présenteront sur leurs chemins. Cependant, il y aura toujours une situation qui parviendra à les éclairer. D'ailleurs, plusieurs personnes se trouveront sur votre chemin pour vous aider lorsque viendra le temps de prendre une décision ainsi que pour vous épauler lorsque surviendront des obstacles. Bref, tous les enfants Principautés recevront de l'aide providentielle.

Conseil angélique : Soyez à l'écoute et acceptez l'aide providentielle qu'on vous enverra. Si vous le faites, vous serez ébloui par tout ce qui se produira dans votre vie. Si vous la refusez, vous regretterez de ne pas avoir saisi les occasions qui se présentaient à vous.

De plus, en 2011, vous recevrez des cadeaux providentiels. Il pourrait s'agir d'un montant d'argent, d'un nouveau travail, d'une maison, d'une guérison, d'une aide providentielle ou autre. Le ciel vous ouvrira la porte de l'abondance et cela se reflétera sur plusieurs aspects de votre vie.

L'amour des Principautés

En 2011, l'amour sera au rendez-vous. Plusieurs apporteront des changements importants qui auront un impact majeur au sein de leur union. Tous ces changements auront pour effet d'améliorer votre vie amoureuse.

Votre grand désir d'être heureux et en harmonie vous donnera un élan pour faire tous les changements nécessaires servant à retrouver une belle qualité de vie sur le plan affectif.

Les conflits se régleront et les couples se pardonneront, se réconcilieront et se réuniront. Leur vision de l'union changera. Les partenaires miseront davantage sur le respect et la loyauté. Ils désireront retrouver l'équilibre et la joie de partager mutuellement les émotions, les tâches, les joies et les difficultés. Vous aurez aussi le goût de dialoguer, de vous confier et de vous sentir épaulé dans les démarches ainsi que dans les décisions que vous prendrez. Tel sera le but que vous chercherez à atteindre sur le plan affectif. Vous ferez tous les changements nécessaires afin que vous puissiez atteindre ce but. Vous aurez le goût d'aimer, de cajoler et de gâter votre partenaire, mais vous ne voudrez pas que cela soit à sens unique. Vous exigerez que votre partenaire participe activement à cette nouvelle vision de votre union.

Les couples qui parviendront à trouver un terrain d'entente retrouveront rapidement le bonheur de vivre une relation saine. La joie de vivre et le respect seront dorénavant présents dans leur demeure. Plusieurs Principautés vivront de grands moments de tendresse et d'amour en compagnie de leur partenaire. Les partenaires amoureux se redécouvriront et réaliseront l'importance de leur relation ainsi que la place qu'occupe leur partenaire au sein de leur vie de couple. Vous entendrez souvent des mots d'amour et de réconfort, des mots doux qui sauront vous dire que votre présence est grandement appréciée. En 2011, les Principautés en couple auront plus de chance de retrouver un bel équilibre que de se séparer.

Les enfants de **Vehuel**, de **Hahasiah** et de **Nithaël** seront choyés sur le plan affectif. Plusieurs recevront de belles preuves d'amour de la part de leur partenaire, ce qui allumera de nouveau la flamme de leur amour. Comme deux jeunes adolescents, vous serez collés l'un à l'autre mutuellement. Les caresses et les mots d'amour fuseront de toutes parts. Vous vous redécouvrirez et vous réaliserez l'importance qu'occupe votre partenaire dans votre vie. Certains auront même le goût de renouveler leurs vœux de mariage, tellement ils seront heureux de se retrouver. D'autres solidifieront leur union par un mariage. En 2011, l'amour sera dans l'air et cela se verra puisque tout votre être scintillera de joie et de bonheur.

Après avoir vécu une période difficile ou une séparation, certains se réconcilieront et se pardonneront. Ils réaliseront que tout n'est pas terminé. Vous vous accorderez une seconde chance. Vous repartirez à zéro. Cette chance vous sera salutaire puisque vous retrouverez la joie de vivre avec votre partenaire. Ceux qui vivront une séparation, ne vous inquiétez pas : votre peine s'estompera rapidement. L'amour viendra frapper à votre porte de façon inattendue. Cet amour vous apportera beaucoup de joie. Attendez-vous à vivre un beau bonheur physique et moral.

Les enfants d'**Hariel**, d'**Imamiah** et de **Poyel** trouveront les solutions pour être heureux. Ils analyseront profondément leur vie amoureuse. À la suite de cette analyse, ils prendront les décisions qui s'imposent pour retrouver la joie au sein de leur relation. Si vous devez changer certaines de vos habitudes, vous les changerez. Vous ferez tout en votre pouvoir pour vous améliorer, et ce, pour le bien de votre union. De plus, si vous réalisez qu'il est préférable de consulter un psychologue ou un thérapeute afin de vous aider à retrouver votre équilibre, vous le ferez. Tous les bons conseils qui vous seront donnés, vous les appliquerez. Votre grand désir de retrouver le bonheur vous amènera à travailler sur vous et sur plusieurs aspects de votre vie qui nuisaient à votre relation. Plusieurs seront soutenus par les membres de leur famille, ce qui les aidera à prendre de bonnes décisions au cours de l'année.

En 2011, plusieurs réaliseront qu'ils ont favorisé leur côté professionnel, au détriment de leur vie amoureuse. D'autres réaliseront qu'ils se sont laissés emporter par une aventure et ils regretteront amèrement cette étape de leur vie. En 2011, ces êtres réévalueront leurs priorités et ils feront les changements nécessaires pour être en équilibre autant sur le plan professionnel qu'affectif. D'ailleurs, cela leur sera d'un grand secours puisqu'ils éviteront ainsi une séparation. Tous ces êtres seront satisfaits de leurs efforts.

Toutefois, ceux qui vivront une séparation seront en mesure de surmonter rapidement leur peine grâce à toute l'aide qui leur sera apportée. Les membres de votre entourage vous aiment et ils vous le démontreront bien. Leur grand désir de vous voir heureux les amènera à vous sortir pour que vous puissiez vous changer les idées. Et ils réussiront puisque vous retrouverez rapidement la sérénité et la joie de vivre.

Les enfants de **Nanaël** et de **Mebahiah** seront confrontés à toutes sortes d'émotions. Ils devront mettre les bouchées doubles pour parvenir à trouver un terrain d'entente. Il y aura de l'orage dans l'air.

Conseil angélique : *Ne négligez pas votre union. Prenez le temps nécessaire pour analyser votre vie amoureuse et la regarder en profondeur.*

Plusieurs questions devront être posées. Des questions telles que : Quels sont vos sentiments par rapport à votre partenaire? Comment voyez-vous la séparation? Êtes-vous prêt à vous séparer? Toutes ces questions devront être prises en considération. Lorsque vous en aurez fait une analyse, il vous sera beaucoup plus facile de prendre votre décision.

Votre grande envie de vous aventurer vers de nouvelles avenues ne vous aidera guère. Plusieurs chercheront la liberté plutôt que de prendre le temps nécessaire pour régler les problèmes de leur vie amoureuse.

Conseil angélique : Analysez profondément vos choix et vos décisions avant d'entreprendre quoi que ce soit. Partir sur un coup de tête peut être plus pénible que favorable. Ne négligez pas les conseils des gens qui vous entourent. Ces êtres sont là pour vous aider. Réfléchissez longuement avant de prendre une décision qui pourrait être regrettable.

Cependant, si vous brisez des pots à cause de votre attitude, vous aurez la chance de tout réparer. Il vous suffira de mettre de l'eau dans votre vin et d'admettre que vous avez eu tort d'agir de la sorte. Si vous admettez vos erreurs, il vous sera beaucoup plus facile de dialoguer avec votre partenaire. Il est évident que vous aurez à travailler très fort pour regagner sa confiance. Si vous faites preuve de bonnes intentions et que vous faites tout pour améliorer votre union, votre partenaire vous pardonnera et la joie de vivre se fera ressentir de nouveau sous votre toit. Le dialogue sera la clé de votre succès affectif.

Conseil angélique : Prenez le temps de dialoguer avec votre partenaire. Prenez le temps de vous retrouver. Sortez, amusez-vous et bâtissez des projets d'avenir. En agissant ainsi, votre union s'épanouira et vous ne chercherez plus à quitter. Vous chercherez plutôt à demeurer ensemble pour entretenir la flamme de votre amour.

Ceux qui vivront une séparation devront faire appel à un avocat ou à un médiateur pour régler la situation. Cela ne sera pas facile émotionnellement. Toutefois, votre désir de retrouver votre équilibre vous aidera à passer au travers de cette dure épreuve.

Les Principautés célibataires

Pour les célibataires, l'année 2011 annonce l'arrivée de leur grand amour. Le partenaire idéal chavirera totalement et favorablement leur vie. Tous ceux qui se marieront en 2011, auront un mariage réussi et une union solide.

Les enfants de **Vehuel** et de **Nithaël** seront animés par un coup de foudre qui se transformera rapidement en une union amoureuse. Jamais vous n'auriez pensé tomber en amour si facilement. Il y a de fortes chances que cet être devienne votre partenaire idéal. Pour plusieurs, cet être sera leur grand amour. Jamais vous n'aurez aimé une personne comme vous l'aimerez. Plusieurs solidifieront leur union par un mariage. De belles preuves d'amour vous seront données par cet être qui amplifiera votre désir de vous unir à lui, et ce, pour le reste de vos jours. Un vrai conte de fées!

D'autres vivront des amourettes, et ce, jusqu'à ce qu'ils rencontrent leur partenaire idéal. Vous serez dans une période où l'amour fusera de partout. Une période qui marquera définitivement la fin de votre célibat! Cette magnifique rencontre aura lieu dans un endroit où vous n'auriez jamais pensé rencontrer votre partenaire idéal. La rencontre ne sera pas planifiée. Les Anges vous dirigeront vers cette merveilleuse rencontre.

Certains enfants de **Daniel**, de **Hahasiah** et de **Nanaël** rencontreront leur partenaire idéal sur des sites de rencontres sur Internet, dans des agences de rencontres, à la suite d'une annonce classée, par l'entremise de vos amis, lors d'une transaction ou lors d'une soirée dansante. Il y a de fortes chances que la première sortie se fasse en groupe. Vous irez dans un endroit achalandé ou dans une autre ville. Les invitations fuseront de partout. Vous aurez l'embarras du choix. De plus, ne soyez pas surpris si cet être demeure dans une ville étrangère. Si l'amour naît, il est évident que l'un des deux déménagera pour mieux se rapprocher de l'autre. Plusieurs seront indécis puisque leur cœur palpitera pour deux (ou trois!) personnes en même temps. De plus, le choix sera difficile à faire puisque ces êtres posséderont plusieurs qualités que vous recherchez. Pour certains, la relation se transformera en une amitié sincère. D'autres feront des rencontres palpitantes, sans toutefois vouloir trop s'engager. Bref, attendez-vous à faire de belles rencontres qui changeront favorablement votre vie.

> **Conseil angélique :** *Ne laissez pas passer de belles occasions. Sortez et amusez-vous! Une de ces invitations vous fera rencontrer une personne faite spécialement pour vous. Avant d'ouvrir votre cœur, apprenez à connaître votre nouvelle rencontre. Vous verrez qu'il vous est encore possible d'aimer et de faire confiance à l'amour. Plusieurs événements surviendront afin que vous puissiez faire la rencontre du partenaire idéal. Alors, sautez sur les occasions!*

De belles rencontres seront également à prévoir pour les enfants d'**Imamiah**, de **Mebahiah** et de **Poyel**. Toutefois, ces êtres auront de la difficulté à ouvrir leur cœur. Leur passé les hante tellement qu'ils ne verront pas les nouveautés qui se présenteront à eux. Lorsqu'une bonne personne s'avancera vers eux, il y a de fortes chances que ces êtres s'en éloignent. Ensuite, ils se demanderont pourquoi ils sont seuls!

Cependant, certains préféreront rester seuls le temps de régler leurs chagrins du passé. Lorsque tout sera réglé, ils s'aventureront doucement vers le chemin de l'amour. Certains seront si préoccupés par leur travail qu'ils négligeront leur vie amoureuse. Cela ne veut pas dire qu'ils ne feront pas de rencontres. Au contraire! Ils auront de belles rencontres sur leurs chemins. C'est juste qu'ils se demanderont où ils trouveront le temps de se consacrer à leur vie amoureuse. Si ces êtres décident d'accorder un peu de temps à leur vie amoureuse, l'amour se trouvera sur leur chemin en 2011 et ils pourraient développer une belle relation.

Le travail des Principautés

L'année 2011 vous annonce de nombreuses possibilités pour obtenir tout ce que vous désirez. Que ce soit une augmentation de salaire, un changement de travail, de meilleurs bénéfices ou de meilleures heures de travail, sachez que l'année 2011 vous offrira ces changements. Bref, plusieurs auront le privilège d'obtenir l'emploi de leurs rêves puisqu'ils se trouveront souvent au bon endroit, au bon moment.

Les problèmes se régleront, ce qui vous apportera un soulagement énorme. De plus, vous serez en mesure de bien accomplir vos tâches et de respecter les dates d'échéance, ce qui améliorera la qualité de votre travail. Les entrevues seront réussies. Plusieurs Principautés auront de belles

Prédictions Angéliques 2011

occasions pour améliorer leur vie professionnelle. Vous n'aurez qu'à avancer lorsque vous sentirez que la chance est de votre côté!

Les enfants de **Vehuel** signeront un papier qui leur sera favorable. Cela pourra s'agir d'une association, d'un nouveau travail, d'une entente de travail ou d'une augmentation de salaire. L'année 2011 sera une période favorable pour les commerçants puisque plusieurs contrats seront signés. De plus, il y aura deux belles opportunités qui se présenteront à vous au cours de l'année. Cela vous permettra de faire un changement radical et bénéfique. Il vous suffira tout simplement de saisir cette occasion. Plusieurs aimeront leur nouveau travail. De plus, un travail rêvé pourrait devenir réalité.

Les enfants de **Daniel**, de **Nithaël** et de **Poyel** auront la situation en mains, peu importe ce qui se passera sur le plan professionnel. Ils posséderont tout pour être gagnants. Pour plusieurs, les entrevues seront réussies et les changements seront bénéfiques. Plusieurs participeront à des réunions qui joueront un impact favorable dans l'accomplissement de leur travail. Certains mettront sur pied un projet, découvriront une technique quelconque ou élaboreront une idée qui connaîtra un énorme succès. Une belle satisfaction viendra les envahir. De plus, ne soyez pas surpris d'être pressenti pour devenir le chef d'une équipe ou d'un syndicat. Vos paroles seront écoutées et vos conseils seront appliqués.

Ceux qui prendront leur retraite en 2011 seront satisfaits. Plusieurs auront travaillé fort en 2010, et maintenant, ils seront en mesure de recevoir toutes les récompenses liées à leurs efforts. De bonnes offres arriveront pour ceux qui travaillent dans le domaine des arts, de la sécurité publique, de l'information, dans une agence de voyage ou dans un travail lié à la pêche. Ces êtres se verront offrir la possibilité de faire un changement important.

Les enfants de **Hahasiah** auront des choix à faire. Des choix qui ne seront pas faciles puisque chaque offre qui leur sera faite, sera toujours à la hauteur de leurs attentes. Ce qui les amènera à réfléchir longuement avant de se prononcer. Toutefois, la plupart de ces changements seront à leur avantage. Chaque changement améliorera leur travail. Plusieurs seront satisfaits des décisions qui seront prises. En 2011, les promotions, les reconnaissances et les victoires fuseront de partout. Que du succès vous attend!

Plusieurs enfants d'**Imamiah**, de **Nanaël** et de **Mebahiah** se sentiront menacés par la concurrence ou par un collègue de travail, ce qui pourra les amener à vivre un conflit. Plusieurs feront la lumière sur ce conflit, sur les malentendus et les problèmes. Le tout se réglera à votre grande satisfaction. Cependant, cette situation vous amènera à réfléchir longuement sur la qualité de votre travail et l'ambiance qui y règne. Plusieurs questions se poseront et plusieurs d'entre elles seront répondues.

Cette analyse vous permettra de mieux établir vos priorités, ce qui en amènera certains à changer complètement d'endroit ou de travail. D'autres orienteront leur carrière différemment. Attendez-vous à mettre sur pied de nouveaux projets qui demanderont beaucoup de minutie et d'analyse, mais qui seront couronnés de succès. Après une période de pluie, le beau temps refera surface dans votre vie professionnelle. Et ce beau temps vous donnera mieux que ce que vous possédiez auparavant.

La santé des Principautés

Toutes les Principautés qui prendront soin de leur corps, auront une excellente santé. Tous ceux qui se négligeront devront consulter leur médecin. Ne soyez pas surpris si, à la suite d'un diagnostic médical, votre médecin vous prescrive un médicament pour rétablir votre santé. Ceux qui sont actuellement malades se rétabliront, et ce, s'ils écoutent attentivement les conseils de leur médecin et de leurs proches.

Conseil angélique : *Prenez le temps nécessaire pour remonter la pente. N'abusez pas de vos regains d'énergie et respectez-vous. Si vous agissez de la sorte, votre santé s'améliorera. Par la suite, vous serez en mesure d'accomplir toutes les petites tâches que vous aviez mises de côté.*

Il y aura cependant des faiblesses à surveiller. Plusieurs se plaindront de maux de dos, à l'épaule, au coude, au genou ou au cou, ce qui engendra une visite chez le chiropraticien ou le physiothérapeute. Certains recevront des massages de détente dans le but d'atténuer leur douleur. D'autres consulteront des personnes qui travaillent en médecine sportive. Certains pourront même porter un plâtre à cause d'une blessure, d'une foulure ou d'une intervention chirurgicale.

À l'occasion, certains se plaindront de maux d'estomac, de maux de tête ou d'insomnie qui les obligeront à prendre un médicament ou un produit naturel pour diminuer leurs symptômes. Enfin, quelques-uns devront subir une intervention chirurgicale à cause d'un problème de santé. Toutefois, votre convalescence se fera rapidement, si vous écoutez les conseils de votre médecin et de vos proches!

Les faiblesses des enfants de **Vehuel** et de **Nanaël** seront les maux d'estomac et les douleurs gastriques. Les alcooliques devront surveiller de près ces maux. N'hésitez pas à consulter votre médecin, si de telles douleurs persistent. Ainsi, vous éviterez un éventuel problème. Certains souffriront de maux qui partent et qui reviennent. Des maux qui seront difficiles à diagnostiquer. Il y a de fortes chances que ces maux soient reliés au stress. Il serait donc important pour vous de prendre du repos. Certains hommes auront de la difficulté au niveau des organes génitaux et de la prostate. Ils n'auront pas le choix que de consulter un spécialiste. Certains se plaindront de problèmes liés aux oreilles. De plus, il faudra surveiller les objets chauds : il y a risque de légères brûlures pour ceux qui seront inattentifs.

La santé des enfants de **Daniel**, de **Hahasiah** et de **Nithaël** sera excellente. Plusieurs changeront leurs habitudes alimentaires et cela aura un impact favorable sur leur santé. De plus, plusieurs feront de la marche ou une activité physique qui les mettra en pleine forme physique et mentale. Leurs faiblesses seront des rougeurs sur la peau ainsi que des maux de gorge. De plus, il est possible que certains se plaignent de maux au niveau des hanches, des reins, de l'épaule gauche ou dans le bas du dos. Certaines femmes auront des ennuis gynécologiques qui nécessiteront un traitement, un médicament ou une intervention chirurgicale. De plus, faites attention au feu : il y a risque de petites brûlures, mais rien de grave.

La santé des enfants d'**Imamiah**, de **Mebahiah** et de **Poyel** sera bonne, s'ils font attention. Ceux qui négligeront leur santé devront redoubler de prudence et écouter tous les signaux que leur corps leur lancera.

Conseil angélique : *N'ayez pas peur de consulter votre médecin. Mieux vaut prévenir que guérir! Si vous prenez le temps d'écouter votre corps, vous éviterez de graves ennuis.*

Plusieurs souffriront d'un manque d'énergie et de fatigue causés par la négligence. Vous serez trop exigeant envers vos capacités. Si vous ne faites pas attention, cela pourrait vous jouer de mauvais tours!

Conseil angélique : *Prenez le temps de vous reposer lorsque votre corps le réclamera. De plus, respectez la limite de vos capacités. En agissant ainsi, il vous sera permis de tout faire sans vous épuiser et sans vous tracasser.*

Certains devront subir une intervention chirurgicale causée par un problème. Toutefois, cette intervention se déroulera très bien et tout redeviendra à la normale. Certaines femmes qui accoucheront en 2011 risquent de voir naître leur bébé par césarienne. De plus, certaines femmes se plaindront souvent de maux de ventre sans qu'il y ait une raison pour les expliquer. Il y a de fortes chances que ces maux soient causés par la nervosité. Surveillez les objets tranchants : il y a risque de blessures. Certains se blesseront à un pied ou se fouleront une cheville. La cheville et le pied gauche seront très fragiles. Soyez vigilant!

La chance des Principautés

Les chiffres chanceux des Principautés seront les chiffres 1, 5 et 19. La journée du jeudi vous sera favorable pour acheter vos billets et faire vos transactions. Vos mois de chance seront **janvier**, **février**, **juin** et **août**. Votre chance sera occasionnelle. Toutefois, lorsqu'elle y sera, vous pourriez être surpris des montants que vous gagnerez. De plus, lorsque vous serez dans une période de chance, vous le serez pendant cinq jours de suite. Alors, profitez grandement de ces cinq jours lorsqu'ils se présenteront à vous. Si une personne près de vous se frotte les mains et qu'elle porte un chandail ou une blouse de couleur mauve ou lilas, cela sera votre signe de chance. Achetez un billet de loterie!

Ange Vehuel : 2, 11 et 22. La chance arrivera lorsque vous ne vous y attendrez pas. Je vous conseille de jouer avec votre partenaire amoureux ou un ami du sexe opposé. Ce pourrait être une combinaison gagnante. De plus, les billets achetés hors de votre ville vous seront aussi bénéfiques.

Ange Daniel : 4, 22 et 40. Vous serez plus chanceux si vous jouez en groupe que si vous jouez seul. Les groupes de quatre et de six personnes vous seront favorables. Certains pourront gagner un voyage ou un véhicule. Par contre, vous devrez partager votre prix avec les personnes avec lesquelles vous avez acheté des billets. La couleur rouge vous sera bénéfique. Alors, si une personne vêtue de cette teinte vous offre un billet, prenez-le!

Ange Hahasiah : 6, 33 et 42. La chance est excellente! De trois à six belles surprises vous sont réservées cette année. Le mois de décembre vous sera aussi favorable pour recevoir une excellente nouvelle. Puisque vous avez la main chanceuse, choisissez vous-même vos billets et vos numéros. De plus, les groupes comportant trois femmes et un homme vous seront aussi favorables.

Ange Imamiah : 10, 11 et 47. Votre chance sera occasionnelle. Il faudra en profiter à ce moment-là. Toutefois, si une femme enceinte est près de vous et qu'on vous offre un billet de loterie, achetez-le.

Ange Nanaël : 6, 28 et 36. Votre chance est faible. Vous ne serez pas millionnaire cette année! Fiez-vous plutôt à votre instinct. Si l'envie vous prend d'acheter un billet, faites-le. Sinon, ne dépensez pas votre argent dans les loteries.

Ange Nithaël : 2, 8 et 11. Votre chance est excellente. Fiez-vous à votre sixième sens! Vous ne serez pas déçu. Une belle surprise fera palpiter votre cœur de joie. Cela pourrait être une belle somme d'argent.

Ange Mebahiah : 7, 25 et 34. Votre chance est moyenne. Certains risquent de gagner deux belles petites sommes d'argent. De plus, jouez lors d'une pleine lune, cela pourrait vous être favorable.

Ange Poyel : 8, 35 et 44. Votre chance est occasionnelle. Il faudra en profiter lors de vos périodes de chance.

Aperçu des mois de l'année des Principautés

☆ **Les mois favorables** : janvier, février, juin, août, septembre et novembre.

☆ **Les mois non favorables** : mars, avril, mai et juillet.

☆ **Les mois ambivalents** : octobre et décembre.

☆ **Les mois de chance** : janvier, février, juin et août.

Chapitre XX

Informations supplémentaires propres à chacun des Anges Principautés

✦ ANGE VEHUEL ✦
(du 23 au 27 novembre)

Les enfants de Vehuel seront de grands passionnés. La plupart seront en harmonie avec tous les événements qui surviendront au cours de l'année. Vivre et laisser vivre sera leur façon de diriger leur année 2011. Plusieurs apporteront des transformations importantes qui auront un impact favorable dans leur vie. Ces êtres bâtiront, ces êtres créeront. Bref, ils feront tout pour retrouver une belle qualité de vie. Tous ces changements leur apporteront un bel équilibre, et ce, dans tous les aspects de leur vie. Les célibataires peuvent rencontrer leur perle rare, leur grand amour! Plusieurs signeront des papiers importants. Que ce soit une vente, un achat, une entente, une augmentation de salaire ou autre, ce papier procurera une grande joie. D'autres se réconcilieront et régleront leurs problèmes. Leur grand désir de retrouver la paix les amènera à mettre de l'eau dans leur vin et à régler leurs différends.

De plus, plusieurs feront des achats de toutes sortes. N'oubliez pas que vous serez des passionnés; tout ce qui sera sur votre route et qui vous passionnera, vous vous le procurerez! Ce sera un peu dur sur votre budget, mais vous n'aurez aucun regret. Vous serez même heureux d'avoir fait ces achats. Vous serez comme un enfant qui développe un cadeau!

ANGE ACCOMPAGNATEUR : l'Ange Jeliel (2) est l'Ange idéal des personnes qui désirent rencontrer leur flamme jumelle. Cet Ange attirera vers vous la personne qui correspondra à vos désirs.

✦ ANGE DANIEL ✦
(du 28 novembre au 2 décembre)

Les enfants de Daniel seront satisfaits de tout ce qu'ils entreprendront. L'année 2011 sera une année de récompense et de satisfaction pour eux. Malgré un travail acharné, vous serez grandement récompensé. Une belle année de récoltes et de surprises. La réussite fera partie intégrante de votre année. À votre grande joie, vos idées connaîtront de bons résultats. Certains verront l'un de leurs projets prendre vie grâce à l'appui ou à l'aide qu'ils recevront. D'autres verront leurs projets récolter beaucoup plus que ce qu'ils avaient prévu. Vos nouvelles rencontres seront constructives et elles vous apporteront plusieurs bénéfices. Si vous prenez votre retraite, vous en serez très satisfait.

Certains auront l'occasion de faire leur premier baptême de l'air ou ils feront un voyage dans un vieux pays. D'autres parleront de faire une croisière. Le voyage sera réussi et vous vous en souviendrez longtemps. Certaines femmes donneront naissance à des jumeaux.

ANGE ACCOMPAGNATEUR : l'Ange Mikhaël (42) est un Ange très puissant. En priant cet Ange, il vous aidera à réussir votre vie. Mikhaël développera votre potentiel intérieur et il vous permettra de l'extérioriser.

✦ ANGE HAHASIAH ✦
(du 3 au 7 décembre)

Les enfants de Hahasiah seront en harmonie avec tout ce qui se produira dans leur vie. Toutefois, ils vivront souvent des situations où ils devront faire des choix. Que ce soit sur le plan affectif, professionnel, financier ou autre, il y aura toujours un choix à faire. Vous hésiterez devant les choix qui se présenteront à vous puisqu'ils seront de taille. C'est pourquoi il ne sera pas facile de décider. Autant l'un comme l'autre vous sera favorable. Mais lequel sera le mieux? Il vous faudra donc choisir selon ce qui vous aidera le plus dans le moment présent. Le reste suivra. N'oubliez pas : tout vous sera acquis, tout vous sera favorable! Il vous suffira seulement d'être à l'écoute de ce que vous voudrez.

Tout ce qui vous arrivera en 2011 sera là pour améliorer votre vie. Il n'en tiendra qu'à vous de l'accepter ou non. Plusieurs de vos problèmes se régleront, ce qui vous libérera et vous enlèvera un poids sur les épaules. Attendez-vous à avoir de belles rencontres qui feront palpiter votre cœur de joie et de bonheur.

ANGE ACCOMPAGNATEUR : l'Ange Mihaël (48) vous aidera lorsque vous devrez faire des choix. Vous pouvez demander à Mihaël de vous envoyer une personne qui éclairera votre vie, vous réconfortera, vous épaulera et vous guidera dans vos décisions.

✦ ANGE IMAMIAH ✦
(du 8 au 12 décembre)

Les enfants d'Imamiah seront difficiles à cerner. Certains seront même explosifs lors de situations tendues. Cela sera dû à une grande fatigue. L'année 2010 ne leur a pas été de tout repos. Lorsqu'une personne s'approchera d'eux, s'ils se sentent menacés, ils attaqueront verbalement leur interlocuteur au lieu d'écouter ce qu'il aura à lui dire. Cette façon d'agir sera dure sur leur moral ainsi que sur le moral de ceux qui seront impliqués.

Conseil angélique : *Tournez votre langue sept fois avant de parler puisque vous risquez de blesser des personnes chères à vos yeux, des personnes qui ne veulent que votre bien.*

Bref, en 2011, ces êtres réaliseront qu'ils ont besoin de changer leur style de vie. Depuis quelques années, ces êtres tournent en rond. C'est en 2011 qu'ils réaliseront qu'ils en ont assez et qu'ils ont besoin de nouveauté. Cela ne voudra pas dire que vous changerez tout dans votre vie. Au contraire, cela veut dire que vous mettrez vos priorités à la bonne place. Vous améliorerez votre style de vie, vous prendrez soin de vous. Ainsi, il vous sera plus facile, par la suite, d'être à l'écoute des autres. Vous serez conscient que vous avez brûlé la chandelle par les deux bouts. Votre moral en a pris un coup. Maintenant, vous voudrez tout simplement vous retrouver et retrouver une qualité de vie.

Plusieurs se retireront pour mieux prendre leur décision. Bref, ce qu'ils chercheront en 2011, ce sera d'être en harmonie, d'être en paix et d'être bien dans leur peau. C'est la raison pour laquelle plusieurs prendront leur vie en main et ils y apporteront les changements nécessaires. Fini les périodes d'incertitude, d'angoisse et de fatigue. Ils feront maintenant place à une vie beaucoup plus saine et équilibrée.

Toutefois, ils ne seront pas à l'abri des problèmes. Certains vivront des situations qui provoqueront des conflits de toutes sortes. Cependant, leur grande détermination à être en paix les amènera à régler rapidement chaque problème qui viendra vers eux. Ils s'armeront devant l'adversité et personne ne pourra venir les déstabiliser. Ils prendront enfin la place qui leur revient.

ANGE ACCOMPAGNATEUR : l'Ange Nanaël (53) infusera en vous ses graines d'amour qui vous permettront, dans un avenir proche, de savourer de belles récoltes. Sa Lumière vous permettra de guider vos pas vers l'accomplissement de vos projets.

✦ ANGE NANAËL ✦
(du 13 au 16 décembre)

Les enfants de Nanaël bougeront tout le temps. Attendez-vous à recevoir des téléphones, des courriels, des lettres, etc. Tout vous amènera à vous déplacer. Vous ne serez pas de tout repos pour votre entourage puisque vous ferez plusieurs choses à la fois. Vous serez conscient de toutes les opportunités qui s'offriront à vous et vous ne voudrez rien laisser passer. Toutefois, il faudra faire attention à votre santé.

Conseil angélique : *Ayez une structure et vous verrez que tout sera à votre satisfaction.*

Il est certain que votre vie sera agitée. Toutefois, elle sera constructive et évolutive. Lorsque l'année 2011 se terminera, vous serez satisfait de la façon dont vous l'aurez dirigée, et surtout, vous serez satisfait des améliorations apportées.

Plusieurs auront des projets en tête qui demanderont beaucoup de minutie, de patience, d'analyse et de sacrifices. Toutefois, la plupart de vos projets seront couronnés de succès et de satisfaction. Tout déplacement que vous ferez en 2011 vous sera profitable. Que ce soit pour un voyage d'agrément ou d'affaires, tout sera à la hauteur de vos attentes.

Plusieurs auront des ennuis mécaniques avec leur véhicule, ce qui les amènera à vouloir le changer. Ne soyez pas surpris si vous changez de véhicule en 2011. Toutefois, vous serez satisfait de votre décision.

ANGE ACCOMPAGNATEUR : l'Ange Nemamiah (57) vous permettra de trouver rapidement de bonnes solutions pour bien vous en sortir, et ce, sans trébucher ou faire trop de dégâts.

✦ ANGE NITHAËL ✦
(du 17 au 21 décembre)

Les enfants de Nithaël seront heureux et en harmonie avec tout ce qui se produira dans leur vie. En 2011, ils décideront de prendre leur vie en main et d'aller de l'avant avec leurs projets. Tous les changements qu'ils feront ainsi que toutes les décisions qu'ils prendront leur apporteront un bel équilibre. Ces êtres ne voudront plus vivre avec des problèmes de toutes sortes. C'est la raison pour laquelle ils feront tout en leur pouvoir pour les régler. L'année 2010 ne les a pas épargnés sur le plan des émotions et des problèmes. Ils ont vécu plusieurs situations problématiques. Toutefois, ces êtres ont décidé de se relever les manches et de foncer vers les solutions. Leur grand désir de retrouver la paix dans leur vie les amènera à régler tout ce qui entrave leur bien-être.

Cette année, les enfants de Nithaël s'éloigneront des personnes négatives ou ayant des problèmes. Ils ne voudront plus avoir affaire à des gens compliqués. Ils ne perdront pas de temps avec eux. En 2011, la joie, la paix, l'équilibre et l'amour seront dans l'air. Vous prêcherez l'amour et vous vous attendrez à ce que votre entourage en fasse autant. Vous serez heureux et comblé par plusieurs événements qui se produiront au courant de l'année. Vous refléterez le bonheur et vous le savourerez à fond!

ANGE ACCOMPAGNATEUR : l'Ange Lelahel (6) est le Dieu des amoureux. La Lumière de cet Ange vous permettra de mettre de l'amour partout où vous irez!

✦ ANGE MEBAHIAH ✦
(du 22 au 26 décembre)

Les enfants de Mebahiah travailleront très fort pour obtenir tout ce qu'ils désirent. Ils utiliseront plusieurs stratagèmes pour parvenir à leur plan. Ils seront futés et rusés. Ils sauront exactement ce qu'ils voudront et ils sauront à qui s'adresser lorsqu'ils auront besoin d'aide ou de conseils. Ils seront aussi très ratoureux, ce qui sera dangereux pour leur entourage puisque ces êtres feront tout en leur pouvoir pour obtenir ce qu'ils désirent. S'ils doivent utiliser la séduction, ils le feront. Leurs paroles seront mielleuses et leurs gestes cauteleux. Lorsqu'ils obtiendront ce qu'ils désirent, ils reviendront à leur façon d'être normale. Plusieurs ont souffert en 2010. Ils ont tout donné sans vraiment recevoir en retour. En 2011, ils iront chercher ce qui leur appartient, ce qui leur est dû. C'est la raison pour laquelle rien ne viendra les faire changer d'idée et rien ne les arrêtera.

Toutefois, cette nouvelle attitude leur procura la satisfaction d'obtenir gain de cause. Ceux qui auront des démêlés avec la justice auront un bon avocat qui plaidera en leur faveur. Les problèmes se régleront, les solutions s'appliqueront. De plus, certains se lanceront dans de nouvelles aventures qui leur seront bénéfiques. D'autres iront apprendre de nouvelles techniques afin de se perfectionner. Certaines situations les avantageront sur le plan financier. Ces enfants remonteront la pente et ils seront déterminés à continuer dans cette même direction.

Bref, cette année, les enfants de Mebahiah auront tous les outils en main pour réussir ce qu'ils entreprendront. Leurs forces seront la persévérance et la détermination. En 2011, vous récolterez tous les fruits de vos efforts. Vous en serez très fier. D'ailleurs, vous le méritez grandement!

ANGE ACCOMPAGNATEUR : l'Ange Caliel (18) est l'Ange de la droiture et de la justice. Sa mission est de faire triompher la vérité dans les procès. Sa Lumière illuminera votre chemin lorsque celui-ci sera obscur. Caliel vous donnera la force, le courage et la détermination d'aller de l'avant et d'atteindre vos buts.

✦ ANGE POYEL ✦
(du 27 au 31 décembre)

Les enfants de Poyel travailleront très fort pour obtenir tout ce qu'ils désirent. Ces êtres auront mille et une idées en tête et ils chercheront à toutes les réussir. Ils ne seront pas de tout repos, car ces êtres bougeront continuellement. Rien ne les arrêtera. Plusieurs retourneront aux études pour mieux se perfectionner. D'autres étudieront des techniques pour mettre sur pied un projet ou une idée. Ne soyez pas surpris d'être souvent au téléphone ou de naviguer sur Internet pour obtenir des informations qui vous aideront à prendre vos décisions, à mettre sur pied vos projets et vos idées ou à analyser une situation. Vous serez de vrais investigateurs qui partent à la recherche de réponses. Sachant que ces réponses auront parfois des impacts importants dans votre prise de décisions, chaque moment sera précieux pour vous. Vous vivrez avec une forte envie de réussir vos plans. Telle sera votre force en 2011 : votre grande détermination. Elle vous conduira sur le chemin de la satisfaction. Plusieurs projets seront réussis. Cela aura un impact positif sur votre estime personnelle. Vous serez très fier de tout ce que vous accomplirez. Toutefois, il ne faudra pas trop négliger votre vie amoureuse et votre famille. Cela pourrait provoquer des guerres inutiles avec votre partenaire. Vous n'aurez ni le goût ni la patience d'être en guerre. Alors, lorsque votre partenaire réclamera votre présence, passez du temps en sa compagnie. Si vous ne le faites pas, ne soyez pas surpris que votre partenaire vous lance un ultimatum avant que l'année se termine.

Vous vous êtes fait la promesse que l'année 2011 ne sera pas comme votre année 2010, et vous tiendrez parole. Vous ne laisserez rien en suspens. Vous avancerez et vous produirez. En 2011, vous concrétiserez les buts et les projets que vous vous êtes fixés. Tout vous sera acquis pour le faire. Plusieurs feront des changements importants qui auront un impact majeur dans leur vie. Ces changements amélioreront votre vie.

ANGE ACCOMPAGNATEUR : l'Ange Jabamiah (70) possède une Lumière purificatrice et énergétique. En le priant, cet Ange débouchera tous vos canaux énergétiques et il les ouvrira pour que l'énergie y circule bien. Ainsi, vous serez en pleine forme pour entreprendre tous vos projets.

Chapitre XXI

Les Principautés au fil des saisons

Saison hivernale
(janvier-février-mars)

« Un cœur qui bat dans l'amour est un cœur heureux! »
(Paroles de l'Ange Haamiah)

La nouvelle année débutera positivement! Plusieurs se fixeront des buts et ils travailleront pour les atteindre. Votre grande détermination vous conduira vers la réussite. Vous serez très fier de tout ce que vous accomplirez. Vous travaillerez très fort, mais les résultats en vaudront la peine. Certains risquent de changer complètement leur style de vie. Toutefois, vous serez en harmonie avec tous les changements que vous apporterez.

Tout vous sera acquis en janvier. Dès le 5 janvier, des portes importantes s'ouvriront pour vous. Ces portes vous permettront de faire des changements majeurs pour réorienter votre vie. Attendez-vous à recevoir de bonnes nouvelles tout au long de ce mois. De plus, vous entrez dans une ère de chance. Du 5 janvier au 25 février, je vous conseille de jouer à la loterie. Choisissez vous-même vos numéros puisque vous aurez la main chanceuse. Tout ce que vous entreprendrez sera sous le signe du succès. Un contrat sera signé. Un désir sera réalisé. Un problème sera réglé. Bref, vous regarderez droit devant et vous êtes très fier de tout ce que vous accomplirez pour réussir.

Toutefois, pour certains, le mois de mars sera un peu difficile et compliqué à cause d'un événement important qui tarde à se régler. Vous serez anxieux de voir le tout se réaliser. De plus, certains regretteront une décision. Il y a de fortes chances que la peur dérange votre mental, la peur de ne pas être à la hauteur de la situation. N'ayez crainte puisqu'un proche viendra vous épauler et vous réconforter. Ce proche vous permettra de reprendre confiance et d'aller de l'avant avec votre décision.

> **Conseil angélique :** *En mars, surveillez votre argent. Si vous aimez le jeu, allez-y modérément. Certains risquent de perdre de grosses sommes d'argent. De plus, assurez-vous de ne pas laisser traîner votre porte-monnaie. Ne le laissez pas à la vue, puisque vous pourriez vous le faire dérober.*

Les enfants d'**Imamiah**, de **Nanaël** et de **Mebahiah** devront redoubler de prudence avec leur porte-monnaie ou le jeu. Ces êtres risquent de perdre des sommes d'argents qui ne leur seront pas remboursées.

Sur le plan affectif

Une période remplie de joie et d'amour. Attendez-vous à recevoir de belles surprises et des mots tendres de la part de votre partenaire. Des changements se produiront et ils auront un impact favorable sur votre relation. Vous ferez beaucoup de sorties agréables avec votre partenaire. Plusieurs iront manger au restaurant. D'autres assisteront à des pièces de théâtre et des spectacles. Certains iront au cinéma. Un voyage qui vous rapprochera est également dans l'air. Jamais vous n'avez été aussi bien dans les bras de votre partenaire. Vous connaîtrez une belle période avec celui-ci. Vous prendrez du temps pour être ensemble et dialoguer, ce qui vous aidera énormément à vous retrouver.

Toutefois, certains vivront une période difficile. Ne vous inquiétez pas, une solution sera prise et vous en serez satisfait. À la suite d'une discussion avec le partenaire, vous réaliserez qu'il y a encore de l'espoir pour votre relation.

Les enfants de **Vehuel**, de **Daniel**, d'**Hahasiah** et de **Nithaël** seront en amour. Ces êtres seront animés par les belles paroles d'amour de leur partenaire. Ce sera des mots doux et tendres. Tout pour faire palpiter votre cœur de joie et d'amour et le sécuriser! Le partenaire pourrait vous surprendre avec des fleurs ou des petits cadeaux ou encore une sortie spéciale. Il fera en sorte que la flamme du désir demeure allumée!

Les enfants d'**Imamiah**, de **Nanaël**, de **Mebahiah** et de **Poyel** devront surmonter certaines épreuves. Il y aura de la discorde et des discussions de toutes sortes. Les enfants, le travail et l'argent seront souvent des sujets orageux. Certains seront craintifs vis-à-vis leur relation. Toutefois, vous aurez une bonne discussion avec le partenaire, ce qui apaisera vos craintes. De plus, vous planifierez quelques sorties agréables qui vous permettront de vous retrouver. Bref, les problèmes se régleront et la paix rayonnera de nouveau dans votre foyer.

Pour les célibataires

Des portes importantes s'ouvrent pour vous. Ces portes pourraient vous permettre de rencontrer votre partenaire idéal. Les mois de janvier et février sont des mois magiques pour faire la rencontre de votre perle rare.

Tous les célibataires Principautés auront la chance de rencontrer leur partenaire idéal. Toutefois, les enfants de **Vehuel**, de **Daniel**, d'**Hahasiah** et de **Nithaël** seront plus sujets à trouver leur perle rare. Alors, sortez et acceptez les invitations qui vous seront faites.

Sur le plan du travail

Ce sera une période importante. Plusieurs recevront de bonnes nouvelles et ils auront le privilège de faire des changements importants. Vous entrez dans une ère de bonne providence. Vous serez au bon endroit, au bon moment et avec les bonnes personnes. Alors, tout vous serez acquis. Bref, les problèmes se résoudront comme par enchantement. Certains débuteront un travail désiré depuis longtemps. D'autres s'amélioreront et leurs collègues seront enchantés de leur rendement. Certains auront le privilège de signer un contrat alléchant alors que d'autres verront la date d'un contrat être prolongée. Des entrevues seront réussies. Vous réaliserez rapidement que la chance est à vos côtés.

Les enfants de **Véhuel**, de **Daniel**, de **Nanaël** et de **Poyel** seront passionnés par leur travail. Que de bonnes nouvelles arriveront vers eux. De plus, un contrat sera prolongé et signé. Ces êtres vivront de grandes satisfactions sur le plan professionnel. Ils auront la force, le courage et la détermination de tout entreprendre. Certains mettront sur pied un projet nouveau qui demandera beaucoup de soin et d'attention. Toutefois, ce projet sera couronné de succès. Bref, la plupart de ces êtres auront la situation en mains et ils en seront fiers. De plus, certains obtiendront une promotion et de belles récompenses.

En ce qui concerne les enfants d'**Hahasiah** et de **Nithaël**, ce n'est pas les choix qui manqueront. Ces êtres auront de deux à six occasions d'apporter des changements. Ils n'auront qu'à saisir les occasions et le tour sera joué. Certains auront le privilège de changer d'endroit, d'autres obtiendront une augmentation de salaire. Les problèmes se résoudront et la paix reviendra s'installer dans les équipes. Bref, il y aura plusieurs changements qui apporteront une nette amélioration.

Les enfants d'**Imamiah** et de **Mebahiah** devront régler des problèmes de toutes sortes. Certains seront impliqués dans un conflit. Attendez-vous à des discussions et des réunions pour calmer la tempête. Ne vous inquiétez pas, le problème sera réglé et la paix reviendra. Mais vous aurez tout de même appris une leçon à travers cette tempête : celle de vous méfier des personnes hypocrites et jalouses. Ces personnes peuvent être très dangereuses avec leurs gestes et leurs paroles. Quand tout sera réglé, plusieurs vivront un changement qui améliorera la qualité de leur travail.

Sur le plan de la santé

La santé sera bonne. Toutefois, il faudra faire attention aux rhumes, aux virus et à la grippe. De plus, certains se plaindront de douleurs musculaires. Certains devront prendre un médicament quelconque pour soulager une douleur ou un mauvais rhume.

Conseil angélique : *Certaines femmes éprouveront des ennuis gynécologiques. Ne soyez pas surprise d'être obligée de subir l'hystérectomie.*

Chez les enfants de **Vehuel** et de **Nithaël**, la santé sera bonne. Toutefois, certains se plaindront de maux d'estomac et de serrements à la poitrine. Certains consulteront le médecin. Des examens approfondis indiqueront la raison de leurs maux. Il n'y aura rien d'alarmant.

La plupart des enfants de **Daniel**, d'**Hahasiah** et de **Poyel** seront en forme. Certains prendront un produit naturel ou des vitamines pour rehausser leur énergie. D'autres feront des exercices et de la marche pour garder la forme. Toutefois, vous ne serez pas à l'abri des mauvais rhumes. Couvrez-vous bien lorsque vous ferez votre marche à l'extérieur, surtout s'il fait très froid.

Certains enfants d'**Imamiah**, de **Nanaël** et de **Mebahiah** consulteront le médecin. Il serait sage pour eux de ralentir le pas. Ces êtres ont besoin de repos. Certains se plaindront de maux de tête, de migraines, de surmenage, d'angoisse et de problèmes aux intestins. Certains devront passer des examens médicaux pour déceler la cause de leurs problèmes de santé. D'autres prendront un médicament pour soulager les douleurs. Votre spécialiste trouvera la cause de vos maux et tout rentrera dans l'ordre par la suite. Il est évident qu'il vous ordonnera un repos de quelques jours.

Sur le plan de la chance

Votre chance sera excellente en janvier et en février. N'oubliez pas que vous entrerez dans une période de chance à partir du 5 janvier au 25 février. Profitez-en!

Voici quelques événements qui pourraient survenir au cours de la période hivernale.

- Une femme recevra une bonne nouvelle en ce qui concerne un travail ou une somme d'argent à recevoir.

- La roue de fortune tournera en faveur d'une femme aux yeux bruns. Cette personne gagnera une belle somme d'argent.

- Vous, ou un proche, tomberez dans le piège de l'amour. Cupidon vous lancera sa flèche! Une belle relation naîtra. Cette personne sera exactement comme vous l'aviez rêvée et désirée.

- Deux personnes qui vous entourent feront la rencontre de leur partenaire idéal sur Internet. Si vous êtes célibataire, cela pourrait aussi vous concerner.

- Une femme donnera naissance à des triplets. Ce sera une surprise pour l'entourage.

- Vous assisterez à deux baptêmes ou à deux anniversaires de naissance.

- Il vous sera permis d'assister à deux événements agréables, dont l'un vous permettra de faire une belle rencontre.

- Vous, ou un proche, serez charmé par votre partenaire. De belles preuves d'amour vous sont réservées.

- Vous, ou un proche, renaîtrez à la vie. De bonnes nouvelles vous seront annoncées. Elles vous permettront de recommencer à zéro et d'aller de l'avant avec vos idées nouvelles. Un changement bénéfique orientera votre vie différemment, mais favorablement.

- Certains planifieront un voyage de sept à dix jours dans un pays étranger. Vous serez enchanté par la beauté de l'endroit.

- Vous, ou un proche, si vous éprouvez des problèmes de jeu, ferez une perte énorme. Tout peut y passer : l'argent, la famille et les amis. Une aide sera réclamée, car ce sera une période difficile. Toutefois, une nouvelle vie plus calme se pointe.

- Vous, ou un proche, devrez fait un choix en ce qui concerne le travail. Toutefois, ce choix apportera un changement favorable.

- Certains parleront de faire l'achat d'un rouet, pour la décoration ou pour l'utilisation. De toute façon, vous serez satisfait de votre achat. D'autres feront l'achat d'une chaise ou d'un mobilier de salon.

- Plusieurs se consacreront à des buts précis et ils travailleront pour les réussir.

- Une femme éprouvera des difficultés avec ses organes génitaux. Cette personne subira l'hystérectomie.

- Plusieurs obtiendront de deux à cinq bonnes nouvelles en ce qui concerne le travail ou la situation financière.

- Vous, ou un proche, aurez la chance de gagner deux gains à la loterie.

- N'oubliez pas que le mois de janvier est très chanceux. Profitez-en au maximum, puisque la chance se fera sentir dans tous les aspects de votre vie.

- Plusieurs feront des sports d'hiver : ski alpin, ski de fond ou raquette. Certains sortiront leurs vieux patins à glace et iront sur les patinoires extérieures. De belles randonnées entre amis sont à prévoir.

- Certains verront l'un de leurs projets se concrétiser grâce à l'aide de bonnes personnes. Bref, de nouvelles idées connaîtront de bons résultats.

- Une personne en état d'ébriété au volant se fera arrêter par la police et verra son permis de conduire être suspendu.

- Plusieurs seront supportés dans leurs démarches.

- Vous, ou un proche, ferez parler de vous grâce à un geste héroïque.

- Une personne s'agenouillera devant vous et vous demandera pardon pour toutes les peines qu'elle vous a causées. Cette personne sera sincère. Ce sera à vous de décider.

- Plusieurs célibataires auront le bonheur de trouver leur perle rare et de vivre une belle histoire d'amour. L'amour est dans l'air et le cœur est heureux!

- Un adolescent aura des ennuis avec la justice. La Protection de la Jeunesse interviendra dans cette histoire.

- Une femme devra subir une césarienne; le bébé ne passera pas dans le passage. L'accouchement sera difficile, mais un beau bébé en santé verra le jour.

- Certains s'inscriront à des activités intérieures. Certains parleront de peinture, de tricot ou de techniques culinaires. D'autres feront de l'aérobie ou de la danse sociale. Qu'importe l'activité que vous ferez, ce sera bon pour votre mental.

- Certains prendront leur retraite. Une retraite bien méritée.

- Vous serez invité à participer à quatre repas en famille ou entre amis. De belles discussions auront lieu lors de ces repas.

- Quelqu'un fera faillite. Ce ne sera pas facile pour cette personne de repartir à zéro. Il faudra plus de cinq mois à cette personne pour reprendre le contrôle de sa vie. Après cette période difficile, cette personne prendra sa vie en mains et avancera vers ses nouveaux objectifs de vie. Une belle réussite lui sera réservée grâce à sa grande détermination à vouloir s'en sortir.

- Un emprunt sera refusé. Des rénovations seront reportées à une date ultérieure.

Saison printanière
(avril-mai-juin)

« Ne parlez pas pour rien. Lorsque vous parlez, faites en sorte que vos paroles soient conformes à vos actions. »

(Paroles de l'Ange Aniel)

Les deux prochains mois ne seront pas faciles. Les portes seront fermées et rien ne fonctionnera comme vous le souhaiterez. Vous avez beau passer à l'action, mais personne ne vous suit. Ce sera parfois décourageant et épuisant. Vous ferez tout en votre pouvoir pour trouver des solutions, mais rien ne fonctionnera. Ce qui vous frustrera le plus, c'est l'attente. Vous avez beau être patient, mais parfois votre patience a des limites. De plus, les promesses ne seront pas tenues et cela vous dérangera énormément. Les gens ne répondent pas à votre appel. Vous avez beau tout faire pour satisfaire les personnes concernées, mais rien n'y fait. C'est une saison où vous devez garder espoir car tout peut se régler et s'arranger. De toute façon, votre mois de juin sera plus agréable. Il vous apportera de meilleures nouvelles.

Il y aura beaucoup de turbulences en avril et en mai. Dès le 7 avril, et jusqu'au 8 mai, plusieurs vivront des batailles de toutes sortes. Vos émotions passeront par différentes étapes. Certains recevront une mauvaise nouvelle qui les déstabilisera temporairement. Ils pourront même verser des larmes à cause de cette mauvaise nouvelle. Il y aura aussi des batailles de mots et des moments difficiles sur le plan financier. Tout peut vous arriver. Il serait important de prendre une journée à la fois.

Votre mois de juin sera plus reposant. En juin, vous pourrez obtenir les réponses aux questions que vous vous êtes posées. Vous éclaircirez des malentendus et vous parviendrez à faire la lumière sur plusieurs situations qui étaient en suspens. Vous aurez besoin de sécurité et vous aurez besoin de savoir où vous vous dirigerez avec tout ce qui se passera dans votre vie. Tel sera votre but en juin : prendre des décisions pour retrouver le contrôle de votre vie. Grâce à votre ténacité, vous parviendrez à régler vos problèmes et à retrouver votre équilibre. Vous serez fier de tout ce que vous aurez accompli.

Les enfants d'**Imamiah**, de **Nanaël**, et de **Mebahiah** trouveront la période printanière difficile. Il serait important pour ces êtres de garder espoir et de demander de l'aide, s'ils en sentent le besoin.

Sur le plan affectif

Une période d'inquiétude, de tristesse et de batailles de mots. Vous avez besoin de réponses pour mieux situer votre vie amoureuse. Toutefois, votre partenaire vous trouvera ridicule et il ne répondra pas à votre appel. Ceci vous déconcertera. Vous cherchez à rétablir l'harmonie dans votre relation mais vous aurez besoin de vous sentir épaulé par votre partenaire. Toutefois, celui-ci ne sera pas préoccupé par la situation. Certains partenaires resteront indifférents à ce sentiment d'inquiétude. De plus, certains partenaires accuseront l'autre d'être l'élément déclencheur de certaines situations. Ceci ne vous aidera pas. Plusieurs se sentiront seuls et abandonnés et chercheront à trouver des solutions pour que tout redevienne comme avant. Toutefois, certains réaliseront qu'il n'y a plus rien à faire, qu'ils ont épuisé toutes leurs ressources et que le peu d'énergie qui leur reste les aidera lorsqu'ils quitteront le partenaire pour recommencer une vie nouvelle ailleurs.

Certains enfants de **Vehuel**, d'**Imamiah**, de **Nanaël** et de **Mebahiah** réaliseront que leur relation les étouffe, qu'ils ont un énorme besoin de se libérer de ce sentiment qui les envahit. De plus, certains se sentiront manipulés par le partenaire. Son attitude vous dérangera beaucoup. Lorsque vous essaierez d'avoir une conversation avec lui, il vous évitera ou il vous déconcertera par des paroles méchantes tout en vous blâmant d'être responsable de sa façon d'être. Vous serez exaspéré et très déçu de son comportement. Vous verserez des larmes et vos émotions exploseront, ce qui risque de créer des flammèches. À la suite d'une discussion intense, vous mettrez votre partenaire au pied du mur. Vous lui lancerez un ultimatum. Si celui-ci ne change pas dans le temps exigé, vous ferez les changements nécessaires pour retrouver votre équilibre et une qualité de vie. Plusieurs se réconcilieront après cette tempête orageuse.

Les enfants de **Daniel**, d'**Hahasiah**, de **Nithaël** et de **Poyel** vivront une période difficile causée par le travail. L'un des deux partenaires travaillera trop et négligera sa vie amoureuse. Toutefois, à la suite d'une bonne conversation, un changement corrigera la situation à la satisfaction des deux conjoints. Ces êtres planifieront quelques sorties qui les rapprocheront.

Pour les célibataires

Il y a tellement de situations qui vous préoccuperont que vous ne serez pas dans une bonne énergie pour faire des rencontres. Tous ceux que vous rencontrerez seront courtisés par d'autres. Des batailles pour gagner le cœur de quelqu'un seront à prévoir! Un jeu qui ne vous enchantera guère.

Sur le plan du travail

Ce sera une période compétitive et de dualité. Vous devrez vous battre pour survivre aux événements et pour énoncer vos points de vue. Ce ne sera pas de tout repos. Tous voudront la même chose et personne ne voudra faire des concessions. Il y aura des discussions animées avec des collègues de travail durant lesquelles des reproches se feront. Une réunion importante aura lieu avec des chefs. Des décisions seront prises pour que l'harmonie règne de nouveau. Certaines décisions vous seront favorables tandis que d'autres vous feront grincer des dents. Toutefois, ces chefs ont pris des décisions équitables. Il faudra vous habituer à ces nouvelles règles qui seront exigées et imposées.

Les enfants de **Vehuel**, de **Daniel**, d'**Hahasiah**, de **Nanaël** et de **Poyel** parviendront à trouver un terrain d'entente. Par la suite, tout redeviendra normal, à la grande satisfaction de tout le monde. Certains auront le privilège de signer un contrat avantageux. D'autres mettront sur pied un projet nouveau qui demandera beaucoup d'attention, mais qui sera couronné de succès.

Les enfants d'**Imamiah**, de **Nithaël** et de **Mebahiah** se sentiront étouffés et manipulés par certaines personnes et par certaines situations. Des conflits surviendront. Toutefois, vous serez en mesure de régler vos différends avec les personnes concernées. Vos paroles seront justes et loyales et vous ne mâcherez pas vos mots. De plus, votre grande détermination à vouloir reprendre le contrôle de la situation fera fuir les hypocrites. Bref, rien ni personne ne viendra vous déstabiliser. Vous détestez les problèmes et vous ferez tout ce qui est possible de faire pour les éloigner ou les régler rapidement.

Sur le plan de la santé

Plusieurs devront surveiller leur santé. Certaines personnes recevront un diagnostic qui les dérangera. Toutefois, vous serez entre bonnes mains. Votre médecin vous donnera toutes les informations pertinentes pour que vous puissiez reprendre le chemin de la santé. D'autres personnes se plaindront de fatigue. Certains auront des problèmes ici et là, sans que cela soit grave.

Chez la plupart des enfants de **Vehuel**, de **Daniel**, d'**Hahasiah** et de **Nithaël**, la santé sera bonne. Toutefois, certains se plaindront de maux à l'estomac, de douleurs à la poitrine, de maux de dos et de douleurs aux reins. Certain consulteront le médecin, d'autres prendront des médicaments pour soulager leur douleur. Bref, vous aurez des maux ici et là qui affecteront votre moral.

Les enfants d'**Imamiah**, de **Nanaël**, de **Mebahiah** et de **Poyel** recevront un diagnostic dérangeant. Certains devront subir une intervention chirurgicale, d'autres devront se reposer puisqu'ils seront épuisés. Bref, il serait sage pour vous d'écouter les conseils de votre médecin. Celui-ci sait exactement ce qu'il vous faut pour retrouver le chemin de la santé. Si vous négligez votre santé, vous le regretterez par la suite. Il est important de prendre soin de vous et d'écouter sagement les conseils de votre médecin. Certains prendront quelques jours de congé pour rehausser leur énergie.

Sur le plan de la chance

Seul le mois de juin vous sera favorable pour la loterie. Du 8 au 17 juin, plusieurs seront dans une période chanceuse. Profitez-en pour faire vos transactions. Que de bonnes nouvelles vous parviendront dans cette période de temps.

Voici quelques événements qui pourraient survenir au cours de la période printanière.

- Il y aura beaucoup de situations apportant de multiples désagréments. Certains seront victimes de personnes méchantes. Vous serez déçu de leur comportement. Il faudra vous armer de courage pour parvenir à surmonter tous les obstacles.

- Certains vivront toutes sortes de batailles pour mettre sur pied un projet ou concrétiser une idée. Plusieurs obstacles barreront la route. Toutefois, ne perdez pas espoir puisqu'il y aura des occasions qui vous permettront d'avancer et d'aller de l'avant avec votre idée ou votre projet.

- Vous, ou un proche, mettrez fin à une relation amoureuse. Ce sera une étape difficile à accomplir. Toutefois, vous serez conscient que c'est la meilleure solution à adopter pour l'instant. Ce sera une décision douloureuse.

- Il y aura beaucoup de retard dans tout ce que vous entreprendrez, ce qui vous épuisera et affectera énormément votre moral.

- Un couple se réconciliera après avoir vécu une séparation.

- Certains devront assister à quatre réunions importantes.

- Vous, ou un proche, verrez une demande d'emprunt être refusée par la banque.

- Une personne devra subir une intervention chirurgicale. La délicate opération demandera beaucoup de soins et d'attention de la part du spécialiste.

- De deux à quatre personnes feront une rencontre sur Internet. Pour l'une de ces personnes, cette rencontre s'avèrera positive et sérieuse.

- Vous, ou un proche, verrez la fin de vos difficultés. Une solution arrivera au moment opportun et elle réglera le problème. Vous en serez fier et satisfait.

- Certains devront signer des papiers chez le notaire.

- Vous entendrez parler d'un décès qui vous surprendra.

- Vous, ou un proche, travaillerez très fort sur un projet. Toutefois, vous aurez le privilège de savourer les fruits de vos efforts. Une belle récompense vous parviendra.

- Plusieurs hésiteront à faire un choix sur le plan professionnel. Toutefois, le choix que vous ferez vous sera favorable et bénéfique.

- Certains perdront une somme d'argent. Surveillez vos investissements.

- Vous, ou un proche, vivrez une période difficile sur le plan amoureux. Un choix s'imposera même s'il sera pénible à faire.

- Plusieurs devront repousser la date d'un voyage ou d'un projet de rénovation.

- Il y aura de deux à quatre événements qui vous attristeront.

- Un animal sera malade. Vous devrez consulter le vétérinaire.

- Certains parleront de faire l'achat d'une nouvelle voiture ou l'achat d'une moto.

- Une femme subira des menaces. La justice s'en mêlera. Le problème se réglera et la paix reviendra.

- Certains feront un grand ménage et organiseront une vente de garage pour se débarrasser de tous les articles devenus inutiles pour eux. L'argent amassé servira à rénover une partie de la maison.

Saison estivale
(juillet-août-septembre)

« Travailler, c'est bâtir son avenir. »

(Paroles de l'Ange Menadel)

La saison estivale annoncera la fin de vos ennuis. Pour tout ce qui vous a tourmenté et vous tourmentera encore, vous trouverez une solution. Vous ferez des choix, parfois sous le coup de la fatigue ou de l'émotion. Toutefois, ces choix vous seront favorables. Tout tournera en votre faveur, et ce, à votre grand soulagement. Comme par enchantement, les solutions seront devant vous pour résoudre vos problèmes. De plus, vous obtiendrez toutes les réponses à vos questions. Bref, vous vivrez des moments agréables en compagnie de gens que vous aimez. Le mot « victoire » vous suivra tout au long de votre période estivale.

Conseil angélique : *Assurez-vous de bien équilibrer vos tâches. Ne vous engagez pas dans des situations qui exigent plus que ce que vous êtes capable d'accomplir. Sinon, votre moral en prendra un coup et le découragement s'ensuivra !*

Votre mois de juillet sera très exigeant. Il risque de vous épuiser et de déranger vos humeurs. Vous devrez être à mille endroits à la fois. Vous serez étourdi par tous les événements qui surviendront. Toutefois, plusieurs de ces événements seront là pour vous aider à mieux régler certains de vos problèmes. Le seul ennui, c'est que vous ne saurez plus où vous diriger tellement tout arrivera en même temps. Du 10 au 17 juillet, la période ne sera pas de tout repos. Tout pourra survenir lors de cette période. Plusieurs défis vous seront lancés. Comme vous êtes orgueilleux, vous chercherez à tous les relever. Il serait important de vous respecter et de respecter la limite de vos capacités. Ainsi, vous serez beaucoup plus productif et vous serez en mesure de tout accomplir sans le moindre problème.

Fonctionner à l'adrénaline pour relever un défi ne peut que vous ralentir. Agir normalement, tout en vous respectant, vous permettra de tout accomplir et d'être fier de vous. C'est exactement l'attitude que vous emprunterez en août. De plus, puisque le mois d'août sera un mois de chance, il serait sage d'en profiter pour jouer à la loterie, pour prendre vos décisions et pour faire vos transactions. Vous vous lancerez un défi à vous-même, et vous parviendrez à le relever. Cette réussite vous apportera de belles victoires que vous savourerez en septembre. Bref, vous serez envahi par une grande fierté. Que du bon surviendra en septembre! La semaine du 6 septembre vous sera aussi très favorable. De bonnes nouvelles viendront vers vous. Ces nouvelles vous permettront de tourner une page et d'aller de l'avant avec un nouveau projet ou une nouvelle attitude par rapport à la vie.

> **Conseil angélique :** *N'ayez pas peur d'affronter vos peurs. Libérez-vous des situations et des personnes qui vous empêchent de créer et de bâtir. Vous avez une idée en tête; alors, réalisez-la. Choisissez les bonnes personnes qui vous aideront à mettre sur pied votre projet et qui travailleront avec vous et non contre vous.*

Tous les enfants des Principautés seront en mesure de prendre leur vie en main et de se diriger vers l'un de leurs buts. Ces êtres vivront de bons moments lors de la saison estivale. Des moments inoubliables. Toutefois, les enfants de **Vehuel**, de **Daniel**, d'**Hahasiah** et de **Nithaël** seront les plus choyés.

Sur le plan affectif

Après avoir vécu une période d'ennui, la paix et l'harmonie reviendront sous votre toit. Les partenaires parleront ouvertement de leurs émotions. Les conversations seront franches et directes. Il est évident que certaines conversations vous causeront de la tristesse. Toutefois, ces dialogues vous permettront de mieux connaître les attentes de chacun. Ainsi, il vous sera plus facile d'évoluer dans la même direction. Plusieurs couples se pardonneront et se donneront la chance de repartir à zéro.

Les enfants de **Vehuel**, de **Daniel**, d'**Hahasiah** et de **Nithaël** refléteront le bonheur même. Ils seront heureux et resplendissants. L'un des deux partenaires fera à nouveau la conquête du cœur de son conjoint. Plusieurs seront au comble du bonheur puisqu'ils regagneront une confiance mutuelle. De plus, plusieurs événements viendront marquer favorablement leur vie. Certains solidifieront leur union par un mariage, d'autres par des fiançailles. Certains reprendront un projet mutuel qu'ils avaient mis en veilleuse. D'autres feront un voyage en amoureux. Bref, il y aura de l'amour dans l'air et cela se verra et se ressentira. Les couples s'aimeront et se feront la promesse de se respecter et d'être à l'écoute des besoins de l'autre.

Les enfants d'**Imamiah** et de **Poyel** seront heureux et ils s'en sortiront bien. Grâce à de profonds dialogues qu'ils auront en couple, ils comprendront mieux les besoins de l'autre. Bref, la plupart réaliseront l'importance qu'occupe leur partenaire dans leur vie. Ils seront plus attentifs et dévoués envers celui-ci. Lorsqu'un événement négatif surviendra, ces êtres s'empresseront de le régler immédiatement pour que la paix et l'harmonie puissent reluire de nouveau sous leur toit familial.

Il y aura de l'agitation en ce qui concerne la vie amoureuse des enfants de **Nanaël** et de **Mebahiah**. Ceux-ci ont besoin de faire le point sur plusieurs aspects de leur vie. Ils feront de grandes analyses existentielles. Cette période de questionnement ne sera pas sans effrayer leur partenaire puisque ceux-ci ne sauront pas à quoi s'attendre. Toutefois, ces êtres seront francs et directs avec leur partenaire. Avant de prendre une décision finale, ils dialogueront avec celui-ci. Si leur partenaire fait la sourde oreille et qu'il boude, il y a de fortes chances qu'une séparation survienne. Cependant, si le partenaire est réceptif et qu'il est prêt à faire les changements nécessaires pour retrouver l'harmonie et le bonheur sous son toit, tout se replacera et l'amour jaillira de nouveau au sein de leur union. Bref, cette tempête émotionnelle que surmontera le couple aura comme effet de solidifier davantage l'union.

Pour les célibataires

À partir du 6 août et jusqu'au 17 septembre, vous entrerez dans une période favorable pour faire des rencontres importantes. L'une de ces rencontres marquera favorablement votre vie. Cette personne pourrait facilement devenir l'amour de votre vie, votre partenaire idéal. Un rêve deviendra réalité.

Sur le plan du travail

Le mois de juillet sera un mois étourdissant et épuisant. Plusieurs seront contraints à respecter les dates d'échéances de certains dossiers. Certains devront faire des heures supplémentaires pour terminer certains projets dans les délais exigés. Bref, plusieurs seront débordés avant de partir en vacances.

Ils ne sauront plus où donner de la tête. La fatigue et l'épuisement se feront ressentir et certains seront même déprimés et découragés devant toutes les tâches qu'ils doivent accomplir avant de quitter pour les vacances. Mais qu'ils ne s'inquiétent pas, il y aura une solution à leur problème. Ils auront le privilège de recevoir l'aide d'un bon samaritain pour qu'ils puissent terminer leurs tâches avant la date d'échéance ou ils verront les dates d'échéances se prolonger ou encore une solution de dernière minute surviendra et allégera leurs tâches. Ils pourront partir l'esprit en paix. Ils seront épuisés mais satisfaits de partir la tête en paix. De plus, le mois d'août sera bénéfique pour plusieurs. Certains se verront offrir une promotion ou un changement bénéfique dans l'accomplissement de leurs tâches. Bref, de belles récompenses vous sont réservées.

Les enfants de **Vehuel**, de **Daniel**, de **Nanaël** et de **Nithaël** sauront prendre la situation en main. Ces êtres accompliront parfaitement toutes leurs tâches. Ils seront ordonnés et ils respecteront les dates d'échéances. Plusieurs auront aussi le privilège de recevoir de l'aide, ce qui leur permettra de terminer à temps tout le travail exigé. De plus, plusieurs recevront de bonnes nouvelles qui leur apporteront de grandes satisfactions.

Les enfants d'**Hahasiah** et d'**Imamiah** seront débordés et accablés par toutes sortes de tâches importantes. Il y aura trois ou quatre dossiers importants qui devront être terminés avant la fin d'août. Ne soyez pas surpris de mettre les bouchées doubles et de faire des heures supplémentaires pour terminer avant vos vacances ou avant la date d'échéance. Toutefois, vous aurez l'énergie pour tout accomplir. De plus, durant la période estivale, certains prendront une décision importante au niveau de la vie professionnelle. De toute façon, qu'importe la décision, il y aura des changements qui surviendront et qui vous seront bénéfiques.

Les enfants de **Mebahiah** et de **Poyel** seront débordés. Attendez-vous à faire des heures supplémentaires. Mais cela ne vous dérangera pas. Vous respecterez vos priorités et vous parviendrez à tout faire avant vos dates d'échéances, ce qui vaudra des éloges de la part de vos supérieurs. De plus, si vous avez besoin d'aide, vous saurez frapper aux bonnes portes. Tout vous sera acquis et vous serez fier de tout ce que vous accomplirez.

Sur le plan de la santé

En général, la santé sera bonne. Profitez de vos moments de repos pour vous ressourcer et refaire le plein d'énergie. Toutefois, certains se plaindront d'un mal de dents, d'une infection au niveau de l'oreille ou des yeux. Il faudra aussi surveiller les allergies. De plus, ne soulevez rien de lourd, car il y a risque de courbatures au niveau du dos, du cou ou des épaules.

Conseil angélique : *Surveillez les piqûres d'insectes. Plusieurs feront une réaction allergique. Assurez-vous de toujours avoir sur vous un comprimé ou un sirop contre les allergies.*

La santé sera bonne pour les enfants de **Vehuel**, de **Daniel** et de **Nithaël**. Toutefois, quelques-uns peuvent se plaindre de maux à l'estomac et devront surveiller leur alimentation. D'autres se plaindront de maux de dos ou d'une douleur à la hanche.

Les enfants d'**Hahasiah**, de **Nanaël** et de **Poyel** seront en pleine forme et leur énergie vitale sera à la hausse. Plusieurs prendront un produit naturel ou feront de l'exercice physique. Ces êtres exploseront d'énergie, ce qui les amènera à faire mille et une choses à la fois. Ils seront étourdissants et impossibles à suivre!

La santé sera bonne pour les enfants d'**Imamiah** et de **Mebahiah**. Toutefois, ils devront redoubler de prudence avec les objets tranchants, car il y a risque de blessures. De plus, certains se plaindront de maux de ventre.

Sur le plan de la chance

Votre chance sera excellente. Le mois d'août sera un mois bénéfique et chanceux. De belles opportunités viendront vers vous. De plus, si vous voyez une étoile filante, ce sera un signe bénéfique qui vous annoncera un événement extraordinaire à venir dans votre vie.

Conseil angélique : *Ne laissez personne détruire vos rêves. Nourrissez-vous d'espoir et vous verrez se réaliser de grands rêves.*

Voici quelques événements qui pourraient survenir au cours de la période estivale.

- Certains vivront une période d'ennui qui durera une dizaine de jours.

- Certains annuleront un engagement ou un contrat.

- Certains vivront un tournant positif au niveau de leur vie amoureuse, tandis que d'autres feront une belle rencontre amoureuse. Une belle histoire d'amour débutera. Certains feront la rencontre du partenaire idéal, celui qui transformera favorablement leur vie. Ce sera l'annonce d'une belle période de bonheur et de joie!

- Plusieurs vivront une période de bonheur remplie de moments magiques et inoubliables.

- Plusieurs situations surviendront et mettront fin à certaines difficultés.

- Un membre de l'entourage se blessera à un genou lors d'une activité pédestre ou équestre.

- Vous, ou un proche, aurez la joue enflée. Cela pourra être causé par un mal de dents, par un coup de poing ou par une autre cause.

- Une personne se plaindra d'un mal d'oreilles.

- Plusieurs sorties se feront près d'un lac, d'une rivière ou d'une piscine. Une fête sera célébrée à l'un de ces endroits. Beaucoup de plaisir vous y attendra.

- Plusieurs petits déplacements vers la campagne se feront. Il y aura des pique-niques en famille. Certains en profiteront pour aller à la pêche ou pour se baigner dans un lac. Bref, les amateurs de plein air seront choyés par toutes les activités qu'ils entreprendront.

- Vous, ou un proche, visiterez des ruches d'abeilles.

- Plusieurs activités sociales se planifieront. Attendez-vous à faire de belles rencontres et avoir de belles discussions lors de ces événements.

- Vous, ou un proche, serez accablé par des tâches très importantes. Ceci provoquera un stress épouvantable.

- Un déménagement causera beaucoup d'ennuis et de soucis.

- Certains parleront de construction et de rénovation. De plus, certains feront l'achat d'un meuble antique et le restaureront.

- Il y aura de trois à six situations qui vous permettront de régler plusieurs de vos problèmes. Un problème qui dure depuis un certain temps se réglera à votre grand soulagement.

- Vous serez victime d'un mensonge. Toutefois, vous allez rapidement connaître la vérité.

- N'oubliez pas de jouer à la loterie en août, puisque certains pourraient recevoir une belle surprise monétaire. La journée du vendredi vous sera aussi favorable.

- Un enfant se plaindra de maux de tête ou d'un mal de dent. Une consultation chez le spécialiste sera à prévoir.

- Vous, ou un proche, vous ferez piquer par un insecte et il y aura un risque d'infection. Certains devront prendre des antibiotiques.

- Certains recevront de belles récompenses au niveau professionnel.

- Un nouveau projet demandera beaucoup de soins et d'attention. Toutefois, ce projet sera couronné de succès.

- Un homme aura besoin d'élargir sa vie. Il y a de fortes chances pour que cet homme quitte le domicile familial et parte à l'aventure.

- Il y aura de l'agitation à la suite d'un appel téléphonique. Cet appel vous obligera à vous déplacer immédiatement.

- Un enfant âgé de 12 à 17 ans fera une fugue. Cet enfant causera beaucoup d'inquiétude aux parents.

- Plusieurs événements vous permettront de triompher sur les personnes négatives.

- Un proche défunt vous fera signe. Il mettra sur votre chemin des libellules et des papillons aux couleurs vives.

- Naissance d'une belle amitié.

- Certains feront l'achat d'une nouvelle voiture.

- Certains recevront une belle promotion ou leur travail sera reconnu avec succès.

- Une jeune fille de 17 ans subira un avortement.

- Un jeune aura des problèmes d'alcool et de drogue. Lors d'un événement pénible, ce jeune reprendra sa vie en main.

- Plusieurs auront des ennuis au niveau de l'estomac. Il faudra surveiller la friture et les boissons alcoolisées.

- À la suite d'une perte de poids considérable, vous, ou un proche, vous referez une beauté.

- Un enfant possède du talent. Ce talent sera exposé au grand jour.

Saison automnale
(octobre-novembre-décembre)

« Quand on partage, on reçoit de l'autre main. »
(Paroles de l'Ange Chavakhiah)

Plusieurs événements viendront marquer votre période automnale. Ce sera une période ambivalente. Il y aura de belles journées comme de mauvaises journées. Ce que vous trouverez le plus difficile, c'est l'attitude de votre entourage. Les gens seront grognons, bougonneux, jaloux et exigeants. Ils manqueront de patience et ils chercheront à avoir raison à tout prix. Ils ne seront pas de tout repos. Il est évident que leur humeur changeante vous attaquera et vous dérangera émotionnellement. Vous chercherez à les aider et ils vous enverront promener. Vous ferez tout votre possible pour les voir heureux et ils feront tout pour vous décourager. Le mieux que vous pourrez faire, ce sera de lâcher prise. Ce ne sera pas facile pour vous. Vous êtes tellement à l'écoute des besoins des gens que vous aimez. Toutefois, pour le moment, vous ne pouvez rien y faire. Si vous essayez de les aider, vous allez rapidement vous épuiser et votre moral en prendra un coup. Laissez-les venir à vous. Lorsqu'ils réclameront votre aide, répondez.

Conseil angélique : *Il serait beaucoup plus sage pour vous de ne pas vous impliquer dans leur problème, en agissant ainsi, vous éviterez toutes sortes d'ennuis.*

En octobre, attendez-vous à de petites crises de jalousie. Les gens se jalousent entre eux. Ils ne veulent rien partager. Une situation où vous réclamerez de l'aide, vous permettra de constater que le sentiment de jalousie est élevé chez certaines personnes. Cette situation vous décevra énormément. De plus, il ne sera pas facile de connaître certaines informations. Personne ne voudra vous aider. Il y aura des situations où vous devrez élever un peu le ton de votre voix si vous voulez obtenir les informations pertinentes que vous désirez. Cela ne sera pas sans vous épuiser moralement.

C'est la raison pour laquelle, en novembre et en décembre, vous confronterez certaines personnes et vous vous viderez le cœur. Vous serez direct et loyal dans vos paroles. Bref, vous allez rapidement leur faire comprendre que vous êtes épuisé de leur façon d'agir, que ce n'est que de l'enfantillage de leur part et que lorsqu'ils auront grandi, ils pourront venir vous voir et vous consulter à nouveau. Vous ne mâcherez pas vos mots. Toutefois, ces êtres vont comprendre rapidement qu'il est temps pour eux de changer leur attitude. Sinon, ils risquent de vous perdre et de perdre une belle amitié ou une aide précieuse.

Ceux qui auront de la difficulté à surmonter la saison automnale seront les enfants d'**Imamiah**, de **Nanaël** et de **Mebahiah**. Il serait important pour ces êtres de prendre soin d'eux avant de prendre soin des autres!

Sur le plan affectif

Certains vivront une période difficile à cause de la jalousie et de la possessivité. Plusieurs se sentiront étouffés dans leur relation. Lorsque vous essayerez de converser avec le partenaire, celui-ci fera la sourde oreille. De plus, il rejettera le blâme sur vous. Ses paroles seront blessantes et menaçantes. À un point tel, que vous vous éloignerez de lui temporairement. Cela ne veut pas dire que vous vous séparerez. Cela signifie que, durant une période de quatre à dix semaines, vous serez plus distant. Vous analyserez votre vie de couple et vous réfléchirez à vos besoins. Plusieurs questions seront évaluées : « Est-ce que je l'aime encore? Dois-je demeurer ou quitter? Est-ce que je peux vivre sans lui? Suis-je capable de subvenir à mes besoins? » Bref, ce sont des questions qui vous ameneront à réfléchir. Lorsque vous aurez pris une décision, vous confronterez votre partenaire et lui direz le résultat de votre analyse. Vous serez prêt et en contrôle, ce qui risquera de dérouter totalement votre partenaire.

Si vous décidez de laisser une chance à votre union, vous en ferez part à votre partenaire, tout en lui donnant un ultimatum. Si d'ici la fin de l'année, rien n'a changé, vous partirez en 2012.

Il y aura de belles réconciliations chez les enfants de **Vehuel**, d'**Hahasiah**, d'**Imamiah** et de **Nithaël**. Ces êtres trouveront toutes sortes de solutions pour parvenir à trouver l'harmonie sous leur toit. Chacun y mettra du sien et ils feront tout pour améliorer leur union et la rendre solide. La période de distance que ce couple a vécu les fera réfléchir et ils réaliseront l'importance de se donner une autre chance. De belles preuves d'amour les attendent. Ces êtres seront heureux et en harmonie.

Les enfants de **Daniel** et de **Poyel** ouvriront leur jeu et lanceront un ultimatum au partenaire. Plusieurs partenaires réagiront favorablement à cet ultimatum et feront le nécessaire pour combler vos besoins et vos désirs. Bref, votre partenaire vous démontrera ses sentiments, ce qui éliminera vos doutes et vos peurs. Attendez-vous à des repas en amoureux. De plus, vous planifierez un week-end d'amoureux.

Les enfants de **Nanaël** et de **Mebahiah** chercheront à partir. Il y aura beaucoup d'agitation sous leur toit. Une décision sera prise avant que l'année se termine. Si ces êtres décident de demeurer avec le partenaire, il est évident que celui-ci aura fait la promesse de changer. Sinon, ils quitteront le domicile familial pour se bâtir un nouveau nid plus serein.

Pour les célibataires

Ce sera une période tranquille. Les personnes qui vous seront présentées ne vous attireront pas physiquement. De plus, certains auront de la difficulté à oublier un amour passé. Bref, vous ferez des rencontres, mais rien d'étourdissant.

Sur le plan du travail

Ce sera une période active en événements de toutes sortes. Dès le 4 octobre, tout commencera à bouger. Votre mois d'octobre sera un mois difficile. Tout pourra survenir lors de ce mois. Ce que vous trouverez le plus dur, c'est l'attitude de vos collègues. La plupart seront déprimés et déprimants. Tout sera au ralenti, ce qui provoquera des discussions animés entre collègues. De plus, il y aura du commérage. Ce sera fou comme ambiance, ce qui vous amènera à faire attention à vos paroles et à vos gestes pour ne pas qu'ils soient mals interprétés. Tout se replacera grâce à l'intervention d'un directeur ou d'une personne importante. De plus, avant que l'année se termine, plusieurs auront la possibilité de faire un changement favorable. Une entrevue sera réussie et un poste vous sera offert. Il n'en tiendra qu'à vous de l'accepter.

Les enfants de **Vehuel**, de **Daniel** et de **Nithaël** seront en harmonie avec tout ce qui se produira. Ces êtres sauront remettre à leur place les personnes à problèmes. De plus, que de bonnes nouvelles et de belles opportunités arriveront vers eux. Ceux qui passeront une entrevue auront le privilège de se voir offrir l'emploi. Il n'en tiendra qu'à eux de l'accepter. De toute façon, avant que l'année se termine, vous serez heureux d'une décision que vous prendrez. Ceux qui prendront leur retraite seront satisfaits de leur décision. Une retraite bien méritée pour plusieurs!

Il y aura plusieurs opportunités qui viendront vers les enfants d'**Hahasiah**, de **Nanaël** et de **Poyel** pour améliorer leurs conditions de travail. Même si, parfois, ils hésiteront devant certaines opportunités, ils sauront toujours bien choisir. Ils feront des choix bien pensés. Certains obtiendront un poste rêvé. D'autres réussiront une entrevue. De plus, plusieurs obtiendront une augmentation de salaire ou un changement bénéfique dans l'accomplissement de leurs tâches. Tout leur sera acquis grâce à leur bon jugement.

Malgré tous les obstacles qui barreront la route des enfants d'**Imamiah** et de **Mebahiah**, ils parviendront toujours à trouver les solutions pour se libérer rapidement de leurs petits ennuis. Ils seront satisfaits de leurs décisions. Bref, les problèmes seront réglés et la paix reviendra, et ce, à leur grande satisfaction. De plus, certains feront des changements ou prendront des décisions importantes qui leur seront très favorables. L'année 2012 commencera du bon pied grâce à certaines décisions qui seront prises.

Sur le plan de la santé

Pour plusieurs, la santé sera bonne. Toutefois, il faudra surveiller les rhumes. Plusieurs tousseront beaucoup et seront obligés de prendre du sirop médicamenté avec de la codéine. Ceux qui ont une faiblesse au niveau des poumons devront redoubler de prudence puisqu'il y a des risques de souffrir d'une pneumonie. Certains se plaindront de douleurs à la poitrine et de maux d'estomac.

Conseil angélique : *Il serait important pour les personnes malades de se reposer et d'éviter les endroits qui pourraient les contaminer, surtout, si ces personnes ont des ennuis avec les poumons. De plus, mangez des fruits, cela aura un effet bénéfique sur vous.*

Chez la plupart des enfants de **Vehuel**, d'**Hahasiah** et de **Poyel**, la santé sera bonne. Toutefois, certains se plaindront d'un mal à l'estomac ou d'une douleur à la poitrine qui les amènera à consulter un médecin. D'autres devront prendre un sirop médicamenté ou un médicament pour soulager un problème de santé. Il serait sage pour ces êtres de manger des fruits.

Chez la plupart des enfants de **Daniel** et de **Nithaël**, la santé sera excellente. Ces êtres sauront prendre soin d'eux. Plusieurs respecteront leur corps. Bref, lorsque le corps réclamera du repos, ces êtres prendront le temps de se reposer. Toutefois, certains pourront se plaindre d'une douleur à la hanche ou dans le bas du dos. Cette douleur pourra les amener à garder le lit pendant une période de 48 heures.

Les enfants d'**Imamiah**, de **Nanaël** et de **Mebahiah** devront surveiller les maladies virales. Plusieurs attraperont toutes sortes de virus. D'autres se trimballeront avec la boîte de papiers mouchoirs, car le nez coulera souvent. Il serait sage de vous laver régulièrement les mains pour ne pas contaminer les autres et pour ne pas que votre état se détériore. Certains risquent de garder le lit pendant une période de un à dix jours. De plus, certains devront subir une intervention chirurgicale. La convalescence sera longue. Toutefois, le problème sera réglé et vous recouvrerez la santé.

Sur le plan de la chance

La chance sera très faible. Il serait sage de ne pas exagérer dans les dépenses de loteries.

Voici quelques événements qui pourraient survenir au cours de la période automnale.

- Plusieurs seront victime de jalousie.

- Faites attention à vos bijoux. Vous risquerez d'en perdre un ou deux. Lors de vos magasinages, assurez-vous de laisser vos bijoux à la maison. De plus, si des inconnus entrent dans votre demeure, assurez-vous de ne pas laisser des bijoux à leur vue.

- Plusieurs planifieront des activités hivernales. Certains feront de la traîne sauvage. D'autres feront des randonnés en raquettes ou en skis de fond.

- Un événement vous surprendra. Une personne en excellente santé souffrira d'un arrêt cardiaque. La convalescence sera longue.

- Certains devront prendre un médicament pour soulager une douleur ou un malaise. De plus, plusieurs devront subir des examens pour vérifier l'origine d'une douleur. Les résultats vous satisferont.

- Plusieurs décoreront leur maison pour la journée de l'Halloween. D'autres seront invités à participer à une fête d'Halloween. De plus, certains se porteront volontaires pour accompagner un enfant.

- Plusieurs seront choisis pour organiser un party de Noël. Même si cela demandera beaucoup de votre temps, vous serez satisfait des résultats. De plus, vous serez envahi par les commentaires positifs de votre entourage. Ces commentaires vous feront du bien.

- Vous, ou un proche, renaîtrez à la suite d'une période difficile. Après la pluie, le beau temps refera surface dans votre vie.

- Vous, ou un proche, vivrez une séparation temporaire. Une bonne discussion corrigera la situation.

- Vous, ou un proche, romprez une promesse. Plusieurs seront déçus de cette décision.

- La santé d'un enfant vous inquiétera. L'épuisement sera la cause de ses ennuis de santé. Cet enfant devra se reposer.

- À la suite d'une rencontre importante, une vérité sera révélée à votre grand étonnement.

- Vous, ou un proche, vous sentirez trahi dans une situation. Il y aura des discussions orageuses pour clarifier la situation. Quand le tout sera terminé, le sujet sera clos. Et la page sera tournée.

- Un collègue de travail vous jalousera. Vous n'aurez pas le choix de régler la situation avant que cela s'envenime.

- Vous, ou un proche, éprouverez des difficultés financières. Certains devront faire faillite ou se serrer la ceinture pendant une période de temps.

- Un enfant possède du talent. Un prix lui sera décerné grâce à son talent.

- Un projet connaîtra de bons résultats.

- Certains auront le privilège de réaliser un projet important.

- Il y aura quatre événements qui vous dérangeront. La jalousie et l'hypocrisie seront la cause de votre déception.

- Vous, ou un proche, serez témoin de violence conjugale.

- Vous, ou un proche, résoudrez un problème qui dure depuis un certain temps. Ceci vous amènera à fêter l'événement.

- Certains débuteront un nouveau travail qui les passionnera.

- On vous annoncera la maladie de quatre personnes. L'une de ces personnes pourra être victime d'un ACV.

- Vous, ou un proche, réclamerez l'aide d'un avocat pour vous sortir d'une situation embarrassante. Ce sera un bon avocat et il saura bien vous guider.

- Certains débuteront un nouveau travail, un travail totalement différent. Il y aura une période d'apprentissage qui durera huit semaines.

- Une situation vous amènera à faire la rencontre d'un homme important. Cet homme fera la lumière sur plusieurs aspects de votre vie. De grands changements se feront à la suite de cette rencontre.

- Surveillez les fils électriques et les ampoules. Certains pourraient se blesser.

- Vous, ou un proche, parlerez d'un voyage à l'autre bout du monde, un voyage d'un à quatre mois.

- Un enfant sera victime de taxage à l'école. Les parents devront consulter la direction. L'intervention policière sera aussi exigée et obligatoire.

- Certains auront des ennuis avec un voisin ou un terrain. Une tierce personne viendra régler le problème à la satisfaction des personnes concernées. La décision sera équitable.

- Certains apprendront des vérités au sujet d'un collègue de travail ou d'un membre de l'entourage. Vous serez déconcerté par ces nouvelles.

- Certains iront s'inscrire à une activité sociale qui leur fera du bien moralement. De plus, certains commenceront à apprivoiser la méditation. Lors de ces activités, de belles satisfactions les attendent. Ceci les amènera à vouloir approfondir les bienfaits de ces activités sociales.

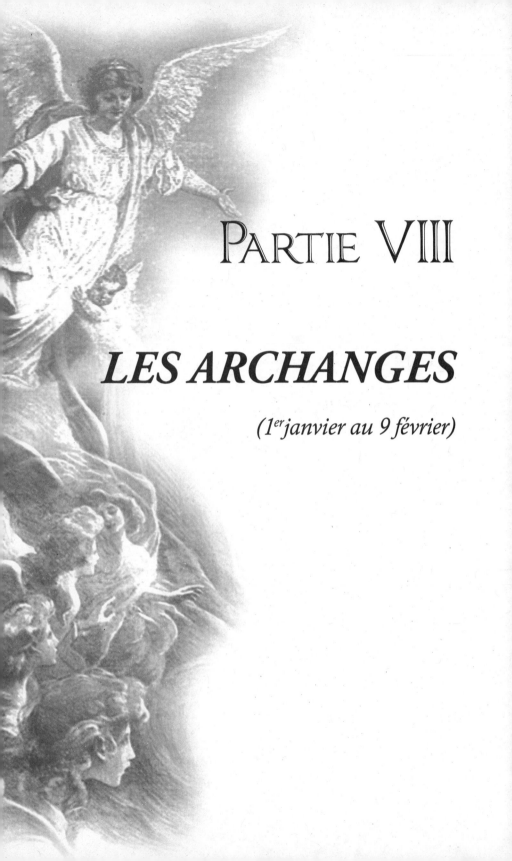

PARTIE VIII

LES ARCHANGES

(1ᵉʳ janvier au 9 février)

Chapitre XXII

L'année 2011 des Archanges

L'année 2011 sera une année où vous vous réconcilierez avec la vie. En 2010, il y a eu tellement d'événements qui vous ont blessé et découragé, qu'à certains moments, vous redoutiez chaque nouvelle journée. Il n'était donc pas facile de cheminer ainsi. Plusieurs auraient préféré être six pieds sous terre. Le moral et la santé en ont pris un coup. Certains ont pris des médicaments pour soulager leurs piètres états d'âme.

Vous ne voudrez plus souffrir de la sorte en 2011. C'est la raison pour laquelle plusieurs opteront pour des techniques, des activités, des rencontres, des méditations ou des consultations chez un psychologue pour pouvoir reprendre leur vie en main et retrouver un bel équilibre. Il est évident que vous ferez un grand ménage, ce qui ne sera pas toujours facile. Vous trouverez difficile d'affronter les situations qui vous ont mis dans cet état. Mais c'est ainsi que vous pourrez les régler. Vous explorerez toutes les avenues possibles pour vous libérer de chaque petite situation qui perturbera votre quotidien et qui dérangera vos états d'âme. Ce ne sera pas facile. Toutefois, vous y parviendrez. Vous retrouverez rapidement votre équilibre et vous serez en mesure de mieux contrôler votre vie. Vous serez animé par la satisfaction d'avoir réglé des problèmes.

Certains trouveront l'année difficile, d'autres la trouveront compliquée. L'année 2011 sera une année de remises en question. Une année d'analyse, de transition et de changements. Vous mettrez de l'ordre dans votre vie. Ce temps d'évaluation vous permettra d'équilibrer les aspects qui dérangent votre vie. Vous ne voudrez plus vivre dans les problèmes. Vous voudrez vivre dans la paix, la joie et l'harmonie. C'est la raison pour laquelle, dès le début de l'année, vous serez tenté d'effectuer un ménage intérieur qui réglera plusieurs situations à l'extérieur. Pendant l'année, il y aura trois événements qui vous permettront de renaître à la vie et de la savourer davantage. Ces trois événements vous feront comprendre que la vie vaut la peine d'être vécue.

Conseil angélique : *Accordez-vous une seconde chance. Profitez au maximum des cadeaux providentiels que les Anges enverront sur votre chemin!*

Les enfants de **Yeialel**, d'**Harahel**, de **Mitzraël** et de **Mehiel** trouveront pénible d'affronter leurs problèmes. Ces êtres y parviendront tout de même grâce à une aide quelconque. Qu'importe la situation ou la personne qui viendra vous aider, l'important sera qu'elle parviendra à vous relever, à vous faire avancer et à vous faire apprécier vos journées. Vous verrez la vie sous un angle différent. Une nouvelle vie s'amorcera pour vous!

L'amour des Archanges

Plusieurs devront prendre des décisions importantes au sujet de leur vie amoureuse. Ces décisions seront nécessaires, si ces êtres veulent retrouver l'harmonie au sein de leur couple. Plusieurs hésiteront à faire un choix, car ils vivront dans la peur des conséquences de ce choix. D'autres vivront dans le regret d'un choix qu'ils ont déjà fait. Bref, tout ceci entraînera toutes sortes d'émotions qui hanteront vos journées, ce qui risque d'avoir un impact sur votre moral.

Plusieurs se poseront des questions existentielles sur leur vie amoureuse. À la suite de la tempête émotionnelle que vous avez vécue ou que vous vivez encore, votre cœur a été meurtri et il aura besoin d'un second souffle de vie. Plusieurs apporteront les changements nécessaires pour retrouver l'harmonie sous leur toit. Dites-vous qu'il n'est jamais trop tard pour réparer les pots cassés. Que ce soit vous qui les aviez cassés ou que ce soit votre partenaire, qu'importe! L'important, c'est d'y remédier, si cela est votre désir. De plus, il n'est jamais trop tard pour tourner la page du passé et commencer une nouvelle vie sur des bases plus solides. Vous vous dirigerez instinctivement vers des choix qui correspondront à vos désirs.

En 2011, vous aurez besoin de communiquer vos émotions, comme vous aurez besoin que votre partenaire communique les siennes. Vous en aurez assez de l'incertitude. Vous voudrez vivre dans la sérénité. Vous aurez le goût de former une équipe avec votre partenaire. Plusieurs Archanges prendront leur vie amoureuse en mains. L'année 2011 sera déterminante et révélatrice. Tous ceux qui ont vécu des déceptions, des peines d'amour, une séparation, un deuil ou un divorce, guériront de leur peine en 2011. Vous reprendrez goût à l'amour! Il y aura réconciliation ou un nouvel amour.

Les enfants de **Nemamiah** vivront de profondes transformations. Le mot « fin » sera employé dans plusieurs situations de leur vie. Ces êtres reprendront goût à la vie. Ils rechercheront le bonheur, la paix et l'harmonie. Ils feront tout pour pouvoir retrouver cet état d'exaltation. S'ils doivent mettre un terme à une relation, si celle-ci ne leur apporte plus le bonheur qu'ils désirent, ils le feront. Toutefois, avant de prendre leur décision, ils en discuteront longuement avec leur partenaire. Si le partenaire fait la sourde oreille, les enfants de **Nemamiah** agiront selon leurs désirs.

Conseil angélique : Aux partenaires des enfants de Nemamiah : soyez à l'écoute des besoins de votre partenaire. Ne pensez pas que cet être essaie de vous manipuler ou de vous contrôler. Au contraire, cet être s'est réveillé et il veut tout simplement mettre les pendules à l'heure. Il cherchera votre aide, il cherchera votre appui. Si vous le lui donnez, attendez-vous à vivre de beaux moments en sa compagnie.

Comme aux temps de vos premières rencontres, vous aurez un plaisir fou à planifier vos fins de semaine et vos sorties. Toutefois, si vous n'êtes pas à l'écoute des besoins de votre partenaire, il y a de fortes chances qu'avant que l'année se termine, votre partenaire mette fin à votre relation pour partir à la recherche de gens qui l'aideront et qui l'épauleront dans ses besoins.

D'autres se réconcilieront avec leur partenaire ou avec un partenaire du passé; une seconde chance sera accordée. Certains se rétabliront à la suite d'une déception, d'un deuil, d'une séparation ou d'un adultère. Vous surmonterez votre chagrin. Bref, vous travaillerez très fort pour faire les changements nécessaires afin de retrouver l'harmonie au sein de votre vie amoureuse, et les résultats seront à la hauteur de vos attentes puisque vous renaîtrez à l'amour.

Les enfants de **Yeialel**, de **Harahel**, de **Mitzraël** et de **Mehiel** devront faire attention puisque, pour plusieurs, le travail occupera la majeure partie de leur temps. Dites-vous qu'il n'y a pas que le travail dans la vie. En 2010, vous avez négligé votre vie amoureuse, et vous vous alignez encore dans cette direction.

Conseil angélique : Prenez soin de votre vie amoureuse. Sinon, vous risquez de vous mettre à dos votre partenaire. Si vous agissez ainsi, il s'ensuivra des batailles et de la frustration. Si vous ne voulez pas vivre une séparation, établissez vos priorités et organisez-vous pour passer du temps avec votre partenaire.

Même si ce n'est que quelques heures par semaine, passez du temps de qualité ensemble. Ainsi, votre partenaire sera satisfait et la tempête s'éloignera. Toutefois, si vous ne faites rien pour remédier à la situation, attendez-vous à des orages et à des moments tendus. Ces moments pourront engendrer une séparation et il sera dorénavant trop tard pour y remédier. De plus, il faudra surveiller la jalousie; cela ne rapprochera pas votre partenaire. Respectez aussi vos promesses; ce sera important pour la survie de votre couple.

Conseil angélique : Faites attention aux commérages de toutes sortes. Avant de croire qui que ce soit, allez à la source même du problème. Ainsi, vous éviterez de fâcheuses situations.

De plus, méfiez-vous des personnes jalouses qui vous envient; elles n'auront rien de bon à vous apporter. Elles vous conseilleront de quitter votre partenaire.

Conseil angélique : *Avant de prendre une décision importante, consultez un médiateur, un psychologue ou un bon ami. Ne prenez pas de décisions selon les expériences des autres. N'oubliez pas que chaque être humain est différent et vit sa vie affective différemment. Si vous prenez une décision, assurez-vous d'être en harmonie avec celle-ci.*

Bref, plusieurs travailleront très fort pour retrouver l'équilibre au sein de leur vie amoureuse. Et vous réaliserez vite que cela en valait la peine. Avant que l'année se termine, un voyage d'amoureux vous fera oublier les périodes difficiles que vous avez vécues ensemble. Ce sera un beau voyage d'amour où vous vous retrouverez.

Les enfants d'**Umabel**, d'**Iah-Hel** et d'**Anauël** seront en mesure de prendre leur vie amoureuse en main et de régler tous les petits conflits. Ces êtres seront conscients qu'ils doivent faire des choix et les respecter. Telle sera leur façon d'harmoniser leur vie amoureuse. De plus, ils regarderont droit devant eux. Ils tourneront la page du passé et ils se consacreront entièrement à leur avenir, ce qui aura un impact favorable sur leur relation amoureuse. Dans le fond, ces êtres communiqueront facilement leurs besoins et leurs émotions. Ils seront francs et directs. Si une situation les dérange, ils vous le diront immédiatement. Ils n'attendront pas que tout s'envenime avant de la régler. Plusieurs se réconcilieront et se pardonneront. Une nouvelle vie débutera pour eux. Cela pourra être avec le même partenaire ou avec un partenaire différent. Toutefois, ce changement leur sera favorable puisque ces êtres miseront davantage sur la réussite de leur vie amoureuse que sur la réussite de leur vie professionnelle. Leur vie amoureuse passera au premier plan, ce qui fera le bonheur du partenaire.

Les Archanges célibataires

Les célibataires auront l'occasion de rencontrer des personnes qui pourraient marquer favorablement leur vie amoureuse, et ce, seulement s'ils ferment définitivement la porte du passé!

Les enfants de **Harahel** reprendront contact avec leur passé. Une personne resurgira de votre passé. Cette personne pourrait être d'une nationalité différente de la vôtre. Elle représentera exactement ce que vous recherchez. Votre cœur sera joyeux et heureux et l'amour pourra renaître. Il y a de fortes chances que vous rencontriez votre idéal lors d'une soirée amicale, d'une visite à un ami, d'un passage dans un lieu médical ou lors de funérailles. De plus, il se peut que cet être vous parle d'une douleur, porte un plâtre, un pansement ou un bandage. Ce sera un sujet de conversation et, par la suite, vous vous remémorerez des événements du passé. Votre relation renaîtra ainsi.

Certains enfants de **Yeialel** ne se préoccuperont que de leur travail au détriment de leur vie amoureuse.

Conseil angélique : *Si vous ne voulez pas rester seul, il serait sage que vous acceptiez les offres de sorties de vos amis. Ainsi, il vous sera possible de faire de belles rencontres.*

Lorsque vous serez en présence de personnes intéressantes, ne commencez pas à parler de votre travail et du stress que vous y vivez, car vous risquez de faire fuir vos prétendants! D'autres devront utiliser leur charme pour conquérir le cœur d'un partenaire intéressant. Vous gagnerez l'amour à coup d'efforts. Toutefois, lorsque son cœur sera conquis, vous en serez heureux et vous réaliserez rapidement que cet être est exactement comme vous l'aviez souhaité. Vous pourrez faire la rencontre de cette personne par l'entremise de votre travail. Elle pourrait être un collègue de travail ou c'est l'un de vos collègues de travail qui vous la présentera.

Les enfants de **Harahel** et de **Mehiel** seront tourmentés par une relation du passé. Ces êtres auront de la difficulté à faire place à l'amour.

Conseil angélique : *Arrêtez d'avoir peur et laissez votre cœur aimer à nouveau. Accordez-vous cette chance. Il ne sert à rien de vous remémorer le passé. Vivez le moment présent et laissez la chance à ce nouvel amour de faire ses preuves.*

Cessez d'être négatif par rapport à la vie et vous obtiendrez la chance de voir à nouveau le soleil briller dans votre vie. Si vous êtes trop négatif et insouciant par rapport à la vie, cela fera fuir votre nouvelle rencontre. Ne vous laissez pas influencer par des personnes jalouses. Ne laissez personne venir prendre des décisions à votre place. Lorsque vous serez prêt, avancez douce-ment vers l'amour et vous ne serez pas déçu. Il y aura trois belles occasions qui vous permettront de faire une rencontre intéressante, et ce, seulement si vous ouvrez votre cœur. Il n'en tiendra qu'à vous de décider.

Les enfants de **Mitzraël** vivront pleinement leur célibat. Plusieurs cher-cheront plutôt à s'amuser qu'à trouver un partenaire idéal. D'ailleurs, vous ferez cinq belles rencontres qui risquent de faire palpiter votre cœur. Toutefois, l'attirance sexuelle sera plus forte que l'engagement à long terme. D'autres donneront une autre chance à une relation du passé. Bref, il y aura de l'amour dans l'air, mais de l'amour passionnel, à court terme. Cependant, avant que l'année se termine, plusieurs se mettront à la recherche d'un amour à long terme et ils travailleront très fort pour l'obtenir en 2012.

Les enfants d'**Umabel**, d'**Iah-Hel** et d'**Anauël** pourront faire la rencontre de leur perle rare. Ce sera une bonne rencontre. Il vous sera facile de bâtir une union solide. Il pourra même être question de mariage. Toutefois, il y aura une indécision de votre part créée par un problème lié à l'argent, à un membre de votre famille ou au travail. Vous aurez peur que ce petit problème dérange votre nouvelle rencontre.

Conseil angélique : *Discutez de vos peurs avec votre nouvelle rencontre. Ainsi, vous vous libérerez de ce pro-blème. De plus, vous aurez son appui, ce qui vous aidera à mieux régler votre problème.*

Cette belle rencontre se fera lors d'une sortie agréable ou lors d'un évé-nement qui aura lieu à l'extérieur, près d'un cours d'eau, d'une piscine ou d'une fontaine d'eau. Vous serez envoûté par le regard de cette personne. De plus, vous aimerez la forme de ses mains.

Le travail des Archanges

Il y aura beaucoup de turbulences et d'agitation au sein de votre vie professionnelle. Ce ne sera pas une année de tout repos. Il y aura plusieurs situations qui vous amèneront à réfléchir sur la qualité de votre travail et l'ambiance qui y règne ainsi que sur vos collègues de travail. Plusieurs vivront toutes sortes de situations qui les frustreront et les décourageront.

Plusieurs se questionneront à savoir s'ils sont à la bonne place ou pas. D'autres réaliseront que leur travail les angoisse et qu'il est la cause de leurs maux de tête et de leurs petits malaises. Certains s'apercevront que leur travail dérange leur vie amoureuse et familiale. Tous ces questionnements ne se feront pas sans peine. Il n'est jamais facile de faire face à des situations qui vous font réaliser que vous n'êtes pas heureux et que cela dérange votre santé mentale et physique. De plus, il n'est pas facile de prendre une décision. Est-ce la bonne décision que vous prenez? Devriez-vous attendre un peu avant de prendre votre décision? Quel sera l'impact de votre décision sur votre environnement immédiat? Vous vous poserez toutes ces questions lorsqu'arrivera le temps de faire un choix pour améliorer votre vie. Plusieurs auront de la difficulté à prendre des décisions. Toutefois, si vous attendez trop, votre santé mentale en prendra un coup ainsi que la qualité de votre travail.

Des portes importantes s'ouvriront afin d'améliorer votre qualité de vie au travail. Certains se verront offrir un nouveau projet qui demandera toute leur attention, mais qui sera couronné de succès. Cela vous rapportera un bel honneur par la suite. Plusieurs auront également la possibilité de changer d'emploi et d'obtenir un meilleur salaire ou une meilleure qualité de vie au travail. Tous ceux qui voudront changer complètement de carrière pourront aussi le faire. Tous ceux qui rechercheront une sécurité pourront l'avoir.

Conseil angélique : *Soyez attentif aux occasions qui se présenteront à vous. N'oubliez pas que ces occasions seront là pour vous libérer d'un fardeau.*

Les enfants de **Nemamiah** et de **Mehiel** régleront rapidement tous les problèmes qui surviendront. Plusieurs auront la chance de retourner travailler à un endroit qui leur plaisait. De plus, vous recevrez l'aide nécessaire pour bien accomplir les tâches et les terminer aux dates prévues. Les contrats se prolongeront. Plusieurs obtiendront une belle sécurité qui allégera leurs angoisses. Toutes les entrevues qui se feront seront réussies. De belles opportunités s'offriront à tous ceux qui œuvrent dans le monde de la santé, de la spiritualité et de la sécurité.

Les enfants de **Yeialel** travailleront à la sueur de leur front. Ne soyez pas surpris d'accomplir le travail de deux personnes sans être payé pour autant.

Plusieurs feront des tâches qui ne seront pas écrites dans leurs contrats, et ce, en raison d'un manque de personnel. D'autres se feront manipuler par un collègue de travail. De toute évidence, vous réaliserez rapidement que vous ne pouvez plus continuer à ce rythme effréné. Il vous faudra y voir avant que votre santé en souffre.

Certains êtres développeront un nouveau projet et ils seront satisfaits des résultats. Ce projet ne sera pas de tout repos, toutefois il en vaudra la peine. En 2011, votre ambition de réussir votre vie professionnelle vous fera suer! Cependant, vous serez fier de vous et de vos résultats. Plusieurs recevront une augmentation de salaire. D'autres vivront un changement qui leur sera favorable. De belles opportunités s'offriront à vous. Si vous les acceptez, vous ne serez pas déçu.

Il y aura beaucoup d'orages et de discussions animées chez les enfants de **Harahel** et de **Mitzraël**. Ils seront confrontés à plusieurs problèmes. Certaines situations les décourageront et les frustreront. Ils seront mécontents de l'ambiance au travail ainsi que de l'attitude de certains collègues. De plus, ils seront confrontés à la jalousie et aux commérages. Plusieurs seront pris entre l'arbre et l'écorce. Il faudra faire attention à vos paroles et à vos gestes puisque les personnes hypocrites en profiteront pour ébruiter chaque commentaire que vous ferez. Cette situation ne sera pas facile pour vous. Vous serez souvent la cible des hypocrites et des vampires d'énergie. Il est évident que cette situation vous angoissera et vous rendra malade. Ayez une discussion sérieuse avec vos patrons ou avec des personnes compétentes qui pourraient vous aider à régler rapidement votre problème.

Avant que l'année se termine, une personne ou une décision importante viendra améliorer l'ambiance qui règne à votre travail, ce qui vous apportera un grand soulagement.

De belles opportunités seront offertes aux enfants d'**Umabel**, d'**Iah-Hel** et d'**Anauël**. Plusieurs obtiendront le poste désiré. Certains recevront une augmentation de salaire. Pour d'autres, la qualité et l'ambiance au travail s'amélioreront. Si vous vivez des problèmes, des solutions seront trouvées. Certains retourneront aux études, d'autres prendront leur retraite. Toutefois, certains continueront à travailler à temps partiel ou feront du bénévolat à l'occasion. D'autres feront une activité qui deviendra soudainement un travail. Vous serez comblé de toute façon.

La santé des Archanges

Votre santé sera à l'image de la façon dont vous mènerez votre vie. Pour plusieurs, la santé sera excellente, tandis que d'autres éprouveront quelques ennuis. Il y en a qui devront subir une intervention chirurgicale pour soulager ou guérir un problème de santé. Il y en a qui recevront un diagnostic qui risque de les ébranler. Ce diagnostic les obligera à prendre du repos et à faire attention à eux.

Conseil angélique : *Ne négligez pas votre santé. Si vous faites attention, vous serez en pleine forme tout au long de l'année. Toutefois, si vous négligez votre santé, attendez-vous à avoir des petits problèmes de toutes sortes.*

Certaines femmes auront des ennuis gynécologiques qui pourront mener à une hystérectomie par la suite. Certains hommes auront des ennuis avec leurs intestins. Plusieurs se plaindront d'un mal à un coude. D'autres auront des problèmes avec leurs yeux et leur vue. Surveillez les objets tranchants puisqu'il y aura risque de blessures. Certains seront même obligés de porter un plâtre ou un pansement. Ceux qui devront redoubler de prudence au niveau de la santé seront les enfants de **Harahel**, de **Mitzraël** et de **Mehiel**.

Les enfants de **Nemamiah** auront la possibilité de corriger un problème de santé. La santé reviendra grâce à l'intervention d'un médecin ou d'un médicament. Ces êtres remonteront la pente et reprendront goût à la vie. De plus, plusieurs seront incités à prendre des produits naturels ou des vitamines pour rehausser leur niveau d'énergie.

En 2011, les blessures aux pieds seront à surveiller. Il y aura risque de blessures pouvant nécessiter le port d'un plâtre ou d'un pansement. Certains se plaindront d'un mal à l'épaule, d'un mal de genou ou d'un mal de dos, ce qui les amènera à consulter un chiropraticien ou un physiothérapeute pour soulager leur douleur. Ceux qui devront subir une intervention chirurgicale remonteront rapidement la pente. L'intervention sera réussie. Toutefois, il serait sage pour vous d'écouter les recommandations de votre médecin. Il est là pour vous aider à guérir.

Une autre faiblesse du corps à surveiller sera au niveau de la tête. Un arrêt cardio-vasculaire, une perte de mémoire ou une tumeur au cerveau seront possibles. Toutefois, ces situations pourront être évitées, s'ils consultent leur médecin lorsqu'une douleur inhabituelle se fera sentir. Veillez à ne pas négliger les signaux d'alarme de votre corps. Ceux qui abusent de la drogue et de l'alcool auront de graves ennuis de santé, s'ils ne portent pas attention à leur problème de consommation.

Les enfants de **Yeialel**, d'**Harahel**, de **Mitzraël** et de **Mehiel** devront surveiller le surmenage. Plusieurs travailleront trop et ils ne respecteront pas la limite de leurs corps. Leur corps sera fatigué et leur mental, épuisé, ce qui engendrera des périodes de fatigue intense où vous aurez l'impression de ne pas avoir dormi depuis longtemps. Plusieurs souffriront d'insomnie ou de maux de tête. Ces maux devront être pris en considération. Peut-être souffrez-vous d'un manque de sommeil?

Conseil angélique : Dormez huit heures de sommeil par nuit. Votre corps physique et votre mental ont besoin de récupérer. La meilleure façon de le faire, c'est lorsque vous serez endormi ou en période de méditation.

Si vous devez subir une intervention chirurgicale, vous n'aurez rien à craindre! Le chirurgien sera excellent.

Chez les enfants d'**Umabel**, d'**Iah-Hel** et d'**Anauël**, la santé sera bonne. S'il survenait un problème, ils seront en mesure de remonter rapidement la pente. Ils prendront des médicaments ou un produit naturel pour soulager la douleur. D'autres changeront leurs habitudes alimentaires. Ils intégreront plus de fruits, de légumes et d'eau dans leur alimentation. En 2011, les faiblesses de ces êtres seront les maux d'estomac, les infections, les virus et les allergies. De plus, certains se plaindront de maux de ventre et de problèmes gynécologiques. D'autres auront des problèmes avec leur peau qui nécessiteront des traitements ou une crème médicamentée. Bref, plusieurs devront consulter leur médecin.

La chance des Archanges

Les chiffres chanceux de tous les Archanges seront les chiffres 10, 19 et 27. La journée du mercredi vous sera favorable pour acheter des billets de loterie et faire vos transactions. Vos mois de chance seront **mars**, **septembre** et **novembre**. Votre chance sera très élevée! Profitez-en lors de vos mois de chance. Cela ne veut pas dire d'acheter mille billets. Au contraire! Puisque vous serez dans une période de chance, un seul billet pourra suffire. Plusieurs enfants Archanges risquent de recevoir une belle somme d'argent par la providence. La chance vous ouvrira ses portes et elle déversera sur vous sa corne d'abondance. De plus, si une personne vous fait un large sourire et qu'elle est vêtue de rouge et de blanc, ce sera votre signe de chance. Achetez un billet de loterie!

Ange Nemamiah : 2, 20 et 35. Votre chance sera bonne. De belles surprises vous seront réservées. Pour certains, ces surprises les aideront à rétablir leur situation financière. Les billets reçus en cadeaux vous seront favorables.

Ange Yeialel : 2, 11 et 22. Votre chance sera excellente! Deux belles surprises viendront faire palpiter votre cœur de joie. Vous avez la main chanceuse. Alors, choisissez vous-même vos billets et vos numéros. Si vous achetez un billet près de votre travail, cela pourra vous porter chance.

Ange Harahel : 4, 32 et 40. Votre chance sera occasionnelle. Suivez vos instincts. Choisissez vous-même vos chiffres. Si vous jouez en groupe, les groupes de trois femmes ou de trois femmes et d'un homme vous seront favorables.

Ange Mitzraël : 5, 23 et 32. Votre chance sera occasionnelle. Achetez un billet lorsque la lune sera en quartier; cela pourrait vous être bénéfique.

Ange Umabel : 2, 4 et 36. Votre chance sera bonne. Si votre partenaire amoureux vous donne un billet, cela vous sera bénéfique. Si vous jouez avec une personne sous la gouverne des Dominations, cela vous sera également favorable.

Ange Iah-Hel : 6, 33 et 42. Votre chance sera excellente! Il y aura trois belles surprises qui vous feront sautiller de joie. Si vous jouez en groupe, jouez en groupe de quatre personnes. Un groupe composé de trois femmes et d'un homme vous sera davantage favorable. De plus, si l'une de ces personnes fait partie du Chœur des Principautés, cela vous sera encore plus bénéfique.

Ange Anauël : 3, 13 et 49. Votre chance sera excellente! Il y aura trois belles surprises qui vous feront sautiller de joie.

Ange Mehiel : 4, 8 et 12. Votre chance sera occasionnelle. Ceux qui apercevront des chiffres lors de leur méditation, devraient les prendre en note et acheter un billet comportant ces chiffres. Si un enfant vous remet un billet, cela vous sera favorable.

Aperçu des mois de l'année des Archanges

☆ **Les mois favorables** : mars, juin, août, septembre et novembre.

☆ **Les mois non favorables** : avril, mai, juillet et octobre.

☆ **Les mois ambivalents** : janvier, février et décembre.

☆ **Les mois de chance** : mars, septembre et novembre.

Chapitre XXIII

Informations supplémentaires propres à chacun des Anges Archanges

✦ ANGE NEMAMIAH ✦
(du 1ᵉʳ au 5 janvier)

Un nouveau cycle de vie commencera pour les enfants de Nemamiah. Plusieurs tourneront la page du passé et ils avanceront fièrement vers les objectifs qu'ils se sont fixés. Plusieurs entreprendront toutes sortes de projets qui les valoriseront et qui leur permettront de retrouver la confiance qu'ils avaient perdue. Plusieurs situations survenues en 2010 les ont assommés. En 2011, ces êtres auront tout simplement l'envie et le goût de passer à autre chose et c'est exactement ce qu'ils feront au cours de l'année. Ils expérimenteront d'autres avenues, et ce, pour leur bien-être et celui de leur famille. Leur grand désir de retrouver leur équilibre les amènera à changer plusieurs aspects de leur vie. Ces êtres feront tout pour régler ce qui ne va pas. Grâce à cette nouvelle attitude, les douleurs et les peines s'estomperont pour faire place à une belle sérénité. Vous renaîtrez à la vie. Vous penserez à vous en premier. Votre entourage aura de la difficulté à s'adapter à cette nouvelle attitude, toutefois ils remarqueront votre épanouissement et accepteront votre nouvelle façon de penser.

Il y aura des épreuves mais vous aurez la force, la détermination et le courage de passer à travers. Rien ne restera en suspens. Vous serez fier de vous et de tout ce que vous accomplirez cette année. De belles réussites vous sont réservées.

ANGE ACCOMPAGNATEUR : l'Ange Leuviah (19) vous aidera à retrouver le chemin du bonheur. Sa Lumière vous donnera la force, le courage et la détermination afin que vous puissiez prendre votre vie en main et avancer vers vos rêves.

✦ ANGE YEIALEL ✦
(du 6 au 10 janvier)

Plusieurs travailleront à la sueur de leur front pour obtenir ce qu'ils désirent. Toutefois, ils seront bien servis. Votre esprit créatif vous permettra de trouver une bonne solution pour chaque problème que vous vivrez. Vous aurez besoin de vivre un changement. Ce sentiment sera très fort en vous. Attendez-vous à chambarder votre routine par toutes sortes de situations que vous provoquerez. Vous serez méconnaissable dans votre façon d'agir et de voir la vie. Les gens qui vous entourent se demanderont ce qui se passe avec vous. Certains parleront de faire un déménagement, d'autres feront de la rénovation. Plusieurs amélioreront leur aspect physique ainsi que leur garde-robe. En 2011, vous oserez faire des changements et vous en serez fier.

De plus, il y en a qui auront le privilège de mettre sur pied des projets qui seront couronnés de succès. Plusieurs verront leur situation financière se rétablir grâce à un nouveau travail ou grâce à la décision de mettre fin aux dépenses inutiles. De toute façon, tout ce que vous entreprendrez en 2011 sera à la hauteur de vos attentes. Lorsque surviendra un problème, votre dynamisme vous permettra de le régler rapidement. Vous serez en mesure de cogner aux bonnes portes et de demander de l'aide aux bonnes personnes.

ANGE ACCOMPAGNATEUR : l'Ange Rochel (69) est un Dieu qui voit tout. Cet Ange vous permettra de tout voir pour que vous puissiez faire tous les changements désirés dans votre vie.

✦ ANGE HARAHEL ✦

(du 11 au 15 janvier)

Plusieurs situations viendront troubler les enfants de Harahel. Certains seront manipulés par leurs proches ou par des vampires d'énergie. D'autres seront victimes de jalousie et de personnes hypocrites. Ces êtres devront travailler très fort pour rester calme devant les situations qui se présenteront à eux. Certains vivront une période d'ennui et de dépression, car tout leur tombera sur la tête. Ce sera une continuité de leur année 2010.

Conseil angélique : *Si vous voulez retrouver votre harmonie, il serait important de mettre votre pied à terre et de vous affirmer en tant qu'individu. Prenez la place qui vous revient.*

De plus, essayez d'éviter les vampires d'énergie, les personnes hypocrites et jalouses. Prenez le temps d'analyser l'emprise que possèdent ces personnes sur vous. Lorsque votre analyse sera faite, vous comprendrez rapidement pourquoi vous êtes toujours malade et fatigué. Certains souffriront d'angoisse, de fatigue et de dépression. Tous ces symptômes seront causés par l'emprise que possède votre entourage sur vous. Bref, si vous n'y voyez pas rapidement, votre moral en prendra un coup et vous pourriez sombrer dans un état végétatif qui vous fera perdre goût à la vie. Vous serez comme un robot qui attend qu'une situation ou qu'une personne le fasse bouger. Ne laissez pas les membres de votre entourage vous dicter la façon dont vous devez vivre votre vie. Épanouissez-vous à travers des activités qui vous tiennent à cœur. Vous verrez que votre joie de vivre reviendra rapidement. Si vous parvenez à prendre votre place, vous serez en mesure de voir toutes les possibilités qui s'ouvrent à vous pour entreprendre vos projets et les réussir.

ANGE ACCOMPAGNATEUR : l'Ange Cahetel (8) vous donnera la force et le courage de prendre votre vie en main. Cet Ange vous fera voir les vampires d'énergie et sa Lumière les chassera pour vous. Voilà l'importance de le prier.

✦ ANGE MITZRAËL ✦

(du 16 au 20 janvier)

Plusieurs enfants de Mitzraël vivront dans l'incertitude et dans la peur. Certains vivront des batailles de toutes sortes. Certaines batailles pourront être causées par des ruptures d'amitiés, une rupture avec le partenaire amoureux, des ruptures de contrats importants, etc. Toutefois, ce sera la période d'épreuves au sein de leur vie amoureuse qui les anéantira et les empêchera d'avancer. Au lieu de régler leurs problèmes, ils s'éloigneront et ils se replieront sur eux-mêmes. Plusieurs préféreront attendre qu'un événement salutaire survienne pour les aider à s'en sortir. Ce qu'ils ne savent pas, ou plutôt ce qu'ils ont oublié, c'est qu'ils sont les seuls à pouvoir s'en sortir. Ce sont eux qui détiennent les solutions à leurs problèmes. Il suffit d'y faire face et de les accepter, au lieu de les fuir. Plus ils resteront dans leur bulle, moins ils trouveront de solutions pour se libérer de leurs peurs et de leurs problèmes.

> **Conseil angélique :** *Affrontez les événements. N'ayez crainte. Vous serez en mesure de les régler. Arrêtez d'hésiter. Foncez. Si vous faites une erreur, vous n'aurez qu'à vous reprendre.*

Il est maintenant temps pour vous d'accepter et de tourner la page. Si vous le faites, vous aurez le privilège de voir toutes les possibilités qui se trouveront sur votre chemin pour vous en sortir et vous libérer de toutes ces peurs inutiles. Il est évident que ce ne sera pas facile pour vous. Toutefois, au lieu de retenir votre attention sur l'événement, relevez vos manches et reconstruisez-vous. Si vous restez accroché à votre passé et à la peur, vous aurez de la difficulté à voir les opportunités qui s'offriront à vous pour améliorer certains aspects de votre vie. Votre année 2011 ne sera pas facile à vivre. Toutefois, si vous changez votre attitude face aux situations, vous serez en mesure de vous prendre en mains.

ANGE ACCOMPAGNATEUR : l'Ange Mumiah (72) saura exactement ce qui est favorable pour vous et ce qui ne l'est pas. Cet Ange vous aidera à prendre de bonnes décisions. Sa Lumière vous dirigera vers la paix et l'harmonie.

✦ ANGE UMABEL ✦
(du 21 au 25 janvier)

Les enfants d'Umabel se consacreront à des buts précis qu'ils atteindront avec satisfaction. Ces êtres se trouveront souvent au bon endroit, au bon moment. Leurs décisions seront prises avec tact et dynamisme. Ils évalueront toutes les possibilités avant de passer à l'action. Certes, ils travailleront très fort, mais les résultats en vaudront largement la peine. Vous serez fier de vous et de tout ce qui se produira au cours de votre année. Vous regarderez avec admiration les fruits de vos efforts. Vos récoltes seront abondantes et fructueuses, ce qui vous permettra de vous gâter et de gâter votre entourage.

Il y aura des moments difficiles, mais vous saurez franchir les obstacles sans trop de difficultés. Vous saurez ce que vous voudrez et ce que vous ne voudrez plus. C'est la raison pour laquelle vous évaluerez l'importance d'une décision ainsi que son impact. Plusieurs miseront sur un changement qu'ils entreprendront ou sur une décision importante qu'ils prendront. Cette décision occupera régulièrement vos pensées. Néanmoins, les résultats vous épateront puisqu'ils changeront favorablement certains aspects de votre vie.

Conseil angélique : *Continuez de regarder droit devant vous et vous verrez que la réussite vous suivra tout au long de l'année!*

ANGE ACCOMPAGNATEUR : l'Ange Veuliah (43) mettra sur votre chemin des personnes influentes et importantes qui vous aideront à mettre sur pied vos projets. En priant Veuliah, sa Lumière attirera vers vous l'abondance, le succès et la richesse grâce à votre travail.

✦ ANGE IAH-HEL ✦
(du 26 au 30 janvier)

Les enfants d'Iah-Hel feront un grand ménage dans leur vie. Ceci les amènera à faire des choix. Ces choix ne seront pas toujours faciles à faire. Toutefois, ces êtres seront conscients qu'ils n'ont pas d'autres alternatives que d'agir, s'ils veulent retrouver une qualité de vie. Que ce soit sur le plan

Prédictions Angéliques 2011

affectif, professionnel, financier ou autre, plusieurs seront à la croisée des chemins. Il vous suffira de choisir le chemin qui vous conviendra le mieux en temps opportun. Malgré tout, vous serez tout de même en harmonie avec les choix que vous ferez. Tout ce qui vous arrivera en 2011 améliorera votre vie. Il n'en tiendra qu'à vous de l'accepter ou non. À travers toutes les décisions que vous prendrez, plusieurs de vos problèmes se régleront, ce qui vous libérera et vous enlèvera un poids sur les épaules. Attendez-vous à avoir de belles rencontres qui feront palpiter votre cœur de joie et de bonheur.

ANGE ACCOMPAGNATEUR : l'Ange Mebahiah (55) fera en sorte que vos prières soient entendues par Dieu et qu'elles soient exaucées. Priez-la!

✦ ANGE ANAUËL ✦
(du 31 janvier au 4 février)

Les enfants d'Anauël seront en harmonie avec tout ce qui se produira dans leur vie. Toutes les actions qu'ils entreprendront seront fructueuses et elles donneront les résultats désirés. De plus, lorsqu'un problème surgira, au lieu de se décourager, ils trouveront rapidement la solution pour s'en sortir. Leur grande détermination à vivre dans la paix, l'harmonie et la sérénité les amènera à passer à l'action dès qu'un problème se présentera à eux. Telle sera leur force en 2011. La plupart de ces êtres seront satisfaits et heureux des décisions qu'ils prendront, des gestes qu'ils feront ou des paroles qu'ils diront. Tout tournera en leur faveur puisqu'ils prendront le temps de tout régler dans le calme et dans le respect. Voilà pourquoi tout leur réussira cette année. Ceux qui appliqueront d'autres méthodes vindicatives s'apercevront rapidement que ce n'est pas la bonne marche à suivre pour résoudre leurs problèmes. Ils devront demeurer calmes et respecter leurs proches. Ainsi, ces derniers seront davantage portés à leur offrir ce qu'ils désirent. Autrement dit, cette année, vous aurez le dernier mot dans tout, mais vous le ferez d'une façon diplomatique et les gens se laisseront envoûter par votre façon d'agir!

Certains parleront de déménagement. Il y a de fortes chances que vous délaissiez la ville pour vous installer à la campagne. Cette nouvelle demeure vous apportera beaucoup de joie et de bonheur. Un endroit idéal pour bâtir une famille ou vieillir sereinement entouré de la nature. Toutes les jeunes femmes désireuses de fonder une famille auront le privilège de voir leur rêve devenir réalité. Il y aura plus de probabilités de donner naissance à une fille qu'à un garçon. D'autres réaliseront leur rêve de faire un voyage outre-mer.

Ce voyage vous charmera. Ce sera pour vous une belle expérience dont vous vous souviendrez longtemps.

ANGE ACCOMPAGNATEUR : l'Ange Damabiah (65) vous protégera lors de vos voyages. De plus, la Lumière de cet Ange purifiera votre nouvelle demeure.

✦ ANGE MEHIEL ✦
(du 5 au 9 février)

Les enfants de Mehiel seront très solitaires en 2011. Plusieurs rechercheront la paix et la solitude. Ces êtres auront besoin de faire le vide. Ils auront besoin de mettre de l'ordre dans leurs idées et dans leur vie. De grandes analyses seront faites et d'importantes décisions seront prises. Toutefois, tous les changements qu'ils s'imposeront leur redonneront confiance en leurs capacités ainsi qu'en la vie. En 2010, plusieurs ont vécu des moments très émotifs et ont besoin de récupérer et de retrouver leur équilibre. C'est la raison pour laquelle ils seront introvertis cette année. Ils seront dans leur bulle et peu accessibles. Ce ne sera pas facile pour leur entourage de les voir ainsi. Toutefois, pour eux, ce temps sera précieux puisqu'il leur permettra de mieux analyser leurs besoins.

Conseil angélique : *Respectez votre corps et offrez-lui tout le repos qu'il réclamera. N'essayez pas de dépasser la limite de vos capacités, ni de vous surpasser pour plaire aux autres. Prenez du temps pour vous.*

En 2011, l'important pour vous sera de vivre une journée à la fois. Avant que l'année se termine vous, retrouverez votre équilibre et vous serez en pleine forme physique pour débuter les projets de 2012.

ANGE ACCOMPAGNATEUR : l'Ange Umabel (61) est l'Ange idéal des gens seuls. En le priant, vous souffrirez moins de votre solitude. Cet Ange vous permettra de faire de bons choix.

Chapitre XXIV

Les Archanges au fil des saisons

Saison hivernale

(janvier-février-mars)

« La communication est importante entre les humains. Pourquoi garder en vous une parole ou un geste qui pourrait aider l'autre à mieux comprendre votre réaction ou à mieux comprendre qui vous êtes. Si vous communiquez, vous éviterez des ennuis et du chagrin. Voilà l'importance de communiquer votre état d'âme »

(Paroles de l'Ange Leuviah)

La saison hivernale sera une période nostalgique. Plusieurs se retireront dans la solitude. Tout cela sera causé par une situation difficile et émotive survenue en 2010 et qui ne sera pas encore terminée. Vous aurez besoin d'être seul pour mieux analyser les événements et pour prendre les décisions adéquates. Du 6 janvier au 17 février, vous ne serez pas très sociables. Vous aurez besoin de faire le point sur plusieurs aspects de votre vie. Toutefois, vous prendrez de bonnes décisions. Vous aurez besoin de ce temps de solitude pour mieux vous retrouver et pour mieux retrouver votre équilibre. Lorsque vous serez prêt, il vous sera beaucoup plus facile d'affronter les situations quotidiennes de la vie. Il est évident que votre attitude dérangera vos proches. Toutefois, vous leur ferez comprendre que ce temps vous est précieux et que vous en avez réellement besoin.

Conseil angélique : *Si votre chagrin est trop lourd à supporter, consultez un psychologue, un thérapeute ou un ami de confiance qui pourra vous écouter et vous épauler dans la situation qui vous dérange.*

Le mois de février vous sera favorable puisqu'il y aura des événements bénéfiques qui surviendront. Il y aura des choix à faire et des décisions à prendre. Cela ne sera pas facile puisque certains choix vous demanderont de réfléchir longuement avant de vous prononcer. Toutefois, votre grande détermination à retrouver un bel équilibre vous aidera à faire de bons choix.

Conseil angélique : *Évitez de faire des changements durant la période du 6 janvier au 17 février. Ainsi, vous ne serez pas déçu de vos décisions.*

Tout vous sourira en mars. Vous serez satisfait de tout ce que vous aurez accompli. Vous avez travaillé fort mais les résultats en vaudront la peine. Il vous sera possible de regarder avec admiration les fruits de vos efforts.

Tous les enfants des Archanges auront besoin de leur moment de solitude pour mieux prendre leurs décisions. Ce temps leur sera très précieux. Toutefois, les enfants de **Harahel**, de **Mitzraël** et de **Mehiel** auront aussi besoin d'une oreille attentive pour les aider dans leur choix de décisions.

Sur le plan affectif

Ce sera une période d'inquiétude et de solitude. Certains seront rendus à une étape de leur vie qui les amènera à réfléchir et à prendre des décisions en ce qui concerne leur vie à deux. Plusieurs se sentiront seuls, épuisés et abandonnés par le partenaire. Ils attendront que des changements se produisent. Toutefois, ils réaliseront que s'ils veulent de l'amélioration, il faudra qu'ils apportent eux-mêmes les changements nécessaires. Plusieurs réfléchiront longuement avant de prendre une décision. Lorsque la décision sera prise, ils iront de l'avant et rien ne les arrêtera. Plusieurs vivront une période émotionnelle et perturbante pour faire place à un état plus calme et serein par la suite.

Certains enfants de **Nemamiah** mettront fin à leur relation. Leur décision sera finale et bien réfléchie. D'autres trouveront une solution pour sauver le couple. Il y aura plusieurs discussions importantes avec le partenaire qui les aideront à y voir clair. Les résultats seront satisfaisants. Certains planifieront un voyage pour mieux se rapprocher.

Tout ira bien pour la plupart des enfants de **Yeialel**, d'**Umabel**, d'**Iah-Hel** et d'**Anauël**. Ces êtres travailleront très fort pour ramener l'harmonie au sein de leur relation. La discussion sera la clé de leur succès. Ces êtres prendront de bonnes décisions et ils en seront très heureux.

Plusieurs enfants de **Harahel**, de **Mitzraël** et de **Mehiel** vivront une période d'ennui au sein de leur relation. Tout ira de travers. Certains parleront de séparation. D'autres se sentiront seuls et non appuyés par le partenaire. Certains auront des doutes sur les sentiments du partenaire. Ils vivront dans la peur et ils imagineront plusieurs scénarios. Des décisions importantes seront prises pour qu'ils puissent retrouver leur harmonie. De plus, il serait sage de surveiller le sentiment de jalousie. Ce sentiment pourrait détruire leur relation.

Pour les célibataires

Vous recherchez plus la solitude que la compagnie des gens. De plus, vous ne serez pas trop bavard, vous serez taciturne. Il est évident que ce ne sera pas une attitude gagnante pour conquérir quelqu'un. Toutefois, à partir du 19 mars, vous serez dans un état plus serein pour faire la rencontre d'un partenaire idéal.

Sur le plan du travail

Plusieurs auront des choix importants à faire. À partir du 17 janvier, plusieurs vivront de grands changements au sein de leur travail. Des décisions seront prises, les tâches s'amélioreront, les entrevues seront réussies. De plus, certains auront le privilège de se voir offrir une proposition alléchante qui les amènera à réfléchir avant de se prononcer. Il y aura amélioration et vous serez satisfait de tout ce que vous déciderez et de tout ce qui se produira au niveau du travail. Vous regarderez avec fierté les fruits de vos efforts.

Plusieurs belles opportunités seront offertes aux enfants de **Nemamiah**, d'**Yeialel**, d'**Umabel**, d'**Iah-Hel**, d'**Anauël** et de **Mehiel**. De belles réussites et de belles promotions les attendent. De plus, certains auront la possibilité de retourner vers un ancien travail, si tel est leur désir. D'autres auront le privilège de débuter un nouveau travail, alors que certains recevront une promotion. Vous avez travaillé fort jusqu'à présent; maintenant, vous avez le privilège de récolter les bienfaits de vos efforts.

Certains enfants d'**Harahel** et de **Mitzraël** vivront une période d'ennui au niveau du travail. Certains seront victimes de commérages. D'autres seront victimes de jalousie de la part de certains collègues. L'ambiance au travail ne sera pas saine, ce qui vous causera des maux de tête. Plusieurs n'auront pas le goût de se rendre au travail. Certains penseront à quitter leur emploi. Toutefois, vers le début mars, un entretien aura lieu et cet entretien mettra fin à la période difficile, à votre grand soulagement.

Conseil angélique : N'ayez pas peur de demander des conseils avant de prendre des décisions à la légère ou sur un coup de tête. De plus, ne laissez personne envahir votre espace au travail. Affirmez-vous!

Sur le plan de la santé

Généralement, la santé sera bonne. Toutefois, certains seront victimes de fatigue et d'épuisement. Vous risquez de vous plaindre de maux de tête, de migraines et de maux de dos. Certains seront angoissés et perturbés par certaines situations, ce qui pourra provoquer de l'insomnie.

Conseil angélique : Prenez soin de vous. Si vous pouvez faire de la méditation, du yoga ou du Qi-gong, cela vous fera un bien énorme.

Les enfants de **Nemamiah** et d'**Iah-Hel**, se plaindront de maux de tête, de migraines et de maux de dos. Plusieurs se plaindront d'inflammation musculaire, ce qui les obligera à consulter un spécialiste, un chiropraticien ou un physiothérapeute pour soulager leur douleur. De plus, faites attention où vous poserez les pieds : il y a risque de blessures nécessitant un plâtre.

Chez la plupart des enfants d'**Yeialel**, d'**Umabel** et d'**Anauël**, la santé sera bonne. Toutefois, certains prendront des médicaments pour soulager un rhume, un virus ou un problème quelconque. Certaines femmes auront des ennuis aves les organes génitaux. De plus, ceux qui ont des problèmes avec leur tension artérielle devront être vigilants. Ceux qui ont des ennuis de cholestérol devront redoubler de prudence. Ainsi, ils éviteront des ennuis de santé.

Les enfants de **Harahel**, de **Mitzraël** et de **Mehiel** seront épuisés. Ils consulteront leur médecin pour du surmenage. De plus, certains pourront faire de la fièvre à cause d'un virus. Ne soyez pas surpris si certains souffrent de feux sauvages au niveau des lèvres. Certains auront les lèvres gercées et utiliseront une crème médicamentée.

Sur le plan de la chance

Votre chance sera excellente en mars. Je vous conseille de jouer à la loterie. De plus, si quelqu'un vous offre un billet, cela vous sera favorable.

Voici quelques événements qui pourraient survenir au cours de la période hivernale.

- Plusieurs se sentiront seuls et abandonnés, ce qui entraînera une période de découragement.

- Certains passeront d'une étape émotionnelle perturbante à une étape beaucoup plus sereine et calme.

- Certains vivront dans l'attente et l'espoir qu'un nouveau jour se lève et que ce jour soit meilleur.

- Certains devront entamer des poursuites judiciaires.

- Vous serez atterré par les paroles de votre conjoint ou d'un ami. Cet être ne mâchera pas ses mots.

- Certains souffriront d'angoisse.

- Certains feront un voyage dans le sud ou une très belle croisière en bateau.

- Il y aura certains obstacles à surmonter. Toutefois, une aide précieuse viendra vous aider à tout surmonter.

- Une conversation avec un proche allégera un poids sur vos épaules. Certains se réconcilieront avec un membre de leur famille ou avec un collègue de travail. Enfin, vous verrez la lumière au bout du tunnel!

- Certains parleront d'un voyage en Grèce avant que l'année se termine.

- Certains auront des problèmes avec la justice. Surveillez l'alcool et surtout la vitesse : il y a risque de contraventions ou d'un léger accrochage.

- Certains se verront offrir une belle opportunité au niveau du travail.

- Une promesse sera tenue et respectée.

- Gain d'un procès qui soulagera les personnes concernées.

- Plusieurs seront satisfaits de tout le travail qu'ils feront pour réussir un de leurs projets. Il vous sera possible de regarder avec fierté les fruits de vos efforts puisqu'une belle réussite vous attend.

- Certains recevront de trois à cinq belles récompenses.

- Une décision prise sur un coup de tête vous rapportera. Vous serez très fier de vous par la suite.

- Vous, ou un proche, gagnerez une belle somme d'argent grâce à un billet reçu en cadeau.

- Début d'une entreprise qui deviendra prospère.

- Achat d'un bijou. De plus, certains peuvent recevoir de un à deux bijoux en cadeau. Un de ces bijoux appartenait à un de vos ancêtres. Vous serez enchanté de recevoir ce cadeau qui sera très significatif pour vous.

- Deux projets verront le jour et vous en serez très satisfait.

- Certains reverront des personnes liées à leur passé.

- Rétablissement pour une personne malade.

- Certains recevront de deux à quatre nouvelles qui les surprendront. L'une de ces nouvelles apportera une belle surprise.

- Une personne refait sa vie après avoir vécu une période difficile.

- Certains recevront un support financier qui les aidera à surmonter un problème ou à mettre sur pied l'un de leurs projets.

- Certains adopteront un animal de compagnie.

- Vous, ou un proche, vous blesserez à l'un de vos pieds. Portez toujours des chaussures lorsque vous êtes à l'extérieur.

Saison printanière
(avril-mai-juin)

« Aimez-vous tel que vous êtes puisque vous êtes le résultat de ce que vous avez choisi. »

(Paroles de l'Ange Nelchaël)

Vous verserez souvent des larmes. Ce seront des larmes de fatigue, d'épuisement et de frustration. Trop d'événements arriveront en même temps. Ce ne sera pas évident émotionnellement, mentalement et physiquement. Votre grand désir de retrouver de l'équilibre dans votre vie vous amènera à ne rien laisser en suspens. Vous foncerez et vous affronterez avec courage toutes les situations délicates que vous devez régler. Toutefois, lorsque tout sera fait, vous serez très fier de vous. L'harmonie et l'équilibre reviendront dans votre vie. Bref, une décision que vous prendrez tournera en votre faveur et aura un impact majeur sur votre été 2011. Cette décision vous libérera de ce qui vous retenait prisonnier. Même si la tournure de certains événements vous tracassera, vous serez tout de même conscient que c'était la meilleure chose à faire à ce moment là.

En avril, plusieurs situations viendront attaquer votre moral. Vous risquez de verser des larmes. Toutefois, en mai, vous reprendrez rapidement le dessus et vous foncerez tête première vers les problèmes pour mieux les régler. Plusieurs situations vous amèneront à aller à la source. Vous ferez tout votre possible pour obtenir les réponses à vos questions. Du 12 au 21 mai, plusieurs événements surviendront et vous apporteront une bonne partie des réponses que vous cherchez.

Votre mois de juin favorisera la réconciliation et les bonnes décisions. Vous serez satisfait et heureux de tout ce que vous aurez décidé et entrepris pour que l'harmonie règne de nouveau dans votre vie.

Conseil angélique : *Analysez chaque événement avant de prendre des décisions importantes. N'oubliez pas que vous êtes le maître de votre vie. Avant d'écouter les conseils des autres, écoutez la voix de votre cœur. Elle connaît mieux vos besoins.*

Les enfants de **Nemamiah**, d'**Harahel**, de **Mitzraël** et de **Mehiel** auront de la difficulté à surmonter la saison printanière. Ils auront besoin d'un petit coup de main pour avancer. Il serait sage que ces êtres acceptent l'aide qui leur sera offerte. Ainsi, ils se sentiront appuyés pour régler leurs problèmes.

Sur le plan affectif

Ce sera une période ambivalente. Il y aura de belles journées comme il y aura des journées d'orages. Comme vous aurez la larme à l'œil facilement, un rien vous fera pleurnicher, ce qui risque d'ennuyer votre partenaire et de l'agacer. Bref, ne soyez pas trop acerbe dans vos paroles. Votre partenaire ne cherche qu'à comprendre vos états d'âme.

Conseil angélique : *N'exigez pas de votre partenaire ce que vous n'êtes pas capable vous-même d'accomplir ou de donner. Soyez équitable et vous verrez de nouveau l'harmonie rayonner sous votre toit.*

Les enfants de **Nemamiah** et de **Mehiel** devront arrêter de se remémorer les événements du passé. Vous devrez essayer de tourner la page. Cela vous sera beaucoup plus favorable.

Les enfants de **Yeialel** et d'**Anauël** travailleront très fort pour retrouver l'harmonie sous leur toit. Ils seront heureux de leur résultat. De bons moments leur seront réservés avec le partenaire. De belles sorties agréables les rapprocheront.

Les enfants de **Harahel** et de **Mitzraël** vivront une période d'ennui et de petites épreuves. Ces êtres se sentiront abandonnés et délaissés par le partenaire. De plus, il faudra faire attention aux sentiments de jalousie. Ceci n'aidera pas votre union. Certains auront souvent des conversations à cause de l'argent, d'un problème d'alcool, de jeu ou autres. Ce problème pèsera lourd au sein de la relation. Certains pourront vivre une séparation temporaire de quelques jours.

Les enfants d'**Iah-Hel** auront de la difficulté à concilier leur vie amoureuse et leur travail. Votre partenaire risque de vous demander de passer un peu plus de temps avec lui. Bref, à la suite d'une bonne conversation, vous parviendrez à trouver un terrain d'entente.

Pour les célibataires

Lors d'une sortie en juin, vous ferez une rencontre qui risque de chambarder positivement votre vie. Vous serez animé par le coup de foudre!

Sur le plan du travail

Certains devront faire face à un conflit important au sein du milieu de travail. Ce conflit entraînera des luttes, des retards, des discussions animées, des disputes et des désagréments. Cela peut durer plus d'un mois. Toutefois, le conflit sera réglé et la paix reviendra. À la suite de cette situation, plusieurs analyseront profondément leur vision du travail et prendront des décisions importantes. D'autres s'organiseront pour faire tous les changements nécessaires pour retrouver une belle ambiance de travail.

Les enfants de **Nemamiah**, d'**Umabel** et d'**Anauël** feront de grands efforts pour retrouver une ambiance saine au travail. De plus, certains retourneront à un ancien travail qui fera davantage leur bonheur.

Plusieurs enfants d'**Yeialel**, d'**Harahel**, d'**Iah-Hel** et de **Mehiel** ne sauront plus où donner de la tête avec tout ce qui se passe au travail. Ils seront débordés et les paroles et le comportement de leurs collègues de travail les ébranleront. De plus, certains auront à subir les plaintes de chacun. Ils deviendront le bouc émissaire de plusieurs personnes, ce qui les épuisera et les dérangera moralement.

Les enfants de **Mitzraël** apprendront le départ d'une personne et en seront perturbés. Ces êtres auront de la difficulté à s'habituer au nouveau venu.

> **Conseil angélique :** *Évitez de vous impliquer dans les commérages. De plus, gardez vos points de vue à l'abri des mauvaises langues. Ainsi, vous éviterez des ennuis.*

Sur le plan de la santé

Généralement, la santé sera bonne. Toutefois, certains recevront un diagnostic qui ne leur plaira pas. Ces êtres devront donc redoubler de prudence et écouter sagement les conseils de leur médecin. En suivant les conseils judicieux du médecin, le problème se réglera et la santé reviendra. Certains devront subir une intervention chirurgicale qui les amènera à changer un peu leurs habitudes alimentaires et de vie. Toutefois, ce sera pour leur bien-être. Plusieurs se plaindront de maux d'estomac. Il leur faudra surveiller leur alimentation.

Les enfants de **Nemamiah** se plaindront de migraines, d'un mal à l'épaule, d'un mal de dos ou au cou. De plus, certains devront subir une intervention chirurgicale, ce qui les tracassera. Toutefois, ces êtres seront surpris de voir leur rétablissement se faire rapidement.

La santé sera bonne pour la plupart des enfants d'**Yeialel**, d'**Umabel** et d'**Iah-Hel**. Toutefois, certains prendront des médicaments pour soulager un rhume ou un problème de santé imprévu. D'autres auront des problèmes avec leur estomac. Surveillez les excès. De plus, évitez les objets lourds : il y a risque de courbatures et de blessures.

Certaines femmes sous la gouverne de **Harahel**, de **Mitzraël**, d'**Anauël** et de **Mehiel** devront passer une mammographie. Bref, ce sera un mois d'inquiétude causée par des petits problèmes de toutes sortes au niveau de la santé. Certains devront subir une intervention chirurgicale. D'autres devront porter un pansement à cause d'une blessure. Quelques-uns se plaindront de douleurs physiques. Ce sera une période difficile pour les personnes atteintes de fibromyalgie.

Conseil angélique : *Laissez la perfection de côté pour l'instant. Vous êtes dans une période de faiblesse et il faut l'accepter. Si vous essayez de dépasser la limite de vos capacités pour que tout soit parfait, vous serez déçu. Attendez lorsque vous serez en meilleure forme. Ainsi, il vous sera possible de déplacer des montagnes et de réussir tout ce que vous entreprendrez! Bref, respectez-vous.*

Sur le plan de la chance

Votre chance sera faible. Je vous conseille de jouer modérément.

Voici quelques événements qui pourraient survenir au cours de la période printanière.

- Certains vivront quatre situations qui les tracasseront énormément.

- Vous serez découragé par l'attitude des gens. De plus, il faudra surveiller les commérages et les personnes curieuses qui posent toutes sortes de questions et qui ébruitent ensuite vos confidences. Il serait important de ne pas trop parler de votre vie privée. Ainsi, vous éviterez des ennuis et des problèmes de toutes sortes.

- Une recherche donnera les résultats désirés. On trouvera ce que l'on cherchait.

- On vous annoncera une naissance par césarienne.

- Une grossesse de deux à huit semaines sera interrompue, soit par une fausse couche, soit par un avortement.

- Certains auront un problème à régler avec la justice. Un avocat sera consulté. Toutefois, le problème sera réglé.

- Certains prendront en charge une personne âgée. D'autres prendront en charge un adolescent.

- Un mariage se termine mal. Plusieurs larmes seront versées.

- Faites attention aux objets tranchants, comme les couteaux, les lames et les ciseaux. Certains peuvent se blesser. Rien de grave cependant.

- Vous, ou un proche, briserez un objet de valeur. Des larmes seront versées.

- Une vive discussion aura lieu. Vous serez dérouté par cette situation. Certains devront faire l'intermédiaire entre les parties impliquées.

- Un problème sera réglé à votre grande surprise. La paix reviendra par la suite.

- Une femme jalouse sera menaçante par ses paroles. Cette personne cherchera à provoquer une tempête. Tournez-lui le dos et continuez votre chemin. Ce sera mieux pour vous et pour votre moral. Durant la période printanière, méfiez-vous des personnes jalouses et hypo-crites. Il y aura plusieurs événements où vous serez en contact avec ces gens. Ces personnes ne cherchent qu'à vous causer des ennuis de toutes sortes avec leurs histoires fausses et sans fondement. Soyez plus intelligent qu'eux et éloignez-vous.

- Vous, ou un proche, romprez une promesse au grand désappointement de l'entourage.

- Une femme pleure la perte de son conjoint.

- Fin d'une amitié ou d'une situation qui troublait les émotions.

- Certains vivront une période d'ennui au sein de leur relation amou-reuse. Toutefois, ils se réconcilieront après avoir vécu une séparation.

- Les célibataires seront animés par un coup de foudre. Certains développeront une relation importante.

- Certains seront impliqués dans une querelle familiale. Plusieurs seront déçus du comportement de leur proche.

- À la suite d'une tempête, vous, ou un proche, ferez réparer la toiture de la maison.

- Certains regretteront une parole ou un geste qu'ils ont commis. Il n'est pas trop tard pour réparer les pots cassés.

- Lors d'une soirée amicale, une personne en état d'ébriété causera beaucoup de turbulences et d'émoi autour d'elle.

- Certains recevront une belle preuve d'amour de la part de leur partenaire.

- Avis aux conducteurs, surveillez les roches : il y a risque d'éclat du pare-brise.

Saison estivale
(juillet-août-septembre)

« Ma Lumière balaye les peines, alors priez-moi
et je balayerai votre peine. Ainsi, vous serez soulagé. »

(Paroles de l'Ange Vehuel)

Généralement, votre période estivale sera une période agrémentée par toutes sortes de moments et de sorties agréables. Toutefois, votre mois de juillet sera rempli d'événements imprévus dont certains ne seront pas nécessairement agréables. Qu'importe ce que vous vivrez, vous serez tout de même en mesure de surmonter les obstacles. Malgré tout, plusieurs seront satisfaits de leur été. Attendez-vous à faire des sorties agréables en compagnie de votre famille et de vos amis. Il y aura des sorties au théâtre, au cinéma, à des concerts de musique, à des activités de plein air, etc. Ce sera un été actif et rempli de belles occasions pour vous amuser et pour faire de belles rencontres. Profitez-en au maximum!

Conseil angélique : *Il est temps pour vous de sortir et de vous amuser. Vous en avez grandement besoin.*

Le mois de juillet sera pénible pour certains. Une querelle familiale viendra défaire les plans de vacances. De plus, certains pourront avoir de la difficulté avec un enfant. D'autres pourront avoir des discussions animées avec le partenaire ou avec des proches. Certains vivront une période difficile sur le plan financier, ce qui risque de retarder les vacances ou d'y mettre fin. Bref, votre mois de juillet ne sera pas facile sur le plan émotionnel. Toutefois, vos amis vous sortiront et cela vous changera les idées. Vous serez moins préoccupé par les problèmes quotidiens, ce qui vous permettra de mieux apprécier les événements favorables qui surviendront en août et en septembre.

Des plaisirs fous vous attendent en août. Tout au long du mois, il y aura plusieurs festivités, des sorties agréables avec le partenaire. Si vous aimez la nature, attendez-vous à vivre de belles aventures champêtres. Certains loueront un chalet, d'autres se promèneront dans les bois. Certains iront à la pêche. D'autres feront un pique-nique familial. Bref, de belles activités pour rehausser vos énergies!

Et cela se poursuivra jusqu'en septembre. Votre mois de septembre est un mois très chanceux. Il faut en profiter pour faire toutes les transactions désirées et prendre des décisions. Certains auront le plaisir de recevoir une rentrée d'argent, soit par la loterie ou soit par une augmentation de salaire. Plusieurs situations peuvent survenir en septembre pour vous aider à améliorer certains aspects de votre vie.

Conseil angélique : *À partir du 12 août et ce, jusqu'au 21 septembre, vous entrez dans une période d'abondance. Plusieurs événements viendront marquer favorablement votre vie.*

Sur le plan affectif

Il y aura des petits orages et des discussions à propos d'un enfant, d'un proche ou de la situation financière. Toutefois, vous allez rapidement régler le tout pour que l'harmonie revienne sous votre toit. Par la suite, plusieurs planifieront de belles activités qui engendreront un rapprochement dans les couples. Même les couples en difficultés trouveront des solutions pour parvenir à un terrain d'entente.

Rien ne viendra déranger les enfants de **Nemamiah**, d'**Yeialel**, d'**Umabel**, d'**Iah-hel**, d'**Anauël** et de **Mehiel**. Ces êtres trouveront toujours une bonne solution pour que l'harmonie règne sous leur toit. Lorsqu'un conflit surviendra, ils le régleront rapidement. Par la suite, ils tourneront la page. Grâce à cette nouvelle attitude, ces êtres passeront un été magnifique rempli de projets de toutes sortes qui les aideront à rallumer la flamme du désir, la flamme de la passion et la flamme de l'amour. Plusieurs feront des sorties en amoureux, ce qui aidera le couple à s'épanouir davantage.

Il y aura un peu de turbulence chez les enfants de **Harahel** et de **Mitzraël**. Toutefois, ces situations turbulentes les aideront à mieux analyser leur vie amoureuse et à réaliser l'importance de la vie de couple. Certains verront leur partenaire avec un œil différent, ce qui aura un effet bénéfique sur leur union. De plus, certains arrêteront de se laisser influencer par les paroles des autres. Ils s'apercevront que la réussite de leur vie amoureuse leur appartient. Plusieurs chercheront à se rapprocher de leur partenaire. Ils réaliseront qu'ils ont un grand besoin d'être à ses côtés et de partager certaines activités. Bref, ces êtres planifieront un voyage ou une sortie qui rallumera la flamme du désir. Un grand bonheur les attend.

Pour les célibataires

Plusieurs auront l'occasion de rencontrer leur partenaire idéal. Une relation débutera en douceur. Cette relation marquera favorablement votre vie. Cet être vous ouvre candidement la porte de son cœur. L'amour, la joie et le bonheur seront au rendez-vous avec cet être charmant.

Les enfants d'**Umabel**, d'**Iah-Hel** et d'**Anauël** seront plus sujets à faire cette merveilleuse rencontre qui transformera favorablement leur vie amoureuse.

Sur le plan du travail

Tout ira bien sur le plan du travail. Les travaux importants seront accomplis à temps pour partir l'esprit en paix en vacances. De plus, au retour au travail, plusieurs recevront de bonnes nouvelles qui les enchanteront. Ceux qui prendront leur retraite seront satisfait de leur décision.

> **Conseil angélique :** *Ne vous impliquez pas dans les problèmes des autres. Mêlez-vous de vos affaires et cela tournera en votre faveur. Si vous faites le contraire, vous n'aurez que des ennuis.*

Les enfants de **Nemamiah**, d'**Yeialel** et d'**Umabel** recevront de bonnes nouvelles qui amélioreront leurs conditions de travail. Plusieurs réussiront un projet qu'ils ont en tête. D'autres travailleront à la sueur de leur front. Toutefois, ils obtiendront exactement ce qu'ils désirent. Certains recevront une augmentation de salaire. Tout vous sera acquis. Que de belles satisfactions viendront vers vous.

Les enfants de **Harahel** et de **Mitzraël** seront débordés au travail. Un changement de dernière minute les préoccuperont et les amèneront à prendre les bouchées doubles. Certains apporteront du travail à la maison. D'autres se feront aider par leurs collègues. Bref, ces êtres auront hâte de partir pour les vacances. Ce seront des vacances bien méritées. De plus, lorsqu'ils reviendront, il y aura des changements bénéfiques qui amélioreront l'ambiance et la qualité de leur travail.

Les enfants d'**Iah-Hel**, d'**Anauël** et de **Mehiel** seront en harmonie avec tout ce qui se produira. Certains prendront des décisions importantes, d'autres feront des choix qui auront un impact favorable sur leur vie. De plus, ceux qui parleront d'associations seront heureux d'apprendre qu'ils auront pris une excellente décision. Il en est de même avec ceux qui décideront de retourner aux études pour mieux se perfectionner. Ils sauront tellement bien doser leurs énergies qu'ils seront satisfaits de tout ce qu'ils décideront et entreprendront.

Sur le plan de la santé

Généralement, la santé sera bonne. Toutefois, plusieurs se plaindront de maux de dents, de migraines, de maux d'oreilles et d'allergies. D'autres peuvent aussi se plaindre d'une douleur au genou. Les alcooliques auront des ennuis avec le pancréas. Certains devront subir une intervention chirurgicale d'urgence.

Conseil angélique : *Si vous faites du patin à roue alignée ou de l'équitation, assurez-vous de porter un casque de protection. Des chutes pourraient vous causer des blessures à la tête, au coude ou au genou.*

Les enfants de **Nemamiah** devront redoubler de prudence lors d'activités physiques. De plus, certains se plaindront de maux de dos et de migraines. Il en est de même pour les enfants d'**Yeialel**. Toutefois, ces êtres devront être vigilants avec les objets tranchants : il y a risque de coupures.

Les enfants de **Harahel** et d'**Anauël** prendront des produits naturels pour rehausser leurs énergies. Cela aura un effet bénéfique sur eux. Toutefois, certains auront des problèmes avec les allergies et devront prendre un médicament. Il serait sage de se protéger du soleil. Il y a risque de problèmes cutanés à cause du soleil.

Chez les enfants de **Mitzraël** et de **Mehiel**, plusieurs seront fatigués et en manque d'énergie. Il serait sage que vous preniez du repos, ainsi vous éviterez des ennuis de santé. De plus, respectez la limite de vos capacités et assurez-vous de dormir huit heures chaque nuit. Si vous prenez soin de vous, vous serez en pleine forme pour faire toutes les activités que vous avez au programme. De plus, il serait important que les personnes alcooliques, les diabétiques et les personnes négligentes surveillent leur santé, car certaines seront victime d'un malaise qui les obligeront à se rendre d'urgence à l'hôpital.

Les enfants d'**Umabel** et d'**Iah-Hel** seront en pleine forme. Ils exploseront d'énergie, ce qui les amènera à faire mille et une choses à la fois. Ils seront étourdissants et actifs! Toutefois, certains devront surveiller le soleil. La peau sera fragile. D'autres se plaindront d'une légère inflammation qui les obligera à prendre une journée de repos!

Sur le plan de la chance

Votre chance sera excellente. N'oubliez pas que votre mois de septembre est un mois bénéfique et chanceux. Achetez un billet hors de votre région, cela pourrait vous être favorable.

Conseil angélique : *Évaluez vos priorités et placez-les adéquatement. Il serait sage de profiter de votre été pour passer du temps en famille, ce sera bénéfique pour tout le monde.*

Voici quelques événements qui pourraient survenir au cours de la période estivale.

- Vous serez invité à assister à plusieurs événements agréables. De plus, vous assisterez à une fête en l'honneur d'un homme.

- Vous, un proche ou un enfant, vous plaindrez d'un mal de dent ou d'un mal d'oreille. Certains devront subir une intervention chirurgicale à cause d'une carie ou d'une dent de sagesse.

- Les amoureux de la terre feront souvent des activités champêtres.

- Certains feront l'achat d'une maison à la campagne. D'autres se feront construire un chalet près d'un lac ou dans les montagnes.

- Une dispute familiale dérangera énormément vos émotions.

- Un adolescent sera en crise. L'intervention d'un psychologue ou d'un médecin sera nécessaire.

- Vous, ou un proche, reconstituerez votre famille. Un beau bonheur vous attend dans cette nouvelle vie. Certains solidifieront leur union par la venue d'un enfant ou par une proposition de mariage.

- Plusieurs vivront une période de bonheur et de moments magiques et inoubliables. Les célibataires rencontreront leur partenaire idéal. Certains célibataires devront choisir entre un amour passé et une nouvelle personne. Un choix qui ne sera pas facile!

- Des partenaires de vie se blesseront énormément avec des paroles acerbes, pointilleuses et destructives, à un point tel qu'ils vivront une période d'éloignement. Si ce couple ne parvient pas à régler leur différend, avant que l'année ne se termine, il y aura une séparation.

- Plusieurs auront de belles conversations près d'un feu de camp ou d'un lac. Certains planifieront un pique-nique familial.

- Ceux qui font de la moto seront choyés par toutes les sorties qu'ils entreprendront.

- Les amateurs de plein air seront choyés par les activités qu'ils entreprendront. La plupart auront le privilège de faire toutes les activités qu'ils avaient souhaités entreprendre durant leur été.

- Un petit incident surviendra lors d'une réception d'amis.

- Plusieurs recevront une rentrée d'argent imprévue, soit par une loterie, une vente, une augmentation de salaire ou un héritage.

- Certains perfectionneront leur talent. Une belle réussite les attend.

- Plusieurs feront de belles sorties champêtres, entourés de musiciens, de chanteurs. De plus, certains assisteront à des pièces de théâtre dans des villes étrangères. De belles sorties agréables pour le moral!

- Certains recevront des petits cadeaux de reconnaissance. Tous ces petits cadeaux feront plaisir.

- Un couple renouvellera leurs vœux de mariage. Vous serez invité à assister à l'événement.

- Vous, ou un proche, vous blesserez lors d'une randonnée équestre.

- Certains cavaliers parleront de faire l'achat d'une nouvelle paire de bottes, des bottes très dispendieuses, des bottes qui seront remarquées par l'entourage. Que de bons commentaires viendront vers vous pour vos bottes. De toute façon, vous en serez très fier. De plus, certains participeront à des compétitions équestres. L'une de ses compétitions vous sera favorable. Certains recevront un trophée ou un honneur.

- Lors d'événements agréables, plusieurs belles amitiés naîtront. Des amis loyaux, respectueux et sincères seront au rendez-vous.

- Un célibataire fera la rencontre d'une gentille personne qui ne correspondra pas à son idéal physiquement. Toutefois, cette personne le charmera à un point tel que son cœur éprouvera des émotions autre que l'amitié.

- Une partie de pêche agréable pour les amateurs de pêche! Un poisson sera attrapé et vous en parlerez longtemps.

- N'oubliez pas de jouer à la loterie en septembre, puisque certains pourraient recevoir une belle surprise monétaire.

- Certains recevront une demande en mariage. Cette demande vous surprendra.

- Plusieurs se concentreront sur un but précis. Ce but sera atteint.

- Plusieurs consulteront un massothérapeute, un physiothérapeute ou un chiropraticien pour alléger une douleur physique.

- Certains feront une petite croisière ou ils seront invités à prendre part à un événement sur un bateau.

- On vous courtisera. Ceci rehaussera votre estime personnelle.

- Certains adopteront un animal de compagnie. D'autres feront l'acquisition de deux chevaux : un cheval de travail et l'autre de course.

- Certains changeront leur voiture.

- Certains feront l'achat d'une ferme ou d'une écurie.

- Certains loueront un entrepôt pour entreposer de la machinerie lourde ou des outils.

Saison automnale
(octobre-novembre-décembre)

« La persévérance est la meilleure qualité pour vous mener au succès »

(Paroles de l'Ange Veuliah)

Vous serez en repos lors de la période automnale. Plusieurs apprécieront la venue de l'automne pour se reposer. Comme un ours, vous hibernerez dans votre demeure. Votre été vous aura épuisé ainsi que la rentrée des classes. Maintenant, vous avez le goût de relaxer en visionnant des films ou vos émissions préférées. Vos proches auront de la difficulté à vous sortir et à déranger vos habitudes hivernales! Du 9 octobre au 18 novembre, vous êtes inaccessible. Vous serez dans votre bulle et personne ne pourra vous déranger. De plus, certains devront surmonter un obstacle qui les épuisera mentalement et physiquement. Ces êtres préféreront la solitude que la compagnie des gens. Ne vous en faites pas; le problème sera réglé et la paix reviendra.

En octobre, un événement imprévu surviendra et il vous épuisera moralement. Vous serez découragé et dépassé par tout ce que provoquera cet événement. Ce n'est pas que vous n'êtes pas capable de le surmonter. Au contraire, vous allez rapidement y trouver une solution. Toutefois, cet événement dérangera énormément votre quotidien.

Puisque le mois de novembre est un mois chanceux pour vous, il serait sage de jouer à la loterie et d'entreprendre tous les projets que vous avez en tête. Après avoir vécu une période d'orage, le beau temps refera surface dans votre vie. Une année de problèmes se termine pour faire place à une nouvelle année. Votre seul espoir : que cette nouvelle année qui débute soit meilleure que celle que vous venez de terminer.

Conseil angélique : *Demandez de l'aide si vous trouvez trop lourdes certaines responsabilités. Vos proches n'attendent que votre accord pour vous apporter leur appui.*

Sur le plan affectif

Certains vivront une période de frustration, d'incertitude, d'abandon et de solitude. Certains se sentiront négligés ou trompés par le partenaire, ce qui les amènera à vivre dans le doute. Vous ne serez pas satisfaits, vous serez mécontents, vous aurez une humeur fragile et vous bouderez. Il est évident qu'avec cette attitude négative, votre partenaire s'éloignera et il n'y aura pas de discussion. Toutefois, avant de jeter le blâme sur votre partenaire, analysez profondément les raisons qui vous ont mis dans cet état. Ceci vous permettra de réaliser que votre humeur et votre attitude n'ont guère favorisé le rapprochement. Si vous voulez éviter une séparation, voyez-y le plus tôt possible. De plus, arrêtez d'écouter les conseils de madame-et-monsieur-tout-le-monde. La réussite de votre vie amoureuse ne dépend que de vous. Si vous y voyez rapidement, l'amour, l'harmonie et la joie reviendront rapidement.

À la suite d'une conversation franche avec leur partenaire, les enfants de **Nemamiah**, de **Harahel**, de **Mitzraël** et de **Mehiel** parviendront à une entente. Cette entente devra être respectée par l'un comme par l'autre. Si ce couple respecte leur entente, il sauvera la relation. S'ils ne le font pas, une décision sera prise, une décision ferme, sans possibilité de retourner en arrière. Plusieurs vivront de grands changements qui amélioreront leur vie amoureuse. Ils trouveront toutes sortes de solutions pour parvenir à trouver l'harmonie sous leur toit. Toutefois, certains subiront une séparation et ils réaliseront que c'est mieux ainsi.

Les enfants d'**Yeialel** travailleront très fort sur leur relation. De plus, ils prendront de bonnes décisions pour éviter la séparation. Une discussion avec le partenaire effacera les peurs et les doutes. Par la suite, l'harmonie jaillira de nouveau sous leur toit.

L'amour, l'harmonie et la joie jailliront sous le toit des enfants d'**Umabel**, d'**Iah-Hel** et d'**Anauël**. Ils seront heureux et resplendissants. Ils refléteront l'amour et le bonheur. Certains se réconcilieront. D'autres se pardonneront. Plusieurs vivront des moments agréables qui les aideront à voir la vie du bon côté. Le couple s'aime et se le démontrera bien.

Pour les célibataires

Votre mois de novembre sera propice pour faire de belles rencontres. Sortez et vous ne serez pas déçu. Certains peuvent rencontrer leur partenaire idéal lors d'une soirée dansante ou à un spectacle de musique.

Sur le plan du travail

Une période d'actions qui apporteront des solutions pour régler les conflits. Plusieurs reprendront confiance en eux, ce qui aura un impact favorable sur leur travail. D'autres retrouveront leur équilibre, ce qui les aidera à relever plusieurs défis. Les associations seront fructueuses. Les entrevues porteront fruits. Des contrats et des ententes seront signés. Des contrats seront prolongés. Plusieurs recevront une augmentation de salaire. Certains auront la chance de changer d'emploi. Ce sera aussi une période extraordinaire pour les artistes. De belles réussites les attendent.

Les enfants de **Némamiah**, d'**Iah-Hel** et **Mehiel** vivront des changements soudains qui amélioreront leur vie professionnelle. Une entrevue sera réussie. Certains orienteront leur carrière différemment. D'autres obtiendront un poste rêvé. Quelques-uns retourneront aux études pour se perfectionner. De plus, certains verront leur contrat se renouveller à leur grand soulagement. Bref, plusieurs opportunités viendront vers eux pour améliorer leurs conditions de travail.

Que de bonnes nouvelles arriveront vers les enfants d'**Yeialel**, d'**Umabel** et d'**Anauël**. Ces travailleurs chevronnés se verront offrir de belles opportunités qui leur permettront de faire tous les changements désirés. Leur ambition de vouloir réussir leur vie professionnelle portera fruits. Certains auront le privilège de voir des portes importantes s'ouvrir à eux.

Malgré tous les obstacles qui barreront la route des enfants d'**Harahel** et de **Mitzraël**, ceux-ci parviendront à relever tous les défis qui se présenteront. Ces êtres trouveront de bonnes solutions pour les aider à retrouver l'envie et le goût du travail. De plus, de bons collègues les aideront et les supporteront dans plusieurs de leurs démarches. Ceci aura un effet bénéfique sur leur désir de continuer leur travail. Une réunion importante donnera naissance à de belles améliorations.

Sur le plan de la santé

Généralement, la santé sera bonne. Toutefois, il faudra surveiller les excès de fatigue. Prenez le temps de vous reposer lorsque le corps le réclamera. Sinon, certains souffriront de surmenage et de maux physiques. Certains devront consulter leur médecin. D'autres passeront des examens à cause d'un problème de santé. De plus, certains auront des prises sanguines à prendre.

Conseil angélique : *Votre moral est à la baisse. Il serait sage de vous accorder du repos, de prendre des vitamines et de faire du sport pour rehausser vos énergies. De plus, puisque plusieurs se trimballeront avec la boîte de papiers mouchoirs, il serait sage de vous laver régulièrement les mains pour ne pas contaminer les autres et pour ne pas que votre état de santé se détériore.*

Chez les enfants de **Nemamiah**, d'**Yeialel** et d'**Anauël**, la santé sera bonne. Toutefois, vous aurez mal partout. Il faudra donc surveiller les maladies virales. D'autres se plaindront d'une douleur à l'épaule, à un genou ou dans le bas du dos. Certains prendront des médicaments pour soulager la douleur. D'autres recevront une piqûre de cortisone. Certains consulteront un professionnel en médecine sportive.

Les enfants d'**Harahel**, de **Mitzraël** et de **Mehiel** souffriront d'angoisse. D'autres auront des maux de têtes, des problèmes avec leurs sinus ou des migraines. Certains se plaindront d'étourdissements et de vomissements. Plusieurs attraperont toutes sortes de virus. Leur pire ennemi : la grippe. Ils auront mal partout et ils auront de la difficulté à compléter leur journée. Certains risquent de garder le lit pendant quelques jours.

Les plupart des enfants d'**Umabel** et d'**Iah-Hel** prendront bien soin d'eux. Ils se reposeront lorsqu'ils se sentiront fatigués. D'autres prendront des produits naturels et des vitamines. Certains feront des exercices ou des activités extérieures qui hausseront leurs énergies. Ils feront tout pour s'éloigner des virus. Toutefois, les personnes négligentes devront tout de même se surveiller.

Sur le plan de la chance

La chance sera excellente en novembre. Profitez-en pour jouer à la loterie. De plus, les journées de pleine lune vous seront favorables. Les dimanches vous réservent de belles surprises.

Voici quelques événements qui pourraient survenir au cours de la période automnale.

- En novembre, les portes de l'abondance s'ouvriront pour vous. De belles surprises vous sont réservées dans tous les aspects de votre vie.

- Vous, ou un proche, serez épuisé. Cet épuisement total demandera beaucoup de repos.

- Un événement nécessitera les services d'un avocat ou d'un notaire.

- Certains auront le privilège de signer un contrat qui leur sera très favorable.

- Il y aura trois grossesses dans votre entourage. L'une de ces grossesses vous fera énormément plaisir. Vous devenez un grand-parent, le parrain ou la marraine de cet enfant.

- Vous assisterez à des événements agréables au cours desquels la musique vous fera chanter et danser.

- Certains se plaindront d'un mal à l'épaule. Ils devront recevoir des injections de cortisone.

- Vous, un proche ou un enfant, gagnerez un prix pour le meilleur costume lors de la fête de l'Halloween.

- Un enfant se blessera à la cheville ou au genou lors d'un sport d'hiver.

- Certains vivront des épreuves de toutes sortes. Toutefois, il y aura toujours une solution pour vous en libérer. Il suffira de faire confiance à votre sixième sens.

- Soyez prudent sur la route lors des journées de pluie ou lorsque la chaussée est glissante.

- Trois femmes de votre entourage auront des ennuis de santé. L'une d'elle devra surmonter une dure épreuve.

- Certains dépasseront leur budget pour la période des Fêtes, ce qui en tracassera plusieurs par la suite.

- Certains feront une rencontre importante qui les aidera à mettre sur pied l'un de leurs projets. Une belle réussite s'ensuivra.

- Un homme regrettera une parole ou un geste qu'il posera. Cet homme cherchera le pardon de son entourage. Cette personne sera sincère.

- Certains verseront des larmes à cause des paroles blessantes de la part du partenaire ou d'un enfant. Une bonne discussion apaisera vos émotions.

- Un voyage sera retardé, ce qui désappointera les personnes qui devaient partir.

- Un bon avocat apportera son aide précieuse lors d'un procès ou lors d'un divorce.

- La chance sourira à un membre de la famille. Celui-ci pourrait gagner une belle somme d'argent.

- Il y aura plusieurs obstacles sur la route. Tout pour vous décourager. Toutefois, il y aura toujours une solution qui se pointera.

- Plusieurs débuteront un cours de yoga, de Qi-Gong, de relaxation ou de méditation. Ces cours les aideront à se libérer de leurs angoisses. De plus, cela aura un impact favorable sur leur patience et leur concentration.

- Vous, ou un proche, gagnerez un trophée grâce à votre talent.

- Une personne vous dévoilera ses sentiments envers vous. Vous serez très surpris de cette révélation.

- Certains rechercheront la paix et la solitude après avoir vécu une épreuve. Lors de cette période de solitude, vous parviendrez à trouver une façon de vous libérer et de guérir de cette douleur intérieure causée par cette épreuve.

- Certains seront déçus de la décision d'un membre de leur famille.

- Certains apprendront à jouer d'un instrument de musique. D'autres s'inscriront à un cours de danse.

- Grâce à trois événements qui surviendront dans votre vie, vous aurez la possibilité de vous libérer de vos problèmes.

- Les célibataires feront des rencontres intéressantes. L'une de ces rencontres se solidifiera par un mariage ou par l'achat d'une propriété.

- Certains se promèneront avec une voiture de courtoisie. Leur véhicule devra subir des réparations majeures dans un garage spécialisé.

- Un enfant qui avait abandonné ses études prendra une décision importante. Il retournera apprendre une technique. Il complètera sa formation et il trouvera du travail dans cette discipline par la suite.

- Période de fertilité pour celles qui désirent enfanter.

- Des gens âgés vendront leur résidence familiale pour aller demeurer dans un foyer d'accueil. La transition sera douloureuse.

- Certains seront surpris d'apprendre qu'un proche a un problème de jeu, de drogue ou d'alcool. Un problème caché se révélera à votre grande surprise.

- Plusieurs devront mettre de l'ordre dans leur vie. De plus, plusieurs rechercheront la paix et la solitude pour mieux prendre des décisions importantes.

- Certains signeront un papier avec la banque, ce qui les soulagera.

- Une décision sera prise et elle fera le bonheur de plusieurs. Ce sera une bonne décision.

- Un proche vous parlera d'une réconciliation avec un ex-partenaire. Vous ne verrez pas cela d'un bon œil. Toutefois, la relation ne durera pas longtemps. Votre proche s'apercevra rapidement que c'était une erreur de retourner dans le passé.

- Un héritage causera des problèmes à cause de papiers mal préparés. Un notaire ou un avocat sera consulté.

- La santé d'un proche vous inquiètera.

PARTIE IX

LES ANGES

(10 février au 20 mars)

Chapitre XXV

L'année 2011 des Anges

L'année 2011 sera une année d'action; une année très prometteuse. Plusieurs sauront exactement ce qu'ils veulent et ils se dirigeront exactement à l'endroit où ils voudront être. Ces êtres prendront leur vie en mains. Ils régleront leurs problèmes, ils élaboreront des idées, ils bâtiront des projets, etc. Au lieu de parler, ils passeront à l'action. Cette attitude sera très inusuelle chez eux. Généralement, ces êtres sont de grands rêveurs et non de grands bâtisseurs. En 2011, plusieurs seront étonnés de voir les enfants des Anges passer à l'action et aller de l'avant avec leurs projets et leurs idées. Ils mettront sur pied des projets importants. Ils prendront même leur santé en main. Ils verront à tout. Ces êtres voudront retrouver le contrôle de leur vie. Ils en auront assez d'attendre après les autres. Ils en auront assez de se faire manipuler. En 2010, vous avez énormément souffert de l'attitude de certaines personnes et de la tournure de certains événements. C'est la raison pour laquelle vous vous prendrez en main cette année. Vous vous affirmerez. Gare à ceux qui essaieront de vous déstabiliser ou de vous manipuler.

Les enfants du Chœur des Anges possèdent un cœur d'or. Ils sont d'une grande générosité. Quand ils donnent, ils donnent avec leur cœur. Toutefois, ils sont rancuniers. Si vous commettez une erreur ou si vous les blessez, ils vous tourneront le dos et continueront leur chemin comme s'ils ne vous avaient jamais connu. Lorsqu'ils sont blessés émotionnellement, la plaie peut demeurer longtemps ouverte.

Bref, ce sera une année importante pour les enfants du Chœur des Anges. De nombreux projets seront couronnés de succès. Votre vie financière s'améliorera. De plus, vous vous trouverez souvent au bon moment, au bon endroit. Tout vous sera acquis. Il ne vous suffira que de demander.

Conseil angélique : *Profitez au maximum de toutes les belles situations qui se présenteront sur votre chemin.*

Les enfants de **Manakel**, de **Jabamiah** et de **Mumiah** vivront quelques épreuves sur le plan émotionnel qu'ils trouveront difficiles. Leur grande générosité ne sera pas à l'abri des profiteurs.

L'amour des Anges

Certains vivront une période d'ennui et de doute au sujet de leur relation amoureuse. Plusieurs situations dérangeront les enfants du Chœur des Anges. Ils ne seront pas complètement satisfaits de leur relation. Ce qui les amènera à faire les changements nécessaires pour retrouver leur équilibre et leur joie de vivre.

En 2010, plusieurs ont vécu des moments tendus avec leur partenaire. Il y en a qui se sont séparés, d'autres qui ont décidé de pardonner, mais la plaie est toujours là. C'est la raison pour laquelle ces êtres ne voudront plus revivre ces événements. Cela est trop dur sur le plan émotionnel. De plus, ces êtres ont un grand besoin de se sentir en sécurité dans leur relation amoureuse. Ils ont besoin de se sentir aimés et épaulés par leur partenaire. Ces êtres feront tout en leur pouvoir pour ne pas se séparer. Ils peuvent endurer plusieurs escapades du partenaire et lui pardonner. Toutefois, quand ils en ont assez, quand le cœur est meurtri et rempli de vieilles blessures, en douceur, ils commenceront à se faire à l'idée de tourner la page et d'aller vers une avenue plus sereine, harmonieuse et sécuritaire. Tel sera le cas de plusieurs en 2011, telle sera leur priorité. Ces êtres analyseront consciencieusement leur vie amoureuse et ils prendront une importante décision. Si, lors de leur analyse, ils laissent une seconde chance au partenaire, ils cicatriseront leur plaie et ils bâtiront de nouveau leur relation. Ils s'assureront que celle-ci part du bon pied sur de nouvelles bases plus solides. S'ils doivent améliorer certains aspects de leur personnalité et de leur caractère, ils le feront. Ces êtres seront prêts à tout pour être heureux et pour que leur partenaire le soit aussi. Toutefois, s'ils décident qu'ils en ont fait assez pour améliorer leur relation avec leur partenaire et que celui-ci ne répond plus à l'appel, ni à leurs besoins, alors, ils tourneront la page et ils se dirigeront vers une nouvelle route qui leur permettra de faire la rencontre d'un nouveau partenaire idéal. De plus, s'ils décident de tourner la page, ils ne retourneront plus en arrière.

Conseil angélique : *Aux partenaires des enfants Anges : en 2011, si votre partenaire vous mentionne qu'il songe à vous quitter, ne prenez pas ses paroles à la légère. S'il devient froid et distant envers vous, c'est qu'il est en train de préparer sa nouvelle vie. Si vous tenez vraiment à cet être, voyez-y avant qu'il ne soit trop tard!*

Les enfants de **Damabiah**, de **Manakel**, de **Jabamiah** et de **Mumiah** vivront une période de panique au sein de leur vie amoureuse. Certains seront déçus du comportement de leur partenaire. D'autres souffriront énormément de certaines situations que leur partenaire leur fera vivre, ce qui entraînera des discussions orageuses qui épuiseront mentalement et émotionnellement. Toutefois, à travers tout ce brouhaha, plusieurs s'accorderont une seconde chance. L'un des deux partenaires suppliera l'autre de rester et de trouver une solution pour régler leurs différends. Ceux qui s'accorderont une seconde chance devront respecter leur entente, sinon un ultimatum sera lancé.

Conseil angélique : *À tous ceux qui souffrent de problèmes d'alcool, de drogue, de jeux, d'infidélité, de sexualité, d'agressivité ou de problèmes financiers, tenez vos promesses! Sinon, vous risquez de perdre l'être aimé. N'oubliez pas que les Anges peuvent vous aider, lors de périodes difficiles. Il ne suffit que de les prier!*

Les couples qui auront des problèmes sur le plan sexuel consulteront un thérapeute. Ce dernier les aidera à trouver une solution qui leur permettra de s'épanouir sexuellement. Il en est de même pour ceux qui ont des problèmes d'agressivité. Ces derniers devront y voir avant de commettre une grave erreur. Mettez toutes les chances de votre côté et vous ne serez pas déçu.

Les partenaires qui se quitteront vivront difficilement les premiers mois de leur séparation. Toutefois, plusieurs de vos amis vous soutiendront et ils vous aideront à tourner la page du passé pour vous aventurer vers de nouveaux chemins.

Plusieurs enfants d'**Eyaël**, d'**Habuhiah** et de **Rochel** vivront une belle histoire d'amour. Ils seront heureux et en harmonie avec leurs choix et leurs décisions. Certains se réconcilieront, d'autres se pardonneront. Vous laisserez une seconde chance à l'amour. La flamme de l'amour jaillira de nouveau. Plusieurs planifieront un voyage en amoureux, ce qui les rapprochera. D'autres planifieront des activités qu'ils feront ensemble. Bref, vous vous redécouvrirez et vous réaliserez que vous êtes heureux avec la personne qui partage votre vie et vos rêves. Certains réaliseront qu'ils ne trouveront pas mieux ailleurs. D'autres bâtiront une nouvelle union. Ne soyez pas surpris de parler de mariage ou de cohabitation. L'amour sera dans l'air.

Les enfants d'**Haiaiel** travailleront tellement qu'ils auront tendance à négliger leur partenaire. En 2011, il faudra faire attention à cet aspect. Le travail sera la cause de plusieurs arguments et de plusieurs désaccords au sein de votre union. Un temps de réflexion s'imposera. Sachez mettre vos valeurs à la bonne place. Sinon, vous risquerez de perdre votre partenaire amoureux. De toute façon, il y aura plusieurs opportunités qui vous permettront de concilier travail et vie amoureuse. Alors, sachez bien prendre vos décisions!

Les Anges célibataires

Il y aura plusieurs opportunités qui s'offriront aux célibataires pour faire de belles rencontres. Toutefois, c'est vous qui ne saurez pas ce que vous voudrez. Il y aura des jours où vous adorerez votre célibat, et d'autres jours où vous aimeriez rencontrer le partenaire idéal. Lorsque vous serez décidé, il y aura de la place pour l'amour!

Les enfants de **Damabiah**, de **Jabamiah** et de **Mumiah** rencontreront leur partenaire idéal à leur travail, lorsqu'ils feront du bénévolat, à la banque, au casino ou grâce à un collègue de travail. Vous pourriez aussi le rencontrer lors d'une soirée bénéfice ou d'un gala. De plus, ne soyez pas surpris de venir en aide à cette personne. Grâce aux Anges, cet être sera mis sur votre chemin pour que vous puissiez bâtir une belle relation amoureuse. Ce sera votre partenaire idéal. Cet être possèdera toutes les qualités pour vous rendre heureux. À deux, vous savourerez les fruits du bonheur.

Toutefois, il y aura deux petits problèmes à surveiller. Premièrement, si vous avez des problèmes financiers, soyez franc avec lui, sans trop abuser du sujet. De plus, si cet être a des problèmes financiers, ne vous impliquez pas dans ses dettes. Il serait préférable que chacun règle ses problèmes financiers. Si vous décidez de le faire mutuellement, il ne faut pas que cela soit un sujet déclencheur lorsqu'arrivera une difficulté amoureuse. N'oubliez pas que tous les deux, vous avez mutuellement consenti à régler vos ennuis financiers. Deuxièmement, arrêtez de parler de vos expériences du passé. Cet être que vous rencontrerez fera partie de votre présent et il n'aura rien à voir avec des événements de votre passé qui vous ont fait souffrir. Si vous voulez que la relation se poursuive, évitez de parler de votre passé ou de vos ennuis financiers. Si vous parvenez à ne pas impliquer ces sujets de conversation dans votre relation, elle deviendra une union solide. Vous et votre partenaire formerez une équipe du tonnerre. Cette personne saura vous aimer. Elle vous donnera tout l'amour et le respect que vous méritez, et vice-versa.

Les enfants de **Manakel** vivront à plein leur célibat. Plusieurs chercheront plutôt à s'amuser qu'à trouver leur partenaire idéal. D'ailleurs, vous ferez de belles rencontres qui risquent de faire palpiter votre cœur. Toutefois, l'attirance sexuelle sera plus forte que l'engagement à long terme. Bref, il y aura de l'amour, mais ce sera de l'amour passionnel à court terme. Cependant, avant que l'année se termine, plusieurs opteront pour un amour à long terme et ils travailleront très fort pour l'obtenir en 2012. D'autres devront redoubler de prudence, car la personne qui viendra vers eux ne cherchera peut-être qu'une relation d'un soir ou d'une nuit. Apprenez à bien connaître ses désirs, avant de vous engager émotionnellement dans la relation. De plus, certains seront déçus de certaines rencontres puisqu'elles ne seront pas à la hauteur de leurs attentes.

Conseil angélique : *À tous les célibataires : faites attention aux charmeurs qui se trouveront sur votre route. Ces êtres vous hypnotiseront et ils vous séduiront. Toutefois, ils ne voudront pas s'engager. Ne tombez pas sous leur charme. Ainsi, vous éviterez des blessures émotionnelles.*

Les enfants d'**Eyaël**, d'**Habuhiah** et de **Rochel** trouveront enfin un partenaire qui apportera des changements favorables dans leur vie. Cet être vous soutiendra et il vous appuiera dans vos démarches. Vous bougerez beaucoup avec lui. Vous planifierez plusieurs activités ensemble. Vous prendrez plaisir à y participer. Vous n'aurez que de l'admiration pour cette nouvelle rencontre. Cet être sera exactement comme vous l'aviez rêvé! Attendez-vous à recevoir plusieurs surprises de sa part et à faire de belles sorties en sa compagnie. Une vie de rêve pour vous! Une vie remplie d'amour, de joie et de respect.

C'est grâce à la musique que vous pourriez rencontrer votre partenaire idéal, à une soirée dansante, à un mariage, à une fête ou à un concert. D'une manière ou d'une autre, la musique sera grandement présente lors de votre première rencontre. Il y a de fortes chances que, lors de cette soirée, cet être vous paye un verre ou deux. Vous serez sous le charme de votre partenaire. Il vous envoûtera. De plus, votre vie sexuelle sera très active!

Les enfants d'**Haiaiel** devront s'abstenir d'être trop exigeants avec leur nouvelle rencontre. De plus, ils devront s'abstenir de vanter les mérites de leur travail ou des détails concernant leur ancienne relation. Ne laissez pas vos besoins un peu pointilleux venir affaiblir le début de votre relation. Il est vrai que vous aurez à travailler minutieusement cette nouvelle relation pour apprendre à mieux la connaître. Soyez un peu plus diplomate et romantique. Cela en vaudra le coup! Cette personne saura vous aimer. Elle vous donnera tout l'amour et le respect que vous méritez. Faites-lui confiance!

Le travail des Anges

L'année 2011 vous annonce des changements heureux et de nombreuses possibilités servant à obtenir tout ce que vous désirez. Que ce soit une augmentation de salaire, un changement de travail, de meilleurs bénéfices ou heures de travail, sachez que l'année 2011 vous offrira ces changements. Bref, plusieurs auront le privilège d'obtenir un emploi de rêve. Ces êtres se retrouveront souvent au bon endroit, au bon moment.

Plusieurs problèmes se régleront, ce qui vous apportera un soulagement énorme. Les contrats se prolongeront. D'autres se signeront avec satisfaction. De plus, vous serez en mesure de bien accomplir vos tâches et de respecter les dates d'échéance, ce qui améliorera votre qualité de travail. Les entrevues seront réussies. Plusieurs auront de belles occasions pour améliorer leur vie professionnelle. Vous n'aurez qu'à avancer lorsque vous sentirez que la chance est de votre côté! Certains retourneront aux études pour se perfectionner dans un domaine rêvé. Ils obtiendront leur diplôme et de belles opportunités s'offriront à eux par la suite. D'autres mettront sur pied un projet qui sera couronné de succès. De belles entrées d'argent fuseront de partout. Ceux qui auront la chance d'obtenir une amélioration sur le plan du travail seront les enfants de Damabiah, d'Eyaël, d'Habuhiah, de Rochel et d'Haiaiel. Ces êtres se verront offrir des emplois de rêve.

La chance croisera favorablement la route des enfants de **Damabiah**, d'**Eyaël**, d'**Habuhiah** et de **Rochel**. Elle leur permettra de faire tous les changements qu'ils désirent. Ils seront heureux et en harmonie avec tout ce qu'ils entreprendront ou décideront. Ces êtres auront la chance de changer complètement de travail. Ils auront aussi l'occasion de changer d'endroit. De débuter une nouvelle carrière ou de continuer un travail avec une nouvelle équipe. Certains prendront de bonnes décisions qui transformeront radicalement leur milieu professionnel. Triomphe et succès dans tout ce que vous entreprendrez! Alors, foncez!

Ceux qui prendront leur retraite seront satisfaits de leur décision. De plus, certains se lanceront dans une nouvelle activité; celle de faire du bénévolat pour venir en aide à ceux qui en ont besoin. Cette nouvelle activité leur sera très enrichissante et elle affectera favorablement plusieurs aspects de leur vie. Ils deviendront plus conscients des valeurs de la vie.

Les enfants de **Manakel**, de **Jabamiah** et de **Mumiah** trouveront le plan professionnel difficile. Ils seront confrontés à plusieurs problèmes. Plusieurs réaliseront que leur travail les angoisse, les étouffe et les rend malades. Ils se sentiront manipulés et abusés. Plusieurs accompliront plusieurs tâches qui ne seront pas indiquées dans leur contrat de travail. D'autres seront malheureux à leur travail, soit à cause de l'ambiance ou à cause de leurs tâches. Certains perdront leur emploi. Les contrats ne se renouvelleront pas. Les promesses ne seront pas tenues par les employeurs, ce qui en décevra plusieurs.

En 2011, il y aura beaucoup de signes qui vous avertiront qu'il est temps pour vous de faire un changement, si vous voulez retrouver un bel équilibre. Toutefois, vous serez dans une période d'incertitude et de confusion. Une partie de vous voudra faire un changement, et l'autre partie sera effrayée et angoissée par la peur de faire un mauvais choix. Certains aimeront leur travail, mais ce sera l'ambiance ou un collègue de travail qu'ils n'aimeront pas. La meilleure solution pour vous sera d'analyser profondément vos priorités. Est-ce que cela en vaut la peine de demeurer à cet endroit au détriment de votre santé? Vous sentez-vous à l'aise pour régler un conflit avec un collègue? Êtes-vous en forme pour débuter un nouveau travail? Toutes ces questions devront être répondues. Lorsque vous en aurez fait une bonne analyse, il vous sera beaucoup plus facile de prendre votre décision. De toute façon, il y aura des occasions qui vous seront offertes pour améliorer votre vie professionnelle. Il n'en tiendra qu'à vous d'être à l'écoute et de faire le bon choix! Bref, à la suite d'une profonde analyse, plusieurs opteront pour un changement de carrière ou un changement de tâches.

Les enfants d'**Haiaiel** vivront des changements qui leur seront bénéfiques. Plusieurs travailleront assidûment pour se perfectionner. Ils seront à l'écoute des besoins de leur employeur. Ces êtres se feront un devoir de réussir tout ce qu'ils entreprendront. De plus, les associations seront fructueuses. Les ententes porteront fruits. Un contrat signé apportera un soulagement. Certains vivront des changements qui amélioreront leurs tâches. D'autres déménageront. Ce sera un nouvel emplacement beaucoup plus agréable. Une entrevue sera réussie. Promotion et succès vous suivront, si vous y portez attention. Ceux qui opteront pour un changement, ne vous inquiétez pas si, au début, l'adaptation est un peu difficile. Toutefois, vous vous acclimaterez rapidement à vos nouvelles tâches ainsi qu'à votre nouvelle équipe.

La santé des Anges

En général, la santé sera excellente. Tout dépendra de la façon dont vous mènerez votre vie. Si vous faites attention, vous serez en pleine forme! Si vous négligez votre santé, vous éprouverez quelques ennuis qui devront être réglés par de l'aide médicale. Les cardiaques devront redoubler de prudence et écouter les conseils de leur médecin. Certaines femmes auront des ennuis avec leurs organes génitaux, ce qui les obligera à recevoir un traitement. Plusieurs se plaindront de maux de jambes causés par des varices. D'autres auront des problèmes musculaires. Ceux qui en souffriront le plus, ce sont ceux qui font de la fibromyalgie, de l'arthrite ou de l'arthrose. D'autres auront des douleurs à la mâchoire; plusieurs seront obligés de prendre des médicaments et de subir des traitements. Certains devront même changer leurs habitudes alimentaires ou leurs habitudes de vie, s'ils veulent retrouver une qualité de vie sur le plan de la santé. Ceux qui devront doubler de prudence sur le plan de la santé seront les enfants de **Manakel**, de **Jabamiah** et de **Mumiah**.

La plupart des enfants de **Damabiah**, d'**Eyaël**, d'**Habuhiah**, de **Rochel** et d'**Haiaiel** seront en excellente santé. Plusieurs prendront des produits naturels ou un surplus de vitamines. D'autres feront des marches ou des activités physiques pour garder la forme. Certains perdront du poids et commenceront à mieux s'alimenter. D'autres changeront tout simplement leurs habitudes alimentaires. Ces êtres réaliseront à quel point leur santé est importante et ils feront tout pour la conserver. Il y aura toutefois des faiblesses à surveiller, surtout chez ceux qui négligeront leur santé. Certains se plaindront de maux physiques. D'autres devront prendre des médicaments pour soulager une douleur. De plus, les genoux seront sensibles.

Les enfants de **Manakel**, de **Jabamiah** et de **Mumiah** devront redoubler de prudence et être très sévères avec eux-mêmes.

Conseil angélique : Priorisez votre santé avant tout. Ainsi, vous éviterez de graves ennuis et de graves déceptions. Dites-vous que, si vous n'y voyez pas maintenant, demain il sera trop tard! Mieux vaut prévenir que guérir.

Plusieurs souffriront d'un manque de sommeil, ce qui aura un impact sur leurs humeurs et leur moral. Il serait important de vous reposer lorsque votre corps le réclamera. Vous avez brûlé la chandelle par les deux bouts et vous le ferez encore. Cette année, si vous ne portez pas attention à votre santé, il y a de fortes chances que certains diagnostics posés par votre médecin vous déplaisent et vous mettent à l'envers. Votre négligence aura attiré la maladie. Maintenant, seule la diligence pourrait l'éloigner. Certains auront des ennuis avec leur gorge. Si vous fumez, vous irez consulter votre médecin. D'autres souffriront de brûlements d'estomac. De plus, certains auront des ennuis avec leur foie ou leur pancréas. Bref, plusieurs seront obligés de prendre toutes sortes de médicaments pour soulager leurs problèmes. Voilà l'importance d'y voir rapidement avant que vos malaises s'aggravent.

La chance des Anges

Les chiffres chanceux de tous les Anges seront les chiffres 9, 13 et 44. La journée du mercredi vous sera favorable pour acheter vos billets et faire vos transactions. Vos mois de chance seront **février, juillet, septembre, novembre** et **décembre**. Votre chance sera bonne. Jouez à la loterie, lors de vos mois de chance. Toutefois, n'oubliez pas de vérifier vos billets! Si vous voyez un itinérant vous envoyer la main ou vous tendre la main, ce sera votre signe de chance. Achetez un billet de loterie. N'oubliez pas de donner un peu de monnaie à votre signe de chance…

Ange Damabiah : 6, 11 et 33. Votre chance sera excellente! À partir du mois de juin, vous entrez dans une période de chance, alors profitez-en! Certains pourront recevoir de trois à six petits cadeaux agréables. Si vous jouez en groupe, les groupes de deux et de six vous seront favorables. Toutefois, les groupes de deux devraient se composer de deux personnes du même sexe.

Ange Manakel : 6, 15 et 40. Votre chance sera excellente! Profitez-en lors de vos mois de chance. Les groupes de trois personnes vous seront favorables, surtout si ce groupe comporte deux hommes et une femme.

Ange Eyaël : 10, 28 et 46. Votre chance sera excellente! Si vous jouez avec votre partenaire, cela vous sera favorable. De plus, lorsque vous vous déplacerez dans une ville étrangère, achetez un billet, cela vous sera favorable. Si vous êtes à proximité d'une personne portant un Ange, soit une épinglette ou un pendentif, ce sera votre signe d'aller vous acheter une loterie.

Ange Habuhiah : 6, 33 et 42. Votre chance sera excellente! Les groupes de trois, de quatre et de six personnes vous seront favorables. Toutefois, un groupe de trois femmes et d'un homme vous sera beaucoup plus avantageux.

Ange Rochel : 12, 21 et 33. Votre chance sera excellente! Si vous jouez avec votre partenaire amoureux, cela vous sera favorable. Les portes de l'abondance s'ouvriront à vous. Plusieurs recevront de belles sommes d'argent qui leur permettront de se remettre sur pied.

Ange Jabamiah : 5, 23 et 35. Votre chance sera faible. Jouez en groupe de cinq personnes, cela vous sera davantage favorable.

Ange Haiaiel : 8, 19 et 49. Votre chance sera bonne. Achetez un billet à proximité de votre travail, cela vous sera favorable. Comme vous avez la main chanceuse, choisissez vous-même vos billets et vos numéros. Les groupes de huit personnes vous seront aussi favorables.

Ange Mumiah : 3, 12 et 21. Votre chance sera faible. Ne dépensez pas trop votre argent dans les loteries. Toutefois, si vous voyez un aigle, soit en réalité, en bijou ou en image, ce sera un signe bénéfique pour vous. Profitez-en pour vous acheter une loterie.

Aperçu des mois de l'année des Anges

☆ **Les mois favorables** : février, juin, juillet, août, septembre, octobre, novembre et décembre.

☆ **Le mois non favorable** : avril.

☆ **Les mois ambivalents** : janvier, mars et mai.

☆ **Les mois de chance** : février, juillet, septembre, novembre et décembre.

Chapitre XXVI

Informations supplémentaires propres à chacun des Anges Anges

✦ ANGE DAMABIAH ✦
(du 10 au 14 février)

La providence croisera la route des enfants de Damabiah. Plusieurs situations qui surviendront au courant de l'année leur permettront de faire tous les changements nécessaires pour retrouver une belle qualité de vie. Un nouveau cycle de vie commencera pour eux.

De plus, vous serez conscient de toutes les opportunités qui s'ouvriront à vous et vous ne voudrez rien laisser passer. Plusieurs élargiront leurs horizons grâce à de nouvelles connaissances. Pour d'autres, cela sera causé par des changements ayant un impact sur leur quotidien. Votre goût d'aller de l'avant avec plusieurs de vos projets vous amènera à faire des rencontres et à vivre toutes sortes d'événements positifs. Il est certain que votre vie sera agitée. Toutefois, elle sera constructive et évolutive. Lorsque l'année 2011 se terminera, vous serez satisfait de la façon dont vous l'aurez dirigée, et surtout, vous serez satisfait des améliorations apportées.

Plusieurs auront des projets en tête qui demanderont beaucoup d'attention, de patience, d'analyse et de sacrifices. Toutefois, la plupart de vos projets seront couronnés de succès et de satisfaction. Tout déplacement que vous ferez en 2011 vous sera profitable. Que ce soit pour un voyage d'agrément ou d'affaires, tout sera à la hauteur de vos attentes. Plusieurs feront du bénévolat. De plus, attendez-vous obtenir six petits cadeaux providentiels qui feront palpiter votre cœur de joie.

ANGE ACCOMPAGNATEUR : la lumière de l'Ange Yeialel (58) vous permettra d'avoir des idées claires et précises. Elle vous permettra aussi d'analyser et d'évaluer chacune de vos idées, ce qui vous conduira à la réussite.

✦ ANGE MANAKEL ✦
(du 15 au 19 février)

Les enfants de Manakel devront travailler très fort pour conserver le contrôle de leur vie. Plusieurs seront manipulés par leurs proches, par des vampires d'énergie ou par des personnes hypocrites.

Conseil angélique : *Mettez votre pied à terre. Affirmez-vous en tant qu'individu. Si vous ne le faites pas, vous serez une victime tout au long de votre année 2011 et votre moral en prendra un coup. Si vous voulez être bien, prenez la place qui vous revient. N'ayez pas peur de dire « non ». Si vous parvenez à vous affirmer, vous serez en mesure de bien diriger votre année. Sinon, l'année 2011 sera éprouvante et pénible.*

Plusieurs souffriront d'angoisse, de fatigue et de dépression. Tous ces symptômes seront causés par l'emprise que possèdera votre entourage sur vous. Vous aurez de la difficulté à atteindre vos buts. Vous serez incapable de bouger. Votre manque d'intérêt vous empêchera d'avancer. Rien ne se fera et cela vous affectera énormément. Toutefois, si vous parvenez à prendre votre place, vous serez en mesure de voir toutes les possibilités qui s'ouvriront à vous pour entreprendre vos projets et les réussir. Il n'en tiendra qu'à vous de faire le nécessaire pour éloigner les vampires d'énergie qui viendront vers vous ou les éviter. Écoutez vos sens! Ceux-ci vous avertiront du danger de l'emprise que possèdent ces personnes sur vous. Lorsque votre alarme intérieure sonnera, éloignez-vous immédiatement. Si vous ne pouvez pas vous en éloigner, prenez votre position et confrontez bravement la personne. Montrez-lui que vous êtes en contrôle et rapidement cette personne s'éloignera de vous.

De plus, soyez honnête envers vous-même et envers vos proches. Les mensonges de toutes sortes ne vous seront guère favorables. Plusieurs disputes pourront survenir à cause de paroles mensongères. Bref, n'étouffez pas trop vos proches et évitez les crises de jalousie, sinon ceux-ci s'éloigneront de vous.

ANGE ACCOMPAGNATEUR : l'Ange Nelchaël (21) vous donnera la force et le courage de confronter les vampires d'énergie et de vous en éloigner. De plus, sa Lumière éliminera en vous vos sentiments négatifs.

✦ ANGE EYAËL ✦
(du 20 au 24 février)

Les enfants d'Eyaël seront heureux et en harmonie avec tout ce qui se produira dans leur vie. Tous les changements qu'ils feront seront à la hauteur de leurs attentes et ils leur procureront de belles joies. Toutes les décisions qu'ils prendront leur apporteront un bel équilibre. Ces êtres ne voudront plus vivre dans les problèmes, et c'est la raison pour laquelle ils feront tout en leur pouvoir pour les régler lorsqu'ils surviendront. L'année 2010 ne les a pas épargnés sur le plan des émotions. Ils ont vécu plusieurs situations problématiques. Toutefois, ces êtres ont décidé de prendre leur vie en main et de foncer vers les solutions. Leur grand désir de retrouver la paix, la joie et l'harmonie les amènera à régler tout ce qui entravera ce désir. Gare aux personnes négatives et aux personnes à problèmes. Vous ne ferez pas partie du clan des enfants d'Eyaël cette année. Ces derniers ne se gêneront pas pour dire aux personnes négatives de changer leur attitude, sinon ils ne perdront pas leur temps avec eux. Bref, vous prêcherez l'amour et vous vous attendrez à ce que votre entourage en fasse autant. En 2011, la joie, la paix, l'équilibre et l'amour seront dans l'air. Vous serez heureux et comblé par plusieurs événements qui se produiront au courant de l'année. Vous refléterez le bonheur et vous le savourerez à fond! Certains feront un déménagement qui leur apportera de belles joies et une belle satisfaction.

ANGE ACCOMPAGNATEUR : l'Ange Yerathel (27) vous éloignera de tous ceux qui chercheront à vous nuire. Sa Lumière vous apportera de la paix, de la joie et de l'harmonie.

✦ ANGE HABUHIAH ✦
(du 25 au 29 février)

Plusieurs situations viendront faire palpiter de joie le cœur des enfants d'Habuhiah. La plupart de ces êtres seront en harmonie avec tout ce qui se produira dans leur vie. Toutefois, ils vivront souvent des situations où ils devront faire des choix. Que ce soit sur le plan affectif, professionnel, financier ou autre, il y aura toujours un choix à faire. Parfois, vous hésiterez devant les choix qui se présenteront à vous car ils seront de taille. C'est pourquoi il ne sera pas facile de décider. Autant l'un comme l'autre vous sera favorable. Mais lequel sera le mieux? Il vous faudra donc choisir selon ce qui vous aidera le plus dans le moment présent. Le reste s'ensuivra. N'oubliez pas : tout vous sera acquis, tout vous sera favorable! Il vous suffira seulement d'être à l'écoute de ce que vous voulez. Malgré tout, vous serez tout de même en harmonie avec les choix que vous ferez. Tout ce qui vous arrivera en 2011 sera là pour améliorer votre vie. Il n'en tiendra qu'à vous de l'accepter ou non. Bref, plusieurs de vos problèmes se régleront, ce qui vous libérera et vous enlèvera un poids sur les épaules.

Conseil angélique : Surveillez les tentations de toutes sortes. Réfléchissez aux conséquences avant d'agir!

ANGE ACCOMPAGNATEUR : l'Ange Haaiah (26) vous guidera vers les meilleures solutions pour régler rapidement vos problèmes. De plus, il vous donnera le don de la parole pour bien défendre vos points de vue.

✦ ANGE ROCHEL ✦
(du 1ᵉʳ au 5 mars)

Le monde sera à vos pieds. Les portes du bonheur et de l'abondance s'ouvriront à vous. Attendez-vous à vivre une période de triomphe, de succès et d'honneur, et ce, dans plusieurs domaines. Tout vous sera acquis. Vous aurez le privilège de voir les fruits des efforts que vous avez entrepris en 2010. Vous serez en mesure d'atteindre tous les buts que vous vous êtes fixés. Les mots « victoire » et « succès » vous suivront tout au long de l'année

2011. Tout ce que vous déciderez aura un impact favorable sur votre vie. De plus, si vous désirez entreprendre quelque chose de nouveau, vous aurez l'appui de votre entourage. Plusieurs changeront leur style et ils en seront très fiers. D'ailleurs, il y aura plusieurs occasions où vous serez animé par un sentiment de fierté. Vous serez fier de vous et de vos décisions. Votre grande détermination à prendre votre vie en main vous rapportera que du succès. De plus, vous obtiendrez que de bons résultats, ce qui vous encouragera à continuer dans la même direction.

Vous serez inébranlable face aux gens et aux situations qui essaieront de vous déstabiliser. Cette attitude éloignera de vous les vampires d'énergies puisque ceux-ci sauront rapidement qu'ils ne peuvent venir envahir votre terrain. En 2010, vous avez peut-être été une proie facile, mais en 2011, tout cela changera. Ceux qui essaieront de vous détruire seront surpris par votre attitude et vous n'aurez aucun problème à les chasser de votre vie. Plusieurs recevront de belles récompenses. Un travail sera reconnu avec succès. Attendez-vous à vivre des changements en votre faveur. Il y aura des promotions, des honneurs, etc. De plus, sur le plan financier, une remontée vous allégera. Toutefois, cela ne veut pas dire de tout dépenser. Soyez tout de même vigilant avec votre argent. Conservez votre argent pour l'achat d'une propriété ou d'une maison d'été. Plusieurs changeront de demeure ou ils feront des rénovations majeures dans leur maison. Bref, certains penseront à faire construire leur maison de rêve. D'autres obtiendront leur maison de rêve. Une année féerique pour vous. Profitez-en!

ANGE ACCOMPAGNATEUR : l'Ange Rehaël (39) bénira, dès le 1ᵉʳ janvier, votre année pour que celle-ci soit prospère, joyeuse et remplie de moments magiques.

✦ ANGE JABAMIAH ✦
(du 6 au 10 mars)

Les enfants de Jabamiah vivront des périodes tendues. Plusieurs vivront une période difficile sur le plan financier. Certains chercheront à consolider leurs dettes. D'autres voudront emprunter une somme d'argent. Toutefois, certains essuieront un refus de la banque. Ceci les découragera et ils perdront confiance en la vie.

Il est évident que ces êtres auront des choix à faire et des décisions importantes à prendre. Ce ne sera pas toujours des choix faciles. Plusieurs devront analyser profondément les avantages et les inconvénients avant de prendre les décisions finales. Le seul problème quant aux décisions que vous prendrez, c'est que vous aurez de la difficulté à laisser aller votre ancienne routine et certains de vos biens pour faire place à du nouveau. Si vous aviez la possibilité de faire un travail plus valorisant et payant, préféreriez-vous demeurer dans la même situation ou opteriez-vous pour un changement? Il en sera de même pour votre demeure. Préféreriez-vous demeurer dans une maison où tout coûte cher ou opteriez-vous pour une maison aussi confortable qui vous permettra de mieux respirer financièrement? Telles seront les questions auxquelles vous devrez répondre en 2011. Il est évident que la réussite de votre année 2011 repose entièrement sur vos épaules. Cependant, si vous analysez bien vos choix, vous ne serez pas déçu de ce que vous choisirez. Bref, lorsqu'une décision sera prise, une amélioration de votre situation s'ensuivra.

> ***Conseil angélique :*** *Lors de moments de tension et d'incertitude, prenez du recul et tentez d'écouter votre voix intérieure plutôt que l'avis des autres. Ainsi, vous éviterez de faire des choix que vous pourriez regretter par la suite.*

ANGE ACCOMPAGNATEUR : l'Ange Nith-Haiah (25) vous aidera à trouver de bonnes solutions. Lorsque tout semble s'écrouler autour de vous et que vous ne saurez plus où donner de la tête, priez Nith-Haiah.

✦ ANGE HAIAIEL ✦
(du 11 au 15 mars)

Les enfants d'Haiaiel seront de vraies bombes d'énergie. Ils auront mille et une idées en tête et ils chercheront à toutes les réussir. Ils ne seront pas de tout repos, car ils bougeront continuellement. Rien ne les arrêtera. Plusieurs retourneront aux études pour mieux se perfectionner. D'autres étudieront des techniques pour mieux mettre sur pied un projet ou une idée. Ne soyez pas surpris d'être souvent au téléphone ou de naviguer sur Internet pour obtenir des informations qui vous aideront à prendre vos décisions, à mettre sur pied vos projets et vos idées ou à mieux analyser une situation. Vous serez de vrais investigateurs qui partent à la recherche de réponses. Sachant que ces réponses auront parfois des impacts importants dans votre prise de décisions, chaque moment sera précieux pour vous. Vous vivrez avec une envie forte de réussir vos plans. Telle sera votre force en 2011 : votre grande détermination. Elle vous conduira vers le chemin de la satisfaction. Plusieurs projets seront réussis. Cela aura un impact positif sur votre estime de soi. Vous serez très fier de tout ce que vous accomplirez. Toutefois, il ne faudra pas trop négliger votre vie amoureuse et votre famille. Cela pourrait provoquer des guerres inutiles avec votre partenaire. Vous n'aurez ni le goût, ni la patience d'être en guerre. Alors, lorsque votre partenaire réclamera votre présence, passez du temps en sa compagnie. Si vous ne le faites pas, ne soyez pas surpris que votre partenaire vous lance un ultimatum avant que l'année se termine.

Vous vous êtes fait la promesse que l'année 2011 ne sera pas comme votre année 2010, et vous tiendrez parole. Vous ne laisserez rien en suspens. Vous avancerez et vous produirez. En 2011, vous concrétiserez les buts et les projets que vous vous êtes fixés. Tout vous sera acquis pour le faire. Plusieurs feront des changements importants qui auront un impact majeur dans leur vie.

ANGE ACCOMPAGNATEUR : l'Ange Chavakhiah (35) protégera votre noyau familial. Sa Lumière vous aidera à maintenir l'harmonie sous votre toit.

✦ ANGE MUMIAH ✦
(du 16 au 20 mars)

Les enfants de Mumiah devront tourner la page du passé. Plusieurs souffriront de certains événements qui se sont produits en 2010. Ces souffrances vous épuiseront et elles vous empêcheront d'avancer et de savourer les moments agréables qui se présenteront sur votre route. D'autres se sacrifieront pour le bien d'un proche. Il est évident que si vous voulez retrouver votre harmonie, il faudra vous prendre en mains et faire les changements qui s'imposent. Si vous jouez trop à la victime, votre corps physique et votre mental en souffriront énormément, ce qui entraînera une dépression. Si vous y voyez rapidement, il vous sera plus facile de trouver la bonne solution. Ainsi, votre confiance reviendra et vous serez en mesure de surmonter toutes vos épreuves. Une belle fierté s'ensuivra. Bref, il est évident que la réussite de votre année 2011 repose entièrement sur vos épaules. Cependant, si vous analysez bien vos choix, vous ne serez pas déçu de ce que vous choisirez. Ainsi, il vous sera plus facile de retrouver la paix, la sérénité, la joie et l'harmonie sous votre toit.

ANGE ACCOMPAGNATEUR : l'Ange Seheiah (28) vous aidera à prendre bien soin de votre santé.

Chapitre XXVII

Les Anges au fil des saisons

Saison hivernale
(janvier-février-mars)

« Si vous voulez obtenir le succès, alors travaillez-le! »
(Paroles de l'Ange Yehuiah)

C'est une année qui démarrera lentement, mais sûrement. Le mois de janvier sera tranquille. Plusieurs réfléchiront à ce qu'ils désirent accomplir en cette nouvelle année. Comme vous êtes du genre lent, indécis et rêveur, il vous faudra un peu plus de temps à démarrer votre nouvelle année. Toutefois, de bons amis vous donneront votre poussée d'envol pour aller de l'avant et pour atteindre les buts que vous vous êtes fixés. Dès le 1er février 2011, plusieurs belles opportunités pour améliorer votre vie s'offriront à vous. Cela vous permettra de mettre sur pied plusieurs de vos projets et de les réussir. De plus, les portes de l'abondance, de la réussite et de la détermination s'ouvriront à vous. Bref, vous serez animé par la joie de vivre et le plaisir de réussir votre vie et vos buts.

En janvier, plusieurs éclairciront des malentendus qui se sont produits en 2010. Vous réglez le tout et vous repartez du bon pied. En février, il y aura de une à quatre bonnes nouvelles qui feront palpiter votre cœur de joie. De plus, votre mois de février sera un mois de chance. Il faudra en profiter pour jouer à la loterie. Du 1er février au 14 mars, plusieurs vivront des change-ments importants qui marqueront favorablement leur année 2011.

Tous les enfants des Anges profiteront de leur période hivernale pour débuter de nouveaux projets. La plupart réussiront tout ce qu'ils entre-prendront. Toutefois, les enfants de **Damabiah**, d'**Eyaël**, d'**Habuhiah**, de **Rochel** et d'**Haiaiel** seront choyés par les événements. Ces êtres obtiendront plus que ce qu'ils avaient espéré.

Sur le plan affectif

Plusieurs feront une place au bonheur. Après avoir vécu une période d'attente et avoir espéré que leur relation s'améliore, certains seront comblés puisque leur souhait se réalisera. L'amour renaîtra et plusieurs réaliseront qu'ils sont bien avec la personne qui partage leur vie. De plus, le parte-naire réalisera aussi que vous occupez une place importante dans son cœur et dans sa vie. À la suite d'une profonde discussion, vous et votre partenaire déciderez de partir du bon pied. Vous vous consacrerez du temps ensemble pour faire des activités. Ceci vous rapprochera et rallumera la flamme de la passion. Les couples en difficulté trouveront une solution pour que chacun puisse retrouver leur harmonie.

Certains enfants de **Damabiah**, de **Manakel**, de **Jabamiah** et de **Mumiah** se mettront à genoux et supplieront leur partenaire de rester ou de changer son attitude. Certains verseront des larmes. Toutefois, ces êtres feront tout en leur pouvoir pour améliorer leur vie de couple et éviter la séparation.

Un beau bonheur est réservé aux enfants d'**Eyaël** et de **Rochel**. Ces êtres s'aiment et ils se le démontreront bien. Il y aura de l'amour dans l'air. Cela se verra et se ressentira. Vous rayonnerez de bonheur. Votre partenaire vous démontrera son amour par toutes sortes de petites attentions qui fera pal-piter votre cœur de passion et de désir. De plus, de belles sorties viendront agrémenter le tout.

Les enfants d'**Habuhiah** et d'**Haiaiel** travailleront très fort pour charmer leur partenaire et ils réussiront bien. Attendez-vous à faire de belles sorties avec votre partenaire. Certaines de ces sorties seront dispendieuses, mais elles en vaudront la peine puisque votre partenaire les appréciera. Il sera heureux et amoureux. Et vous, vous serez au septième ciel de voir votre partenaire si heureux et amoureux!

Pour les célibataires

Certains pourraient rencontrer leur partenaire idéal et développer cette relation jusqu'à une union heureuse. Les mois de février et mars seront des mois magiques pour faire la rencontre de votre perle rare. Les Anges vous réservent un cadeau pour votre anniversaire de naissance. Tous les célibataires Anges auront la chance de rencontrer leur partenaire idéal. Toutefois, les enfants d'**Eyaël**, d'**Habuhiah** et de **Rochel** seront plus sujets à trouver leur perle rare.

Sur le plan du travail

Plusieurs feront la rencontre d'une personne importante qui jouera un rôle crucial dans l'accomplissement d'un désir professionnel. Plusieurs retrouveront leur équilibre alors que d'autres obtiendront un poste rêvé. Les associations seront fructueuses. Les entrevues porteront fruits. Des contrats seront prolongés et des ententes seront signées. Plusieurs recevront une augmentation de salaire tandis que certains auront la chance de changer de carrière ou d'emploi. Les personnes en affaires verront leur chiffre d'affaires s'améliorer. Que de belles réussites vous attendent ! Ceux qui auront des problèmes ne doivent pas s'inquiéter car il y aura des solutions pour sortir du pétrin.

La chance croisera la route des enfants de **Damabiah**, d'**Eyaël**, d'**Habuhiah** et de **Rochel**. Ceux-ci obtiendront des faveurs de personnes influentes qui les aideront à obtenir un poste désiré. De plus, certains se verront offrir une belle promotion ou une augmentation de salaire. Tout leur sera acquis. Ces êtres se trouveront au bon endroit, au bon moment.

Les enfants de **Manakel**, de **Jabamiah** et de **Mumiah** seront épuisés par leur travail. Ils seront tellement débordés qu'ils ne sauront plus où donner de la tête. Ces êtres réaliseront que certaines de leurs tâches les étouffent et les accaparent. Toutefois, une aide précieuse viendra alléger leurs tâches. De plus, une réunion aura lieu durant laquelle il vous sera permis de donner votre point de vue. Des changements s'opéreront et amélioreront la qualité de votre travail. Toutefois, certains préféreront quitter leur emploi et se diriger vers de nouvelles avenues.

Certains enfants d'**Haiaiel** seront débordés au travail. Certains apprendront une nouvelle technique pour mieux se perfectionner, d'autres débuteront un nouveau travail et ils s'appliqueront pour bien le réussir. Bref, ces êtres retrouveront un bel équilibre après avoir travailler durement.

Sur le plan de la santé

La santé sera bonne. Toutefois, certains devront consulter le médecin pour des douleurs musculaires ou une douleur à la poitrine. Certains souffriront d'anxiété. Un médicament sera prescrit et apportera les effets escomptés. Ceux qui sont déjà malades devront passer des examens plus approfondis pour connaître l'origine de leurs maux.

Conseil angélique : Ceux qui font de l'embonpoint devront y voir plus sérieusement. Il y a risque de problème de santé à cause de votre surplus de poids. Voyez-y avant qu'il ne soit trop tard.

Chez les enfants de **Damabiah** et d'**Haiaiel**, la santé sera bonne. Toutefois, certains devront prendre un médicament pour soulager une douleur quelconque. De plus, surveillez les virus car vous risquez de vous faire contaminer!

Les enfants de **Manakel**, de **Jabamiah** et de **Mumiah** devront redoubler de prudence avec leur santé. Pour ces êtres, il serait sage de respecter la limite de leur capacité, sinon, ils souffriront de surmenage, d'anxiété, d'insomnie et de dépression. De plus, certains auront des ennuis avec les intestins ou les organes génitaux. Les personnes qui auront négligé leur santé ne seront pas enchantées d'un diagnostic médical. Si vous voulez retrouver le chemin de la santé, suivez les conseils de votre médecin.

La plupart des enfants d'**Eyaël**, d'**Habuhiah** et de **Rochel** seront en pleine forme. Toutefois, certains prendront un médicament pour soulager des brûlements d'estomac alors que d'autres se plaindront de problèmes aux hémorroïdes. Plusieurs décideront de suivre un régime pour soulager toutes sortes de petits problèmes qu'ils ont à cause de l'embonpoint.

Sur le plan de la chance

Votre chance sera moyenne. N'oubliez pas que le mois de février est un mois de chance pour vous. Alors profitez-en pour jouez à la loterie. Les enfants de **Damabiah**, de **Manakel**, de **Rochel** et d'**Haiaiel** seront les plus chanceux! De belles surprises vous seront réservées. Certains pourraient gagner une belle somme d'argent.

Voici quelques événements qui pourraient survenir au cours de la période hivernale.

- Les portes de l'abondance s'ouvriront pour vous. Vous vivrez des moments féeriques et magiques grâce aux Anges. Deux de vos souhaits se réaliseront et vous combleront de joie.

- On sollicitera votre aide. De plus, vous pourriez aussi faire quelques heures de bénévolat.

- Vous, ou un proche, consulterez un médecin. Plusieurs examens seront faits. Toutefois, vous serez entre bonnes mains. Ce médecin vous conduira sur le chemin de la santé très rapidement. Il faudra cependant suivre ses conseils à la lettre.

- Il y aura quatre événements qui surviendront pour que vous puissiez éclaircir certains malentendus. Vous serez satisfait des résultats que cela engendra.

- Une personne atteinte d'un cancer recouvrera la santé.

- Une femme de votre entourage subira l'hystérectomie. Une autre vous parlera d'une opération esthétique.

- Vous, ou un proche, éprouverez quelques ennuis avec le cœur ou souffrirez d'angoisse.

- Deux contrats à signer : l'un de ces contrats vous apportera une belle somme d'argent.

- Votre patience sera récompensée. Une bonne nouvelle vous fera sauter de joie.

- Certains assisteront à une pièce de théâtre, tandis que d'autres iront voir un artiste sur scène. Attendez-vous à assister à plusieurs divertissements agréables en compagnie de gens que vous aimez.

- Les célibataires auront le privilège de rencontrer leur partenaire idéal. Une belle histoire d'amour débutera.

- Plusieurs vivront des changements bénéfiques au sein de leur relation amoureuse.

- Plusieurs vivront une période favorable sur le plan des finances. Certains auront une augmentation de salaire, alors que d'autres recevront une somme d'argent par l'entremise d'une assurance, d'une loterie, d'une vente ou du gouvernement.

- Une situation surviendra et vous amènera à changer votre point de vue.

- Certains planifieront un voyage. Ils seront satisfaits de ce voyage, surtout s'il se fait en février ou mars.

- Un projet sera réussi et couronné de succès.

- On fêtera votre anniversaire de naissance. Attendez-vous à de belles surprises venant de vos proches.

- Plusieurs feront des activités hivernales. Ceux qui adorent le ski iront se balader sur de belles montagnes.

- Plusieurs parleront de construction ou de rénovation. Une décision se prendra vers la fin de mars. Ceux qui feront construire leur maison seront satisfaits de leur construction. Il en est de même pour ceux qui rénoveront leur maison. De plus, certains recevront de l'aide pour rénover une pièce de leur maison.

- Vous ferez la rencontre de une à quatre personnes importantes qui joueront un rôle crucial sur certains aspects de votre vie.

- Un proche aura des démêlés avec la justice; ne vous en mêlez pas!

- Le mot « victoire » sera souvent prononcé, et ce, à votre grande fierté.

- On vous annoncera deux grossesses et un mariage qui vous feront plaisir. Bref, vous aurez le privilège d'assister à un mariage féerique.

- Certains apprendront une nouvelle technique pour se perfectionner. Un diplôme sera obtenu et un changement de travail surviendra par la suite.

- Il y aura de nombreuses possibilités sur votre chemin pour réussir vos projets et vos idées.

- Vous, ou un proche, vous blesserez à l'épaule. Surveillez les activités physiques, surtout ceux qui feront de l'haltérophilie.

- Plusieurs recevront des mots et des gestes remplis d'amour.

- Certains travailleront des heures supplémentaires pour pouvoir prendre un congé pour des vacances imprévues.

- Une rencontre vous sera bénéfique. Cette personne jouera un rôle important dans votre vie. Elle vous aidera à réaliser l'un de vos rêves.

- Un proche subira une intervention chirurgicale qui sera bien réussie.

- Plusieurs vivront des changements de toutes sortes qui amélioreront leur vie. Ces changements apporteront un bel équilibre et une belle joie de vivre.

- Faites attention aux beaux parleurs et aux charmeurs. Ces êtres vous veulent que pour une nuit et non pour la vie!

- Un artiste recevra un bel honneur et une belle récompense pour son travail.

- Une personne s'agenouillera devant vous et vous demandera pardon pour toutes les peines qu'elle vous a causées. Cette personne sera sincère. Ce sera à vous de décider.

- Plusieurs d'entre vous bâtirez, créerez et réaliserez des projets qu'ils avaient en tête. Vous serez fier de vous par la suite. Enfin, vous aurez eu le courage de vous prendre en main et d'aller de l'avant. Plusieurs jalouseront votre détermination et votre réussite. Toutefois, vous ne serez pas préoccupé par l'attitude de ces gens. Vous serez tout simplement en extase devant tout ce que vous aurez accompli. Cela haussera votre estime personnelle. Ne vous inquiétez pas, vous ne deviendrez pas vantard. Au contraire, vous resterez vous-même, avec un sentiment de satisfaction, celle d'avoir accompli un projet et de l'avoir réussi.

- Certains seront victimes d'abus verbal et sexuel. Des poursuites seront entamées pour que le tout cesse.

- Vous, ou un proche, devrez faire un choix en ce qui concerne la vie amoureuse. Ce choix ne sera pas facile. Toutefois, ce sera un choix nécessaire si vous voulez retrouver l'harmonie.

- Une personne en état d'ébriété au volant se fera arrêter par la police et verra son permis de conduire être suspendu.

Saison printanière
(avril-mai-juin)

« Priez-moi et j'illuminerai votre vie
et je la remplirai d'amour et d'harmonie. »

(Paroles de l'Ange Yélahiah)

Il y aura de bons et de mauvais moments durant votre saison printanière. La période du 4 au 13 avril sera la plus difficile. Tout pourra vous arriver lors de cette période. Il faudra surveiller les vampires d'énergies, les personnes négatives et les personnes jalouses. Éloignez-vous de ces personnes puisqu'elles n'ont rien de bon à vous offrir. Ne soyez pas surpris de voir des gens jalouser votre talent ou votre réussite. N'écoutez pas leurs paroles, ni leurs conseils. Ils essaieront de vous blesser et de perturber votre quotidien. Si vous jouez l'indifférent, vous gagnerez sur eux. Toutefois, si vous vous laissez emporter par les émotions, ils gagneront sur vous. Maintenant que vous êtes avertis, quelle attitude allez-vous prendre? De toute façon, gardez espoir que tout peut se régler et que tout peut s'arranger. Il y aura toujours une porte de sortie ou une aide imprévue qui viendra vers vous au moment où vous vous y attendez le moins.

Certains auront des épreuves à surmonter en mai. Vous allez tout faire pour obtenir les réponses à vos questions. Vous voudrez trouver une réponse à tout ce qui vous dérange. Bref, vous éclaircirez des malentendus et vous parviendrez à faire la lumière sur plusieurs situations qui étaient en suspens. À la suite de cet événement, plusieurs préféreront tourner la page du passé pour débuter une nouvelle vie. Des larmes seront versées. Du chagrin, vous en aurez. Plusieurs devront orienter leur vie différemment. Ce ne sera pas facile. Toutefois, vous serez soulagé d'avoir mis fin à des situations qui pesaient sur vos épaules. Il serait sage de prendre une journée à la fois. De toute façon, grâce à votre ténacité, vous parviendrez à régler vos problèmes et à retrouver votre équilibre et cela se fera ressentir en juin. De belles récompenses viendront vers vous ainsi que de belles satisfactions. De plus, l'un de vos souhaits se concrétisera à votre grande joie.

Ceux qui seront plus marqués par la période printanière seront les enfants de **Manakel**, de **Jabamiah** et de **Mumiah**. Il serait important pour ces êtres de prendre une journée à la fois. De plus, n'hésitez pas à demander de l'aide si votre situation est trop pénible à supporter émotionnellement.

Sur le plan affectif

Ce sera une période d'inquiétude et de déception. Plusieurs seront déçus de l'attitude de leur partenaire. Vous chercherez à comprendre les raisons qui occasionnent une période de détachement avec celui-ci. Vous avez besoin de réponses. Toutefois, votre partenaire ne répond pas à l'appel. De plus, vous chercherez à établir des dialogues mais votre partenaire ne semble pas préoccupé par la situation. Certains partenaires resteront indifférents à votre sentiment d'inquiétude. Ils vous accuseront d'être l'élément déclencheur de certaines situations. Bref, il y aura des discussions parfois orageuses durant lesquelles des paroles blessantes seront prononcées. De plus, il faudra surveiller le sentiment de jalousie. Ce sentiment pourrait provoquer des querelles inutiles avec votre partenaire. Si le couple parvient à surmonter cette épreuve, ils passeront un magnifique été. Sinon, avant que l'année ne se termine, certains auront quitté leur partenaire.

Les enfants de **Damabiah** et d'**Haiaiel** supplieront leur partenaire de rester. Ces êtres trouveront leur relation amoureuse difficile. Plusieurs seront épuisés par les événements et par l'attitude froide du partenaire. Bref, certains iront chercher de l'aide pour surmonter leurs épreuves. Toutefois, à la suite d'une bonne conversation avec votre partenaire, un changement se fera et tout redeviendra à la normale, et ce, à la satisfaction des deux conjoints. Par contre, il y en aura qui préféreront quitter le partenaire et recommencer une vie meilleure ailleurs.

Les enfants de **Manakel**, de **Jabamiah** et de **Mumiah** se sentiront manipulés et trompés par le partenaire. Aussitôt que vous essayerez de lui en parler, celui-ci fera la sourde oreille. De plus, il ne voudra rien faire pour régler le problème. Bref, il rejettera le blâme sur vous, ce qui vous exaspèrera. Il est évident que son attitude fera exploser vos émotions. À la suite d'une discussion intense, vous mettrez votre partenaire au pied du mur. Vous lui lancerez un ultimatum. Si celui-ci ne change pas dans le temps exigé, vous ferez les changements nécessaires pour retrouver votre équilibre et une qualité de vie.

Tout ira à merveille pour les enfants d'**Eyaël**, d'**Habuhiah** et de **Rochel**. Ils seront heureux et joyeux. Plusieurs trouveront toutes sortes de solutions pour conserver l'harmonie sous leur toit. Ils se réserveront du temps pour dialoguer et pour faire des activités. Ils seront aussi conscients qu'ils ne doivent pas négliger leur union, sinon leur moral en prendra un coup et tout ira mal par la suite. De plus, ils réaliseront aussi qu'ils ont besoin de l'un comme de l'autre pour réaliser leurs rêves et pour être heureux. Ces êtres se rapprocheront et formeront un couple uni et heureux. Toutefois, ceux qui éprouveront de la difficulté parviendront à trouver une bonne solution pour que tout aille mieux.

Pour les célibataires

Tellement de situations vous préoccuperont que vous ne serez pas dans une bonne énergie pour faire des rencontres. Toutefois, le mois de juin vous réservera une belle surprise. On vous présentera une personne qui fera palpiter votre cœur. D'ailleurs, cette personne aussi éprouvera le même sentiment envers vous.

Sur le plan du travail

Ce sera une période ambivalente. Il y aura de bons moments comme des moments difficiles. Ce que vous trouverez plus difficile, c'est l'ambiance au travail. Les gens seront impatients, arrogants et exigeants. Certains collègues jalouseront le travail des autres. D'autres vivront un conflit avec un collègue de travail. De plus, plusieurs devront accomplir une tâche qu'ils n'aiment pas. Lorsque vous réclamerez de l'aide, personne ne s'offrira pour vous aider. Il est évident que vous serez découragé par la situation. De toute façon, à la suite d'une situation dramatique, une personne importante prendra les choses en mains et règlera immédiatement le problème pour que la paix revienne. Certains en garderont des séquelles et de l'amertume. Toutefois, le temps effacera ces émotions négatives.

Conseil angélique : *Essayez de ne pas vous mêler des affaires des autres. De plus, si vous avez un problème avec un collègue, voyez-y immédiatement. Ainsi, vous éviterez toutes sortes d'ennui.*

Il y aura du changement favorisant les enfants de **Damabiah**, d'**Eyaël**, d'**Habuhiah** et de **Rochel**. On sollicitera leur aide et on appréciera la qualité de leur travail, ce qui leur vaudra les éloges de leurs supérieurs. Par la suite, de belles opportunités s'offriront à eux pour améliorer leur vie professionnelle. Certains se verront offrir un poste rêvé.

Les enfants de **Manakel**, de **Jabamiah** et de **Mumiah** se sentiront étouffés et manipulés par certaines personnes jalouses et par certaines situations. Vous n'aurez pas le choix d'y voir rapidement avant que la situation s'envenime. Vous devrez peut-être consulter un supérieur et lui parler ouvertement de ce que vous vivrez depuis quelques temps. Ce ne sera pas facile de vider votre sac et de faire des révélations chocs. Mais vous n'aurez pas le choix, sinon cela risquera de se tourner contre vous. De toute façon, une personne étrangère à votre problème viendra vous prêter main forte. Cette personne détiendra de bons arguments qui vous permettront de reprendre possession de votre pouvoir et de vos droits.

Les enfants d'**Haiaiel** s'appliqueront à faire leur travail et ils ne se mêleront pas de ce qui ne les regarde pas. Ils seront en contrôle de toutes les situations qui se présenteront à eux. Rien ne viendra les déstabiliser. De plus, certains auront le privilège de recevoir une belle récompense ou une belle promotion.

Sur le plan de la santé

Généralement, la santé sera bonne. Toutefois, il faudra surveiller les excès. Plusieurs souffrirons de maux d'estomac et d'autres se plaindront de fatigue et de maux de toutes sortes.

Conseil angélique : *Il serait sage de surveiller votre alimentation et de vous reposer lorsque le corps le réclame.*

Pour la plupart des enfants de **Damabiah** et d'**Haiaiel**, la santé sera bonne. Certains prendront des vitamines pour rehausser leurs énergies. Toutefois, certains se plaindront d'un mal de genou ou d'un mal physique. Certains prendront un médicament pour soulager leur douleur.

Certains enfants de **Manakel**, de **Jabamiah** et de **Mumiah** recevront un diagnostic qui les dérangera. Il serait sage pour eux d'écouter les conseils de leur médecin. Celui-ci saura exactement ce qu'il vous faudra pour retrouver le chemin de la santé. D'autres auront des problèmes avec la vessie ou les organes génitaux. De plus, certains hommes devront passer un examen en ce qui concerne la prostate. Bref, si vous négligez votre santé, vous le regretterez par la suite. Il sera important de prendre soin de vous et d'écouter sagement les conseils de votre médecin.

Pour la plupart des enfants d'**Eyaël**, d'**Habuhiah** et de **Rochel**, la santé sera bonne. Un régime et un changement dans leur alimentation les aideront à retrouver la forme. Certains peuvent même débuter une activité physique. L'énergie sera à la hausse. Toutefois, à l'occasion, certains se plaindront de maux physiques reliés à la fatigue, à la faiblesse d'un membre ou à cause d'une nouvelle activité physique.

Sur le plan de la chance

Votre chance sera minime. Ne dépensez pas trop votre argent dans les loteries de toutes sortes.

Voici quelques événements qui pourraient survenir au cours de la période printanière.

- Certains amélioreront leur personnalité, soit en subissant une chirurgie esthétique, soit en perdant du poids.

- Une personne déploiera son amertume sur vous. Vous serez son bouc émissaire. Toutefois, cette personne viendra s'excuser par la suite de son comportement.

- Plusieurs vivront une période difficile au niveau du travail.

- Une femme malade recevra une bonne nouvelle en ce qui concerne son problème de santé.

- Quatre événements vous obligeront à faire quatre petits cadeaux. De plus, vous serez invité à assister à la fête d'un enfant.

- Il faudra surveiller la jalousie. Ce sentiment ne vous apportera rien de bon. De plus, il faut surveiller les personnes qui vous jalousent. Éloignez-vous d'elles.

- Plusieurs auront le privilège de rencontrer de bonnes personnes. Il y aura au moins de une à quatre nouvelles connaissances qui entreront dans votre vie. De belles amitiés naîtront. L'une de ces nouvelles connaissances deviendra votre Ange gardien, tellement cette personne prendra soin de vous. Elle pourrait aussi devenir votre grand amour!

- Tous ceux qui ont mis leur maison sur le marché de la vente se verront offrir une offre raisonnable pour leur propriété. Une transaction aura lieu à votre grande satisfaction.

- Certains se plaindront de maux d'estomac. Vous aurez des reflux gastriques. Certains devront prendre un médicament pour soulager ces reflux.

- Une personne qui fume beaucoup recevra un diagnostic inquiétant au sujet de ses poumons. Le médecin l'obligera à cesser de fumer.

- Vous entendrez parler d'un à trois décès. L'un de ces décès vous surprendra.

- Vous, ou un proche, vous blesserez à la main, rien de grave cependant. Surveillez-vous lorsque vous ferez du ménage ou de la rénovation.

- Vous, ou un proche, verrez la fin de vos difficultés. Une solution arrivera au moment opportun et réglera le problème. Tout reprendra son cours normal. Vous en serez fier et satisfait.

- Certains arriveront à l'aboutissement d'un cycle de vie. Vous fermerez la porte du passé pour débuter une nouvelle vie sur une note plus favorable. Vous prendrez votre vie en mains et vous avancerez fièrement vers les buts que vous êtes fixés pour atteindre le bonheur et être heureux.

- Plusieurs célibataires rencontreront leur partenaire idéal. Un amour profond et véritable naîtra. Cette union se solidifiera soit par le mariage ou par l'achat d'une propriété. D'autres se réconcilieront avec le passé. Ce sera une renaissance. Vous réaliserez que vous éprouvrez encore des sentiments pour la personne du passé et vice versa. Vous ferez la promesse de travailler votre couple pour réussir à vivre ensemble. Vous serez satisfait de votre décision. Votre amour sauvera votre union et vous deviendrez un couple heureux et comblé.

- Un souhait se réalisera dans le domaine de l'amour ou professionnel.

- Vous, ou un proche, travaillerez très fort sur un projet. Toutefois, vous aurez le privilège de savourez les fruits de vos efforts. Une belle récompense vous parviendra.

- Certains reverront un ami d'enfance. De belles discussions en perspective! Attendez-vous à renouer votre amitié.

- De belles surprises arriveront pour certaines mamans lors de la fête des Mères. Certaines recevront un cadeau qui les surprendra. De plus, de belles paroles viendront réconforter votre cœur de maman.

- Vous, ou un proche, vivrez une période difficile sur le plan amoureux. Votre cœur balance entre deux personnes. Un choix s'impose même si ce choix est pénible à faire.

- Tous ceux qui feront un déménagement seront satisfaits de leur nouvelle résidence.

- Certains auront le privilège de voir un défunt. Ce défunt vous fera signe en vous envoyant des fleurs sur votre route. Ce sera ses fleurs préférées.

- Certains feront l'achat d'une piscine, d'un barbecue ou d'un patio, d'autres rénoveront leur cour. Certains voudront se faire un bassin d'eau et y mettre des poissons. Cet endroit deviendra rapidement un havre de paix.

- Certains parleront de faire l'achat d'une moto.

- Une personne en état d'ébriété au volant se fera arrêter par la police et verra son permis de conduire être suspendu.

- Un voyage sera retardé, mais il vous sera possible de le faire un peu plus tard dans l'année.

- Certains feront un grand ménage et une vente de garage pour se débarrasser de tous les articles qu'ils ne désirent plus conserver. L'argent amassé servira à rénover une pièce de la maison ou à soutenir un enfant dans une activité.

- Ceux qui travailleront trop recevront un ultimatum de la part de leur partenaire. Ces êtres devraient y voir avant que leur relation en soit affectée.

- Plusieurs auront la possibilité de faire un changement sur le plan professionnel.

- Il y aura au moins cinq bonnes nouvelles qui vous feront sauter de joie.

Saison estivale
(juillet-août-septembre)

« Rien de mieux que la caresse d'un animal qui vous aime »

(Paroles de l'Ange Reiyiel)

La saison estivale sera une période animée par toutes sortes d'événements agréables. Que de belles et bonnes choses surviendront lors de votre été. Vous serez resplendissant de bonheur. Jamais vous n'aurez passez un si bel été. Tout vous sera acquis. La porte de la Providence s'ouvre à vous et elle vous permettra de réaliser plusieurs de vos rêves. Attendez-vous à faire des sorties agréables en compagnie de ceux que vous aimez. Il y aura des sorties au théâtre, au cinéma, à des concerts, à des activités de plein air, etc. Ce sera un été actif et rempli de belles occasions pour vous amuser et pour faire de belles rencontres. Bref, vous serez illuminé par la joie de vivre. Vous refléterez le bonheur, et vos proches se colleront à vous. Votre joie de vivre les inspirera. Votre bonne humeur deviendra le remède à leurs maux.

Conseil angélique : *Profitez de toutes les belles occasions qui se présenteront à vous. D'ailleurs, vous les méritez!*

Vous adorerez votre mois de juillet. Il y aura plusieurs bonnes nouvelles qui viendront illuminer ce mois. Dame Chance sera au rendez-vous et vous en profiterez grandement. Tout ce que vous entreprendrez ou déciderez tournera en votre faveur. De plus, attendez-vous à faire plusieurs sorties. Vous serez invité à prendre part à des fêtes et à des activités. Certains iront faire du camping et des activités de plein air. D'autres visiteront des monuments historiques ou assisteront à des pièces de théâtre. Bref, votre mois de juillet sera un mois agréable, couronné de joies et de sourires. Vous êtes dans l'esprit des vacances et vous en profitez au maximum.

Le tout se poursuivra tout au long des mois d'août et septembre. Lors de ces deux mois, vous ferez de belles rencontres. Certains célibataires auront le privilège de rencontrer le grand amour de leur vie. De plus, n'oubliez pas que votre mois de septembre sera très chanceux. Il serait sage d'en profiter pour jouer à la loterie ou pour faire vos transactions. Du 5 au 19 septembre, il y aura plusieurs événements bénéfiques qui surviendront et qui amélioreront certains aspects de votre vie. De plus, vous recevrez une bonne nouvelle qui fera palpiter votre cœur de bonheur. Cette nouvelle vous fera sauter de joie!

Conseil angélique : *Jouez à la loterie. Certains risquent de gagner une belle somme d'argent.*

Sur le plan affectif

L'amour, le respect et l'harmonie seront au rendez-vous. Votre partenaire sera attentif à vos besoins et vous serez attentif aux siens. Vous vous aimerez et le démontrerez bien. Vous vous gâterez mutuellement en partageant toutes sortes de petites attentions. Vous serez comme deux adolescents lors de leurs premières rencontres. Plusieurs feront des sorties en amoureux qui aideront le couple à s'épanouir davantage. D'autres planifieront des sorties agréables en famille. Des rires et des joies fuseront de partout. Ce sera pour plusieurs un été inoubliable. Les familles reconstituées vivront des moments magiques qui solidifieront l'union et sécuriseront les enfants. Pour ce qui est des couples en détresse, une aide précieuse viendra vous aider à vous relever et à tourner la page. Cette aide vous aidera à apprécier les moments agréables que vous offre votre été.

Plusieurs enfants de **Damabiah**, de **Manakel** et d'**Haiaiel** débuteront un nouveau cycle de vie sur le plan des amours, un cycle plus serein et harmonieux. Cela ne veut pas dire qu'ils vont changer de partenaire. Au contraire, ces êtres changeront leur attitude et leur façon de penser ou de voir la vie amoureuse. Cette nouvelle perception sera bénéfique au niveau de la relation. De plus, ils réaliseront que les changements qu'ils ont apportés et qu'ils apportent toujours au niveau de leur relation augmentent les chances de survie de leur union. Plusieurs ont réglé les conflits et ont tourné la page sur certains événements. Le couple se prendra en mains et avancera fièrement vers un avenir plus prometteur. Grâce à cette nouvelle attitude, ces êtres passeront un magnifique été rempli de projets de toutes sortes qui les aideront à rallumer la flamme du désir, la flamme de la passion et la flamme de l'amour.

Les enfants d'**Eyaël**, d'**Habuhiah** et de **Rochel** refléteront le bonheur. Ils seront heureux et resplendissants. Plusieurs seront au comble du bonheur. Ils réaliseront qu'ils ont besoin de l'un comme de l'autre pour s'épanouir et être heureux. De plus, plusieurs événements viendront marquer favorablement leur vie. Certains solidifieront leur union par un mariage, d'autres par des fiançailles. Il y aura de l'amour dans l'air et cela se verra et se ressentira. Les couples s'aimeront et se feront la promesse de s'aimer éternellement. Que du bonheur pour ces êtres! Ceux qui vivront des moments difficiles seront en mesure de reconquérir leur amour. Tout leur est permis.

Les enfants de **Jabamiah** et de **Mumiah** verront leur partenaire sous un œil différent. Ils réaliseront l'importance de celui-ci dans leur vie. Cela changera leur perception de la relation. Il y aura un rapprochement qui soulagera l'un comme l'autre. Un voyage ou une sortie rallumera la flamme du désir. De belles discussions rendront le cœur heureux, joyeux et amoureux.

Pour les célibataires

Certains auront la chance de rencontrer le grand amour. Une union basée sur le respect, la loyauté et l'amour pourrait en découler. Cette personne vous ouvrira la porte de son cœur. Un grand bonheur vous attend avec cette personne. Il y a de fortes chances de faire cette rencontre lors d'une soirée agréable où il y aura de la musique ou près d'un feu de camp.

Les enfants d'**Eyaël**, d'**Habuhiah** et de **Rochel** seront plus sujets à faire cette merveilleuse rencontre qui transformera favorablement leur vie amoureuse.

Sur le plan du travail

Tout ira à merveille sur le plan du travail. Les travaux importants seront accomplis à temps afin de partir l'esprit en paix pour les vacances d'été. Plusieurs recevront de bonnes nouvelles. Votre situation sera idéale. Un contrat sera renouvelé. Une entrevue sera réussie. Un nouveau travail vous comblera. De plus, vous serez en pleine forme pour accomplir toutes vos tâches. Si vous aviez du retard, vous vous rattraperez facilement.

Conseil angélique : *Saisissez toutes les belles occasions qui se présenteront à vous pour améliorer votre statut professionnel.*

De belles promotions arriveront vers les enfants de **Damabiah**, d'**Eyaël** et de **Rochel**. Ces êtres vivront des changements qui amélioreront le travail. Que de belles satisfactions les attendent. Plusieurs signeront un contrat qui les satisfera.

Les enfants de **Manakel,** de **Jabamiah** et de **Mumiah** ne sauront plus où donner de la tête tellement il y aura du travail. Cette situation va les amener à se poser plusieurs questions au sujet du travail. Certains vont se demander s'ils doivent quitter leur emploi ou bien rester. Plusieurs questions viendront hanter leurs journées. Toutefois, une aide précieuse calmera leurs états d'âmes et tout rentrera rapidement dans l'ordre.

Les enfants d'**Habuhiah** et d'**Haiaiel** auront des choix à faire. Ce ne seront pas des choix faciles puisque toutes les propositions qui vous seront faites vous plairont.

Sur le plan de la santé

La santé sera excellente. Plusieurs prendront soin de leur santé, ce qui aura un effet bénéfique sur le mental et le physique. Certains surveilleront leur alimentation, d'autres feront des exercices physiques. Bref, vous ferez tout pour retrouver la forme.

> *Conseil angélique :* *Les personnes malades et les personnes négligentes devront redoubler de prudence. Un médicament vous sera prescrit par le médecin. Acceptez ce médicament puisqu'il aura un effet bénéfique sur votre santé.*

La santé sera excellente chez les enfants de **Damabiah**, d'**Eyaël**, d'**Habuhiah**, de **Rochel** et d'**Haiaiel**. Certains prendront un produit naturel ou des vitamines pour rehausser leurs énergies. D'autres surveilleront leur poids ou feront de l'exercice physique pour retrouver la forme. Toutefois, certains prendront un médicament pour soulager une migraine ou des douleurs physiques alors que d'autres auront des problèmes avec les allergies.

La santé sera bonne chez les enfants de **Manakel**. Toutefois, ces êtres devront surveiller les infections urinaires. Il serait important pour ces êtres de ne pas se promener pieds nus. Certains peuvent aussi se plaindre d'une douleur à l'épaule ou au dos.

Plusieurs enfants de **Jabamiah** et de **Mumiah** seront fatigués et en manque d'énergie. Il serait sage que vous preniez le temps de vous reposer lorsque vous en aurez la chance. De plus, respectez la limite de vos capacités et assurez-vous d'avoir huit heures de sommeil chaque nuit. Si vous prenez soin de vous, vous serez en pleine forme pour faire toutes les activités que vous aurez au programme.

Sur le plan de la chance

Votre chance sera inouïe. Les portes de l'abondance s'ouvriront à vous. Profitez-en pour jouer à la loterie, pour faire vos transactions et pour prendre vos décisions. Certains recevront une belle somme d'argent, soit par la loterie, par un procès gagné, par une augmentation de salaire, par un héritage ou par la vente d'une propriété. De plus, puisque vous aurez la main chanceuse, choisissez vous-même vos billets.

Conseil angélique : *Profitez de votre été. Pensez à vous et gâtez-vous. Tout ce qui vous arrive ne sera pas coutume, alors, profitez-en au maximum!*

Voici quelques événements qui pourraient survenir au cours de la période estivale.

- Le monde sera à vos pieds. Jamais vous n'aurez vécu des moments extraordinaires comme ceux-là. Ce sera des moments inoubliables.

- Vous, ou un proche, fêterez un bel événement. Un honneur ou un mérite sera accordé et apportera joie et fierté.

- Plusieurs prendront leur vie en mains et ils avanceront fièrement vers des buts qu'ils se sont fixés. De belles réussites les attendent.

- Vous, ou un proche, reconstituerez votre famille. Un beau bonheur vous attend dans cette nouvelle vie. Certains solidifieront leur union par la venue d'un enfant.

- Plusieurs vivront une période de bonheur rempli de moments magiques et inoubliables. Les célibataires rencontreront leur partenaire idéal. L'union sera basée sur le respect, la fidélité, la loyauté et l'amour. Jamais vous n'aurez été aussi heureux qu'avec cette nouvelle personne. Ce sera le grand amour de votre vie.

- Un couple séparé se donnera une deuxième chance qui leur sera favorable.

- Plusieurs auront de belles conversations près d'un feu de camp ou près d'un lac.

- Plusieurs sorties se feront en bateau ou en moto. Certains parleront de faire l'achat d'un pédalo, d'un bateau ou d'une nouvelle moto. De plus, certains parleront de faire l'achat d'un chalet ou d'une roulotte pour faire du camping.

- Les amateurs de plein air seront choyés par les activités qu'ils entreprendront. L'une de leurs sorties sera très dispendieuse, elle sera toutefois inoubliable. De plus, plusieurs feront de belles sorties champêtres, entourés de musiciens, de chanteurs. Certains assisteront à des pièces de théâtre dans des villes étrangères. Bref, il y aura de belles sorties bénéfiques pour le moral.

- Période de triomphe et de réussite.

- Plusieurs recevront de bonnes nouvelles qui amélioreront leur vie.

- Plusieurs auront le privilège de solidifier ou reconstruire leur situation financière. Une sécurité financière se bâtit.

- Un couple renouvellera leurs vœux de mariage.

- Vous, ou un proche, recevrez une demande en mariage.

- Une personne malade consultera un spécialiste qui l'aidera à guérir de sa maladie.

- Une personne avec un problème de jeu se prendra en mains, au grand soulagement de sa famille.

- Les artistes et les sportifs gagneront des médailles, des trophées ou des honneurs. Des moments inoubliables marqueront favorablement leur vie.

- N'oubliez pas de jouer à loterie, puisque certains pourraient recevoir une belle surprise monétaire.

- On vous annoncera une grossesse ou la naissance de jumeaux.

- Plusieurs se consacreront à un but précis et l'atteindront avec fierté.

- Plusieurs consulteront un massothérapeute pour alléger une douleur physique.

- Certains feront une petite croisière ou seront invités à prendre part à un événement qui se tiendra sur un bateau.

- Vous, ou un proche, ferez l'achat d'un instrument de musique. Vous serez enchanté de votre achat. De plus, certains voudront perfectionner leur talent. Ils suivront des cours de chant ou de musique. Cette activité leur plaira.

- Certains verront deux de leurs désirs se réaliser.

- Plusieurs événements agréables surviendront durant la journée du dimanche.

- Certains planifieront un voyage outre-mer. Ce sera un très beau voyage.

- Plusieurs feront la rencontre de bons amis, des amis loyaux et fidèles.

- Vous, ou un proche, ferez une rencontre importante. Un sentiment puissant naîtra. Vous ne pourrez ni ignorer ni éviter ce sentiment. Ce sera un sentiment d'amour profond. À la suite de cette manifestation, une relation naîtra et, plus tard, un mariage d'amour suivra.

- Plusieurs amélioreront la qualité de leur vie. Un bel équilibre suivra.

- Vous, ou un proche, gagnerez une belle somme d'argent.

- Certains devront signer des papiers chez le notaire.

- Si vous avez deux animaux de compagnie, un troisième entrera dans votre demeure.

Saison automnale
(octobre-novembre-décembre)

« Prier, c'est communiquer avec la Lumière. »

(Paroles de l'Ange Omaël)

Tout comme lors de votre période estivale, tout vous sera acquis durant la saison automnale. Vous terminerez l'année en beauté. Plusieurs auront l'heureuse sensation d'avoir relevé des défis et de les avoir réussis. Bref, vous regarderez avec admiration les fruits de tous vos efforts. Plusieurs réaliseront que cela valait la peine d'avoir fait des sacrifices et d'avoir travaillé fort, puisque les récoltes seront abondantes et satisfaisantes. De plus, plusieurs verront leurs ennuis et leurs tracas disparaître comme par enchantement. Vous serez en pleine forme physique et vous n'aurez pas peur d'accomplir vos tâches. Rien ne vous arrêtera. Vous foncerez, vous créerez et vous obtiendrez. Telle sera votre saison automnale. Vous saurez exactement ce que vous voudrez et vous travaillerez en conséquence. Tout vous sera acquis, tout vous sourira. Que de belles réussites et de belles récompenses viendront vers vous.

Votre mois d'octobre sera féerique et magique. Il y aura tellement de belles situations qui surviendront lors de ce mois! Certains auront le privilège de voir un Ange. Les promesses seront tenues. Les associations seront fructueuses. Il y aura des changements qui se produiront et qui amélioreront votre vie. Vous analyserez et vous évaluerez toutes les possibilités qui s'offrent à vous pour régler vos problèmes, et vous les réglerez effectivement. Ne soyez pas surpris de vous faire jalouser par votre entourage. Votre grande détermination ainsi que vos nombreux succès dans presque tout, dérangeront les paresseux et les personnes jalouses. Toutefois, cela ne vous empêchera pas de continuer. Votre bonne humeur sera contagieuse et elle chassera les personnes négatives.

Bref, comme vous entrerez dans une période très chanceuse, je vous conseille de jouer à la loterie durant les mois de novembre et de décembre. Ce seront deux mois très importants pour vous. Tout tournera en votre faveur. Tout vous sera acquis. Toutes les transactions qui se feront et toutes les décisions qui se prendront seront à la hauteur de vos attentes. À la suite d'un déplacement, certains accompliront un projet ou obtiendront une excellente nouvelle. De plus, ne soyez pas surpris de recevoir des cadeaux magnifiques lors de ces mois. L'un de ces cadeaux pourrait être une magnifique somme d'argent. Il est évident que ces mois seront des mois de bonheur et de sécurité. Attendez-vous à vivre des moments agréables et mémorables en compagnie de gens que vous aimez. Le temps que vous passerez en famille sera précieux.

Sur le plan affectif

Une période remplie de joie, d'harmonie et d'amour. Plusieurs couples réaliseront qu'ils s'aiment et qu'ils sont bien ensemble. Les couples qui ont vécu des problèmes se pardonneront et se réconcilieront. Ils se laisseront une chance de reconstruire leur vie sur de nouvelles bases plus solides. De plus, il y aura trois événements qui vous rapprocheront de votre partenaire. Ces événements vous feront comprendre l'importance que votre partenaire occupe dans votre vie et vous dans la sienne. Les couples reconstitués relèveront un défi avec satisfaction. Ces êtres réaliseront l'importance de bâtir leur union de façon solide, équilibré et épanouie, et ce, pour le bonheur de toute la famille. Pour ceux qui vivront une période difficile avec le partenaire : des décisions importantes seront prises avant que l'année se termine.

Les enfants de **Damabiah** et d'**Haiaiel** seront satisfaits des décisions qu'ils prendront. Ces êtres feront des changements importants. Ces changements amélioreront l'ambiance de leur demeure et ils amélioreront leur relation. Les amoureux se consacreront du temps puisqu'ils réaliseront que c'est important. C'est la base essentielle de la réussite de leur union. Plusieurs planifieront un voyage avec leur partenaire. Il pourrait s'agir d'une fin de semaine en amoureux. Ce voyage rallumera la flamme de l'amour.

Des ultimatums seront lancés au partenaire des enfants de **Manakel**, de **Jabamiah** et de **Mumiah**. Plusieurs avertiront leur partenaire de changer leur attitude. Si la situation ne change pas, ce sera vous qui changerez et vous quitterez. Votre grande détermination fera réfléchir le partenaire, à un point tel que celui-ci fera tout pour vous satisfaire. Bref, votre couple se prendra en mains et vous avancerez fièrement vers un avenir plus prometteur. Grâce à cette nouvelle attitude que vous adopterez, vous passerez un magnifique automne ensemble, rempli de projets qui vous rapprocheront. La flamme du bonheur s'illuminera de nouveau sous votre toit.

Les enfants d'**Eyaël**, d'**Habuhiah** et de **Rochel** refléteront le bonheur même. Plusieurs se promèneront main dans la main avec leur partenaire. On se câlinera, on s'embrassera. Vous prendrez le temps de vous dire des mots doux, des mots tendres, des mots d'amour. Vous serez heureux et cela se verra. Plusieurs réaliseront l'importance qu'occupe leur partenaire dans leur vie et surtout dans leur cœur. Attendez-vous à avoir des soupers en tête-à-tête ainsi que de belles activités qui rallumeront la flamme du désir. On s'aime et on se le dit.

Pour les célibataires

Plusieurs auront la chance de rencontrer leur partenaire idéal. Une belle relation amicale se créera pour ensuite faire place à l'amour, un amour qui équilibrera votre vie.

Sur le plan du travail

Vous serez dans une période active et enrichissante. Plusieurs vivront de grands changements qui amélioreront leurs conditions de travail. Bref, il y aura deux événements qui vous apporteront de bonnes nouvelles. Plusieurs obtiendront un emploi rêvé ou une augmentation de salaire. Les associations seront fructueuses. Ceux qui prendront leur retraite seront satisfaits de leur décision. Les entrevues seront réussies. Les conflits seront réglés. Les projets seront couronnés de succès. Tout changement qui se produira, améliorera la qualité et l'ambiance de travail.

Les enfants de **Damabiah**, de **Manakel**, de **Jabamiah** et de **Mumiah** feront un changement qui leur sera avantageux. De plus, certains prendront des décisions importantes qui auront un impact favorable sur leur vie professionnelle. Certains obtiendront un poste rêvé. D'autres réussiront une entrevue. Un contrat sera renouvelé. Un contrat sera signé. Bref, plusieurs opportunités viendront vers eux pour améliorer ses conditions de travail.

Les enfants d'**Eyaël**, d'**Habuhiah**, de **Rochel** et d'**Haiaiel** seront satisfaits de tout ce qu'ils entreprendront. Ils auront la situation en mains et rien ne les effrayera, ni les arrêtera. Les entrevues seront réussies. Les discussions seront entendues. Les changements exigés seront appliqués. Certains recevront un honneur ou une promotion. D'autres obtiendront un poste désiré. Tout leur sera acquis. De belles récompenses viendront vers eux. Ces êtres seront fiers d'eux ainsi que de tout ce qu'ils accompliront pour améliorer la qualité de son travail. Les mots « réussite », « succès » et « satisfaction » les suivront pendant la période automnale.

Sur le plan de la santé

La santé sera excellente pour tous ceux qui prendront des vitamines, qui s'alimenteront bien et qui feront des exercices. Toutefois, les personnes négligentes devront surveiller les rhumes et les virus. Couvrez-vous bien lors de températures plus froides, ainsi vous éviterez des laryngites et des grippes virales. Certains seront obligés de garder le lit pendant quelques jours. D'autres devront prendre deux sortes de médicament pour soulager un problème quelconque.

Conseil angélique : Laissez la négligence de côté et prenez soin de votre santé! De plus, les alcooliques devront doubler de prudence. Certains auront de graves ennuis de santé, s'ils ne font pas attention à eux. Prenez le temps de consulter votre médecin, si une douleur persiste.

La plupart des enfants de **Damabiah**, d'**Eyaël**, d'**Habuhiah**, de **Rochel** et d'**Haiaiel** seront en pleine forme. Ces êtres respecteront leurs heures de sommeil. D'autres surveilleront leur alimentation. Certains ajouteront même à leur régime un produit naturel ou des vitamines pour rehausser et conserver une bonne énergie. Plusieurs feront des exercices physiques pour garder la forme. Bref, toutes ces bonnes intentions leur serviront bien, puisque ces êtres passeront la période sans aucun rhume, ni grippe. Par contre, les négligents auront un peu de difficulté avec les virus et ils se plaindront souvent de maux musculaires ici et là.

Les enfants de **Manakel**, de **Jabamiah** et de **Mumiah** devront surveiller leur santé. Ceux qui fument trouveront la saison automnale difficile. Ces êtres n'arrêteront pas de tousser. De plus, certains se plaindront de maux de gorge et de laryngites. Soyez vigilant avec votre santé et vous éviterez de garder le lit pendant quelques jours. À moins que cela ne vous dérange pas d'être en congé forcé de maladie! Bref, plusieurs se promèneront avec la boîte de papiers mouchoirs puisque le nez coulera souvent.

Sur le plan de la chance

Dame Chance ouvrira les portes de l'abondance. Les mois de novembre et de décembre vous réserveront de belles surprises. Si vous trouvez quelques pièces de monnaie par terre, ce sera votre signe de chance. Achetez un billet de loterie avec ces pièces de monnaie.

Voici quelques événements qui pourraient survenir au cours de la période automnale.

- Les portes de l'abondance s'ouvriront pour vous en novembre et en décembre. De belles surprises vous seront réservées dans tous les aspects de votre vie.

- Saisissez toutes les chances qui viendront vers vous. Certains verront d'une à huit opportunités s'offrir à eux. Ces occasions peuvent chambarder favorablement la vie. Ne laissez pas passer ces chances uniques.

- Que de belles satisfactions viendront vers vous. On verra le bonheur dans vos yeux.

- Plusieurs planifieront une activité hivernale. Certains iront faire du ski dans un endroit montagneux, de la motoneige ou du traîneau. Certains iront faire de la pêche sur glace. Bref, vos journées seront remplies de rires et de plaisir.

- Un enfant se blessera à la cheville ou au genou durant un sport d'hiver.

- Vous entendrez parler de plusieurs événements qui vous surprendront.

- Plusieurs auront le privilège de voir des changements améliorer leurs situations financière et amoureuse.

- Certains seront invités à une fête d'Halloween. D'autres organiseront ou participeront à un party de Noël. Une soirée mémorable.

- Vous assisterez ou vous participerez à une pièce de théâtre.

- Certains débuteront un nouveau travail qui les passionnera, un travail plus gratifiant et plus valorisant.

- Certains feront l'achat d'un manteau de fourrure. De plus, plusieurs se gâteront. Des récompenses toutes bien méritées!

- Certains se verront offrir une occasion en or de mettre sur pied un projet et de le réaliser. Ce projet connaîtra de bons résultats.

- Certains partiront dans le sud. Ce voyage sera réussi. La température sera mieux que ce que vous aviez espéré!

- Certains devront prendre des décisions importantes pour retrouver leur équilibre.

- Plusieurs recevront des cadeaux imprévus. De belles surprises qui vous rendront très heureux. Bref, des cadeaux que vous mériterez. Les gens récompenseront vos bonnes actions envers eux.

- Certains recevront une somme d'argent par héritage ou par cadeau d'un membre de la famille. Certains pourront même recevoir un billet de loterie chanceux.

- Vous, ou un proche, mettrez de l'ordre dans votre vie. Vous vous prendrez en mains et vous apporterez des changements importants qui marqueront l'année 2012.

- Certains seront heureux de leur perte de poids. Ils atteindront le poids qu'il s'était fixé. Vous serez récompensé après vos efforts. Toutefois, ne faites pas trop le gourmand durant la période des Fêtes!

- Certains parleront d'adoption. Si vos papiers sont conformes avec la loi, avant que l'année 2012 ne se termine, cet enfant sera dans vos bras.

- Certains recevront deux bijoux en or pour la fête de Noël. L'un de ces bijoux fera palpiter votre cœur de joie.

- Certains passeront le temps des Fêtes à l'extérieur de la ville ou dans un chalet loué. De belles discussions auront lieu près d'un feu ou d'un sapin de Noël.

- Une personne piquera votre curiosité. Vous chercherez à savoir ce que cette personne vous veut et ce qu'elle est venue faire dans votre vie.

- Certains devront signer des papiers importants.

- Une aide financière vous parviendra. Ceci vous permettra de vous remettre sur pied.

- Une femme subira une opération esthétique. Son opération sera réussie et cette dame sera satisfaite des résultats de son intervention chirurgicale.

- Annonce d'une guérison pour une personne souffrant d'un cancer.

Conclusion

Après avoir lu vos prédictions, celles de votre conjoint, de votre frère, de votre sœur, de vos amis, la notion la plus importante que vous devez retenir, c'est que vous créez votre propre vie. Vous êtes le maître de votre vie. Chacun de vous est unique et chacun de vous peut changer le sort de la planète. Aussi prétentieux que cela puisse paraître, l'avenir du monde vous appartient. Chaque chose que vous faites, chaque geste que vous posez et chaque parole que vous dites ont un impact sur l'évolution de la terre. C'est votre intention profonde qui créera le monde de demain. L'avenir vous appartient. Alors, faites le bien. Aidez votre proche prochain. L'entraide vous mènera sur le bon chemin. Malgré que l'avenir semble incertain, sachez que les êtres humains trouveront toujours le moyen de se sortir du pétrin! Surtout s'ils écoutent leur petite voix intérieure et qu'ils se laissent guider par les forces du monde qui les entourent.

Au plaisir de vous rencontrer dans un prochain ouvrage.

Joane Flansberry

Pour rejoindre Joane Flansberry, le lecteur est invité à lui écrire à l'adresse suivante : lejardindesanges@videotron.ca ou à visiter le site : lejardindesanges.com